ARQUITETURA e CONSTRUÇÕES

**NESTE NÚMERO:
SAMUEL KON
ENGENHARIA E COMÉRCIO LTDA.
JOÃO KON
PROJETOS S/C**

1) ~~Colocação espelho~~

2) ~~Pintura e ajuste~~

3) ~~Prateleiras escritório~~

4) - Chapo de alumínio cm
     fechadura
5) ~~Reposição peça divisória~~

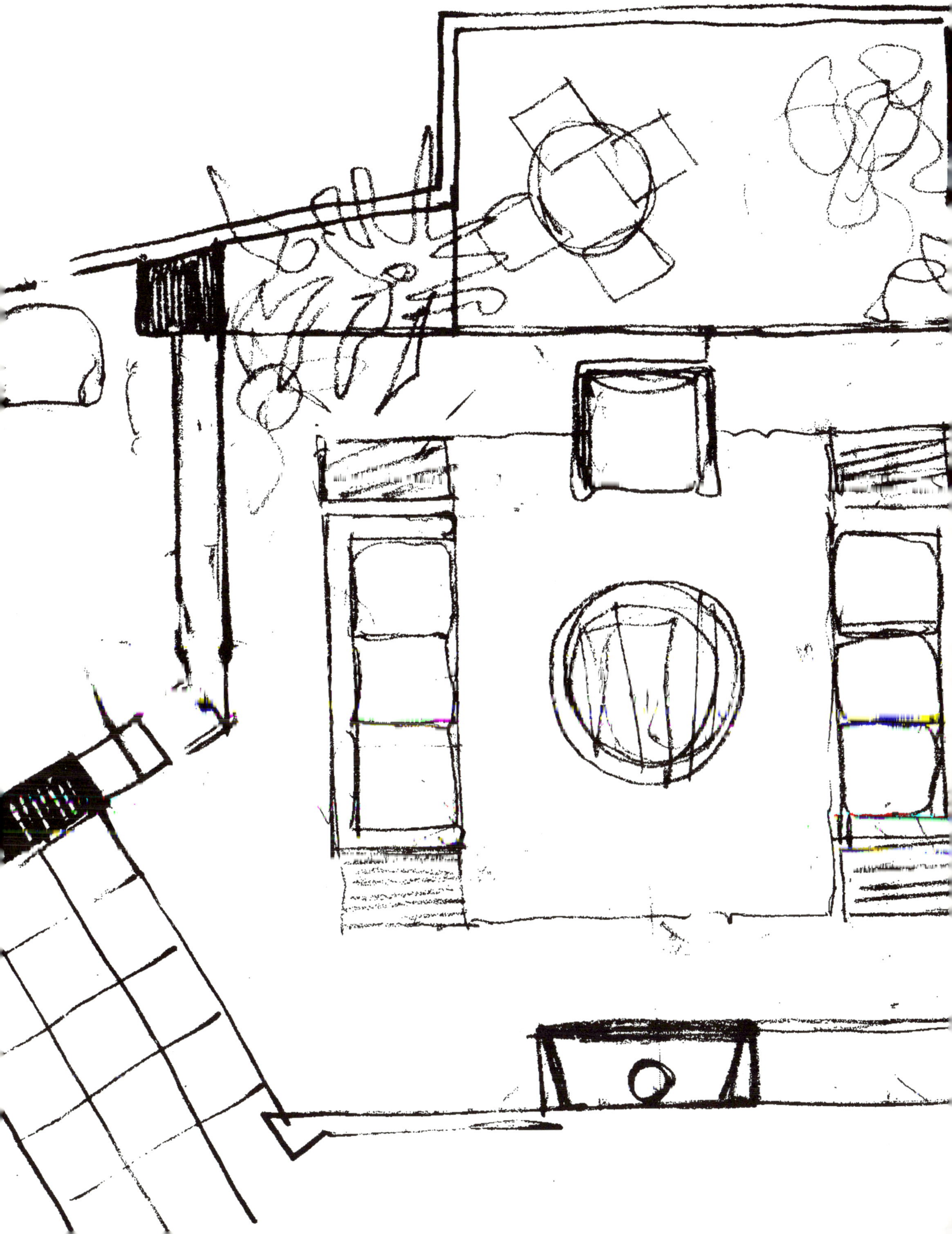

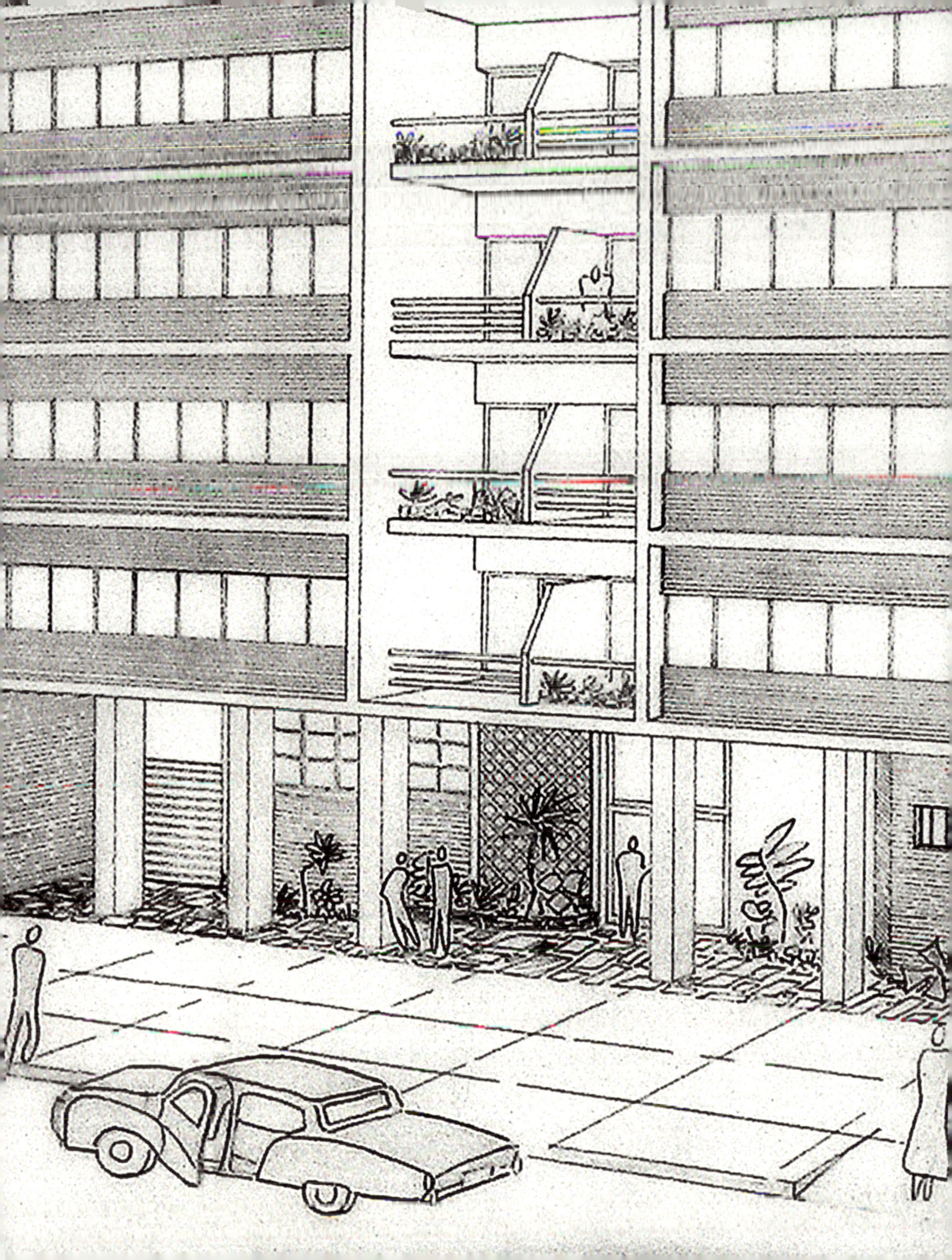

R. Peixoto Gomide
Perspectiva
projeto - João Kohn

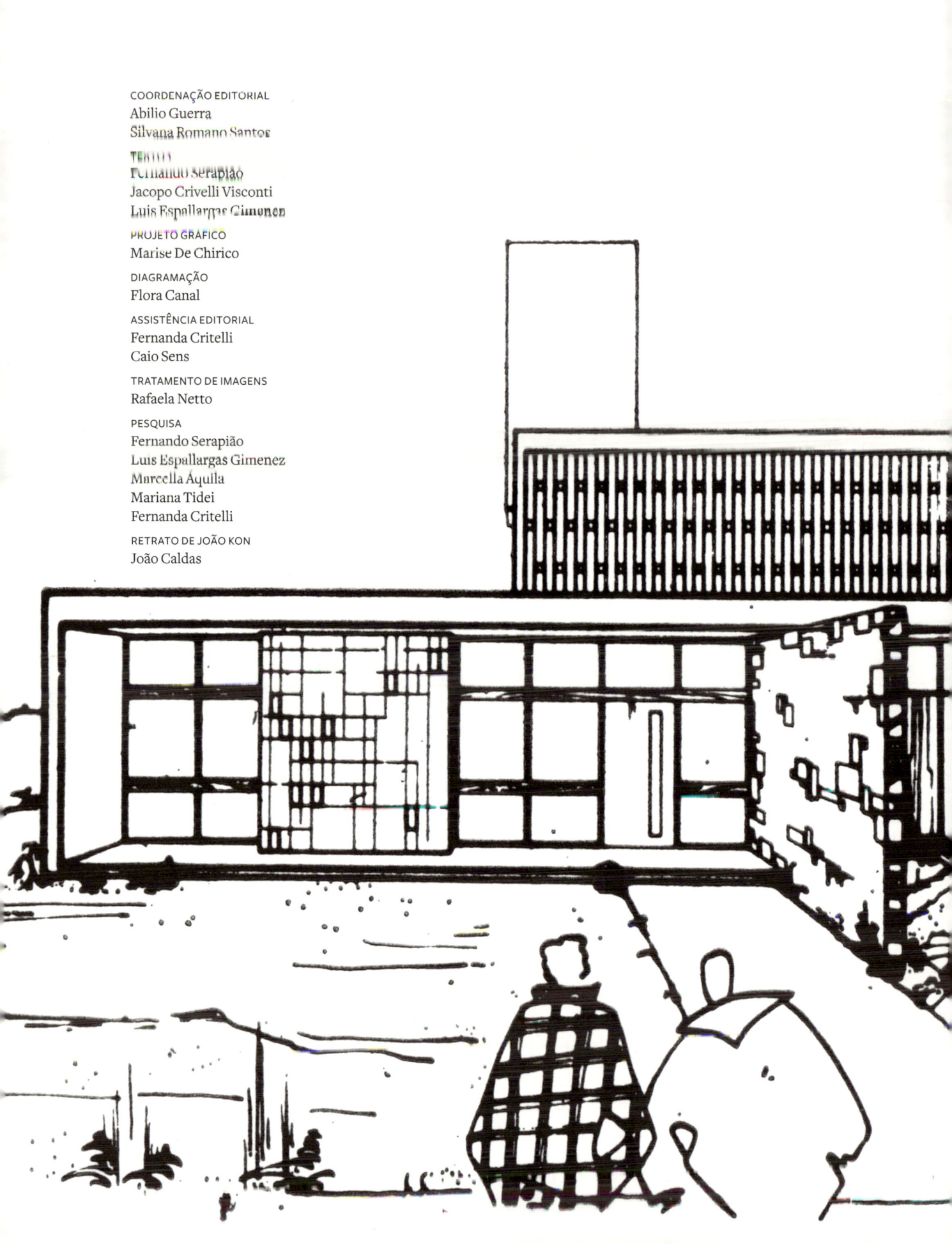

COORDENAÇÃO EDITORIAL
Abilio Guerra
Silvana Romano Santos

TEXTOS
Fernando Serapião
Jacopo Crivelli Visconti
Luis Espallargas Gimenez

PROJETO GRÁFICO
Marise De Chirico

DIAGRAMAÇÃO
Flora Canal

ASSISTÊNCIA EDITORIAL
Fernanda Critelli
Caio Sens

TRATAMENTO DE IMAGENS
Rafaela Netto

PESQUISA
Fernando Serapião
Luis Espallargas Gimenez
Marcella Áquila
Mariana Tidei
Fernanda Critelli

RETRATO DE JOÃO KON
João Caldas

ARQUITETO JOÃO KON

ORGANIZAÇÃO
Abilio Guerra
Luis Espallargas Gimenez
Fernando Serapião

ENSAIOS FOTOGRÁFICOS
Nelson Kon

Romano Guerra Editora
São Paulo, 2016

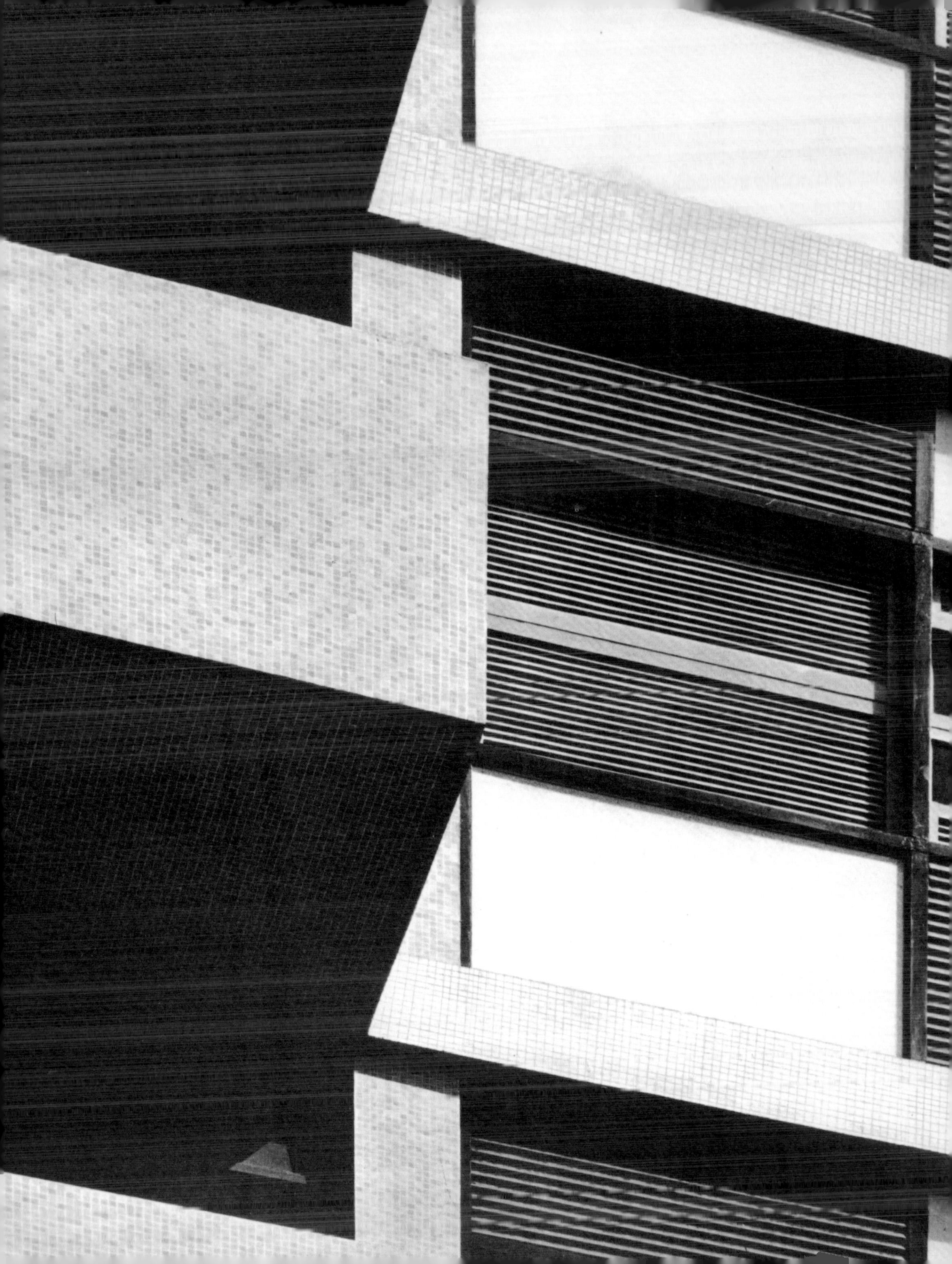

16
João Kon, um percurso familiar e profissional
FERNANDO SERAPIÃO

68
Em diálogo: a trajetória de João Kon entre arquitetura e artes plásticas
JACOPO CRIVELLI VISCONTI

98
O arquiteto João Kon e os edifícios habitacionais
LUIS ESPALLARGAS GIMENEZ

204
Fichas de projetos
LUIS ESPALLARGAS GIMENEZ
   EDIFÍCIO PRIMAVERA 208
   EDIFÍCIO LORENA 218
   EDIFÍCIO ALBATROZ 228
   EDIFÍCIO JURITI 238
   EDIFÍCIO ANAMBÉ 250
   EDIFÍCIO JABORANDI 260
   EDIFÍCIO PLACE DE L'ETOILE 272
   EDIFÍCIO LEBLON 282
   EDIFÍCIO LEME 292
   EDIFÍCIO ITAPOAMA 304

318
Lista de obras construídas

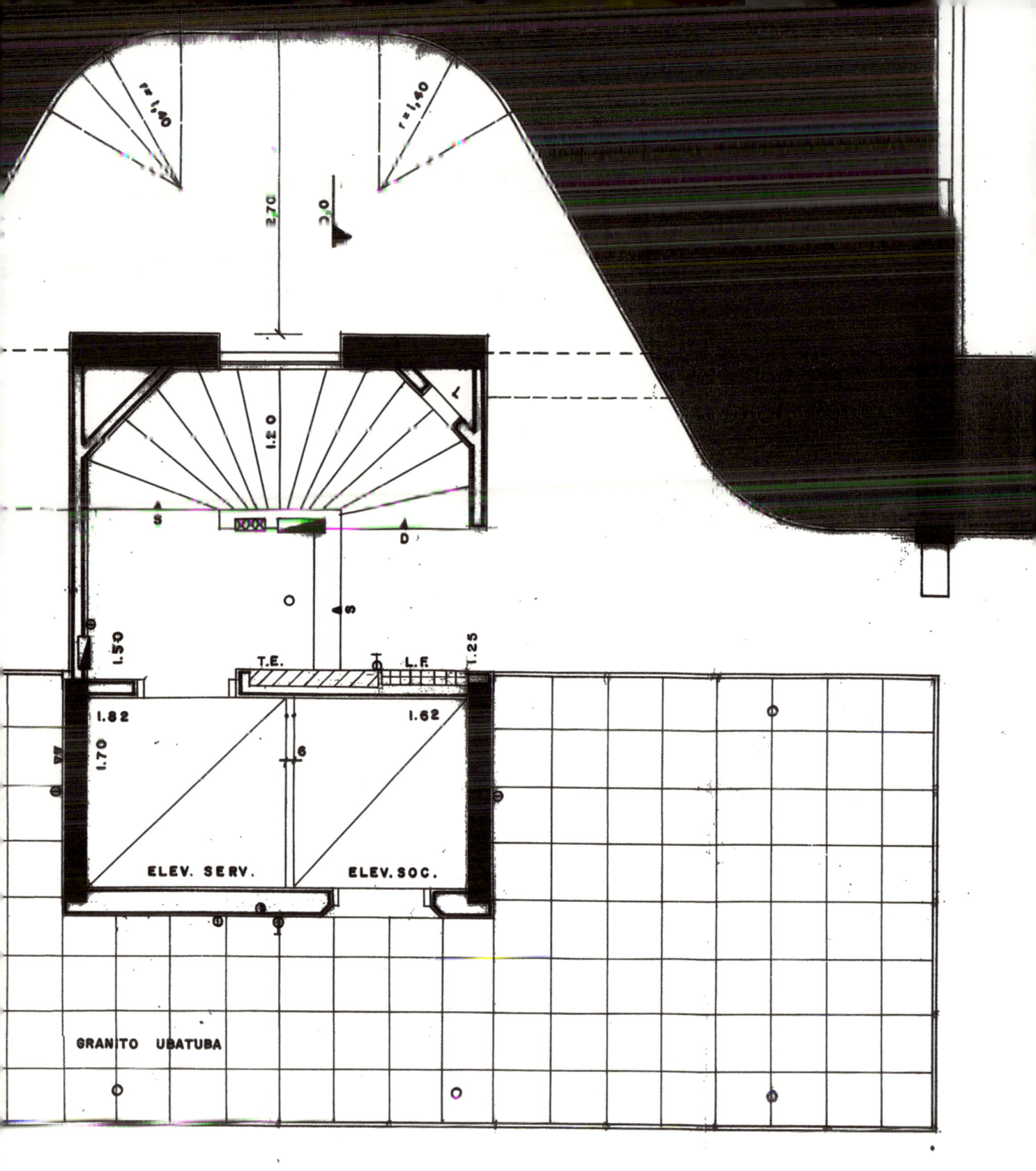

P.A. 00

r=1,40 r=1,40

2,70 2,0

1,20

1,50 T.E. L.F. 1,25

1,82 1,62

1,70 6

0,77

ELEV. SERV. ELEV. SOC.

GRANITO UBATUBA

MEDIDORES DE AGUA E GAS

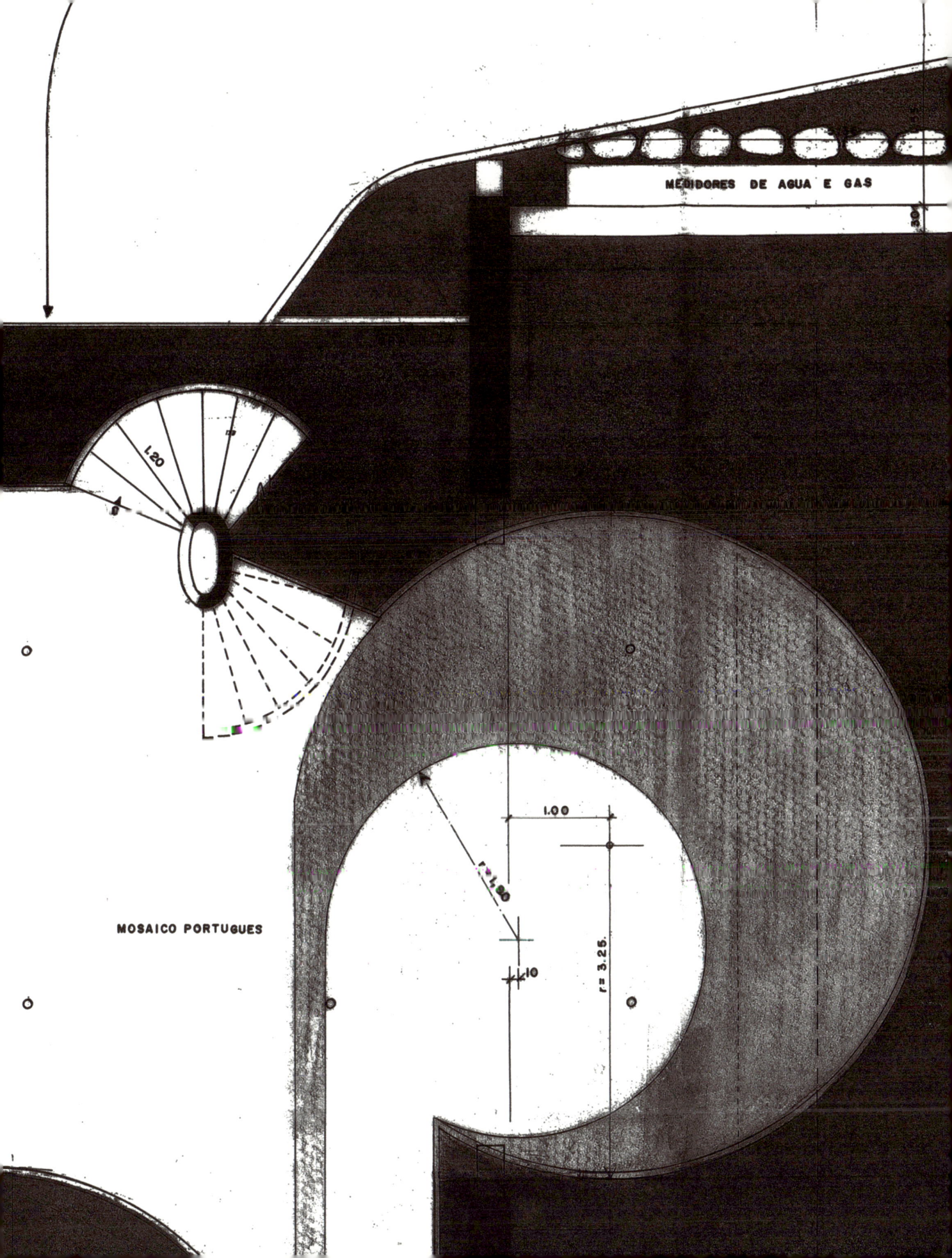

1.20

MOSAICO PORTUGUES

1.00
r = 1.00
r = 3.25
.10

João Kon, arquiteto recém-formado, 1956

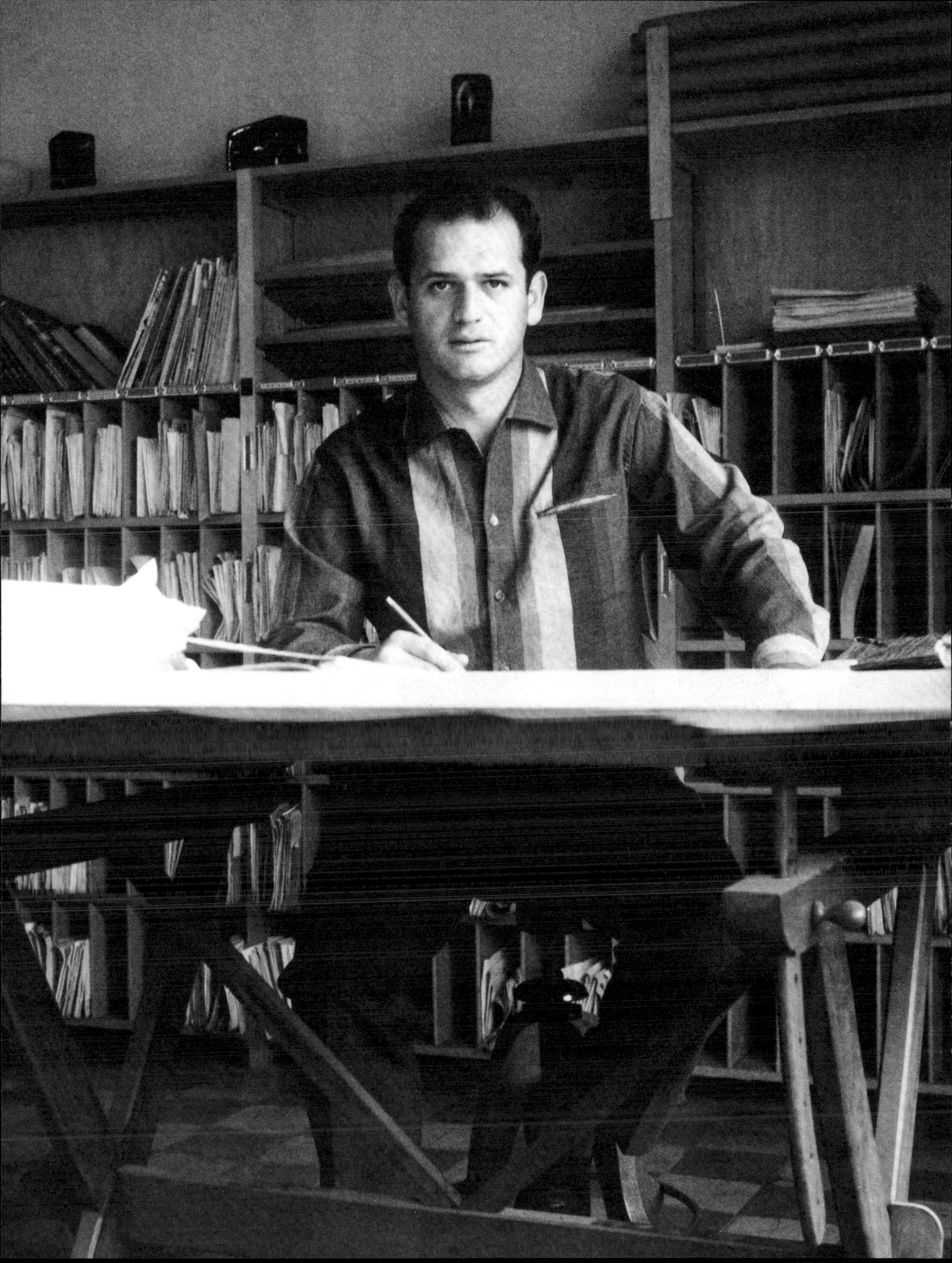

João Kon, arquiteto recém-formado, 1956

João Kon, um percurso familiar e profissional

FERNANDO SERAPIÃO

O TRILHO

"Seu filho está *debaixo* do bonde!", o berro desesperado ecoou na entrada da loja de roupas masculinas da rua José Paulino e gerou um corre-corre naquela tarde pacata. O exasperado clamor reverberou no início dos anos 1940, época em que a linha do bonde rasgava a aorta comercial do Bom Retiro, bairro da região central de São Paulo. O carro da linha nº 1 havia saído do largo São Bento, perto do coração da cidade, desceu a rua Florêncio de Abreu até alcançar a praça da Luz e, em seguida, dobrou a José Paulino. O destino final era a rua Jaraguá, na extremidade do Bom Retiro. Enquanto os passageiros subiam e desciam na parada próxima ao número 400 da José Paulino, o pequeno Zeca deitou na linha do bonde e ficou esperando ele passar. A travessura infantil não era exatamente uma novidade: a família Kon estava acostumada às traquinagens de Zeca que, com menos de dez anos de idade, vivia se escondendo nas prateleiras de tecidos da confecção familiar enquanto seus pais, desesperados, gritavam seu nome ao vento. Mas entrar embaixo do bonde foi a gota-d'água para Godel Kon: seu filho saiu ileso da brincadeira, mas, para colocá-lo no trilho, o pai transferiu-o para um colégio interno. "Eu, curioso, só queria ver como era um bonde por baixo. E deitei na rua", justifica-se Zeca, setenta anos após a diabrura. "O bonde passou e subiu uma poeira nos olhos que eu não enxerguei nada..."[1]

BOM RETIRO, BAIRRO JUDAICO

Os trilhos fazem parte da história do Bom Retiro.[2] Mais importante que receber a primeira linha de bonde elétrico da cidade, em 1900, a estrada de ferro marcou indubitavelmente a evolução urbana do bairro. Com o intuito de fluir a exportação de grãos de café do interior paulista através do porto de Santos, uma linha férrea cortou a capital na segunda metade do século 19 e definiu os limites e o destino do Bom Retiro que, até então, era composto por chácaras de fim de semana de abastadas famílias paulistanas. A estrada de ferro definiu o perímetro sul do bairro, que foi arruado entre as décadas de 1880 e 1890. Por outro lado, a argila da várzea do rio Tietê, que delimita o Bom Retiro ao norte, foi a matéria-prima para a primeira grande olaria da cidade.

à esquerda

Inauguração da primeira linha de bonde para o Bom Retiro, maio de 1900

Casa do Povo, como é conhecido o Instituto Cultural Israelita Brasileiro – ICIB, que abrigava o Teatro TAIB, o jornal *Nossa Voz* e o Colégio Scholem Aleichem, anos 1960

à direita

Cerimônia no terreno na rua Três Rios onde seria construído o ICIB, 1947

Sociedade Cooperativa de Crédito, Bom Retiro, anos 1950

Godel Kon (ao centro na terceira fila) em reunião da Associação dos Poloneses Israelitas, Bom Retiro, anos 1940

Além de estimular a mudança no sistema construtivo dos prédios paulistanos da taipa para o tijolo de barro, a Olaria Manfred inaugurou a vocação fabril do Bom Retiro. Em seguida, o distrito assistiu à abertura de inúmeras indústrias, como a Fábrica Anhaia, de tecidos de algodão, ou a Cervejaria Germânia, depois transformada em Antarctica. As manufaturas atraíram trabalhadores, e a localidade, assim como o Brás ou a Mooca, ganhou o perfil de um bairro operário na virada do século 20. Se o trem descia a serra apinhado de ouro negro, ele subia trazendo europeus, tanto produtos como imigrantes. A proximidade com a linha férrea levou a municipalidade a construir no Bom Retiro, em 1884, o primeiro alojamento de imigrantes da cidade. Entre os estrangeiros, os portugueses eram os mais numerosos no Bom Retiro na metade do século 19; depois, no final do século, os italianos eram predominantes; por fim, os israelitas tomaram a dianteira nas primeiras décadas do século seguinte (hoje são os coreanos que ainda mantêm vivo o aspecto cosmopolita do Bom Retiro).

Durante a primeira metade do século 20, o Bom Retiro tornou-se o bairro judeu de São Paulo, sendo o distrito judaico mais populoso do país. A presença da colônia podia ser percebida nas sinagogas e escolas judaicas. Entre as décadas de 1910 e 1930, também surgiram no bairro diversas entidades assistenciais da colônia, que tinham como objetivo dar suporte aos membros recém-chegados. Uma delas, a Sociedade Cooperativa de Crédito Popular do Bom Retiro, foi criada em 1928 e converteu-se em uma espécie de caixa de empréstimos. Ela também auxiliava imigrantes a encontrarem trabalho, local de moradia, e ajudava diretamente os mais necessitados. O resultado prático foi que, de maneira geral, muitos dos membros da comunidade, que chegaram no país praticamente sem recursos, prosperaram economicamente e criaram raízes no Bom Retiro. Isso modificou o perfil do bairro, que deixou de ser uma parada temporária, fama que recaía sobre ele desde a hospedaria dos imigrantes. As famílias de origem judaica – sobretudo os asquenazes, oriundos da Europa oriental e Rússia – fincaram raízes mais profundas que os portugueses e italianos. Prova disso é que, a partir da década de 1930, os judeus tornaram-se os maiores compradores de imóveis do Bom Retiro. A primeira atividade que muitos deles exerceram foi a de mascate, vendendo de porta em porta todo tipo de produto; em seguida, houve uma predominância de atividades no comércio, principalmente dirigindo pequenas confecções.[3] Ironizadas como "indústrias de fundo de quintal", esse tipo de empreendimento fabricava roupas nos fundos dos imóveis enquanto, na frente, havia um ponto de venda. As lojas-confecções do Bom Retiro, que tinham entre dois e dez funcionários, ajudaram a modificar a localidade, que deixou o perfil de bairro operário e se transformou em um movimentado distrito comercial na metade do século 20.

24

à esquerda

Vista panorâmica de Lódz, Polônia, 1930

Tripulantes e passageiros no navio que transportou Godel Kon ao Brasil, 1929

acima

Registro de entrada de Godel Kon no Brasil, 1929

FAMÍLIA KON

Os Kon poderiam ser tomados como exemplo típico entre os núcleos familiares judaicos que ajudaram a transformar o Bom Retiro. No Brasil, a história deles começou quando Godel Kon chegou a São Paulo em 1929, aos 27 anos de idade. De origem judaico-polonesa, ele nasceu em Szydłów, uma pequena aldeia do Condado de Staszów, situado no centro-sul do país. O sobrenome da família (então grafado como Kohn) é a variação polonesa para Cohen, nome dado aos sacerdotes na Torá, cujo líder atendia por Cohen Hagadol; como o segundo termo significa "O grande", teríamos algo como "O grande Cohen". Trata-se da mesma origem do sobrenome russo Kogan ou do português Cunha, e mais dezenas de outras variações.

Godel Kon era operário e sindicalista em Lódz, na Polônia, e integrou o Partido Comunista Polonês desde os quinze anos. Seu pai era professor de estudos religiosos e foi assassinado aos 27 anos, após uma discussão política com integrantes do Bund, confederação de esquerda formada por operários judeus da Lituânia, Polônia e Rússia. Seus descendentes não sabem os motivos exatos que o motivaram a imigrar, mas a situação política, social e econômica da Polônia não lhe era favorável. Em um país marcado pelo antissemitismo, Godel era perseguido pela dupla condição de comunista e judeu, e foi preso inúmeras vezes. Assim, já casado, resolveu mudar-se para o Brasil sem conhecer ninguém no longínquo país sul-americano. Contudo, a crônica familiar registra o mote político: "Ele contava que soube, não sei como, que no Brasil era feriado no dia 1º de maio. E, na Polônia, ele era preso um dia antes do dia do trabalho, porque era um conhecido agitador", rememora Zeca. Godel pode ter tido acesso à informação a respeito do feriado no Brasil em algum panfleto político ou turístico, pois, cinco anos antes de ele aportar no Brasil, o governo brasileiro instituiu o descanso no dia do trabalho.

Ao chegar em São Paulo, sozinho e sem recursos, Godel Kon foi amparado pela Sociedade Beneficente Israelita Ezra – que recebia imigrantes em Santos, mantinha pensões, ministrava aulas de português e os encaminhava para o mercado de trabalho, muitas vezes temporário. Um dos afazeres transitórios de Godel foi vender bonés.

à esquerda

Godel Kon, anos 1940

Godel Kon e Sara Kon, anos 1930

João Kon e Samuel Kon no triciclo, 1935

à direita

João Kon e Samuel Kon, 1945

Casamento de João Kon e Anita Okret, com Vladimir Okret à direita, 1957

Samuel Kon e João Kon ladeando a irmã Rosa e a mãe Sara, 1947

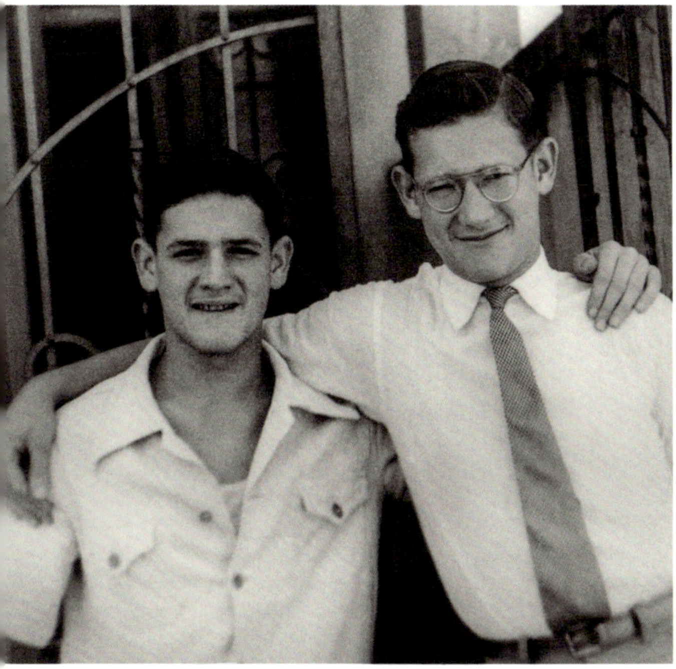

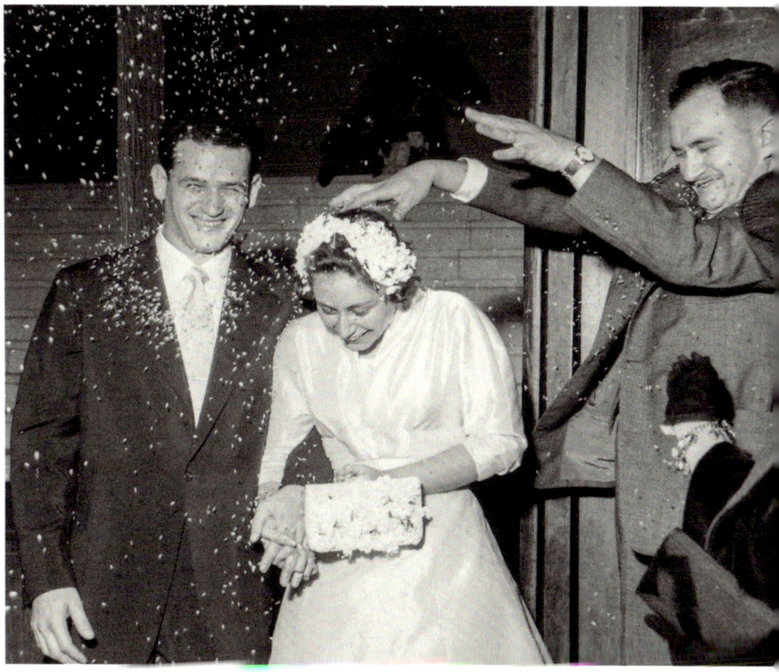

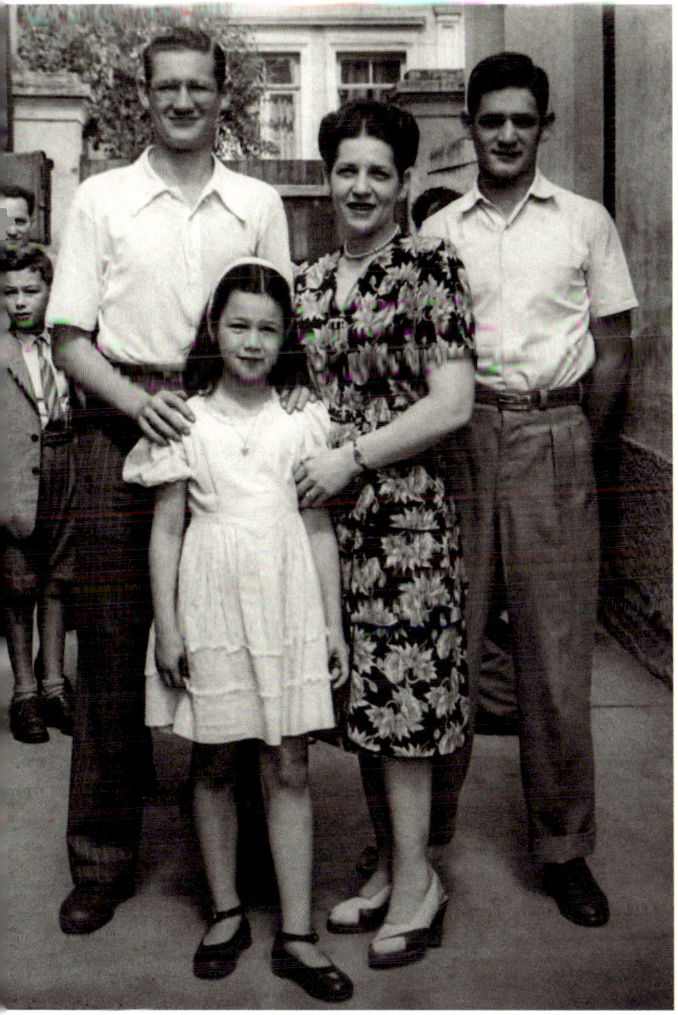

Avenida Rangel Pestana, proximidades do Largo da Sé, 1933

Rua Três Rios, Bom Retiro, sem data

Lyceu Nacional Rio Branco, posteriormente Colégio Rio Branco, rua Dr. Vilanova, sem data

A dinâmica era a seguinte: ele recebia cinco bonés de um patrício que fabricava as peças, vendia tudo como mascate e ficava com parte do lucro. Com a primeira reserva de dinheiro que juntou, Godel custeou a viagem de sua mulher da Polônia para o Brasil. Com a chegada de Sara Kon (Klutchkovska era seu sobrenome de solteira), o casal estabeleceu-se no Brás, nas proximidades da avenida Celso Garcia. Lá, eles começaram a trabalhar no ramo das roupas prontas: Godel comprava uma calça, e Sara a descosturava para, em seguida, fazer um molde e produzir peças iguais. Eles tiveram três filhos: primeiro nasceu Samuel, em 1931; pouco mais de um ano depois, foi a vez de Zeca, que nasceu no Brás em 1933; por fim, Rosa, a caçula, veio ao mundo seis anos depois de Zeca e cresceu quando os Kon já estavam no Bom Retiro. A família vivia em um sobrado adaptado da José Paulino: no térreo, funcionava a pequena confecção no fundo e a loja de roupas masculinas aberta para a via, e o primeiro andar abrigava os aposentos dos Kon.

JOÃO KON, O "ZECA"

O episódio do bonde rendeu a Zeca uma transferência de escola e de bairro: ele saiu do Liceu Campos Salles, no Bom Retiro, e foi para o Colégio Stafford, internato na alameda Cleveland, no bairro vizinho dos Campos Elíseos – nas imediações, ficava o antigo casarão da família de Santos Dumont, transformado em ala feminina do mesmo colégio e hoje restaurado para abrigar o Museu da Energia de São Paulo. No ano seguinte, Zeca foi transferido para o Colégio Rio Branco, tradicional escola paulistana. Na época, o Rio Branco ficava na rua Doutor Vila Nova, na Vila Buarque, no prédio que, nos anos 1960, abrigou a Faculdade de Economia da Universidade de São Paulo. "No Rio Branco, eu era o único aluno internado que a família vivia na capital. Em geral, os internos eram de famílias que moravam no interior", lembra-se Zeca. Enquanto seus irmãos continuaram no regime escolar convencional, até o começo do antigo ginásio, Zeca permaneceu morando na escola e visitando a família somente nos fins de semana; isto é, caso ele se comportasse durante a semana; na hipótese contrária, ele permanecia sábado e domingo na escola (uma curiosidade no parêntese:

se o internato poderia parecer uma prisão para o garoto, ironicamente, o prédio hoje abriga a sede da Secretaria de Estado da Administração Prisional). De toda forma, Zeca deve ao Rio Branco o desenvolvimento de sua aptidão para o esporte, que o acompanhou por muito tempo. Com saudades, ele se recorda da piscina e do campo de futebol de terra batida que havia no colégio. Também foi no Rio Branco que ele começou a ter aulas de música, paixão de toda a vida.

Ele tinha onze anos quando foi convocado a participar da cerimônia que marcou o final do primário e o início do ginásio no Rio Branco. Com alunos de outras classes, o ato formal ocorreu no auditório do colégio. Seguindo uma lista em ordem alfabética, uma das professoras chamou um a um os alunos para receberem o diploma. Quando ela anunciou o nome de João Kon, Zeca estranhou e pensou que deveria "ser um aluno de outra classe que tem o meu sobrenome" e não deu muita bola. A condutora da cerimônia insistiu, aumentando gradativamente o tom: "João *Kon*. João *Kon*". Como nenhum aluno se manifestou, outra educadora se levantou e aproximou-se de Zeca, dizendo: "é você!". Espantado, ele respondeu: "não sou eu não: eu me chamo José!". E ela retrucou "Não. É você!". E foi assim, na antessala da adolescência, que Zeca descobriu que seu verdadeiro nome era João. Vamos aos fatos: sua mãe queria batizá-lo José, em homenagem ao pai dela, enquanto Godel Kon queria que o filho se chamasse Jean, em deferência a Jean Jaurès, líder da esquerda francesa nas primeiras décadas do século 20; ao chegar ao cartório para registrá-lo, Godel pronunciou "Jean" e o tabelião perpetuou "João". E, assim, Zeca foi registrado, e Godel não teve coragem de contar a verdade a ninguém. A criança cresceu sendo chamada de José, Zequinha e, principalmente, Zeca. E assim continuou, mesmo depois que ele descobriu ser João.

Edifício Chamberlain, o "Castelinho", antigo edifício da Faculdade de Arquitetura da Universidade Mackenzie, foto sem data

João Kon, estudante de arquitetura, 1951

João Kon (na última fileira, o primeiro da direita para a esquerda) em foto da turma do primeiro ano da Faculdade de Arquitetura Mackenzie, 1951

CURSO DE ARQUITETURA DO MACKENZIE

Zeca era adolescente quando a família se mudou para uma casa na rua Três Rios, a poucas quadras de distância da José Paulino. A loja de roupas da família permaneceu no endereço antigo. Menos de uma década depois, evidenciando o incremento do padrão financeiro, a família Kon deixou o Bom Retiro: Godel comprou uma casa na rua Araquã, uma via curta, de uma única quadra, que integra um diminuto loteamento da Cia. City, junto ao início da avenida 9 de Julho. Diferentemente do Bom Retiro, que agrupava residências, comércio e indústria, a morada nova dos Kon estava em zona residencial, com casas recuadas das divisas e padrão elevado. Na região, por exemplo, os Kon eram vizinhos de Oswaldo Bratke – um dos mais refinados arquitetos paulistas da época –, que morava e trabalhava na rua Avanhandava.

Foi na casa da Araquã que Zeca começou a montar aeromodelos, construindo pequenos aviões e planadores. O hobby influenciou-o na escolha de seu futuro profissional: no ano em que ele prestou vestibular, o Instituto Tecnológico da Aeronáutica (ITA) inaugurou o *campus* de São José dos Campos, e os alunos que estudavam engenharia aeronáutica provisoriamente no Rio de Janeiro foram transferidos para os prédios de Oscar Niemeyer no Vale do Paraíba. "Eu montava aviões, era meu negócio. E eu queria estudar no ITA. Quando eu pensava em ITA, eu pensava em projetar aviões. Então, projetar prédios era próximo", conta Zeca.

Em sua preferência pelo Mackenzie deve ter pesado o fato de seu irmão mais velho já cursar engenharia na instituição.

Zeca começou a cursar arquitetura no Mackenzie aos dezessete anos (turma 1951-55), quando o curso era dirigido por Christiano Stockler das Neves, que liderou a escola por quarenta anos, de 1917 a 1957. Formado na Pensilvânia, Stockler das Neves é autor da Estação Júlio Prestes (atual Sala São Paulo) e foi prefeito nomeado da cidade durante alguns meses do ano 1947. O curso foi inspirado no currículo das faculdades norte-americanas que tiveram origem nas escolas francesas de belas-artes, e a espinha dorsal do programa eram as cadeiras de pequena e grande composições. A fama do curso era boa, principalmente em relação às técnicas construtivas. "Eram os mesmos professores do curso de engenharia", lembra Zeca, que teve aula de cálculo com o engenheiro Roberto Zuccolo, cujo nome figura no hall dos grandes calculistas que trabalharam em São Paulo.[4] Também é digna de menção a disciplina de desenho artístico. "O professor era ótimo, o Pedro Corona. E, depois, tivemos aula com o Takeshi Suzuki".

Mas, se do ponto de vista técnico, a formação mackenzista era boa (e, até hoje, essa é sua fama no mercado), em relação à história da arquitetura, a faculdade deixava a desejar: o moderno, que nos anos 1950 era um movimento já estabelecido e estabilizado, não fazia parte do currículo. Antimoderno convicto e nacionalista,

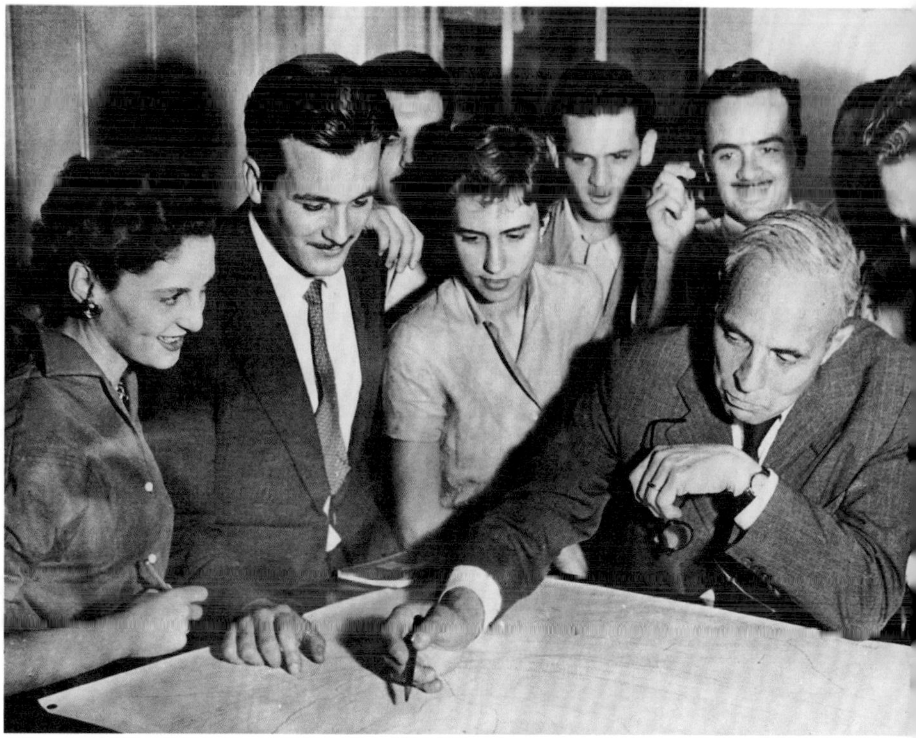

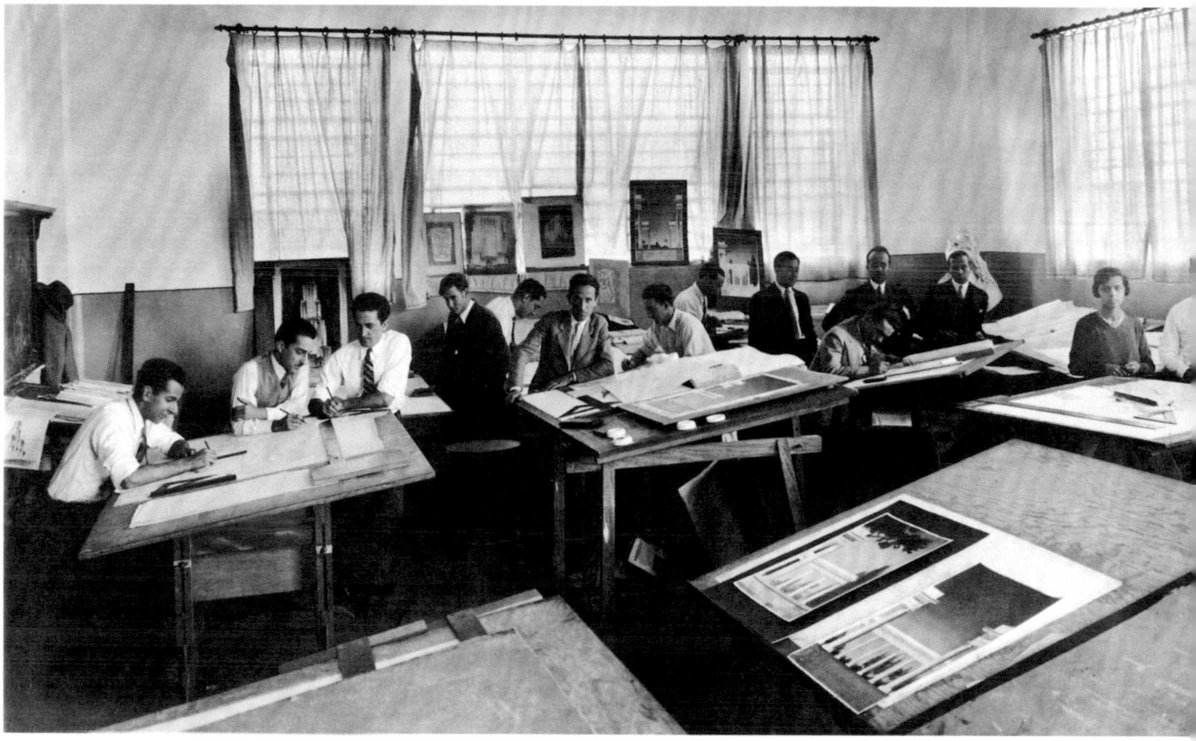

à esquerda

Da esquerda para a direita, os alunos do curso de arquitetura Sabina Tchernobilsky, Gabriel Mário Rodrigues, Lieselotte Maria Mahnke, João Kon, Hugo Andrade de Souza Júnior e Nelson Rocha ouvem comentários do professor de urbanismo, engenheiro civil Henrique Neves Lefèvre, anos 1950

Ateliê de projeto da Faculdade de Arquitetura da Universidade Mackenzie, anos 1950

à direita

Em pé, da esquerda para a direita, Nadir Cury, Mário Narciso Puggina, Nelson Rocha, Cleon Furtado, Moacyr Reinaldo Artencio, Muneo Chiota; sentados, da esquerda para a direita, José Sebastião Candia, João Kon, Lieselotte Maria Mahnke, Lourival Martins Guimarães, Amaury Pinto Rodrigues e Gabriel Mário Rodrigues, alunos do curso de arquitetura, anos 1950

Ateliê de desenho da Faculdade de Arquitetura da Universidade Mackenzie, anos 1950

João Kon (primeiro à esquerda, agachado) na equipe de basquete do Mackenzie, Ginásio Edward Horatio Weeden, 1952

João Kon (de sobretudo, olhando para trás) em jogo no Dia do Mackenzista, 1952

Edifício Brasílio Machado, São Paulo, 1958

João Kon e Samuel Kon, 1957

Stockler das Neves chegou a cancelar assinaturas de revistas estrangeiras por considerá-las impróprias e a afirmar, em polêmica com Gregori Warchavchik[5] – ocorrida no entreguerras –, que a vanguarda arquitetônica era coisa de comunista e judeu. Contudo, essa visão não era compartilhada, em nenhum de seus aspectos, por Kon, que mantinha excelente relacionamento com o diretor: "o Christiano era o tradicional, mas ele não impunha o tradicional, isto que era interessante: ele impunha a estética. Por isso que, quando eu vejo um prédio clássico, eu consigo ver se ele tem qualidade ou não. Porque existe a qualidade estética em qualquer estilo", pondera Zeca. "Quando fazíamos os projetos, o Christiano fazia os seus comentários, o Elisiário Bahiana também. Mas eles não criticavam o modernismo. Eles faziam uma crítica à estética".

Quase de maneira subversiva, os estudantes mais interessados no modernismo formaram uma rede paralela de informações. Contrariando o diretor, a conspiração modernista dos alunos ocorria na sala de desenho artístico: abertos à novidade, os conspiradores passavam revistas e livros importados de mão em mão. O farol era a vanguarda arquitetônica europeia e, principalmente, norte-americana. A convivência entre estudantes de turmas diversas era facilitada, pois todos dividiam, às quintas-feiras, a sala de desenho artístico.[6] Ali, enquanto desenhavam trabalhos ecléticos em papel fabriano molhado, esticado e colado sobre a mesa, o grupo clandestinamente se informava sobre as novidades do Hemisfério Norte. No início, as classes eram pequenas, de seis a dez alunos; a turma do Zeca já era maior, possuía sessenta estudantes. Os mais novos acostumaram-se a ouvir conselhos dos mais velhos, aprendendo sem a autoridade de um professor para mediar a informação. É por isso que alguns destacados arquitetos, como Roberto Aflalo (formado quando Zeca entrou na faculdade), se diziam autodidatas. "Nós estávamos por dentro de tudo o que acontecia, mas você não aprendia isso", Zeca lembra. Tal como uma corrente, a conspiração moderna passou, de aluno para aluno, informações que foram fundamentais para o desenvolvimento da arquitetura paulista.

Para Zeca, em especial, outro ponto de integração entre as turmas do Mackenzie era o esporte. Dando continuidade ao período do Rio Branco, ele integrou a equipe de basquete da faculdade, com colegas como Luís Fortes, Muneo Chiota, Oduvaldo Vianna Filho (Vianinha), Paulo Dimantas, Maurício Tuck Schneider e outros.

CONSTRUÇÃO CIVIL

Tal como a eterna questão de quem veio primeiro – o ovo ou a galinha –, não é muito clara a ordem dos fatos: com um filho na engenharia e outro na arquitetura, Godel redirecionou os negócios da família para o ramo da construção civil; ou será que os investimentos do pai influenciaram a escolha profissional dos filhos? Seja como for, em vez de reinvestir os lucros da confecção na própria empresa, Godel se transformou, pouco a pouco, em um agente imobiliário, ao financiar pequenos empreendimentos no Bom Retiro. Esse tipo de diversificação econômica, aplicando recursos provenientes das confecções em imóveis, foi frequente na comunidade judaica instalada no Bom Retiro.

Quando ainda estavam na faculdade, Zeca e Samuel começaram a trabalhar justamente em pequenas empresas nas quais Godel era parceiro, no ramo imobiliário. Samuel trabalhou na Construtora Kusminsky, e Zeca, desde o segundo ano do curso, deu expediente em um escritório de arquitetura que projetava para construtoras. A empresa ficava no Centro Novo, em um prédio na Conselheiro Crispiniano, e era dirigida pelos arquitetos Leone Fichberg e Victor Gandelman, formados no Mackenzie. "Eles fizeram o projeto de um predinho na rua José Paulino que o meu pai construiu. Ele tinha um terreno e queria construir um prédio, e chamou o engenheiro José Meiches, que indicou os arquitetos para fazer o projeto", conta Zeca.

De certa forma, vários tópicos da biografia de Godel Kon personificam a trajetória frequente de integrantes da colônia judaica que se estabeleceram em São Paulo no entreguerras:[7] de origem polonesa, ele chegou ao Brasil sem recursos e foi amparado por instituições assistenciais; instalou-se no Bom Retiro, atuou como fabricante e vendedor de roupas, e preparou a segunda geração para atuar no mercado imobiliário.[8] Zeca, por sua vez, depois de entrar debaixo do bonde, foi forçado a deixar as diabruras para trás e entrou no trilho: foi moldado pelos colégios internos, pela música e pelo esporte, e, por fim, pelo Mackenzie.

EDIFÍCIO PRIMAVERA

No final dos anos 1950, com cheiro de madeira e pastilhas reluzentes, o Edifício Primavera reinava quase absoluto sobre um mar de sobrados de tijolos, ao gosto da classe média. A seus pés, Cadillacs e Chevrolets rodavam sobre o paralelepípedo que pavimentou a mata virgem, o capinzal, as bananeiras, o jabuticabal e outras árvores frutíferas que verdejavam a chácara Bella Cintra.[9] A pequena propriedade rural deu lugar à alameda Limeira, uma travessa da avenida Paulista, rebatizada de rua Peixoto Gomide em louvor a um advogado que governou o estado no final do século 19 e teve um fim trágico: contrariado com o namoro da filha, matou-a com um tiro no peito e deu cabo da própria vida.

Atualmente, os seis andares do Primavera quase não chamam a atenção de quem passa na Peixoto Gomide: em seis décadas, seu sabor moderno – recheado com pilares à mostra, painéis de venezianas de madeira, elementos vazados e pérgulas – foi sombreado por torres maiores e sem graça. Se a tinta branca aplicada pelos condôminos pasteurizou as venezianas da fachada, ela não conseguiu diluir o pioneirismo do Primavera na história do bairro e na trajetória do arquiteto: além de ser um dos primeiros prédios de apartamentos da região, o Primavera também estreou a prancheta de João Kon, que o criou aos 21 anos de idade. Zeca desenhou-o na casa de seus pais, na rua Araquã, enquanto terminava o curso no Mackenzie. Como ainda não possuía registro profissional, um arquiteto emprestou o nome na planta que segue nos arquivos da prefeitura. Contudo, analisando o projeto, é possível encontrar a assinatura de Kon no Primavera, espécie cuja semente floresceu durante os 45 anos de sua trajetória profissional: em primeiro lugar, trata-se de um prédio de apartamentos, tipo de edifício ao qual ele mais se dedicou; depois, o desenho revela, de maneira prematura, elementos arquitetônicos que ele desenvolveu ao longo da carreira, sobretudo, a 'cortina de veneziana'; e, por fim, o Primavera foi construído através de uma associação profissional familiar, sendo o embrião das empresas que posteriormente os Kon dirigiriam.

O Primavera é um prédio híbrido: refletindo a legislação paulistana[10] que permitia, até 1957, prédios altos encostados no alinhamento e nas divisas, ele não tem recuos, ou seja, ele representa um estrato da cidade tradicional; ao mesmo tempo, em contraponto à legislação da época, o edifício guarda feições modernas, reverberando a vanguarda arquitetônica e urbanística da primeira metade do século 20 que, entre outras coisas, levantou bandeiras contra a insalubridade da cidade tradicional, imaginando edifícios isolados, sobre pilotis e implantados no meio de áreas verdes. "Sob a pressão das velocidades mecânicas, impõe-se uma decisão, urgente: *libertar a cidade da opressão, da tirania da rua!*",[11] proclamou Le Corbusier, o propagandista dos consensos modernos.

O principal elemento que aproxima o Primavera do discurso da utopia moderna é a janela do dormitório, a protagonista do projeto. Ela constitui doze painéis de venezianas de madeira, com três metros de altura por nove metros de comprimento. As janelas são movimentadas com o auxílio de cabos de aço, uma folha sendo o contrapeso da outra, em um esquema simples e engenhoso: quando movimentada, uma peça desliza para cima, enquanto outra vai para baixo, abrindo o vão central. O painel também é composto por partes fixas, que escondem as peças móveis abertas. "Era genial, o grande lance era a abertura de 100% do vão", conta Zeca.

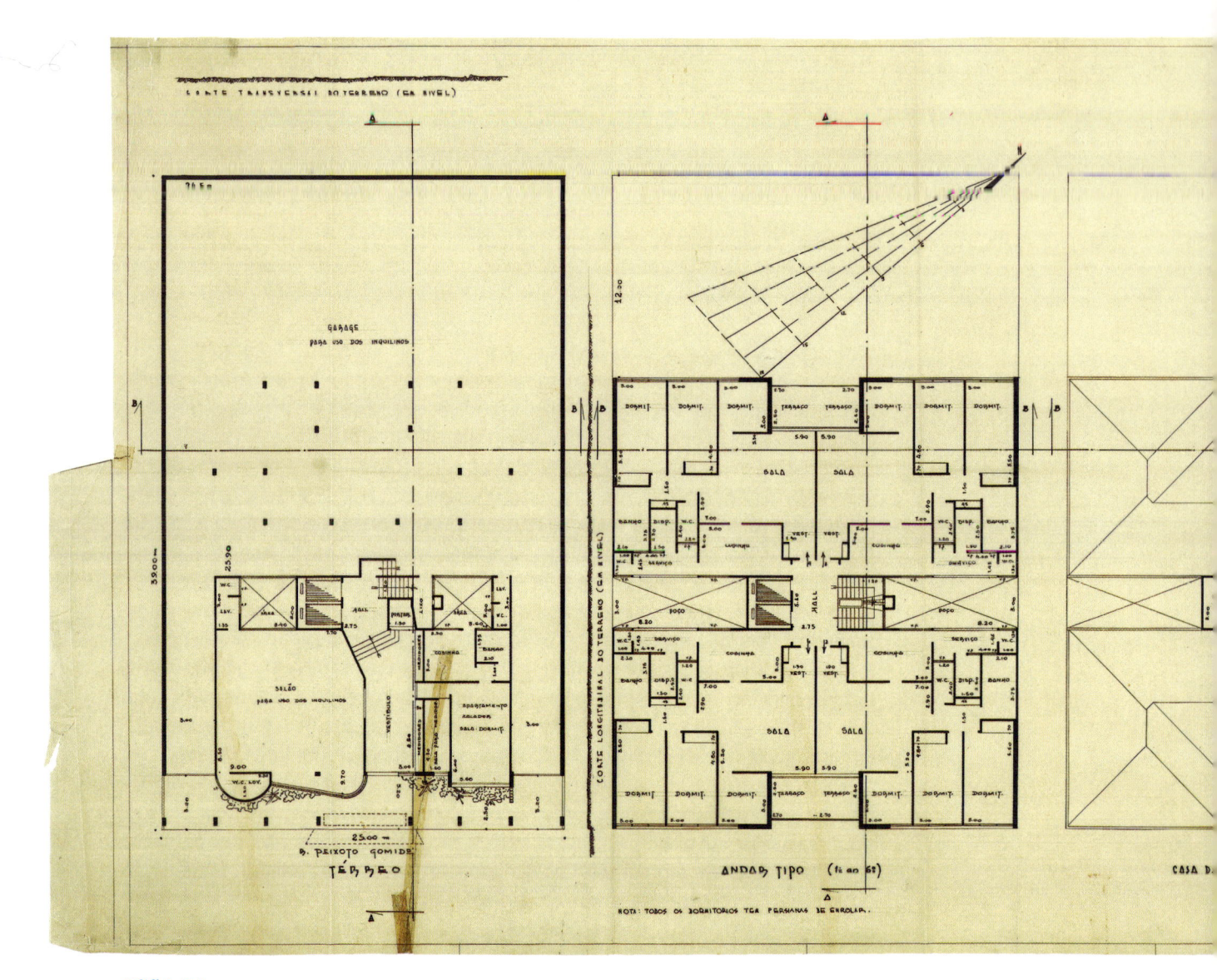

Edifício Primavera,
desenho para aprovação do
projeto na Prefeitura e
fotos da fachada, São Paulo, 1954

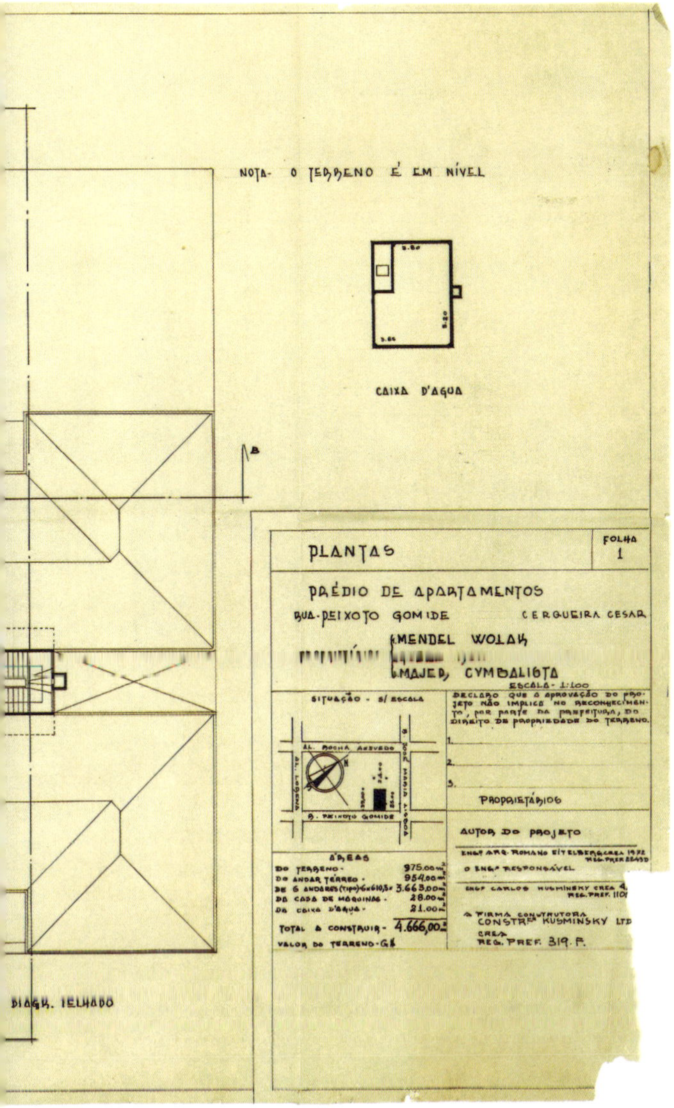
NOTA - O TERRENO É EM NÍVEL
CAIXA D'AGUA
PLANTAS
FOLHA
1
PRÉDIO DE APARTAMENTOS
RUA PEIXOTO GOMIDE
CERQUEIRA CESAR
MENDEL WOLAK
MAJER CYMBALISTA
ESCALA - 1:100
SITUAÇÃO - S/ ESCALA
DECLARO QUE A APROVAÇÃO DO PROJETO NÃO IMPLICA NO RECONHECIMENTO, POR PARTE DA PREFEITURA, DO DIREITO DE PROPRIEDADE DO TERRENO.
AL. ROCHA AZEVEDO
R. PEIXOTO GOMIDE
PROPRIETÁRIOS
AUTOR DO PROJETO
ENGº ARQ. ROMANO EITELBERG CREA 1972
O ENGº RESPONSÁVEL
ÁREAS
DO TERRENO - 975.00m²
DO ANDAR TÉRREO - 954.00m²
DE 6 ANDARES (TIPO) - 6x610,5 = 3.663.00m²
DA CASA DE MÁQUINAS - 28.00m²
DA CAIXA D'AGUA - 21.00m²
TOTAL A CONSTRUIR - 4.666,00m²
VALOR DO TERRENO - C$
A FIRMA CONSTRUTORA
CONSTRªs KUSMINSKY LTD
CREA
REG. PREF. 319. F.
DIAGR. TELHADO

EDIFÍCIO PRIMAVERA

fotos, acima

Edifício Louveira,
fachada com Janela Ideal,
São Paulo, 1946,
arquiteto Vilanova Artigas

Edifício João Ramalho,
fachada com Janela Ideal,
São Paulo, 1954,
arquitetos Plínio Croce,
Roberto Aflalo
e Salvador Candia

Edifício Biaçá,
fachada com Janela Ideal,
São Paulo, 1951,
arquitetos Plínio Croce e
Roberto Aflalo

Edifício Prudência,
produção representativa
do período, São Paulo, 1944,
arquiteto Rino Levi

desenho, abaixo

Publicidade da Janela Ideal
na revista *Acrópole*,
outubro de 1970

JANELA IDEAL

No Primavera, os caixilhos são a face mais visível do pragmatismo de Zeca, que adequava preceitos modernos, adotando soluções encontradas no mercado para atender a prazos e custos condizentes com o produto final, ou seja, as unidades residenciais dos edifícios que desenhava. Não foi Zeca quem criou ou introduziu em São Paulo o tipo de janela do Primavera, mas certamente ele foi um dos profissionais que mais adotou a solução que, entre os arquitetos e construtores que atuaram na cidade nos anos 1950 e 1960, ficou conhecida como Janela Ideal, nome adotado pelo fabricante, a Collavini & Cia. A empresa, dirigida por Francisco Collavini, executava caixilhos desde a década de 1930[12] em um galpão na Mooca e detinha a patente do mecanismo. Frequentes publicidades estampadas na revista *Acrópole* nos anos 1960 descreviam as vantagens da engenhoca: "o funcionamento quase automático, as linhas sóbrias, modernas e elegantes, o domínio total da luz e ventilação, a versatilidade nas composições, os vários detalhes possíveis, fazem a Janela Ideal insuperável!".[13]

Utilizada por projetistas modernos de diferentes regiões do país,[14] esse tipo de caixilho foi introduzido em São Paulo, provavelmente, por Vilanova Artigas e Carlos Cascaldi, no Edifício Louveira.[15] Localizado na praça Vilaboim, o edifício criado em 1946 possui venezianas de aço. A Janela Ideal mais utilizada em São Paulo, contudo, foi a de madeira, tal como a do Primavera (entre os raros edifícios paulistanos que utilizam veneziana de aço com contrapeso, figura o Urânio, desenhado em 1951 por Revoredo, Roschel e Marx).[16] "Artigas fez uma coisa muito interessante na Janela Ideal, que é não fechar a parte de baixo, resguardando o peitoril", avalia Zeca, que conheceu a Janela Ideal trabalhando no escritório de Victor Gandelman – "ele já usava".

Tudo leva a crer que os primeiros edifícios paulistanos que utilizaram a Janela Ideal de madeira fazem parte da cartela do Banco Hipotecário Lar Brasileiro, instituição pioneira na concessão de crédito habitacional, que cresceu após a promulgação da Lei do Inquilinato, de 1942, impulsionando a compra da casa própria e, consequentemente, gerando um *boom* imobiliário em São Paulo no pós-guerra.[17] É interessante notar que o crédito imobiliário consequentemente promoveu a industrialização da construção civil.

O primeiro prédio do Lar Brasileiro com o modelo de madeira – que, como o do Louveira, foi fabricado por Collavini –, foi o Biaçá, desenhado em 1951 por Plínio Croce e Roberto Aflalo. Trata-se de um predinho com três andares e doze apartamentos, que integra o Conjunto Jardim Ana Rosa, na Vila Mariana.

Apesar de industrializada, a Janela Ideal de madeira utilizava um material frequentemente associado à tradição. Do ponto de vista histórico, podemos dizer que o mecanismo é uma versão atualizada das janelas guilhotinas, presentes nas construções luso-brasileiras desde tempos imemoriais. Os historiadores Eduardo Corona e Carlos Lemos induzem a essa aproximação em um verbete do *Dicionário da arquitetura brasileira*: "janela de guilhotina é aquela em que os caixilhos correm verticalmente, o que também acontece com as janelas de contrapeso, aquelas de folhas equilibradas por pesos laterais que as mantêm abertas em qualquer posição ou altura".[18] Talvez por isso, Croce e Aflalo pintaram parcialmente a madeira, buscando minimizar as características vernaculares do material, resultando em uma composição cromática mais adequada ao ideário moderno. Os trechos fixos dos painéis do Biaçá são de réguas horizontais de madeira pintada de marrom, enquanto as partes móveis são cinza claro, e os montantes, pretos, tal como no Primavera. "Eu fazia muito marcação da janela em preto, envernizando uma parte e pintando as janelas", conta Zeca.

Diferentemente do Primavera, contudo, no Biaçá a solução dos painéis reforça o ritmo estrutural regular da fachada, com vãos iguais em quartos e salas.

Dois anos após o Biaçá, Croce e Aflalo (em parceria com Salvador Candia) atenderam a outra encomenda do Lar Brasileiro com o Edifício João Ramalho, em Perdizes. De escala maior – são 64 unidades e 9.350 metros quadrados de área construída –, o prédio causou grande impacto entre os arquitetos que atuavam em São Paulo, ao ganhar o primeiro prêmio internacional na categoria habitação coletiva na IV Bienal de São Paulo. A Janela Ideal do João Ramalho possui parapeito de fibrocimento pintado de branco, enquanto os montantes continuam pretos, e as venezianas, marrons. Certamente, o Biaçá e o João Ramalho, e o Louveira, claro, foram referências importantes para a fachada colorida do Primavera.

Edifício Renata Sampaio Ferreira, São Paulo, 1956, arquiteto Oswaldo Bratke

Edifício Montreal, São Paulo, 1951, arquiteto Oscar Niemeyer

Edifício Eiffel, São Paulo, 1953, arquiteto Oscar Niemeyer

Edifício Copan, São Paulo, 1951, arquiteto Oscar Niemeyer

Edifício Lausanne, São Paulo, 1953, arquiteto Franz Heep

Edifício Conde de Prates, São Paulo, 1952, arquiteto Giancarlo Palanti

CORTINA DE VENEZIANA

Em alusão à internacional *curtain wall* – a 'cortina de vidro' dos prédios de escritórios –, fachadas como as do Primavera poderiam ser chamadas de 'cortina de veneziana', ao utilizarem um sistema de fechamento leve e industrializado. No caso do Primavera, a 'cortina de veneziana' praticamente eliminou a alvenaria voltada para a rua Peixoto Gomide. Esse é o ponto central, mais perceptível, que aproxima o desenho do Primavera do movimento moderno, uma vez que a industrialização da construção foi um dos tópicos da vanguarda do início do século 20. Esse também é o mote da arquitetura de Zeca, cuja obra sempre recorrerá à criação de uma 'cortina de veneziana'. Contudo, corroborando o argumento de que o Primavera é um prédio híbrido, a fachada do fundo, menos perceptível, não possui a mesma solução da face voltada para a rua. Em outras palavras, Zeca não tratou o volume como um objeto, dando a mesma ênfase a todas as faces: nos fundos, apesar de os quartos também contarem com a Janela Ideal, os caixilhos estão no meio da parede e não abrem horizontalmente todo o vão. Escondida do público, nas entranhas da cidade, a face oculta do Primavera também ajuda a desvendar a vertente pragmática de Zeca.

E de onde vem o pragmatismo dele? Certamente, suas convicções e decisões como arquiteto foram marcadas por sua conexão direta com a realidade do mercado. O Primavera marcou o início da atuação conjunta da família Kon: Zeca desenhou o prédio; Samuel, seu irmão, construiu (com a ajuda da Construtora Kusminsky); e Godel, seu pai, incorporou-o, vendendo os apartamentos para integrantes da colônia judaica. Na ocasião, a família Kon ainda não havia constituído uma empresa de projeto, construção ou incorporação, e executaram o prédio a preço de custo, ou seja, aglutinando um grupo de compradores que dividiam os custos da obra, mês a mês. "Esse prédio foi incorporado para auxiliar a Casa do Povo, na rua Três Rios", lembra Zeca. "Dez por cento da receita foi destinada para acabar a sede da instituição, que era de esquerda, com pessoas como o físico Mário Schenberg e o médico David Rosenberg".

O que diferencia a trajetória arquitetônica de Zeca da de seus colegas é justamente o vínculo direto de sua arquitetura com o mercado imobiliário. Fazendo o percurso contrário ao de pioneiros como Rino Levi[19] e Oswaldo Bratke,[20] que iniciaram a carreira nos anos 1930 executando as obras que desenhavam e, nas décadas seguintes, lutaram para desvincular a atuação do arquiteto do canteiro de obras, Zeca manteve-se ligado, até o fim de sua carreira como arquiteto, à construção civil e ao desenvolvimento imobiliário, projetando, sobretudo, edifícios de apartamentos no eixo sudoeste da cidade de São Paulo.

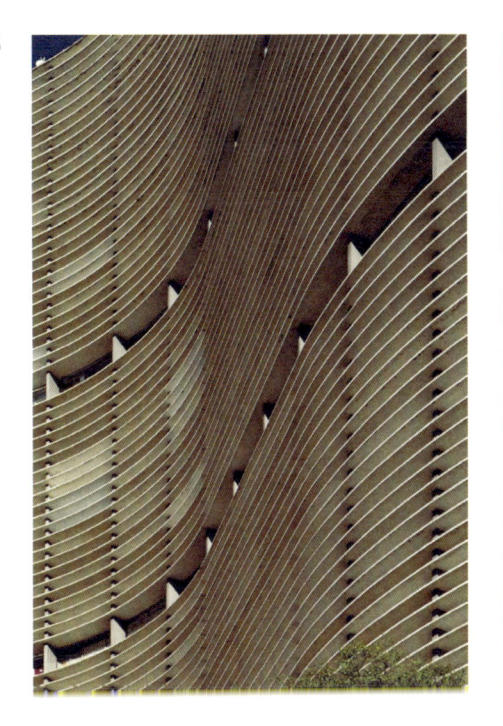

Algum tempo após finalizar o curso no Mackenzie, ele e Samuel começaram a trabalhar juntos no mesmo endereço à rua José Paulino, Bom Retiro, mas com empresas próprias – João Kon Projetos S/C e Samuel Kon Engenharia e Comércio Ltda. "Depois do Primavera, eu me formei, e começamos a fazer prédios a preço de custo. Nós comprávamos um terreno em grupo e procurávamos sócios para construir um prédio a preço de custo", lembra Zeca. Godel continuou ajudando com sua carteira de clientes, a maioria deles provenientes da colônia judaica. "Ele participava, ia todos os dias ao escritório, onde tinha uma sala, e acompanhava tudo", conta Zeca, lembrando que, até seu falecimento, o pai participou da vida profissional dos filhos. Contudo, o arquiteto afirma que ele e o irmão engenheiro tocavam sozinhos a empresa.

Justamente quando Zeca começou a atuar, na segunda metade dos anos 1950, a relação entre arquitetura e mercado imobiliário ganhava um de seus episódios mais ásperos, que acabou definindo a qualidade dos projetos criados nas décadas seguintes. O tom saiu da batuta de Oscar Niemeyer, o arquiteto mais importante do país: após projetar ícones para o mercado imobiliário, a maioria deles em São Paulo, como o Copan, o carioca foi convidado pelo presidente Juscelino Kubitschek a criar os palácios da nova capital brasileira. Enquanto se preparava para mudar-se para o canteiro de obras no Planalto Central, Niemeyer escreveu o texto mais importante de sua vida, fazendo um mea-culpa em relação a sua produção imobiliária. "É verdade que considero minhas tão somente aquelas obras a que me pude dedicar regularmente, e como tais apresento em publicações e revistas técnicas. Mas, mesmo entre estas obras, encontro algumas que talvez tivesse sido melhor não haver projetado, pelas

personagens, da esquerda para a direita, de cima para baixo

Godel Kon, João Kon, Samuel Kon, Fiszel Czeresnia, Abram Cukierman, Rafael Halpern, equipe das empresas dos irmãos Kon, anos 1960

edifícios, de cima para baixo

Edifícios Araguaí e Perdiz em construção, início dos anos 1960

Edifício Condor, em número da revista *Arquitetura e Construções* dedicado às obras da João Kon Projetos S/C e da Samuel Kon Engenharia e Comércio Ltda.

modificações inevitáveis que teriam de sofrer durante a execução, destinadas que eram à pura especulação imobiliária".[21] Afinal de contas, como poderia o homem que estava prestes a criar os novos símbolos de um país novo e moderno ter um vínculo tão estreito com o mercado?

O artigo foi publicado no início do segundo semestre de 1958 na revista de arquitetura que Niemeyer dirigia – a *Módulo* – e, simultaneamente, foi reproduzido com alarde em jornais de grande circulação, no Rio de Janeiro, como *Jornal do Brasil*, e em São Paulo, *O Estado de S. Paulo* e *Folha da Manhã*. O texto contribuiu para consolidar o conflito dos arquitetos brasileiros, sobretudo paulistas, com a produção imobiliária. O principal projetista do país, além de ser um farol para a inteligência arquitetônica, escreveu essas palavras no vestíbulo da polarização política que levou o Brasil ao golpe militar de 1964. Indiretamente, ele estimulou o radicalismo da ala arquitetônica de esquerda, liderada, principalmente, por Vilanova Artigas. Aos 43 anos de idade, diferentemente da velha guarda, como Oswaldo Bratke e Rino Levi, Artigas mantinha desconfiança da produção imobiliária e enalteceu a postura de Niemeyer em texto publicado na revista *Acrópole*, jogando mais querosene na fogueira: "a arquitetura brasileira abandona os aspectos de submissão ao mercado imobiliário que vinha exibindo, para se projetar com pureza no plano da manifestação cultural, única forma de ser comprometida".[22] Sem alarde, Niemeyer continuou aceitando encomendas de agentes imobiliários, mas Artigas e seus jovens seguidores passaram a tratar o mercado com desprezo. O texto de Niemeyer foi publicado no período mais rico da história dos prédios de apartamento da cidade, quando atuavam arquitetos como Rino Levi, Plínio Croce, Roberto Aflalo, Salvador Candia, David Libeskind, entre outros, sem contar os estrangeiros que trouxeram a vanguarda europeia a São Paulo, como Franz Heep, Giancarlo Palanti, Lucjan Korngold, Victor Reif e Giancarlo Gasperini.[23] Na década seguinte à publicação do artigo, os edifícios de apartamentos paulistanos foram, pouco a pouco, desaparecendo das publicações especializadas, justamente em um momento de *boom* de verticalização da cidade.[24]

A obra de Zeca, por exemplo, que começou a ser produzida nesse contexto, foi completamente ignorada pela mídia do setor e, por isso, não participou do debate arquitetônico local: nenhum de seus quase duzentos projetos foi registrado pelas revistas de arquitetura mais importantes do Brasil. Ironicamente, o editor da *Acrópole* morava em um prédio criado por Zeca e, de maneira indireta, os projetos da Kon Engenharia e Arquitetura ajudaram a financiar a revista, ao serem utilizados como "garotas-propaganda" da Mecânica Ryval, empresa instaladora da Janela Ideal.

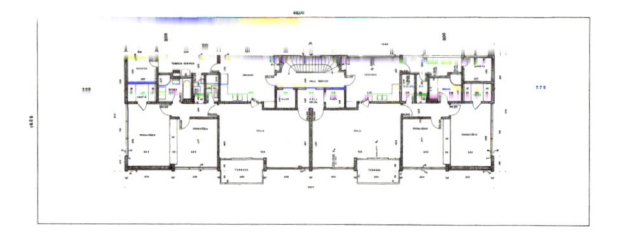

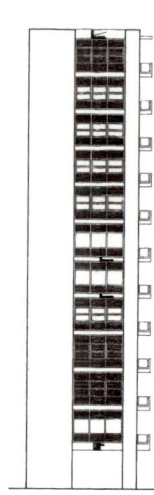

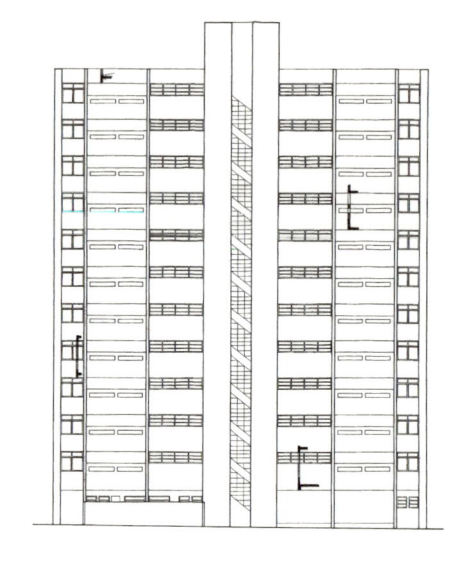

à esquerda

Edifício Selene, planta tipo e elevações, São Paulo, 1960

à direita

Edifício Alvorada, planta tipo e elevações, São Paulo, 1960

Edifício Alvorada, publicação na revista *Arquitetura e Construções*, 1960

O TIRANO DA ARQUITETURA

"João Kon: 'tirano' da arquitetura". Esta foi a legenda de uma foto de Zeca, sentado à prancheta, com lapiseira e escala nas mãos, presente em uma publicação promocional,[25] encomendada por sua empresa em meados dos anos 1960. Graças à edição, podemos conhecer imagens que se perderam de prédios e de sua equipe. Enquanto a maior parte do time foi apresentada de maneira formal, como "Samuel Kon – titular da engenharia" ou "Godel Kon – produção e idealização", outros colaboradores, tal como Zeca, também ganharam registros informais, como "Geraldo, o faz-tudo – nosso coringa" ou "temos também um amigo da onça: Pascoal, o barbeiro".

Como se fosse uma revista monográfica da empresa, o volume registrou a primeira fase da trajetória do arquiteto, que vai do Primavera até o advento do Banco Nacional da Habitação – BNH. Um dos grandes investidores dos empreendimentos dos Kon, desde a primeira fase, foi Leon Feffer, industrial do ramo de papéis.

Após o Primavera, a segunda experiência em que Zeca utilizou a Janela Ideal foi uma espécie de laboratório para os edifícios que ele projetou em seguida. Refiro-me a sua própria casa, criada em 1957, no Jardim Paulista. A fachada da rua Honduras possui um conjunto de sete venezianas que iluminam os dois dormitórios voltados para a via. Em vez da pureza do Primavera, onde os painéis são iguais e inteiramente

EDIFÍCIO ALVORADA

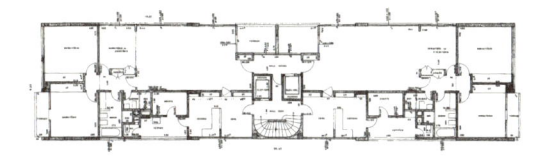

de venezianas, Zeca experimentou uma composição abstrata, que incluiu chapas pintadas de amianto, venezianas e parapeito de pastilha.

Os primeiros prédios realizados pela Kon Engenharia e Arquitetura, construídos entre o final da década de 1950 e início da de 1960, são marcados pelo uso da Janela Ideal, com variações do grafismo da fachada da rua Honduras. Após o Primavera, a legislação paulistana mudou, e os edifícios de Zeca passaram a ser isolados, com recuos nas divisas. Assim, ele começou a desenvolver sua versão da lâmina moderna – o mais elementar partido arquitetônico nascido nas pranchetas da vanguarda arquitetônica, que Zeca adotou praticamente em toda a carreira.

Os primeiros edifícios desta fase são o Alvorada (1960), batizado em alusão ao palácio presidencial que Niemeyer criou em Brasília, e o Selene (1960), que ganhou o nome da deusa da Lua em função do início da conquista espacial. O formato das plantas baixas dos pavimentos tipo minimiza o perímetro dos lotes, estreitos e compridos, comuns no parcelamento fundiário paulistano. O Alvorada fica na rua São Vicente de Paula, em Santa Cecília, e o Selene, por sua vez, na alameda Franca, a poucas quadras do Primavera.

Em ambos, Zeca abriu os ambientes nobres para as faces mais ensolaradas e revelou, mais uma vez, seu pragmatismo. Ele adotou o partido da lâmina moderna, consagrado em prédios ícones do modernismo (que mantinham as fachadas menores

Edifício Albatroz,
fotos da época e atual,
São Paulo, 1960

Edifício Lorena, foto dos anos
1980 com cores originais e em
matéria publicitária publicada na
revista *Arquitetura e Construções*,
São Paulo, 1960

sem aberturas), mas não apostou suas fichas no radicalismo: no lugar quase sagrado das empenas cegas, ele criou aberturas generosas para iluminar os dormitórios nas extremidades. Em situações como essa, Zeca apostou no senso comum, deixando de lado o cacoete arquitetônico: afinal, como seus clientes entenderiam apartamentos sem janelas para a rua?

Por outro lado, tanto no Alvorada quanto no Selene (e no Condor, o primeiro prédio pós-Primavera), Zeca deu continuidade a uma prática iniciada na casa da rua Honduras: ele convidou artistas plásticos para interagir na arquitetura com murais artísticos. Na casa da rua Honduras, há um raro painel geométrico de Alfredo Volpi na fachada e duas obras de Waldemar Cordeiro, uma no pátio interno e outra no jardim do fundo, a única que foi destruída em virtude de uma reforma realizada por outro proprietário. "Eu frequentava a casa do Volpi e, por isso, eu conheci um monte de gente, acho que inclusive o Waldemar Cordeiro", lembra Zeca.

No Alvorada, no Selene e no Condor,[26] o artista convidado foi o mesmo: Gershon Knispel, alemão de origem judaica que morou no Brasil de 1958 a 1964. Zeca lembra que conheceu o trabalho de Knispel através do painel da fachada da TV Tupi, no Sumaré (atualmente ocupado pela MTV). Cordeiro, por sua vez, fez o paisagismo dos prédios.

Após o Selene e o Alvorada, Zeca projetou dois de seus edifícios mais interessantes: o Lorena, desenhado em 1960, na alameda Lorena, e o Albatroz, idealizado no mesmo ano na rua General Jardim, esquina com a rua Dona Veridiana. Ambos possuem o mesmo partido arquitetônico com a fachada principal tomada por caixilhos, de dormitórios (Janela Ideal)[27] e painéis de vidro na área social, com delicadas varandas; na face oposta, Zeca concentrou as aberturas de serviço. Mas, enquanto o primeiro, nos Jardins, possui configuração de torre, o segundo, em Higienópolis, desenvolve-se em lâmina, parecendo até que Lorena é o Albatroz empilhado. Na época, os prédios tinham cores mais fortes que as atuais: no Lorena, por exemplo, o que é branco era amarelo-alaranjado.

O Lorena e o Albatroz são as versões de Zeca para o edifício de apartamento genérico, da classe média paulistana. Seu partido arquitetônico – que cria uma fachada cortina de vidro em comunhão com as venezianas – permeia sua geração, aproximando-se de soluções de arquitetos tão pouco estudados quanto Zeca, casos de Israel Galman, Clóvis Olga e Marcos Firer (os dois últimos, contemporâneos de Zeca no Mackenzie).

à esquerda

Edifício Juriti, fotos da época, São Paulo, 1961

à direita

Edifício Juriti, foto atual

O MODELO NORTE-AMERICANO

Nesse período, ou seja, no início de sua carreira, Zeca está apalpando, buscando saídas para sua expressão arquitetônica. Assim como a arquitetura paulista da época, ele também estava flertando com escolas arquitetônicas muito distintas. De um lado, havia a escola carioca, que misturava Corbusier com as construções luso-brasileiras, e havia arrebatado o mundo (e os paulistas) com a exposição no Museu de Arte Moderna de Nova York, em 1943, com o prédio do Ministério da Educação e Saúde, Pampulha e Brasília; em outra ponta, havia a Bauhaus e Mies van der Rohe – e, consequentemente, suas versões norte-americanas, como o grupo da Califórnia –,[28] inspiração para profissionais como Candia,[29] Croce e Aflalo,[30] e que ganhou reforço com a chegada dos arquitetos europeus no pós-guerra; havia ainda, na cidade, as correntes arquitetônicas nacionalistas, de esquerda ou direita, ou Artigas *versus* Levi.

O Primavera, por exemplo, foi influenciado pela arquitetura moderna do Rio de Janeiro, e, por consequência, por Le Corbusier: o fechamento do pavimento térreo foi recuado e expõe a ossatura de pilares revestidos de pastilhas marrons, reverberando os pilotis corbusianos. Tal como ocorre no prédio do Ministério,[31] os pilares são recuados do alinhamento da fachada para evidenciar a independência estrutural das paredes periféricas. Por outro lado, a leitura da planta livre, outro mote do franco-suíço, foi facilitada no Primavera pelo uso da Janela Ideal, que demonstra que a estrutura está recuada.

Contudo, apesar de conferir leveza aos volumes, na maioria das situações, recuar os pilares da fachada atrapalha a flexibilidade do layout. Nesse sentido, é curioso observar uma versão do Lorena que não foi construída e que consta do arquivo de Zeca. Nela, percebe-se uma grande aproximação com a produção do Rio de Janeiro, principalmente, no térreo: com pilotis alto, rampa sinuosa no acesso, elemento vazado e painel artístico. A versão construída é, certamente, mais interessante, mas a comparação entre as duas demonstra as riquezas dos conflitos do autor quando jovem.

Por outro lado, o Primavera, o Lorena e o Albatroz possuem pilares recuados em relação à fachada, seguindo a cartilha de Corbusier. É o Selene que dá a primeira pista na vertente das peças estruturais na fachada, como fez Mies van der Rohe, e que foram desenvolvidas por Zeca em projetos como o Juriti, de 1961, situado na rua Martinico Prado.

Com uma fachada de mais de 50 metros, o Juriti possui quatro apartamentos por andar, subdivididos em duas alas. Além da estrutura salientada na fachada principal, o prédio é elevado por pilotis e possui uma marquise de acesso. Como ocorreu desde o Primavera, o salão de festas do Juriti, solto nos pilotis, possui uma planta que procura sair da ortogonalidade da torre.

Quando questionado, Zeca não aponta influência direta de nenhum arquiteto brasileiro, lembrando que todos compunham a mesma geração.[32] Em relação aos modelos internacionais, ele relata que acompanhava tudo o que acontecia, uma vez que

Edifício Garça Real,
fotos dos anos 1980 e planta tipo,
São Paulo, 1966

assinava diversas revistas europeias e norte-americanas. Mas ele revela preferência pelo grupo de arquitetos que passou pela Alemanha do entreguerras, citando Mies van der Rohe e Marcel Breuer.

Nesse sentido, Zeca integra o grupo de arquitetos que atuaram em São Paulo, e que, pouco a pouco, se afastam da arquitetura carioca-corbusiana para se aproximar da arquitetura produzida nos Estados Unidos.

Este grupo paulista era composto por extremos, desde Artigas (que passou uma temporada nos Estados Unidos e, em seu plano de estudos, afirmou que "o que nos tem faltado, pretendo trazer da América"[33]) até um núcleo homogêneo de profissionais conectados à cultura e à ideologia norte-americanas, como Croce, Aflalo e Candia, que, juntos, criaram o já citado João Ramalho, em Perdizes – uma peça-chave para os edifícios de apartamentos paulistanos.

Do ponto de vista estrutural, o João Ramalho repercutiu o projeto inaugural de Mies van der Rohe nos Estados Unidos, o Promontory.[34] Construído em frente ao lago de Michigan, ao sul do centro de Chicago, o prédio foi desenhado em 1946 e foi o primeiro edifício alto de Mies a ser executado. Trata-se de um ensaio malsucedido, pois o projetista não estava preparado para enfrentar a legislação local e a pressão por custos baixos realizada pelo empreendedor. Após o início das obras, insatisfeito, Mies criou outra alternativa para a fachada (que não foi executada), em que linhas estruturais estariam escondidas dentro do volume, e o que se sobressairiam seriam linhas verticais formadas por montantes metálicos. Passado o episódio, a solução utilizando montantes verticais foi adotada em praticamente todos os edifícios que ele criou, sendo replicada mundo afora.

Se o Promontory foi um dissabor para Mies, ele foi de suma importância para o desenvolvimento do partido estrutural dos edifícios altos de São Paulo. O que influenciou os arquitetos de São Paulo, e repercutiu quase instantaneamente no João Ramalho, foram as colunas salientes na fachada (que, no caso do Promontory, são escalonadas a cada cinco andares, ou seja, o pilar fica menor conforme ganha altura).

Após o João Ramalho, o partido das linhas salientes na fachada sofreu mutações e foi adotado por dezenas de autores paulistas até meados da década de 1970, desde Pedro Paulo de Melo Saraiva até Rino Levi.³⁵ Como resultado, saindo de Mies e passando pelo projeto de Corbusier em Marselha, criou-se uma tipologia peculiar baseada em estrutura de concreto aparente com pilares salientes e viga de transição no térreo (para diminuir os pontos de apoio na garagem), que veio a ser o modelo mais usual dos edifícios em altura, utilizado por arquitetos identificados com a escola paulista.

Um dos edifícios que marcam o final do primeiro período da obra de Kon é o Garça Real, na alameda Tietê, Cerqueira César. Com configuração de torre, o prédio possui dois apartamentos por andar com três dormitórios voltados para a via, formando uma fachada frontal inteiramente de caixilhos metálicos de enrolar. Deste período em diante, Zeca não usa mais a Janela Ideal. "Por ser de madeira, ela necessitava de uma manutenção maior", justifica.

Graças à presença de réguas de alumínio que tomam de alto a baixo a fachada do Garça Real, Zeca voltou a citar Mies van der Rohe, criando uma espécie de *curtain wall* estilizada. "Era para marcar linhas verticais, e o volume muda. Os prédios que retiraram o perfil com o tempo, ficaram estranhos", avalia Zeca.

As zonas de estar, em contraposição, abrem-se para as laterais. Esse partido, com planta que se aproxima do quadrado, foi bastante utilizado posteriormente por Zeca para terrenos com formato quadrado. Outro elemento forte do Garça Real é a cor, verde, que se torna protagonista do prédio.

54

Edifício Quinta de Bragança, fachada com cores originais, São Paulo, 1990

Edifício Bois de Boulogne, São Paulo, 1974

Edifício Jardins de Icaraí, fachada com cores originais, São Paulo, 1985

Edifício Camboriú, São Paulo, 1976

DIÂMETRO EMPREENDIMENTOS

Com o intuito de utilizar o crédito imobiliário advindo da política habitacional do governo federal, através do BNH, Zeca e Samuel criaram a Diâmetro Empreendimentos. Com sede na rua Barão de Itapetininga, além dos dois irmãos, a nova empresa tinha como sócios o pai e o cunhado, Fiszel Czeresnia. Os edifícios da Diâmetro eram descritos pela própria organização como uma "nova fase de empreendimentos da empresa",[36] constituída de "prédios de apartamentos com três e quatro dormitórios, living em L, dois ou três banheiros, acabamento de primeiríssima, destacando-se esquadrias de alumínio, azulejos decorados, carpete, armários embutidos revestidos, aparelho de aquecimento elétrico colocado, ramais de água em cobre, *playground*, salões decorados, jardins e alguns até com piscina".

No início, a Diâmetro continuou tendo a colônia judaica no foco, uma vez que eles permaneceram atuando nos mesmos bairros: Jardins, Higienópolis e Perdizes. Contudo, o crédito imobiliário diversificou o público, fazendo sair de cena o preço de custo e o grupo fechado, e colocando no palco apartamentos financiados, com parcelas fixas, destinados a quem pudesse pagar. Pouco a pouco, a Diâmetro buscou novos bairros. Primeiro, construíram grupos de casas no Brooklin, uma novidade para a empresa; depois, fizeram prédios de apartamentos em Pinheiros, Paraíso, Aclimação, Moema e Campo Belo.

Edifício Sabiá, foto atual (*acima*) e dos anos 1980, e planta com intervenções a lápis feitas pelo arquiteto para seu apartamento, São Paulo, 1972

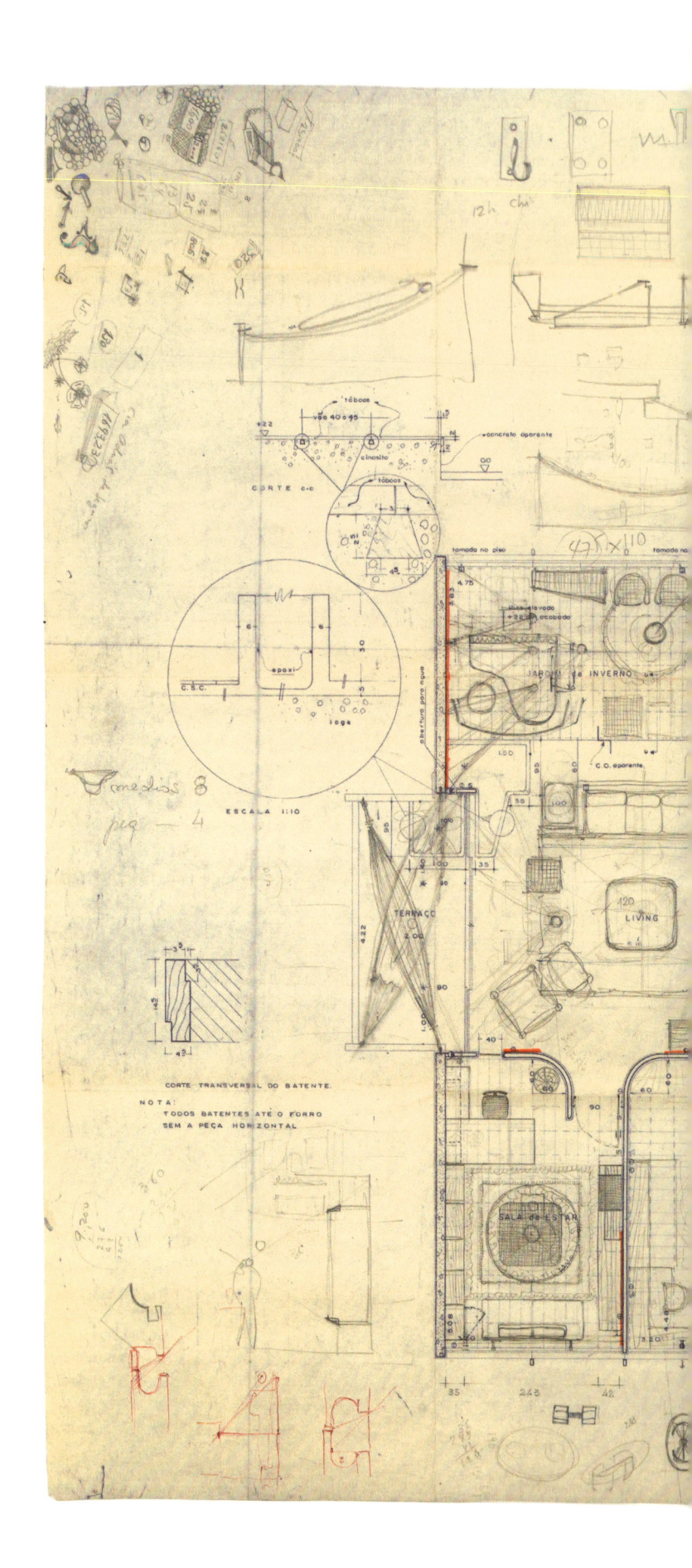

Architectural floor plan

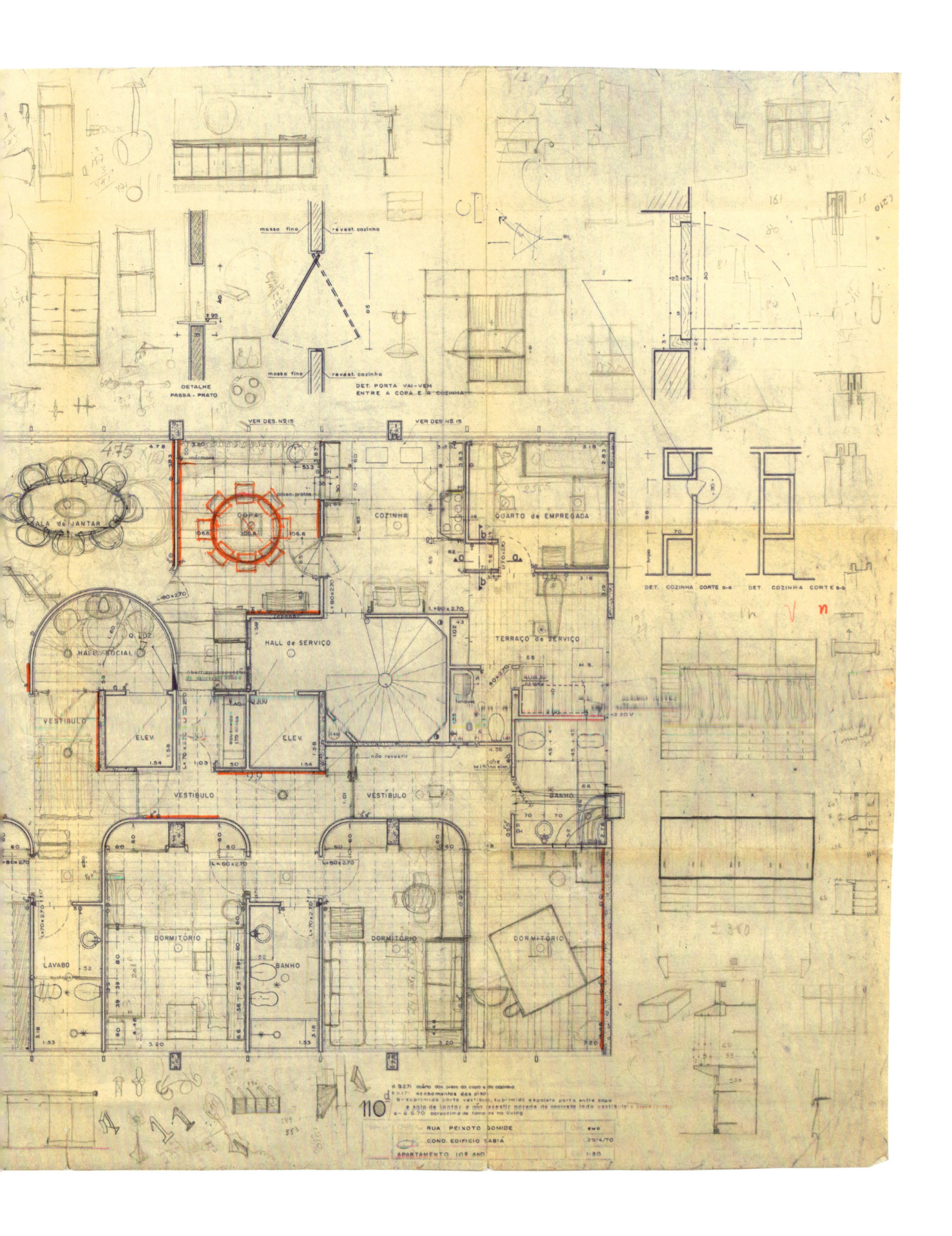

DETALHE PASSA-PRATO

DET. PORTA VAI-VEM ENTRE A COPA E A COZINHA

DET. COZINHA CORTE a-a   **DET. COZINHA CORTE b-b**

- SALA de JANTAR
- COPA
- COZINHA
- QUARTO de EMPREGADA
- HALL SOCIAL
- HALL de SERVIÇO
- TERRAÇO de SERVIÇO
- VESTIBULO
- ELEV.
- ELEV.
- VESTIBULO
- VESTIBULO
- BANHO
- LAVABO
- DORMITÓRIO
- BANHO
- DORMITÓRIO
- DORMITÓRIO

RUA PEIXOTO GOMIDE
COND. EDIFICIO SABIÁ
APARTAMENTO 10º AND.

29/4/70
110

à esquerda

Conjunto residencial no Brooklin, 1969

Edifício Anambé, São Paulo, 1967

no centro

Residencial Parque Vila Prudente, São Paulo, 1983

à direita

Edifício Jardins de Paraguaçu, São Paulo, 1983

O crédito também impulsionou a produção: se, na primeira parte de sua trajetória, Zeca criava, em média, dois prédios por ano, com o BNH, sua empresa lançou quatro prédios por ano, chegando ao pico de seis edifícios, tanto em 1971 como em 1972. Ele conta que a ideia era sempre atingir o menor preço possível, o que modificou sua arquitetura. Partindo dos mesmos princípios, sem perder de mente as 'cortinas de venezianas', Kon simplificou as soluções para atingir os objetivos empresariais. Primeiro, ele usou tijolos com furos redondos, conferindo texturas em fachadas como as do conjunto de casas no Brooklin e a do Edifício Anambé, na rua José Maria Lisboa, criado em 1967.

Depois, Zeca deu continuidade à série de edifícios que dão ênfase às linhas horizontais da fachada – série iniciada no Garça Real –, valorizando a estrutura e os caixilhos horizontais, ao mesmo tempo. Entre os projetos com esta tônica, destaca-se o Place de l'Etoile, na rua Pará, criado em 1971 e construído em 1973. "Quando havia algum trecho de alvenaria na linha da janela, eu pintava de cinza-escuro, resguardando a horizontalidade", lembra Zeca. Muitos desses prédios passaram a ter pé-direito duplo no térreo.

Do ponto de vista arquitetônico, não podemos perder de vista que a produção local estava pautada pela escola brutalista, que dava ênfase às estruturas de concreto armado aparente. Assim, simplificando os acabamentos e, ao mesmo tempo, conectando-se com a arquitetura corrente, as fachadas de Zeca perderam as pastilhas e ganharam janelas de correr. Edifícios, como o Camboriú, criado em 1974 para um terreno na rua Albuquerque Lins, em Santa Cecília, possuem faixas horizontais sequenciais, evidenciando as vigas de concreto, a alvenaria pintada (do peitoril) e as linhas da caixilharia de alumínio. No caso específico do Camboriú, também se destacam as linhas de pilares externas, que, tal como o Promontory (de Mies), diminuem conforme ganham altura.

Nesta fase, Zeca criou uma simplificação do partido do Lorena/Albatroz, que foi replicada em vários bairros da cidade, como Paraíso, Jardins e Moema, em prédios como o Jardins de Icaraí, de 1985, no Campo Belo.

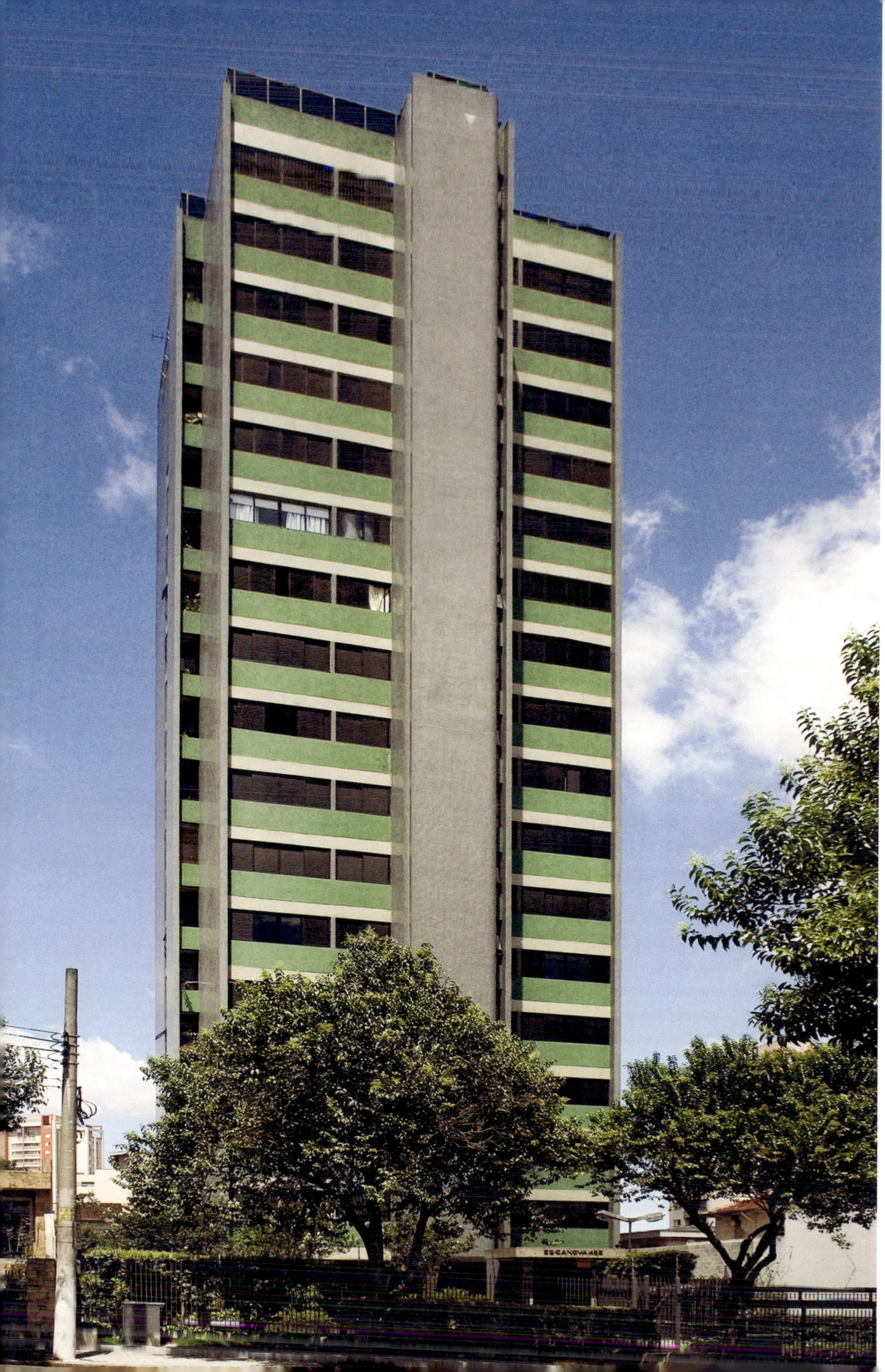

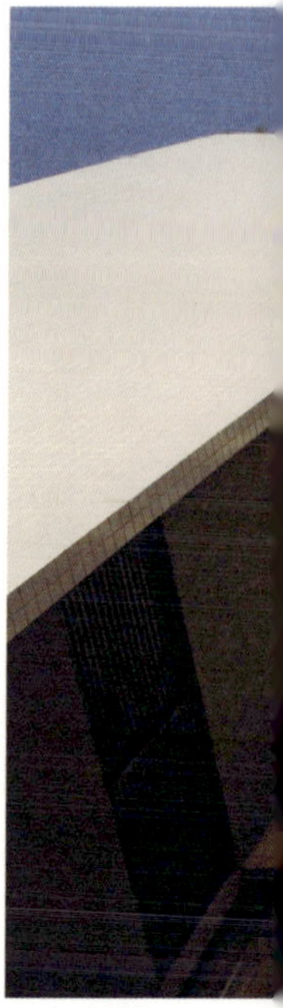

Edifício Canova, São Paulo, 1989

Edifício Giotto, São Paulo, 2003

Edifício Piazza Navona, São Paulo, 1995

JANELA DE TRÊS FOLHAS

Na década de 1970, o BNH estimulou, através de linhas de crédito específicas, a construção de moradias para a população de menor renda. A Diâmetro se dedicou a esse tipo de construção, e João Kon se viu sob o desafio de criar soluções visando a diminuição dos custos, para se adaptar a essa linha de habitações voltada para pessoas menos favorecidas, sem perder a função e a qualidade de um projeto de arquitetura.

Atendendo a esses requisitos, Zeca criou um protótipo da janela dos dormitórios das habitações, tendo como objetivo manter as mesmas condições de salubridade (ventilação e iluminação) que as técnicas até então utilizadas, formatadas em quatro folhas (duas venezianas e duas de vidro). A janela contém apenas três folhas que correm lateralmente: uma veneziana com ventilação, uma veneziana sem ventilação e uma com vidro. Para os casos de construções mais populares e econômicas, o modelo tem a vantagem de ser entregue já montado na obra, em um conjugado que une as folhas e o marco, o que elimina ainda custos de montagem.

Esta nova técnica não foi patenteada e, por suas vantagens, logo começou a se difundir em projetos para habitações sociais, primeiramente em São Paulo e, depois, em outros estados do país. Na atualidade, já foi difundida para outros países da América Latina, sendo, sem dúvida, o tipo de caixilho mais utilizado atualmente em edifícios de apartamentos.

PRISMA EMPREENDIMENTOS IMOBILIÁRIOS

No início da década de 1970, Zeca desenhou um prédio para sediar a empresa, na avenida Faria Lima, o Edifício Diâmetro. Nessa época, a empresa chegou a ter trezentos funcionários. Com Carlos Alberto Siqueira, os irmãos Kon criaram também uma corretora de imóveis própria, a Prisma Empreendimentos Imobiliários. "Com Rafael Halpern e Ruwin Pikman, tínhamos também a Prisma Industrial, que fazia obras industriais em Alphaville", conta Zeca.

O destaque do prédio de vidro da Faria Lima, com a estrutura saliente na fachada, é o mural de concreto na fachada, criado por Arcângelo Ianelli.[37] Em um dos andares do

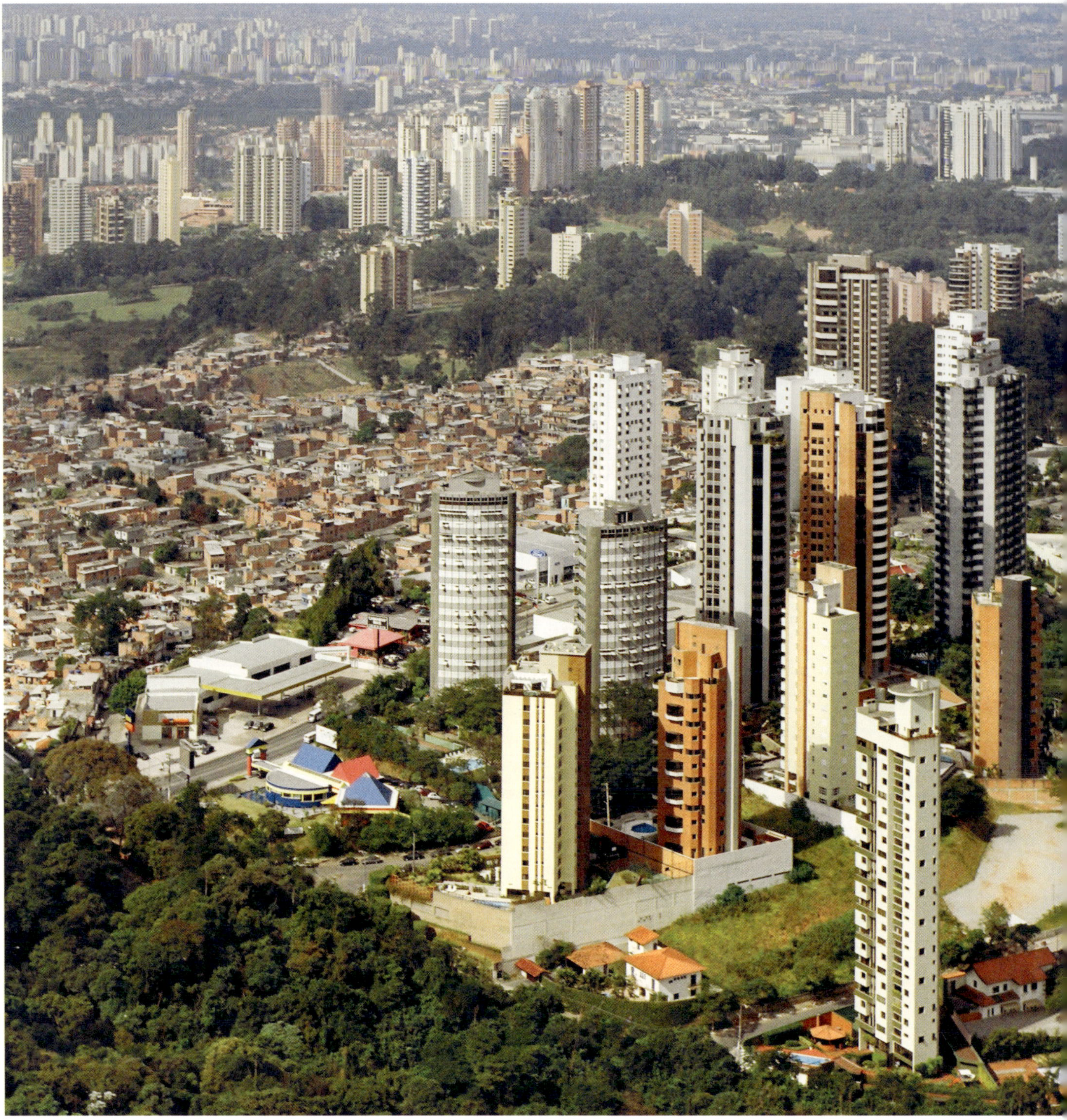

à esquerda

Edifício Itapoama,
São Paulo, 1979

à direita

Edifício Itapoama,
São Paulo, 1979

Edifício Vila de Piratininga,
São Paulo, 1987

prédio, Zeca, que mantém uma notável coleção de arte, montou uma espécie de galeria de arte, fazendo exposições e eventos. Para o próprio Ianelli, Zeca fez a montagem da exposição apresentada no Museu de Arte de São Paulo, em 1993.

Mesmo no período em que utilizou crédito do BNH, Zeca continuou produzindo projetos incorporados a 'preço de custo', o que permitia edifícios com mais folga no orçamento. Um desses prédios simboliza a resistência dos clientes ao concreto brutalista. Refiro-me ao Sabiá, criado em 1972 para um terreno na esquina da rua Peixoto Gomide com a Barão de Capanema. A estrutura, ao sabor da tipologia da escola paulista, tinha pilares ao longo da fachada. Zeca criou-os imaginando deixá-los em concreto à vista, mas a estrutura foi revestida com mineral agregado jateado, em tom avermelhado, por exigência dos proprietários.

No contexto dos prédios a 'preço de custo', destacam-se ainda mais dois projetos. O primeiro deles é uma das obras mais significativas da produção arquitetônica de Zeca, o condomínio Itapoama, criado em 1976 e finalizado em 1979. Localizado no Morumbi, rua Doutor James Ferraz Alvim, o prédio foi um dos pioneiros na verticalização do bairro, apontando para a expansão da ocupação dos edifícios de apartamentos para as classes mais abastadas. Nesse sentido, pode-se dizer que Zeca foi um agente ativo do eixo de expansão da cidade, participando desde a verticalização do Bom Retiro, como estagiário de arquitetura, até sua atuação direta, como pioneiro na implantação de prédios em bairros tão distantes quanto Jardins, Moema e Morumbi.

Outro ponto de destaque do Itapoama é o paisagismo: como em geral, Zeca desenhou o térreo, mas, neste caso, o projeto do jardim coube a Rosa Kliass, uma das principais paisagistas do país. O terceiro ponto, e o mais importante, é a arquitetura: são duas torres gêmeas, com dezesseis andares cada uma e interligadas, no térreo, por uma marquise. As edificações, ambas com uma unidade por andar, possuem planta em forma de triângulo ovalado, ou seja, uma figura com três lados curvos e quinas também curvilíneas. No centro fica o núcleo de circulação vertical, com elevadores e a escada.

Quando comparado à lâmina moderna, que, em geral, possui uma fachada social/íntima e outra de serviço, o formato triangular do Itapoama resultou em setorização por fachadas. Desta forma, em cada um dos lados do triângulo, está disposta uma zona do apartamento: social, íntima e de serviços. Lembrando ainda a composição laminar, neste projeto também há a contraposição entre áreas abertas (fachadas dos caixilhos) e fechadas (fachadas cegas). As três quinas do triângulo ovalado, ocupadas por sanitários, fazem as vezes das empenas vedadas das lâminas modernas. Os vértices curvos possuem função estrutural, presente também no núcleo central e em dois pontos de cada uma das três faces encaixilhadas. Essas fachadas e a relação entre abertura e fechamento trazem para as torres gêmeas de Kon o desenvolvimento da lâmina moderna que ganha, em sua prancheta, novos contornos na década de 1970.

O outro projeto de Kon que merece destaque, já dos anos 1980, é o Edifício Vila de Piratininga. Desenhado em 1985, finalizado em 1987 e situado na alameda Jaú, o desenho revela a permanência da lâmina moderna mesmo no auge do avanço pós-moderno, no campo da vanguarda, ou, no caso dos estilos diversos, no campo do mercado. O desenho atualiza os materiais – em vez de pastilhas ou concreto, cerâmica; no lugar da madeira ou do ferro dos caixilhos, o alumínio – e permite fenestrar a empena da fachada com uma generosa abertura da sala de estar. No entanto, em ambas as laterais, há ainda o tratamento de empenas abertas *versus* empenas cegas. Como manda a cartilha, na face voltada para a melhor insolação, ficam a zona de estar e os dormitórios; na oposta, os ambientes de serviço. Nesta última – tal como na frontal do Garça Real –, a caixilharia ganha ares de *curtain wall*, graças a perfis que cortam o prédio de alto a baixo com a mesma modulação.

Juntando os perfis de Mies com a lâmina de Corbusier, Kon demonstrou a resistência da lâmina moderna que, pouco a pouco, vem sendo retomada pela geração paulista mais jovem.

A Diâmetro fechou as portas, inviabilizada pelo congelamento de preços, tablita de conversão de valores e outras medidas do Plano Cruzado, de 1986. Nos anos 1990, a concorrência modificou os negócios, mas Zeca atuou até 2000, ano de seu último projeto. No seu último período profissional, atuou como autônomo, prestando serviços para outras construtoras.

CRIATIVIDADE COMO ATIVIDADE PARALELA

Em 1975, convidado por amigos publicitários, João Kon assistiu pela primeira vez (entre muitas, em anos seguidos) ao Congresso de Criatividade, organizado anualmente pela Creative Education Foundation at Buffalo University (EUA), em que eram organizados debates e cursos sobre criatividade. No Brasil, esses debates eram incipientes e só despertavam o interesse de publicitários. O Congresso de Buffalo congregava profissionais de vários ramos do conhecimento e países diversos, que difundiam as inovações desse tema em seus locais de origem. Em sua volta ao Brasil, já sob o impacto das novas maneiras de encarar a criatividade incorporadas no Congresso, Zeca passou a aplicar os novos princípios apreendidos, que foram relevantes também como orientadores de seu trabalho de arquitetura posterior.

Em 1977, junto com outros colegas, liderados pelo publicitário José Leão de Carvalho, foi fundador do Instituto Latino-Americano de Criatividade e Estratégia (ILACE), pioneiro no Brasil e voltado para o debate e treinamento da criatividade nos moldes de Buffalo. Em 1992, afastou-se do ILACE e criou a Facilita Criatividade, em continuidade ao trabalho de difusão dos debates e treinamentos nessa área, como atividade paralela a seu trabalho em arquitetura. Através da realização de seminários abertos e em *company*, desenvolveu trabalhos com grandes instituições públicas e privadas, e outros profissionais de áreas diversas, formando "facilitadores" que expandiram os conceitos pelo país. João Kon trabalhou nessas atividades de 1977 a 2012.

* * *

Hoje, octogenário, João Kon – uma das maiores referências na continuidade da lâmina moderna em edifícios residenciais de São Paulo – não desenha mais prédios de apartamentos. Afastou-se da arquitetura e não acompanha mais a produção corrente – a não ser observando as fotos do filho Nelson. Zeca passa as tardes em um estúdio que mantém em São Paulo e vive em um apartamento desenhado por ele, na rua Peixoto Gomide. A via não é mais de paralelepípedos e muito raramente passa um Cadillac ou um Chevrolet...

1. As afirmações entre aspas são citações literais presentes nas gravações das seis entrevistas feitas por Fernando Serapião com o arquiteto João Kon, totalizando 8h20 de conversa: 15 maio 2012 (1h27); 29 maio 2012 (1h30); 12 jun. 2012 (1h27); 22 ago. 2012 (1h34); 31 ago. 2012 (1h); 15 maio 2013 (1h56). Todas as entrevistas contaram com a participação de Nelson Kon e, a última, de Lucio Gomes Machado.
2. DERTÔNIO, Hilário. *O bairro do Bom Retiro*. São Paulo, Prefeitura Municipal/Secretaria de Educação e Cultura, 1971.
3. FELDMAN, Sarah. Bom Retiro: bairro múltiplo, identidade étnica mutante. In: *Anais*. Encontro Nacional da Associação Nacional de Pós-Graduação e Pesquisa em Planejamento Urbano e Regional: desenvolvimento, planejamento e governança. Volume 1. Recife, UFPE, 2013, p. 1-20.
4. SERAPIÃO, Fernando. A saga de Ronito Monte. *Projeto Design*, n. 350, abr. 2009, p. 94-97.
5. LIRA, José. *Warchavchik: fraturas da vanguarda*. São Paulo, Cosac Naify, 2011.
6. CAMARGO, Monica Junqueira. *Fábio Penteado: ensaios de arquitetura*. São Paulo, Empresa das Artes, 1998.
7. KOULIOUMBA, Stamatia. Construtores estrangeiros e a produção arquitetônica moderna no Bom Retiro. In: LANNA, Ana Lúcia Duarte (org.). *São Paulo, os estrangeiros e a construção das cidades*. São Paulo, Alameda, 2011, p. 261-286.
8. MANGILI, Liziane Peres. *Transformações e permanências no bairro do Bom Retiro, SP (1930-1954)*. Dissertação de mestrado. São Carlos, IAU USP, 2009.
9. TOLEDO, Benedito Lima de. *Álbum iconográfico da avenida Paulista*. São Paulo, Ex Libris, 1987.
10. ROLNIK, Raquel. *A cidade e a lei*. São Paulo, Studio Nobel, 1997.
11. LE CORBUSIER. *Planejamento urbano*. São Paulo, Perspectiva, 1971, p. 90.
12. A referência mais antiga do fabricante encontrada pelo autor está em: *Acrópole*, n. 178, set. 1940, p. 34.
13. *Acrópole*, n. 290, jan. 1963, p. 34.
14. FONYAT FILHO, José Bina. Veneziana e vidro. *Acrópole*, n. 251, set. 1959, p. 383-413.
15. *Acrópole*, n. 290, jan. 1963, p. 34.
16. SERAPIÃO, Fernando. Higienópolis. *Monolito*, n. 19, São Paulo, fev./mar. 2014, p. 73.
17. SOMEKH, Nadia. *A cidade vertical e o urbanismo modernizador*. 2ª edição. São Paulo, Editora Mackenzie/Romano Guerra, 2014.
18. CORONA, Eduardo; LEMOS, Carlos A. C. *Dicionário da arquitetura brasileira*. São Paulo, Edart, 1972, p. 285.
19. ANELLI, Renato; GUERRA, Abilio; KON, Nelson. *Rino Levi: arquitetura e cidade*. São Paulo, Romano Guerra, 2001.
20. SEGAWA, Hugo; DOURADO, Guilherme. *Oswaldo Arthur Bratke: arquiteto*. São Paulo, ProEditores, 1997.
21. NIEMEYER, Oscar. Depoimento (1958). In: XAVIER, Alberto (org.). *Depoimento de uma geração. Arquitetura moderna brasileira*. São Paulo, Cosac Naify, 2003, p. 238.
22. ARTIGAS, João B. Vilanova. Revisão crítica de Niemeyer (1958). In: XAVIER, Alberto (org.), op. cit., p. 240.
23. FIGUEROA ROSALES, Mario. *Habitação coletiva em São Paulo: 1928-1972*. Tese de doutorado. São Paulo, FAU USP, 2002.
24. SERAPIÃO, Fernando. *Arquitetura revista: a Acrópole e os edifícios de apartamentos em São Paulo (1938-1971)*. Dissertação de mestrado. São Paulo, FAU Mackenzie, 2006.
25. REVISTA DE ARQUITETURA E CONSTRUÇÕES. *Samuel Kon Engenharia e Comércio Ltda / João Kon Projetos S/C*. São Paulo, s/d.
26. *Acrópole*, n. 304, mar. 1964, p. 30 e p. 34.
27. CORONA, Eduardo (org.). *Eternit na arquitetura contemporânea brasileira*. São Paulo, Eternit, 1967.
28. IRIGOYEN, Adriana. *Da Califórnia a São Paulo: referências norte-americanas na casa moderna paulista 1945-1960*. Tese de doutorado. São Paulo, FAU USP, 2005.
29. FERRONI, Eduardo. *Aproximações sobre a obra de Salvador Candia*. Dissertação de mestrado. São Paulo, FAU USP, 2008.
30. SERAPIÃO, Fernando. *A arquitetura de Croce, Aflalo & Gasperini*. São Paulo, Paralaxe, 2011.
31. SEGRE, Roberto. *Ministério da Educação e Saúde: ícone urbano da modernidade brasileira*. São Paulo, Romano Guerra, 2013.
32. SERAPIÃO, Fernando. Silêncio e anonimato. *Projeto Design*, n. 311, São Paulo, jan. 2006, p. 94-97.
33. IRIGOYEN, Adriana. *Wright e Artigas: duas viagens*. Cotia, Ateliê/Fapesp, 2002.
34. LAMBERT, Phyllis (org.). *Mies van der Rohe in America*. Montreal, Canadian Center for Architecture, 2001.
35. SERAPIÃO, Fernando. Pedra Grande: um marco oculto na cidade. *Projeto Design*, n. 303, mai. 2005, p. 94-97.
36. OTERO, Olavo; AMARAL, Luis Gurgel do (orgs.). *Brazil Development 4: Urban Development Housing*. São Paulo, Telepress, 1973.
37. ALMEIDA, Paulo Mendes de. *Ianelli: do figurativo ao abstrato*. São Paulo, Laborgraf, 1978.

Edifício Sabiá, jardim do térreo, São Paulo, 1972

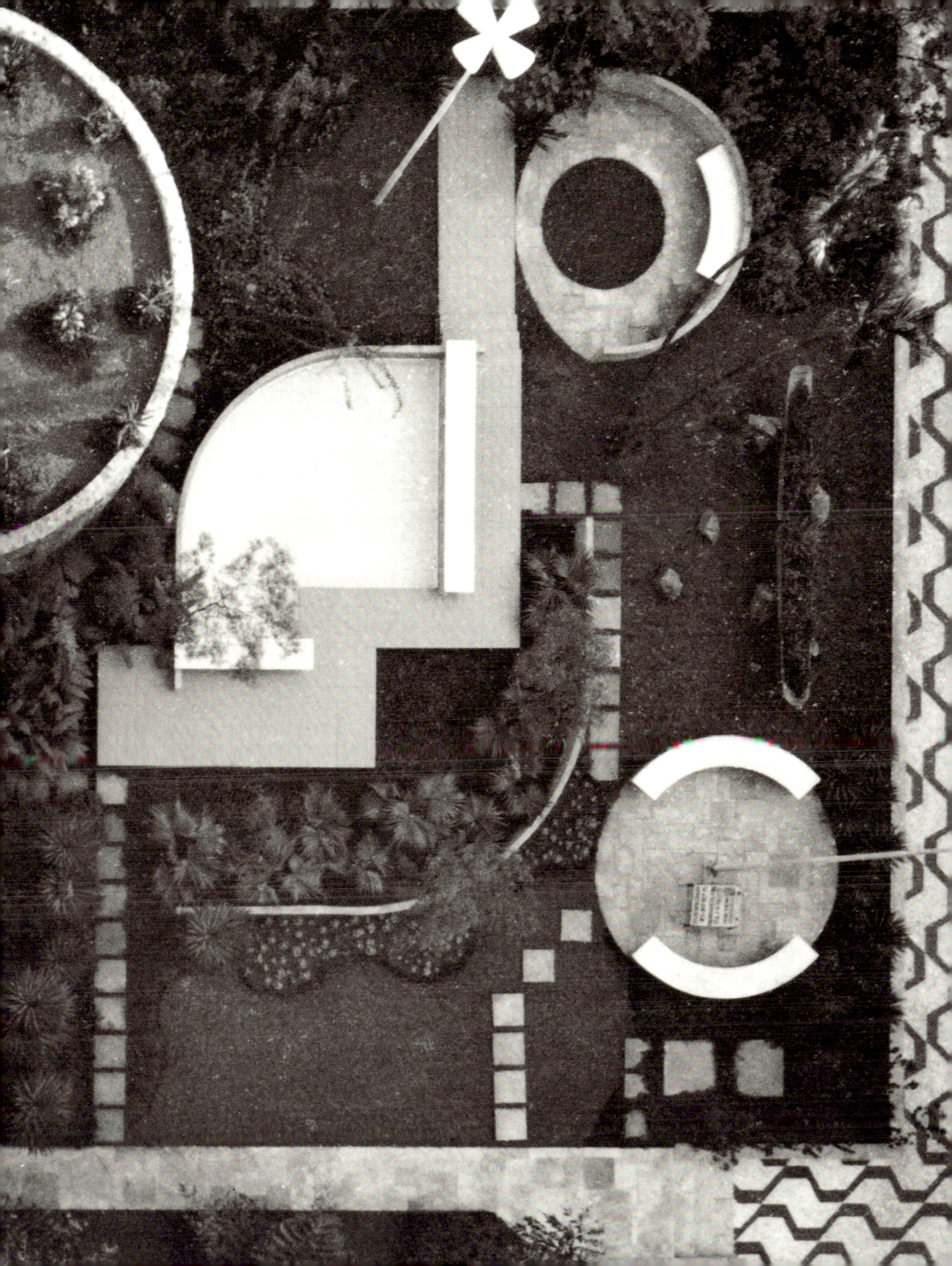

KNISPEL 60

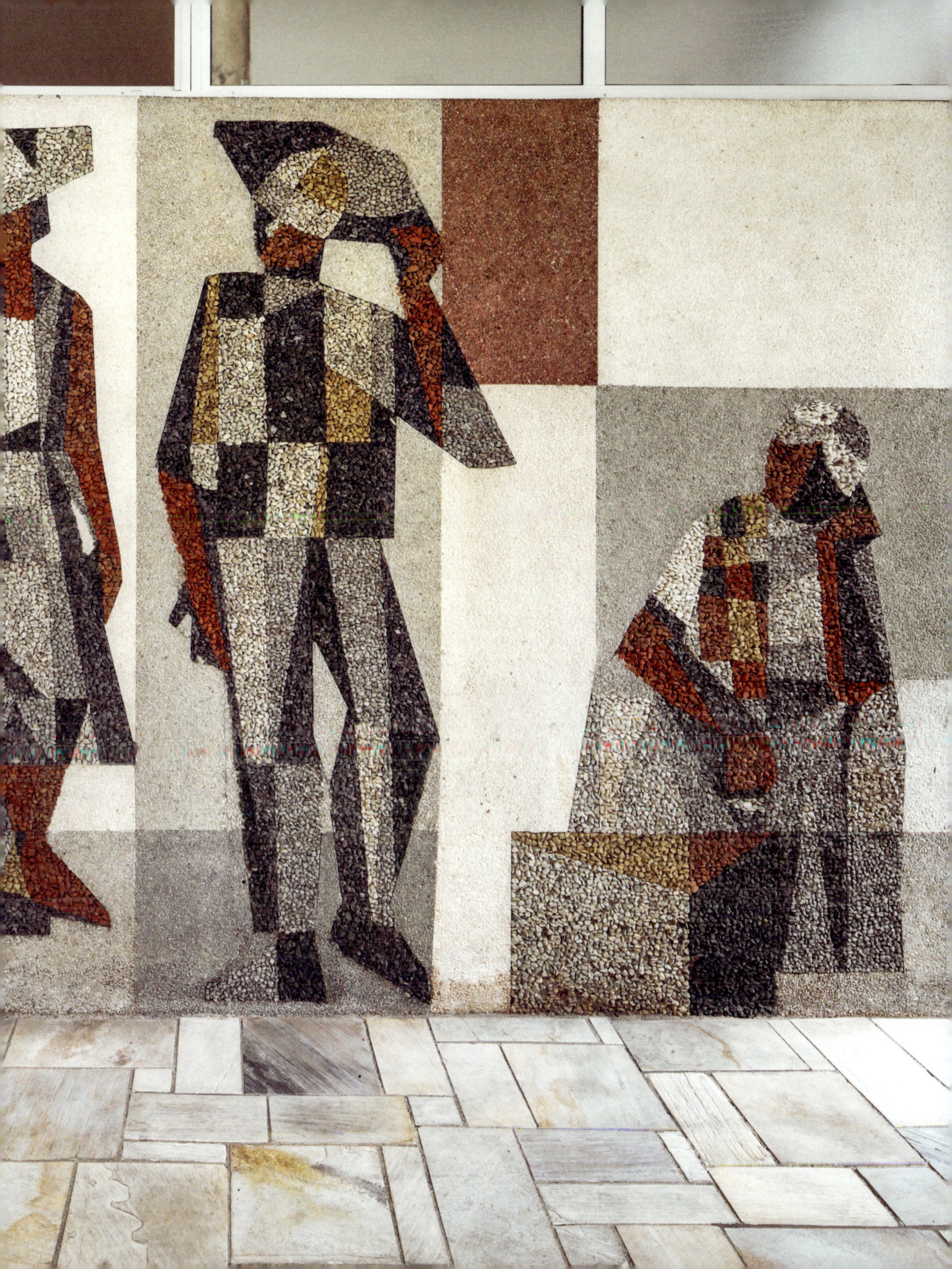

Anita Kon diante da residência da família, na rua Honduras, anos 1960

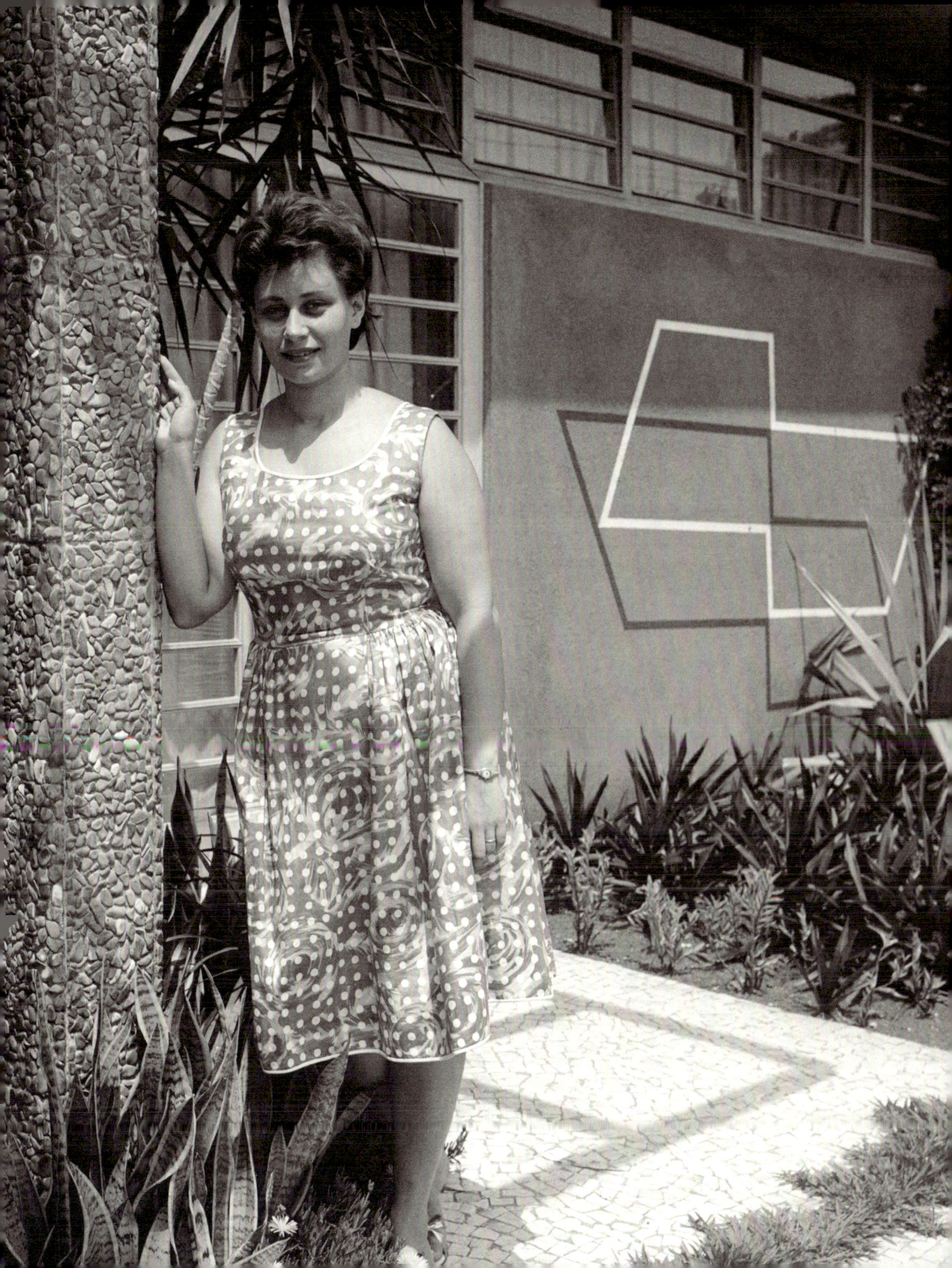

Arcângelo Ianelli e João Kon durante construção de painel na fachada do Edifício Diâmetro, 1974

Em diálogo: a trajetória de João Kon entre arquitetura e artes plásticas

JACOPO CRIVELLI VISCONTI

Entre 1955 e 1962, através de uma série de artigos publicados na revista *Módulo*, Oscar Niemeyer expôs sua posição sobre a conflitiva relação entre os aspectos social e artístico em arquitetura, traçando uma linha de separação entre a atuação profissional e a postura sociopolítica. Do ponto de vista de Niemeyer, considerando que uma mudança efetiva na sociedade poderia resultar apenas da implantação de um modelo político radicalmente distinto (isto é, socialista), não havia por que tentar propor paliativos e pequenas mudanças através da prática arquitetônica. Coerente com essa visão – que curiosamente descola a arquitetura do mundo real, ao passo que afirma a necessidade de uma profunda transformação social –, no terceiro desses artigos, publicado quando estava prestes a embarcar na aventura de projetar a nova capital, o arquiteto abjurava da especulação imobiliária que marcara algumas etapas do seu passado, para ascender, assim, ao empíreo da "pura" arquitetura, livre de qualquer contaminação mundana.[1]

Perfeitamente compreensível e justificada no contexto já tenso de um país que caminhava rumo à polarização que desembocaria no golpe militar de 1964, a afirmação de Niemeyer não é, contudo, óbvia. Pelo menos a partir da Bauhaus, uma parcela considerável dos esforços do movimento moderno, principalmente no que diz respeito à arquitetura e ao design, foi dirigida à tentativa de conciliar a oposição entre a criação artística e as exigências de uma produção em grande escala, frequentemente de tipo industrial. Mesmo querendo distinguir, como é necessário, entre industrialização, serialização e difusão de um pensamento realmente artístico e fundamentado, de um lado, e a mera especulação imobiliária, do outro, é inegável que qualquer tentativa de produzir em grande escala um artefato ou um modelo arquitetônico está exposta ao risco potencial da especulação. Apesar disso, a aspiração a uma real fusão entre arte e indústria é uma das características mais fascinantes da poética modernista, e a afirmação de Niemeyer, principalmente se analisada à luz da maioria de seus projetos posteriores – isto é, comissões "exclusivas" para governos iluminados ou apenas busca de uma grife... –, acaba reforçando a sensação de que o maior potencial democrático reside, apesar de tudo, no polo que não se furta a lidar com o mercado.

à esquerda

Cadeiras Wassily,
design de Marcel Breuer,
no edifício da Bauhaus,
Dessau, 1925

Cadeira e mesa em estrutura
de ferro, fórmica e jacarandá
da Unilabor, São Paulo, 1955,
design de Geraldo de Barros

no centro

Sofá-cama e estante, anos 1960,
design de João Kon

à direita

Mesa de madeira com
tampo de vidro, anos 1960,
residência do arquiteto

    Praticamente nos mesmos anos em que Niemeyer publicava seus artigos, Geraldo de Barros havia ajudado a fundar, em São Paulo, a Unilabor, experiência pioneira e isolada no contexto brasileiro de cooperativa de trabalho que, através da produção e comercialização de mobiliário desenhado, entre outros, pelo próprio artista/designer, se propunha remunerar de maneira justa todos os envolvidos na cadeia produtiva, aos quais eram oferecidas ainda atividades culturais e recreativas, em alguns casos durante as horas de trabalho: "teatro, sessões de cinema, festas, palestras políticas e sobre design moderno – atividades cujo valor estava em borrar o limite entre a vida e o trabalho cotidiano na fábrica, fazendo dela um local de crescimento, e não de alienação".[2] Evidentemente sintonizado com as reflexões de uma intelectualidade de esquerda inconformada com o rumo da industrialização no país (e no mundo), o exemplo da Unilabor constitui uma (rara) tentativa realista de lidar com o problema da exploração da força de trabalho e da serialização da produção artística, mas também – ou, antes disso, no âmbito que aqui nos interessa – constitui um precedente importante na explicitação da inevitável proximidade entre criação artística, mercado e relações sociais, e no esforço para tornar essa proximidade produtiva, e não frustrante.

    Apesar de não estar relacionadas de maneira direta com a atividade profissional que João Kon iniciava exatamente nesses anos – mesmo que ele venha a desenhar mobiliário posteriormente –, essas considerações podem ser, contudo, relevantes para a plena compreensão tanto dessa atividade profissional, quanto da personalidade do arquiteto, se é que seja possível, em geral, e mais ainda nesse caso específico, separar as duas esferas. Se, por um lado, Kon nunca foi um arquiteto excessivamente preocupado com o reconhecimento da academia ou daquela que poderíamos chamar de "elite intelectual", por outro, a convivência íntima e regular com pintores, escultores e músicos permite interpretar essa postura despretensiosa como sinal de uma personalidade autenticamente artística, no sentido mais tradicional do termo. Como é sabido, na Antiguidade grega, o significado da palavra utilizada para definir a arte (*téchne*) era muito amplo, podendo incluir tanto a habilidade técnica, o virtuosismo, quanto a dimensão teórica, ou especulativa, a ponto de os termos *téchne* e *epistéme* (ciência) serem quase sinônimos, ou pelo menos extremamente próximos. Essa proximidade, que Aristóteles se encarregaria de matizar, permitia entender, da melhor maneira, a existência de um saber prático, isto é, de um conhecimento profundo, sofisticado e complexo, porém inseparável da atividade manual, física. Um conhecimento, em outras palavras, que não se articula de maneira elaborada, em discursos complexos e densos, mas que se explicita direta e exclusivamente na execução do trabalho. Se essas considerações são pertinentes no caso de Kon, e

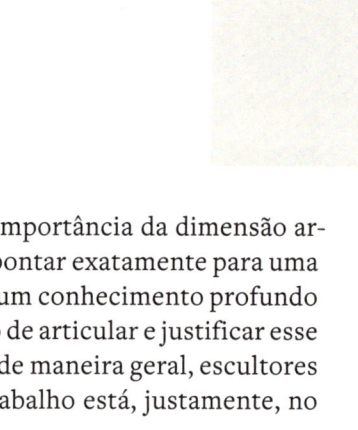

Sofá, anos 1960, design de João Kon

Luminária para jardim, anos 1960, design de João Kon

Marc Berkowiz, João Kon, Raul Fernandes e Arcângelo Ianelli, reunião de amigos, São Paulo, anos 1980

Encontro de artistas; sentados, de rosto visível: Adamastor Sacilotto, João Kon, Hermelindo Fiaminghi, Luiz Sacilotto, Paulo Mendes de Almeida e Élio Tavares; em pé: Lothar Charoux, Arcângelo Ianelli e Fernando Lemos, São Paulo, anos 1980

principalmente em um texto que quer enfatizar a importância da dimensão artística no seu fazer, é porque seu trabalho parece apontar exatamente para uma *téchne* desse tipo. Aponta, em outras palavras, para um conhecimento profundo e completo do fazer, mas sem sentir-se na obrigação de articular e justificar esse saber através do discurso, postura que caracteriza, de maneira geral, escultores e pintores, isto é, artistas para quem o cerne do trabalho está, justamente, no fazer, e não no teorizar sobre seu próprio trabalho.

A relação de João Kon com o círculo de amigos artistas com quem conviveu ao longo de décadas se inicia nos anos 1950, quando o arquiteto recém-formado começa a frequentar assiduamente os jantares oferecidos semanalmente ("às sextas-feiras"[3]) por Alfredo Volpi. A partir desse momento, Kon cria relações não só com o próprio Volpi e outros pintores do mesmo círculo, como Aldo Bonadei – ambos oriundos do chamado Grupo Santa Helena, nome cunhado pelo crítico Sérgio Milliet para definir os pintores que tinham ateliê no Palacete Santa Helena, no centro de São Paulo, na década de 1930[4] –, mas também com artistas como Waldemar Cordeiro e Luiz Sacilotto, que, na mesma época, lutavam pela consolidação do movimento concreto no panorama artístico brasileiro. Pouco interessado nas diferenças de poética, aliás pronto a reconhecer o valor de produções muito distintas entre si, nas décadas seguintes, Kon se relacionaria, de maneira mais ou menos íntima, com vários dos artistas e designers que contribuíram decisivamente para a formação da visualidade paulistana das últimas décadas, como Antonio Lizárraga, Hermelindo Fiaminghi, Lothar Charoux, Tomás e Arcângelo Ianelli, Carlos Scliar, Masumi Tsuchimoto, Kazuo Wakabayashi, Yutaka Toyota, Norma Grinberg, Lívio Levi, Ricardo Ribenboim, Reny Golcman e Manoel Kantor, entre muitos outros.

    É interessante enfatizar a diversidade de poéticas, nacionalidades e áreas de atuação desses artistas, em sua maioria, ativos em mais de uma disciplina, o que demonstra como o interesse de Kon pelo universo artístico foi, desde o começo, extremamente livre, aberto às influências e inspirações mais diversas. A mesma liberdade caracteriza a coleção que o arquiteto começou a construir já nos anos 1950 e que, se por um lado, inclui vários dos artistas até aqui citados, com os quais Kon manteve relações pessoais, por outro, é integrada por obras de artistas de gerações anteriores, como Francisco Rebolo, Cândido Portinari, Alberto da Veiga Guignard e Lasar Segall. A confirmar a impossibilidade de separar a relação pessoal e de amizade daquela de apreciador/colecionador, o arquiteto conta que, em várias oportunidades, ele ia visitar os artistas em seus ateliês, e acabava adquirindo uma ou outra obra para sua coleção, mas também comprava em nome de amigos seus, com o objetivo fundamental de "ajudar os artistas".[5] É interessante observar, a esse respeito, que, desde as primeiras empreitadas profissionais, isto é, desde a

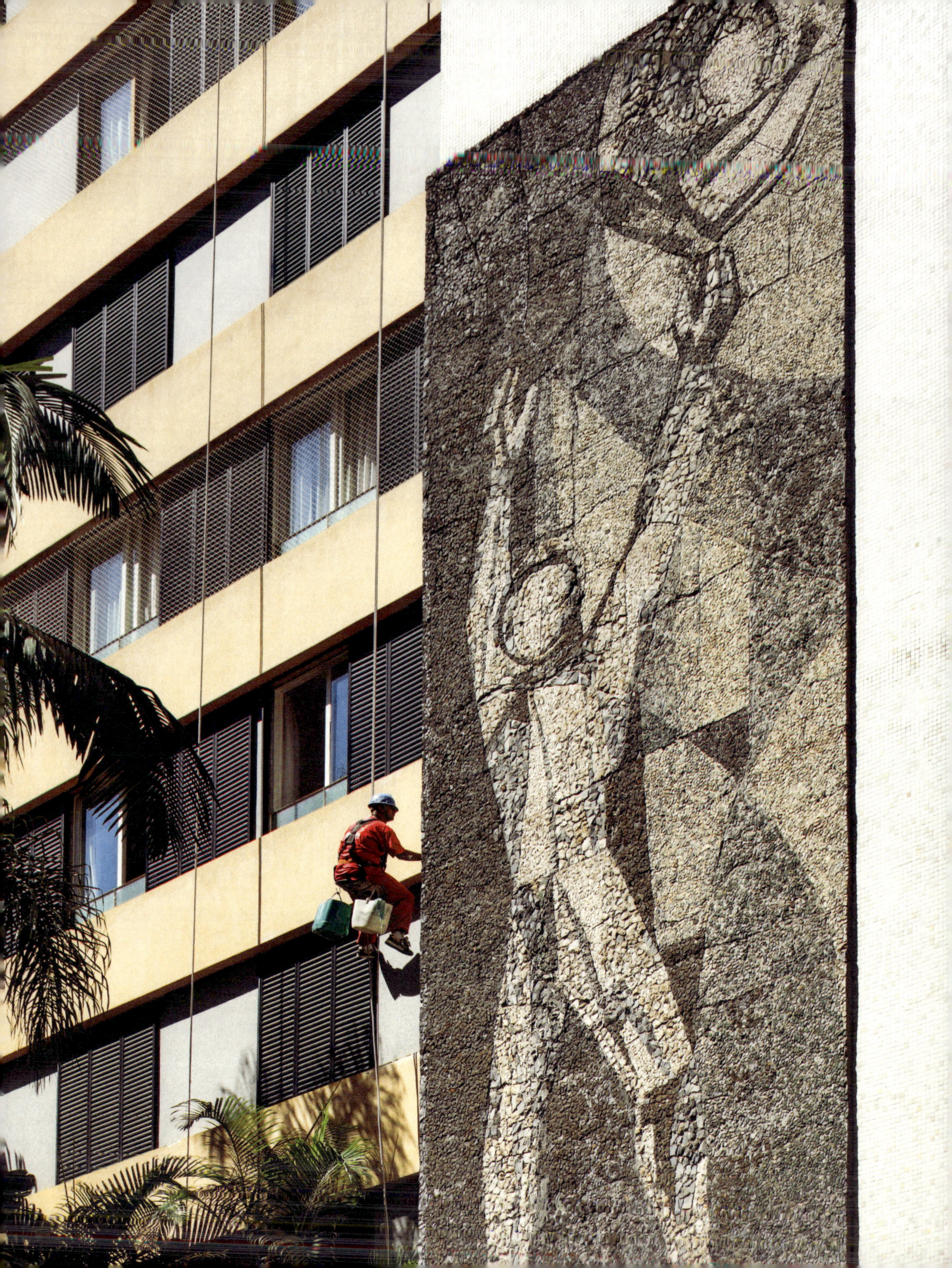

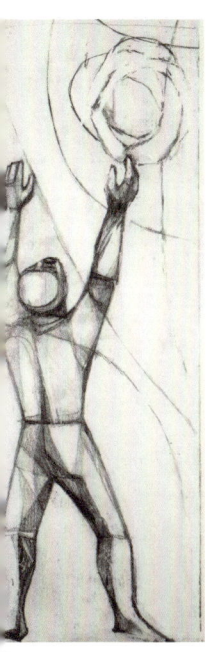

à esquerda

Edifício Selene,
foto recente do painel
de Gershon Knispel,
São Paulo, 1960

à direita

Evolução do estudo de
Gershon Knispel e
artista em seu estúdio
com estudo finalizado para
painel do Edifício Selene,
final dos anos 1950

à esquerda

Edifício Condor,
painel de Gershon Knispel,
São Paulo, 1960

Edifício Alvorada,
painel de Gershon Knispel
hoje inexistente,
São Paulo, 1960

à direita

Edifício Condor,
detalhe do painel

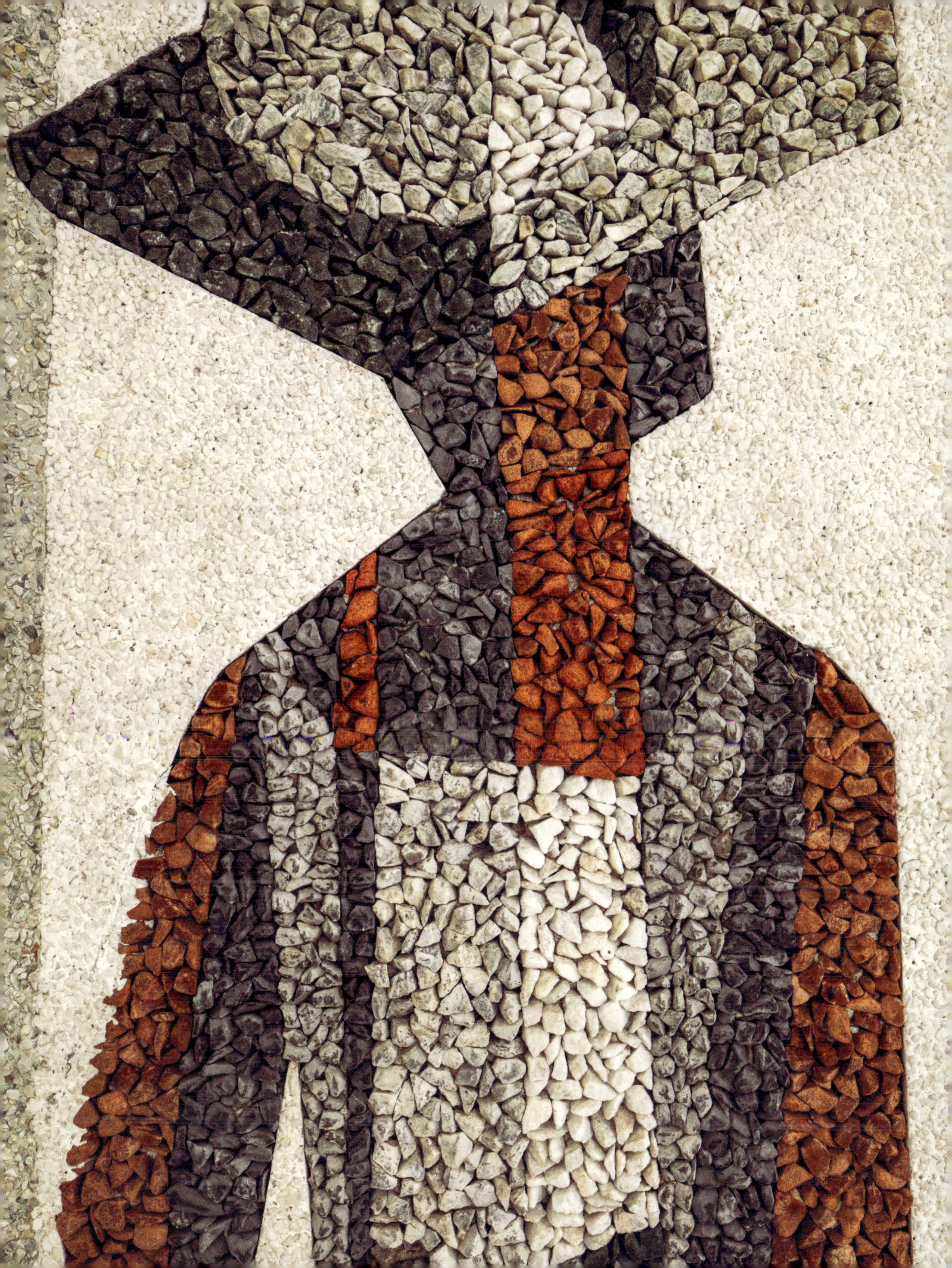

Mural de Gershon Knispel, de 1958, no edifício-sede da TV Tupi São Paulo, arquiteto Gregorio Zolko

Edifício Alvorada, painel de Gershon Knispel, São Paulo, 1960

Edifício Itapoama, paisagismo de Rosa Kliass, São Paulo, 1979

construção de prédios residenciais a preço de custo, seus projetos contemplaram, em inúmeros casos, a instalação de obras especificamente produzidas ou, então, a aquisição de obras bi e tridimensionais existentes, para decorar as áreas comuns. As obras eram selecionadas pelo próprio Kon, mas os critérios utilizados não refletiam exatamente os de sua coleção particular, focando principalmente em obras mais acessíveis, principalmente gravuras (como as de Lizárraga, que aparecem em vários edifícios), e, às vezes, esculturas nos jardins (entre outras, foram escolhidas obras de Masumi Tsuchimoto e Anita Kaufmann). Nasceram assim, também, as encomendas a Gershon Knispel, para conceber e realizar alguns painéis e mosaicos decorativos, e o convite feito a Alfredo Volpi e Waldemar Cordeiro para que realizassem painéis especiais para a casa da rua Honduras, residência da família Kon até 1972.

Gershon Knispel e Waldemar Cordeiro foram os dois artistas com quem Kon colaborou de maneira mais recorrente, de forma profissional, ao longo da década de 1960. De origem judaica, Knispel havia deixado a Alemanha com a família em 1935, com apenas três anos de idade, para estabelecer-se na Palestina. Após participar do processo de formação do estado de Israel, em 1958 o artista ganhou o concurso para a realização do painel na fachada do edifício da TV Tupi, que havia sido fundada em 1950 por Assis Chateaubriand, e acabou fixando residência em São Paulo. Nesse primeiro trabalho brasileiro, mesmo inserindo-se numa tradição já bastante consolidada no país, onde a convivência de painéis e mosaicos de artistas com a arquitetura era bastante frequente, Knispel inovou ao introduzir uma técnica ainda pouco utilizada por aqui, o *fulget*, ou agregado mineral jateado. Impressionado pelas figuras vigorosas e pelo estilo majestoso de Knispel, Kon convidou-o a conceber trabalhos artísticos para alguns dos edifícios mais interessantes que projetou entre o final dos anos 1950 e o começo dos 1960, e nos quais o artista demonstrou a capacidade de dominar técnicas distintas. Um dos primeiros trabalhos realizados a convite de Kon foi o conjunto de pinturas que adornavam o térreo do Edifício Alvorada (1959), infelizmente perdidas, mas que podem ainda ser apreciadas na foto realizada na época por Hans Gunter Flieg. Quatro telas figurativas e três abstratas compõem um conjunto harmonioso, inspirado numa iconografia singela e popular, no qual a divisão da composição em blocos cromáticos é mais nítida que no painel da TV Tupi (que pode ser considerado mais expressionista e, nesse sentido, caraterístico da produção do artista nesse período). A força primigênia do personagem é evidente, por exemplo, na figura que levanta os braços em direção da lua, no grande painel que adorna a fachada do Edifício Selene (1960), para o qual Knispel utilizou pedras de formatos diferentes, mas, nesse caso, recorrendo a uma paleta mais contida, com o intuito de recriar a atmosfera de uma cena noturna. Já no mosaico que adorna a entrada do Edifício Condor (também de 1960),

Contradição espacial, 1958, pintura de Waldemar Cordeiro

Jardim da Casa Ubirajara Keutenedijan, São Paulo, 1955, paisagismo de Waldemar Cordeiro

Parque infantil Clube Espéria, São Paulo, 1966, paisagismo e brinquedos de Waldemar Cordeiro

Knispel utilizou o que ele mesmo chama de "pedrisco" para construir um original fundo geométrico, vagamente metafísico, sobre o qual se desenvolve uma cena de rua, com músicos que tocam e transeuntes que param ao ouvir a melodia. Aqui também os personagens são construídos, como o fundo, por justaposição de blocos cromáticos, nesse caso, utilizando pedras de cores e formatos distintos. Militante ativo em favor da paz, e declaradamente comunista, Knispel teve que abandonar o Brasil em 1964, interrompendo forçosamente a colaboração com Kon, que poderia ter dado ulteriores frutos.

A relação profissional com Waldemar Cordeiro, por outro lado, ficou circunscrita prevalentemente à projetação de jardins e ao paisagismo de vários edifícios. Como é sabido, desde 1953 Cordeiro manteve um escritório de paisagismo, Jardins de Vanguarda, através do qual projetou e supervisionou a execução de jardins e áreas comuns de residências particulares e prédios ao longo de quase duas décadas. Cabe lembrar, nesse sentido, o seminal projeto paisagístico para o Edifício João Ramalho, projetado pelos arquitetos Salvador Candia, Roberto Aflalo e Plínio Croce,[6] ou o sofisticado jardim projetado por Cordeiro para a Residência Keutenedijan, em 1955, e reconstruído em 2013, sob supervisão de André Vainer, ao lado do auditório do Parque Ibirapuera. Vários projetos da Jardins de Vanguarda foram executados justamente a pedido de Kon, para quem Waldemar Cordeiro projetou, entre outros, a residência Wajchenberg (1965), para a qual, além do jardim propriamente dito, foi projetado um muro divisório em concreto, em que formas rigidamente geométricas sobressaem do fundo, criando um jogo de luz e sombra que remete, no âmbito da carreira paisagística de Waldemar, ao famoso playground realizado no Clube Espéria, no ano seguinte, onde formas parecidas ganham mais volume, tornando-se degraus a ser escalados e utilizados livremente pelas crianças. Nos projetos para edifícios, como o do Edifício Condor (1960), Waldemar teve liberdade para experimentar soluções bastante originais, fruto de uma pesquisa extremamente específica, desenvolvida de forma autônoma, em relação àquela que norteava a produção artística: "a ideia de um quadro ser tema ou base para um paisagismo é falsa. São pesquisas artísticas paralelas, cada uma com sua linguagem. Os princípios são, sim, comuns. Como exemplo, os princípios de semelhança e proximidade da *Gestalt Visual* usados no concretismo podem ser observados tanto nos quadros quanto nos jardins".[7] Importante no marco da aspiração, bastante difusa em São Paulo a partir dos anos 1950, à "síntese das artes", a relação entre paisagismo e arquitetura seria sempre um aspecto muito cuidado nos projetos de Kon, que, num projeto posterior, talvez o mais significativo além dos realizados em parceria com Waldemar, colaboraria com Rosa Kliass no desenvolvimento da grande área comum entre as duas torres do Edifício Itapoama (1976).

Residência Bernardo Leo Wajchenberg, fotos e desenhos do projeto paisagístico, e muro em concreto de Waldemar Cordeiro, São Paulo, 1965

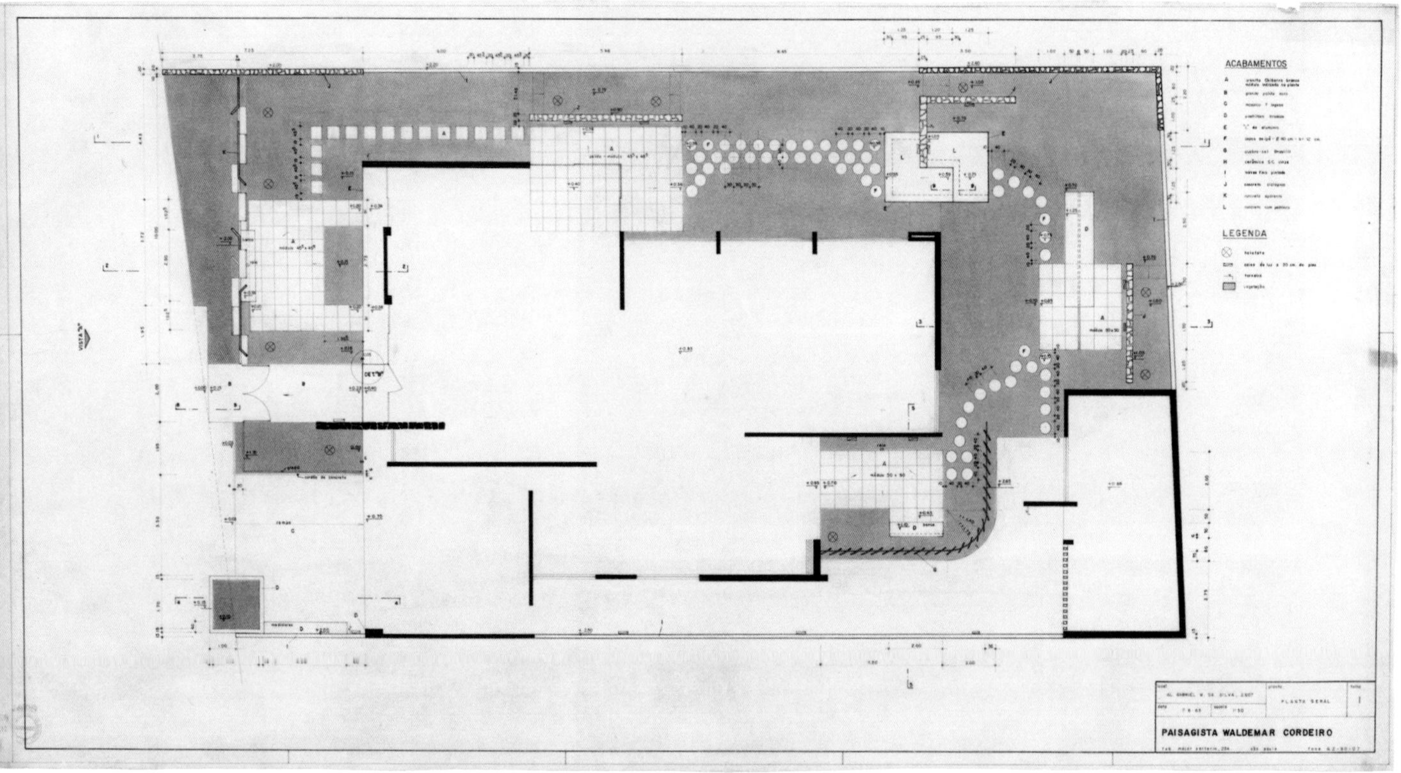
ACABAMENTOS
LEGENDA
PLANTA GERAL
PAISAGISTA WALDEMAR CORDEIRO

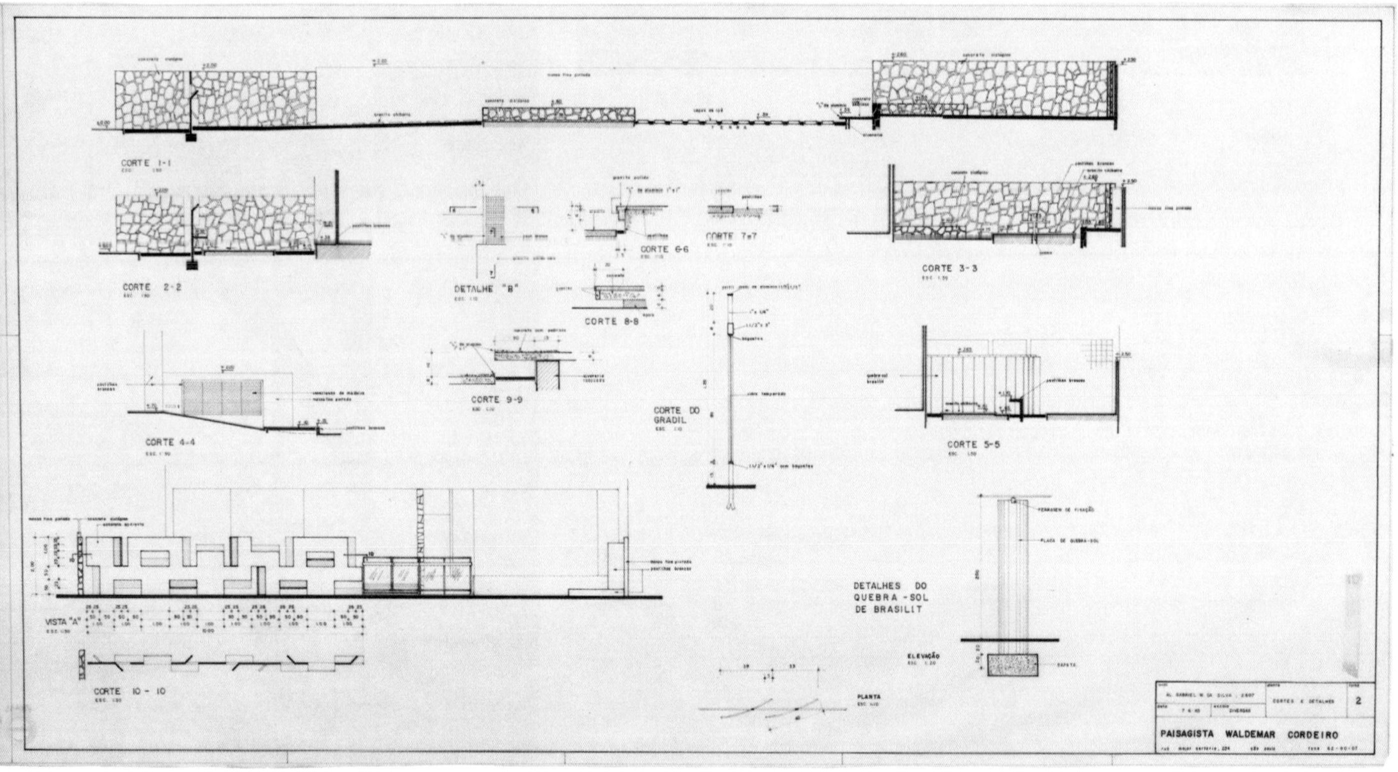
CORTE 1-1
CORTE 2-2
DETALHE "B"
CORTE 6-6
CORTE 7-7
CORTE 8-8
CORTE 3-3
CORTE 9-9
CORTE 4-4
CORTE DO GRADIL
CORTE 5-5
VISTA "A"
CORTE 10 - 10
DETALHES DO QUEBRA -SOL DE BRASILIT
ELEVAÇÃO
PLANTA
CORTES E DETALHES
PAISAGISTA WALDEMAR CORDEIRO

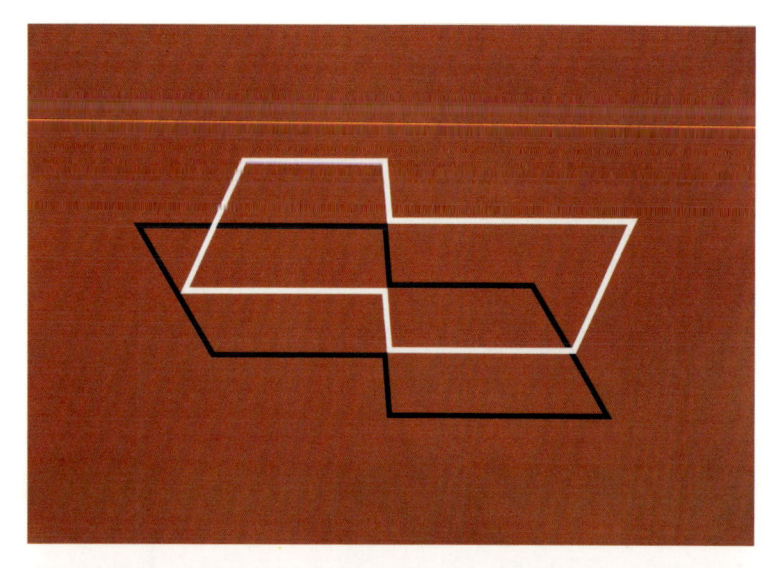

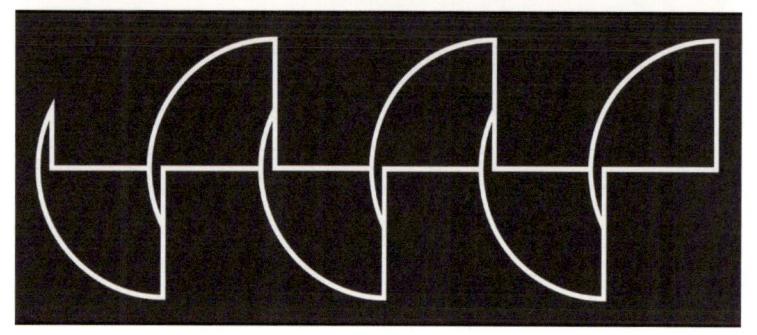

à esquerda

Esquemas dos afrescos geométricos de Alfredo Volpi para a fachada e de Waldemar Cordeiro para o jardim externo (reproduzido de memória por João Kon), Residência João Kon, São Paulo, 1957

no centro

Afresco de Alfredo Volpi na fachada

à direita

Afresco e painel de Waldemar Cordeiro nos jardins do fundo e de inverno

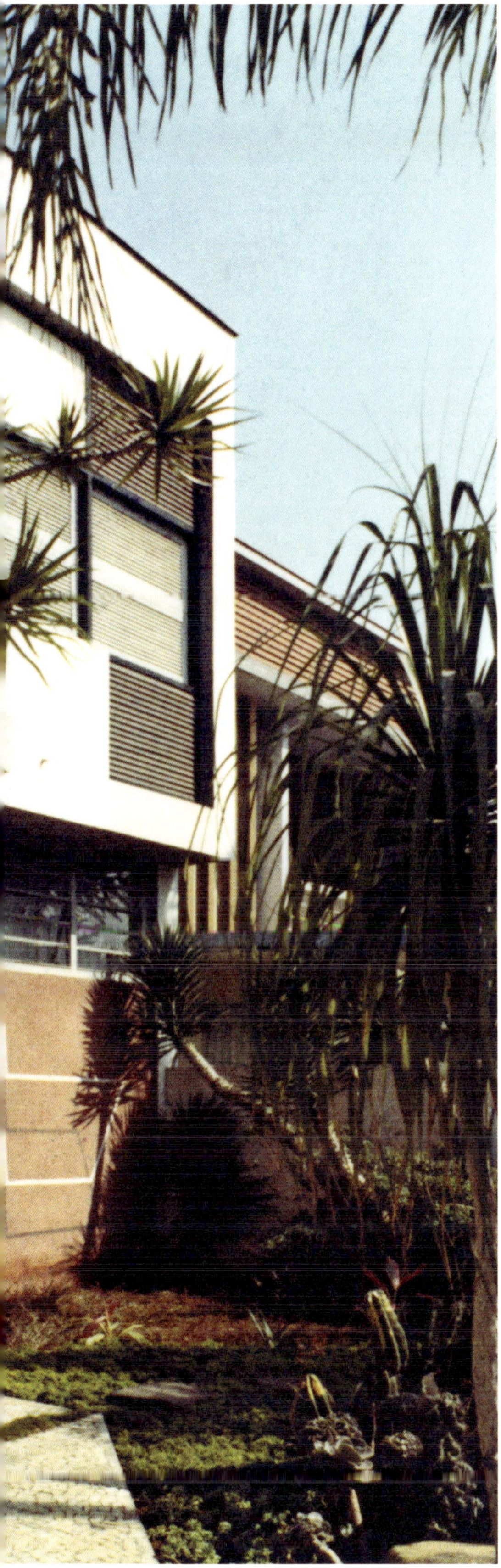
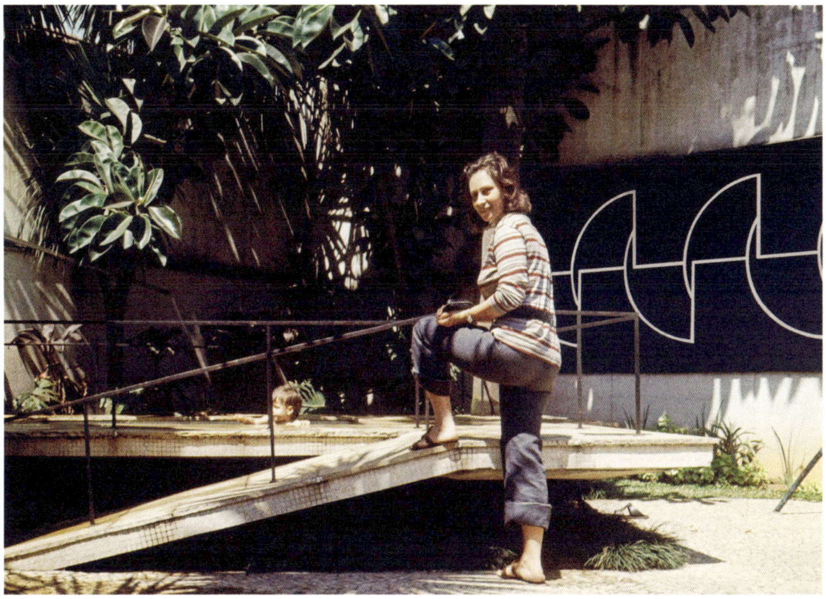
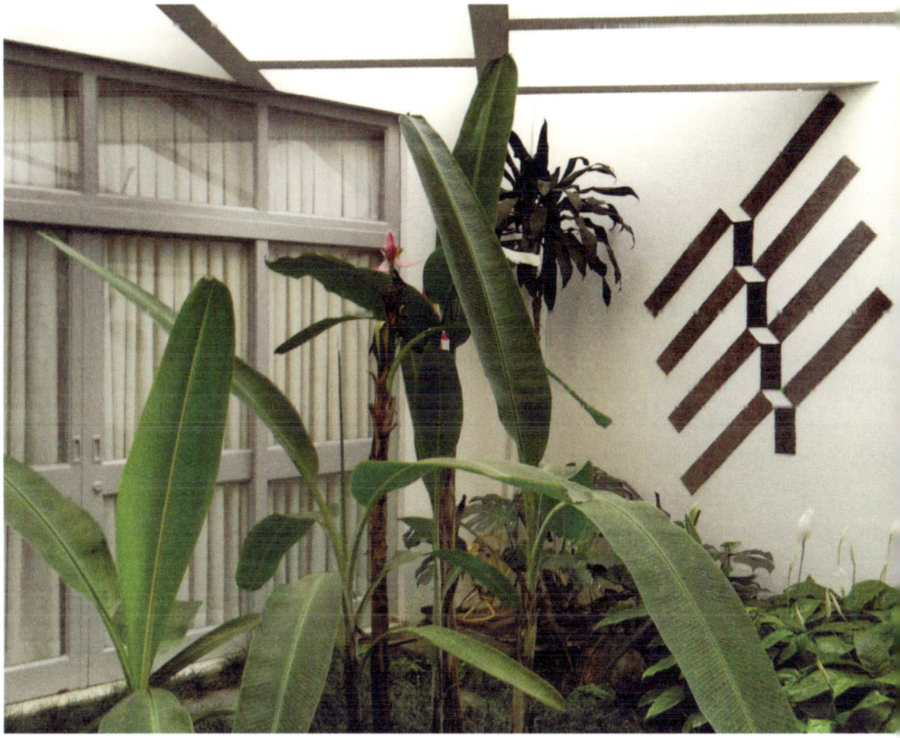

Exposição *Ianelli: 50 anos de pintura*, de Arcângelo Ianelli, projeto expositivo de João Kon, Masp, São Paulo, 1993

Exposição *Lugar com arco*, de Norma Grinberg, projeto expositivo de João Kon, Museu da Escultura – MuBE, São Paulo, 1999

Capa da segunda edição do livro *De Anita ao Museu*, de Paulo Mendes de Almeida, patrocinado pela Diâmetro Empreendimentos, Perspectiva, 1976

Um dos primeiros empreendimentos realizados no bairro do Morumbi, o Itapoama busca um diálogo com o entorno, na época ainda predominantemente ajardinado, exatamente através de uma área comum muito verde, na qual a vegetação proposta por Kliass é integrada perfeitamente às edificações através de uma marquise que articula a relação entre os espaços livres e as torres.

Além do trabalho como paisagista, Waldemar executou para Kon também um painel em pedrisco, formalmente próximo das obras executadas no final dos anos 1950, como a célebre *Contradição espacial* (1958), e um afresco, que decoravam a residência da família na rua Honduras, em cuja fachada Alfredo Volpi também havia pintado um afresco geométrico. Significativamente, ao comentar a não existência de registros de Volpi ou de Waldemar pintando os painéis que decoravam a casa, Kon observa que se tratava de um ato "tão natural", que ninguém pensou em registrá-lo.[8] Evidentemente, isso não diminui a importância das obras realizadas, pois estão perfeitamente sintonizadas com o que tanto Waldemar como Volpi vinham produzindo na época, mas é importante entender que essa relação de amizade íntima e direta parece ser o que move os passos de Kon em todas as suas incursões em campo artístico, tanto quando decide adquirir obras, como quando oferece seus serviços de arquiteto aos artistas, para ajudá-los na montagem de suas exposições. Acabou, assim, organizando a expografia de numerosas exposições, em especial de Arcângelo Ianelli, tanto em São Paulo como em outras cidades do Brasil, e colaborando ainda na montagem de Bienais e Panoramas de Arte Brasileira, ou seja, em várias das exposições periódicas mais importantes do cenário nacional. Além disso, Kon conta que, em meados da década de 1970, em mais uma iniciativa bastante arrojada para a época, manteve, no 13º andar do Edifício Diâmetro, uma galeria de arte não comercial, onde organizou, durante esse período, várias exposições. O projeto do próprio edifício foi objeto da primeira exposição realizada no prédio, em junho de 1975, para a qual Kon concebeu uma interessante estrutura de andaimes, extremamente simples e funcional.

Em um contexto que, numa época como hoje, carecia e carece de espaços institucionais, uma empreitada desse tipo, ainda mais por estar abrigada num prédio de caráter comercial, merece ser destacada. Foram realizadas aqui, entre outras, exposições que se relacionavam diretamente com a atividade e os interesses do próprio Kon, e outras cujo interesse transcende essa relação. Em novembro de 1975, por exemplo, foram expostos desenhos de Lasar Segall, alguns colocados à venda com o intuito de arrecadar fundos para o Museu Lasar Segall, e, no mesmo mês do ano seguinte, foi organizada uma exposição para acompanhar o lançamento da segunda edição do livro *De Anita ao Museu*, de Paulo Mendes de Almeida.[9] Referência sobre o nascimento da arte moderna em São Paulo, o livro, publicado originalmente em 1961,

João Kon e Arcângelo Ianelli no ateliê do artista, São Paulo, 2001

Edifício Vila del Rey, coloração da fachada inspirada na paleta de cores de Arcângelo Ianelli, São Paulo, 1990

Edifício Quinta de Bragança, coloração da fachada inspirada na paleta de cores de Arcângelo Ianelli, São Paulo, 1990

Logotipo da Diâmetro, versão em preto e branco, redesenho de Antonio Lizárraga para desenho original de João Kon, final dos anos 1970

estava esgotado, e a nova edição fora viabilizada pelo próprio Kon, que sugeriu a reedição à editora Perspectiva e patrocinou, através da Diâmetro, a publicação. Além disso, como atesta a "Nota sobre o livro" incluída na recente terceira edição, o livro foi diagramado por "Arcângelo Ianelli e João Kon".[10] Cabe ainda lembrar que, mais uma vez através da Diâmetro, Kon viabilizou também o patrocínio da edição do poema *Fausto*, de Paulo Mendes de Almeida.

Entre todos os artistas com quem conviveu, Ianelli foi, provavelmente, aquele com quem Kon compartilhou, com mais intensidade, sua própria produção, ou seja, com quem mais claramente estabeleceu uma sinergia e uma troca. Em várias ocasiões, o arquiteto pediu a opinião do artista sobre os estudos de cores feitos para as fachadas de seus prédios, entre eles, os edifícios Quinta de Bragança (1990) e Vila del Rey (1990), que, entre outros, usam uma paleta evidentemente próxima àquela utilizada pelo próprio Ianelli no período, com tons sóbrios e variações quase imperceptíveis. Além disso, Ianelli envolveu-se também diretamente na realização do prédio da construtora Diâmetro, da qual os irmãos Kon eram sócios, na avenida Faria Lima, erguido em 1972, período em que Ianelli estava se aproximando da escultura. A partir de uma análise do trabalho do amigo como pautado pela sobreposição de formas geométricas, principalmente quadrados,[11] Kon convidou-o a elaborar uma obra tridimensional que servisse também de fechamento dos primeiros andares do edifício, utilizados como estacionamento. O resultado é uma das obras escultóricas de maior porte de Ianelli, que obtém uma superfície vibrátil através, justamente, da sobreposição e deslocamento de planos quadrados. Trata-se, evidentemente, de uma realização singular e fascinante no contexto da trajetória do artista, que, de certa maneira, se relaciona mais diretamente com a pintura que com as esculturas mais conhecidas, nas quais o artista parece explorar a sensualidade do mármore. Mais que por essa particularidade, contudo, o projeto para a sede da Diâmetro é significativo porque permite colocar em sua justa perspectiva a importância da produção artística, e da relação extremamente viva e direta de João Kon com ela, no âmbito de sua própria atividade profissional. É aqui que fica mais clara a postura de quem, agindo em primeira pessoa no terreno do embate entre criação autoral e exigências comerciais, não renuncia a entrar no vivo desse conflito, buscando uma harmonia difícil, certamente, mas não impossível, cujo cerne reside na presença vivificadora da obra, e na convivência com o artista. É importante, nesse sentido, lembrar a história do próprio logotipo da Diâmetro, desenvolvido, num primeiro momento (início dos anos 1970), por João Kon e, posteriormente, redesenhado por Antonio Lizárraga (no final da mesma década): a colaboração através do tempo entre o arquiteto e o designer, ou, para dizer de outra forma, entre os dois artistas, é reveladora do *modus operandi* de Kon,

João Kon e José Mindlin em exposição sobre o projeto e execução do painel de Arcângelo Ianelli, projeto expositivo de João Kon, Edifício Diâmetro, São Paulo, anos 1970

Edifício Diâmetro, painel artístico de Arcângelo Ianelli, São Paulo, 1974

que nunca buscou separar, de maneira estanque, os âmbitos de atuação ou a esfera pessoal da profissional.

Seja comissionando ou adquirindo obras específicas para seus edifícios, como fez em inúmeras ocasiões ao longo da carreira, seja envolvendo-se ativamente na concepção da obra, como neste caso, Kon acaba enfatizando a posição central da criação artística em seu trabalho, de certa maneira definindo uma postura bastante clara e que, apesar de ser essencialmente pragmática, mais que teórica, como não poderia deixar de ser, pode ser considerada uma fascinante terceira via à narrativa celebrativa de Niemeyer ou à iniciativa louvável, mas substancialmente isolada, da Unilabor.

3815-8837
1721

1. Para uma análise deste artigo e de sua repercussão no meio arquitetônico brasileiro, ver a introdução de Fernando Serapião neste mesmo volume.
2. CLARO, Mauro. *Unilabor e Geraldo de Barros: política e design para superar a alienação do trabalho*. In: CAMPOS, Sergio (org.). *Zanine Caldas e Geraldo de Barros – fortes contrastes, utopias realizadas (fábrica de móveis artísticos Z e Unilabor)*. Catálogo da exposição. São Paulo, Artemobília, 2010.
3. João Kon, em entrevista com Fernando Serapião [entrevista 4, final].
4. Cf. ZANINI, Mário. *A arte no Brasil nas décadas de 1930-1940: o grupo Santa Helena*. São Paulo, Nobel/Edusp, 1991, p. 91.
5. João Kon, em entrevista com Fernando Serapião [entrevista 1, final].
6. A esse respeito, ver: FERRONI, Eduardo Rocha. *Aproximações sobre a obra de Salvador Candia*. Dissertação de mestrado. São Paulo, FAU USP, 2008, p. 145-211. Disponível em: <http://www.teses.usp.br/teses/disponiveis/16/16136/tde-25032010-160803/publico/Aproximacoes_sobre_a_obra_de_Salvador_Candia.pdf>.
7. Analivia Cordeiro, depoimento citado na apresentação da exposição *Waldemar Cordeiro: Jardins de Vanguarda Ltda.*, curadoria de Givaldo Medeiros e Analivia Cordeiro. São Paulo, Luciana Brito Galeria, 23 ago. a 11 out. 2014. Disponível em: <www.lucianabritogaleria.com.br/exhibitions/101>.
8. João Kon, em entrevista com Fernando Serapião [entrevista 6, aprox. 1:10].
9. ALMEIDA, Paulo Mendes de. *De Anita ao Museu*. 2ª edição. Coleção Debates, n. 133. São Paulo, Perspectiva, 1976.
10. ALMEIDA, Paulo Mendes de. *De Anita ao Museu. O modernismo, da primeira exposição de Anita Malfatti à primeira Bienal*. 3ª edição. São Paulo, Terceiro Nome, 2015, p. 15.
11. João Kon, em entrevista com Fernando Serapião [entrevista 6, 1:20 aprox.].

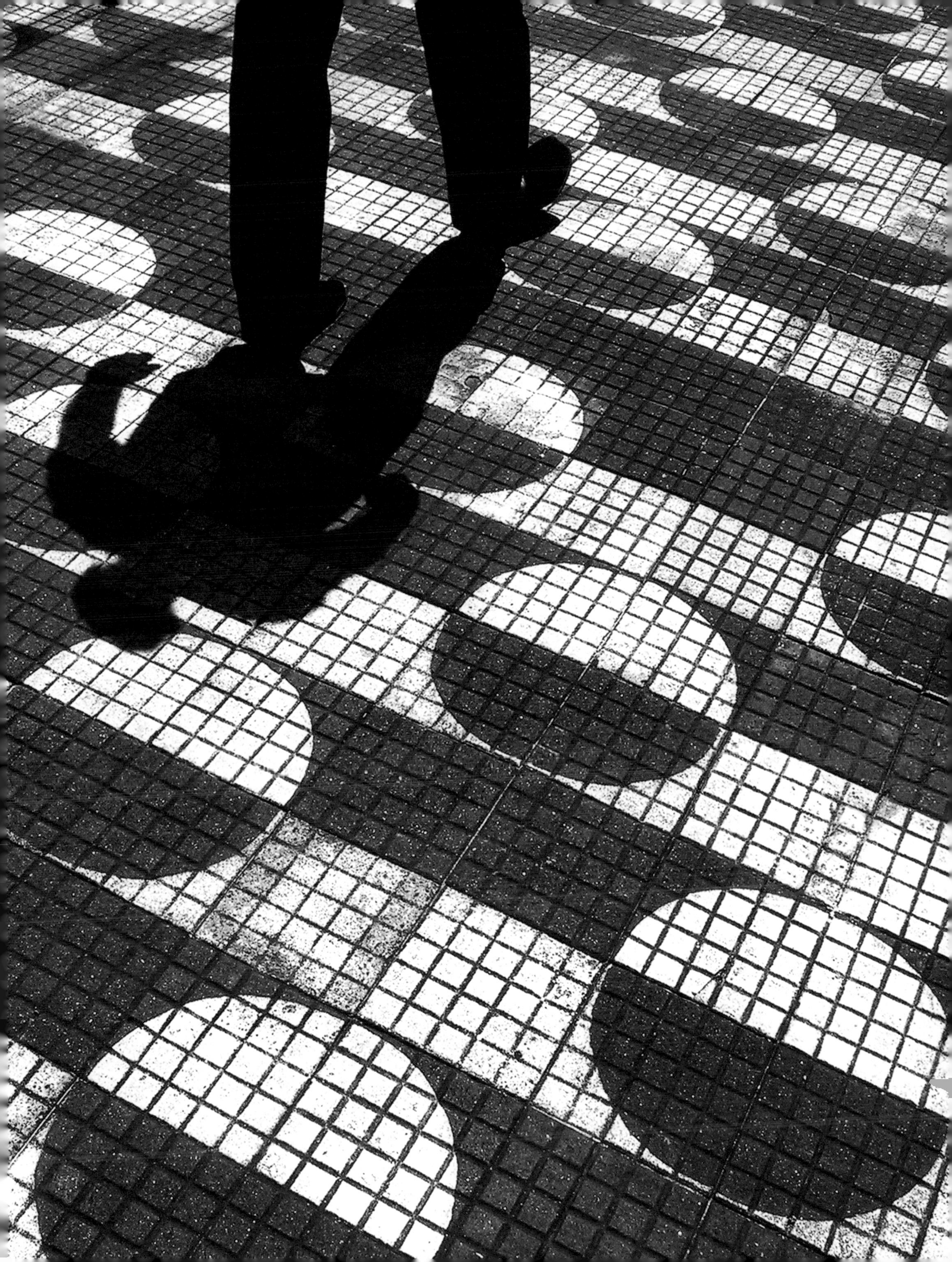

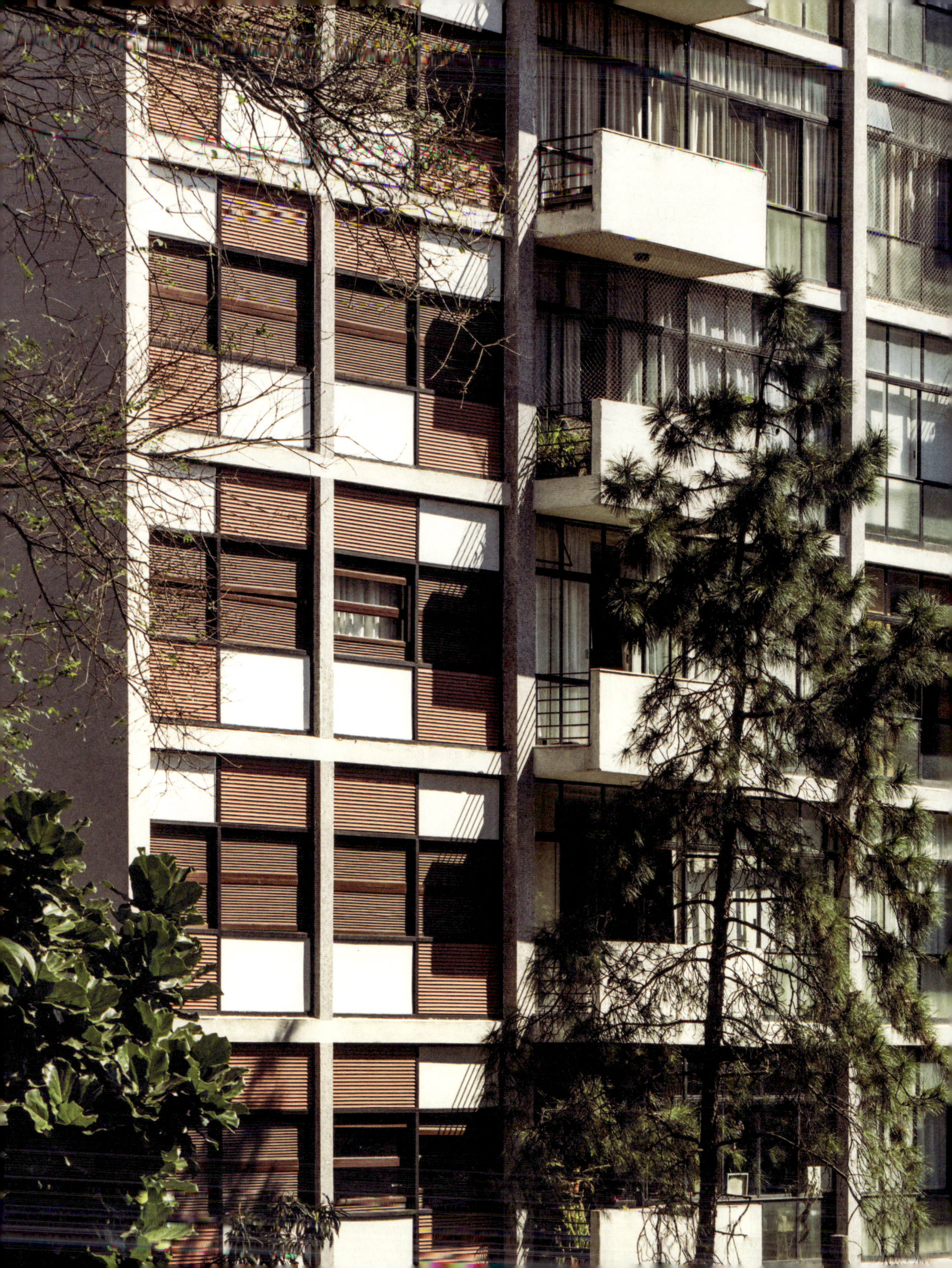

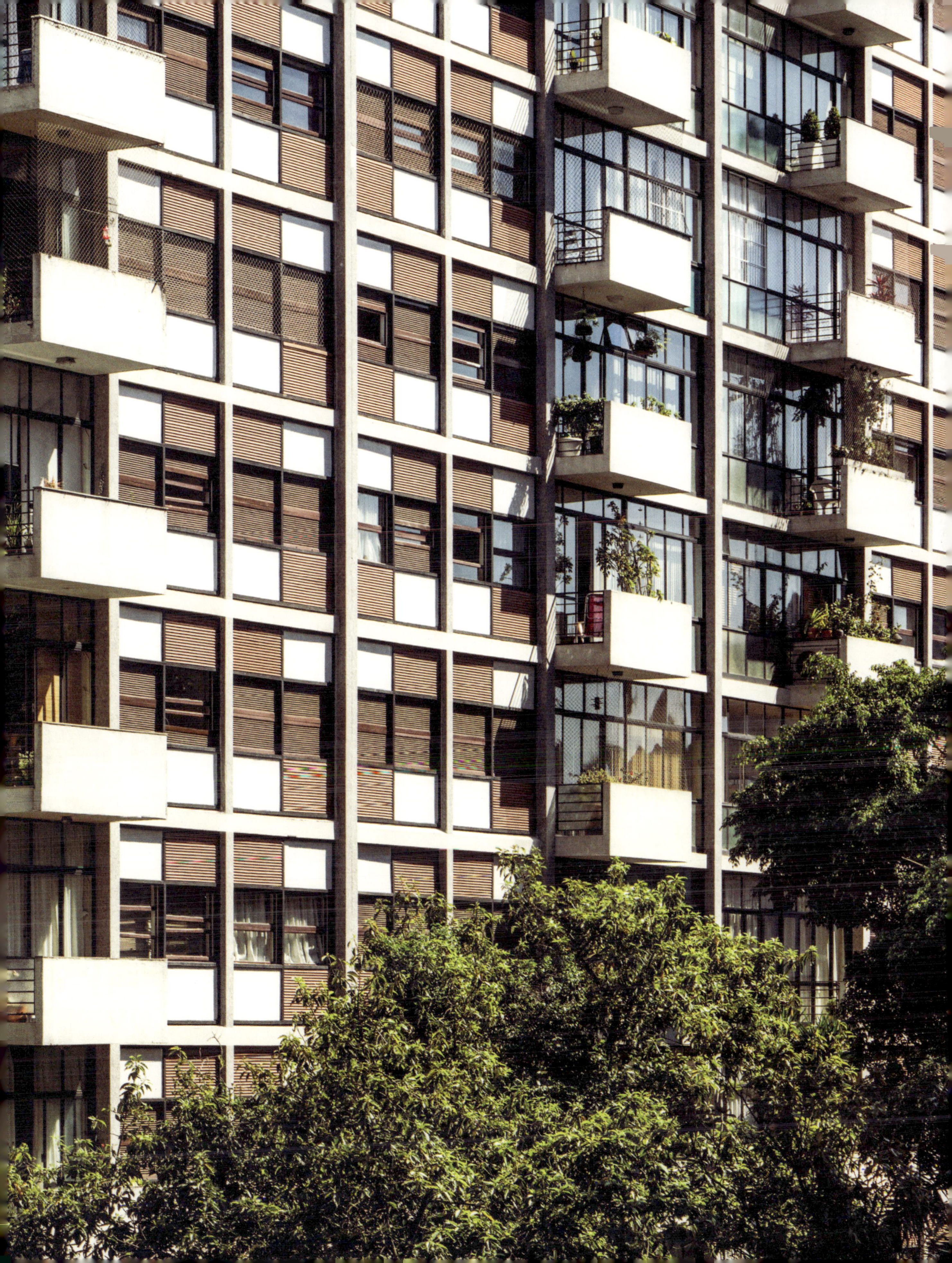

João Kon e Samuel Kon no escritório da dupla, final dos anos 1950

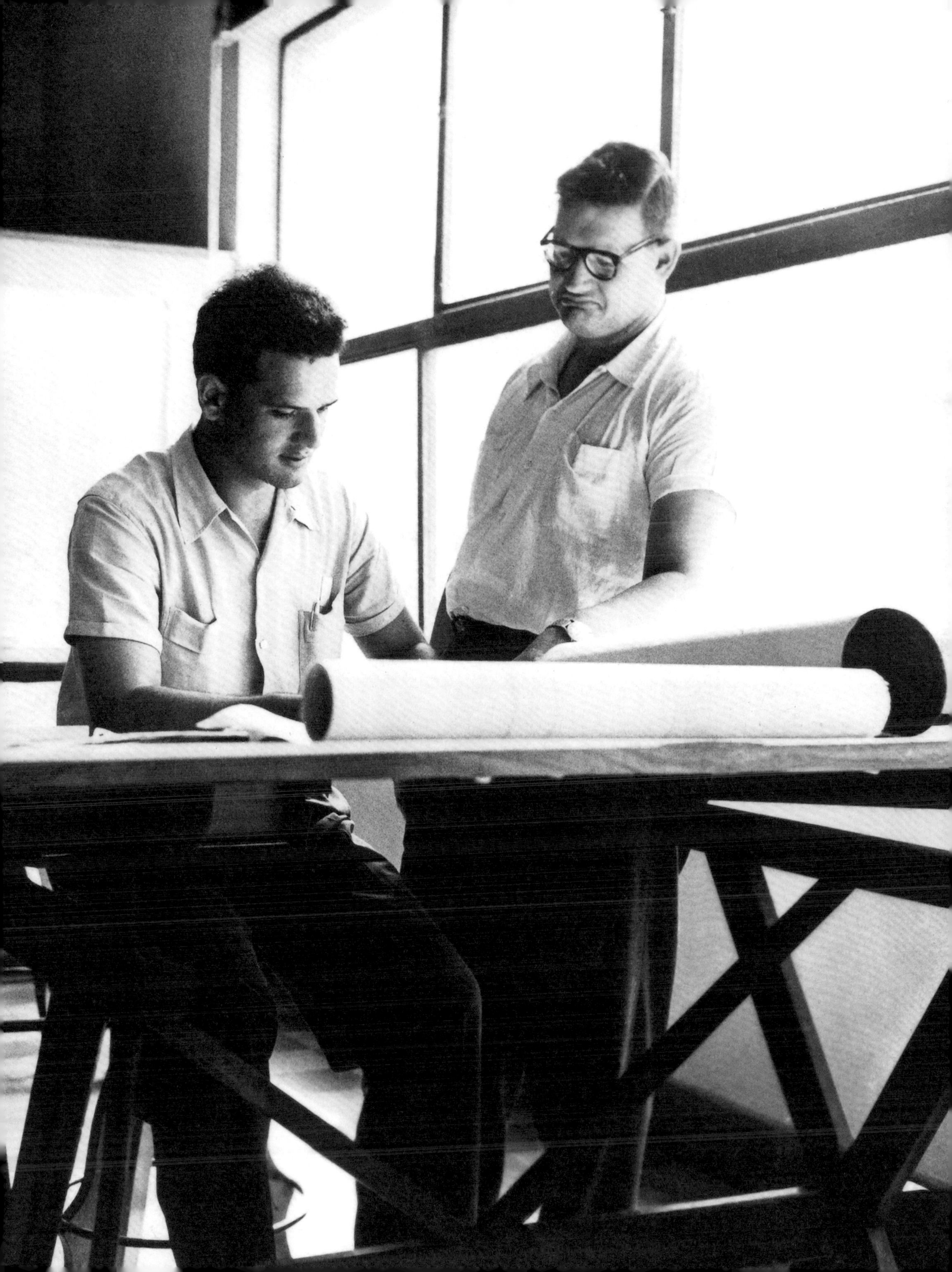

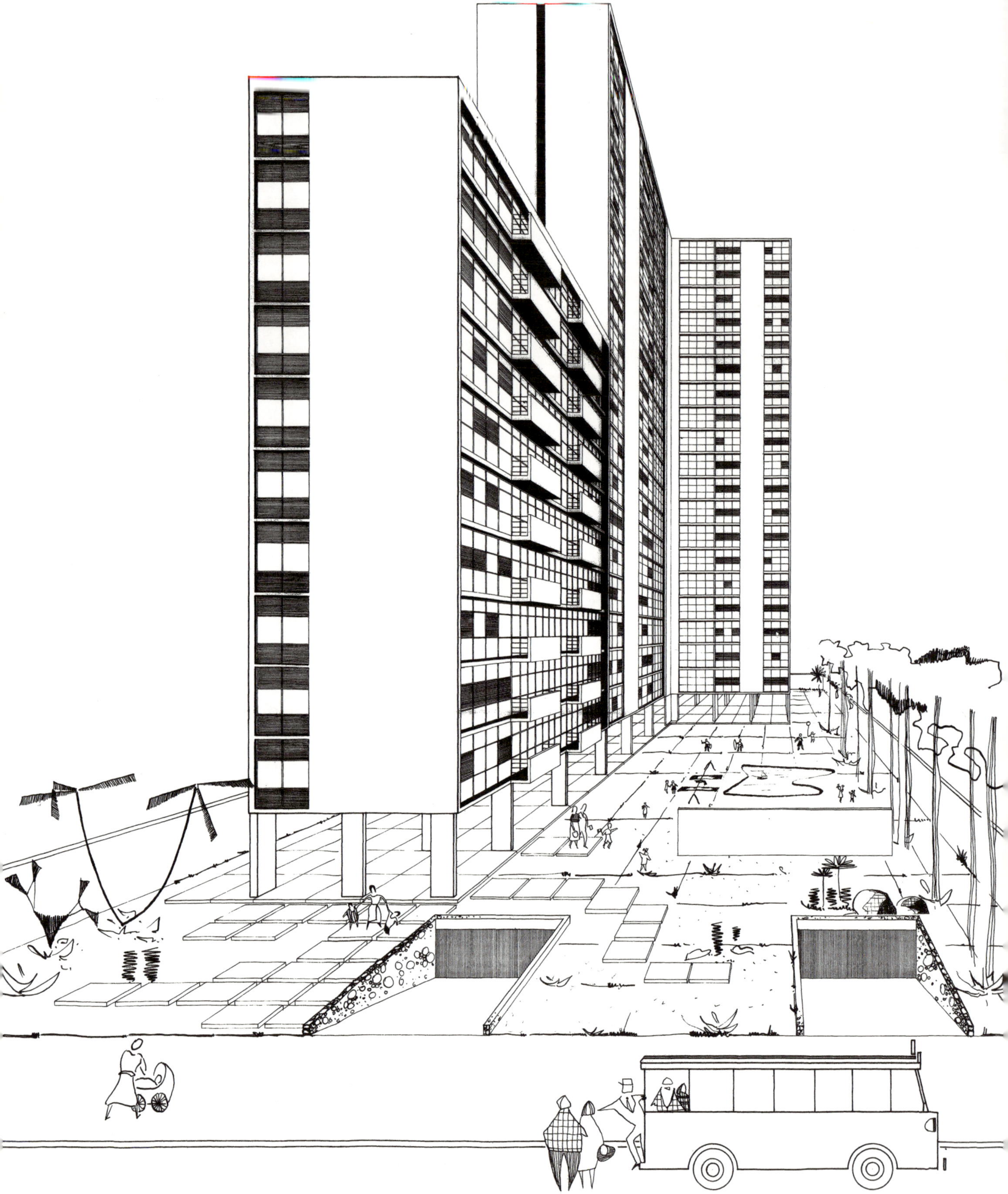

O arquiteto João Kon e os edifícios habitacionais

LUIS ESPALLARGAS GIMENEZ

Edifício Iraúna, perspectiva do conjunto, São Paulo, 1968

A arquitetura se ocupa da casa, da casa comum e habitual, para homens normais e comuns. Ela despreza os palácios. Eis um sinal dos tempos.
Le Corbusier[1]

ARQUITETURA ILUSTRE E ARQUITETURA SISTEMÁTICA

Não parece haver um bom motivo para publicar um livro de arquitetura cuja produção contradiga os padrões oficializados, o juízo estabelecido e sustentado por críticos, historiadores e acadêmicos. Uma arquitetura despercebida sugere desapreço e indiferença, não cisma o observador, não estimula o especialista. Se assim for, deveria ser vista apenas como construção, edificação desprovida das características que elevam o artefato à categoria de arquitetura ao equipará-lo à arte.

 Enfrentam-se muitos obstáculos para abonar arquitetura à margem da lista prestigiosa, quando se trata de arquitetura desconhecida, sem vínculo com a produção engajada e, ademais, corrompida pelo proveito comercial. Mas, mesmo com tantas objeções ao projeto feito para o mercado, insiste-se em que existam empreendimentos habituais com suficientes predicados para revelar os princípios da boa arquitetura ao olhar atento. É previsível que tal afirmação, avessa ao *establishment*, acabe por expor a indiferença, a possível incompreensão coletiva estimulada pela catalogação oficial que exima de discernimento aos observadores doutrinados pela lista que seleciona a arquitetura que conta. É previsível que a arquitetura esquecida ou dissonante exponha outro ideal artístico, com acepção diversa daquela que alcança o consenso quanto ao que deva ser apreciado. É de se esperar que a convenção substitua a faculdade estética e, então, a forte adesão coletiva aconteça à margem da autêntica experiência estética.

 Há experiências de arte moderna em que o prazer artístico não está vinculado ao sentimentalismo, à empatia, à monumentalidade, à distinção pelo exagero, mas relacionado com a perspicácia, com o prazer que surge ao reconhecer inteligência e pertinência nas decisões que configuram, ao intuir a conformidade com os fins. Essa faculdade é subjetiva, porém, a conformação engendrada pelo autor é reconhecida e apreciada, da mesma forma, pelo observador e, assim, se estabelece a apreciação coletiva de uma configuração notável da ordem, da adesão construtiva, para supor universalidade e alcançar reputação artística. Nessa acepção, importa a capacidade de percepção das estruturas formais apropriadas e aptas para ordenar relações espaciais e construtivas. Se o espetáculo perde importância, então esse princípio tão aderente à arquitetura moderna, desconectado da mídia, do academicismo, da ideologia e dos estilos prediletos, pode estruturar com sucesso a cidade trivial, a moradia e o lugar comum que também mereça predicados e, ao contrário do que possa parecer, sem que isso implique renúncia a uma condição artística distinguida. Teme-se perder prestígio social e relevância artística, no caso de abrir mão da novidade, monumentalidade e da exposição midiática que parecem desviar o urgente objetivo profissional, se for considerada a inconclusa profecia dos palácios feita por Le Corbusier (1887-1965).

O atributo moderno, correto e íntegro passa quase sempre despercebido para muitos, por ser provável que nem todos experimentem o prazer estético despertado por uma estrutura ordenadora, subjacente ao estilo e independente dele, pois essa estrutura não é manifesta no objeto, ela está subentendida e é intuída pela visão, apreendida como pauta configuradora. Moral e ideologia, com que se ensina a propor partidos nas escolas, enrijecem a sensibilidade com o discurso, interpõem um argumento que prescinde da visualidade e, assim, impedem identificar a propriedade formal no artefato bem desenhado. Há muito, a retórica como técnica de convencimento substitui a apreciação visual como base da faculdade do juízo.

Para ser útil, um livro de arquitetura deve mostrar soluções apropriadas e, por isso, evitar excentricidade ou magnificência para pautar arquitetura séria obtida com decisões consequentes e eficazes para temas e situações frequentes enfrentadas pela maioria. O bom livro de arquitetura deve expor configurações e detalhes vantajosos, testados para enfrentar rotinas, problemas do dia a dia do arquiteto. A arquitetura que interessa deveria corresponder àquela que aperfeiçoa e disponibiliza formas comprovadas. Nos tempos ecléticos – pluralistas –, ao contrário de acentuar a relativização do juízo arquitetônico, é urgente que os livros explicitem a vigência, a distinção da obra de arquitetura para além da imagem, exceção e graça, porque o predomínio estilístico e o sincretismo conceptivo, ao contrário do que pode parecer, confundem, fragmentam e enfraquecem a profissão.

A arquitetura frequente costuma enfastiar, e há obras deslustradas de golpe por compactuar com as diretrizes de empreendimentos concebidos para o mercado imobiliário, frequentemente demonizado pelos ideólogos, em que reinam o capital e a mercadoria alheios ao compromisso social que purifica e orienta a proclamada arquitetura. A respeito da corrupção arquitetônica, encontra-se abundante censura que, indiferente ao juízo artístico, desmoraliza o arquiteto como agente de exploração, como instrutor perverso, como carrasco do canteiro de obras.

Para divulgar outra arquitetura não cabe fabricar um motivo, uma definição alternativa, um entendimento vago e transigente que alargue o conjunto das obras consideráveis. Se existem livros de arquitetura popular, vernácula, antiga, rural, aborígine ou proletária, a motivação editorial é sociológica, antropológica, histórica, étnica ou política. Não se pretende classificar empreendimentos habitacionais para divulgar assuntos da propriedade e gestão imobiliária, mas para mostrar arquitetura competente. O entendimento da arquitetura como um feito artístico, segundo sua virtude estética, costuma ser descontinuado, pois, se existem inclinação e orgulho para comemorar a arquitetura excepcional, não parece haver motivo para apreciar arquitetura genérica e austera, seja quanto às relações engendradas na cidade, seja pelo próprio aspecto do edifício. É como se inexistisse desígnio na faculdade que estrutura e constrói um bairro, ou o lugar que acaba aceito como um assentamento periférico, espontâneo e que não diz respeito, desenhado por um princípio desprezível. Pesem tantas justificativas, a arquitetura ilustre quer sobressair-se, parece elitizada e preconceituosa em decorrência da desmesurada expectativa artística com que valida a obra. Não pode ser de outra maneira enquanto a história se concentra no que seja grandioso, em exaltar monumentos, enquanto a pesquisa histórica não reconhecer mérito e arte na experiência e na tradição que constrói a carne da cidade.

No meio profissional, há convicção sobre a capacidade dos arquitetos de encontrar sentido inesperado nos dados de um projeto, para inventar, idealizar, criar, imaginar, originar e inovar arquitetura. Ensina-se e sustenta-se que a arte deva expressar o desconhecido, o inédito. Com essa apressada noção artística, provavelmente imatura e superficial, estabelece-se um conflito com a construção da cidade, com o que parece ser uma soma de intervenções isoladas que conformam a fisionomia, que exprimem paisagem e conjunto. Pois, se a construção da cidade se dá por adição e justaposição de ações independentes, é favorável que haja modelo, regra, complementaridade, adesão e vínculo, ou as características constatadas na obra coletiva.

É necessário entender se a oferta de projeto e a demanda construtiva estão cindidas pela impossibilidade de atuar em cidades reféns de políticas com má distribuição de renda, com crescimento acelerado, desordenado e espontâneo, ou se seria a peculiar noção moderna e nacional a que favoreceria a geração de objetos presumidos encomendados pelo Estado e burguesia, um costume contraproducente. Parece que a estratégia de projeto utilizada por arquitetos é constante para todos os temas e circunstâncias de concepção projetual. O grande e desnecessário vão, a arriscada ousadia, o pilotis prescindível, o ostensivo concreto armado são recorrências e, obviamente, não repercutem, não têm aplicação na maioria dos programas a construir.

Quer parecer adequado que a resposta do arquiteto resulte de seriedade, da escolha do que é mais apropriado e favorável para cumprir a demanda, das questões que sustentam seu argumento, não com falsa moralidade e racionalização, mas com sensatez e sensibilidade; no entanto, pode ser observado o ideal da arquitetura mais propenso à resposta inesperada e forçado a mostrar, mais que capacidade profissional, a imaginação fértil, interpretação e composição surpreendentes das variáveis, o partido admirável. Como aquilo que precisa se sobressair, a arquitetura decide-se com a licença das convicções declaradas, segundo o que mais agrade e expresse originalidade. Quer parecer uma arte cuja imagem intensifique emoções, cative e seduza. É presumível que, num jogo dominado pela aparência, se descuide da coerência, orçamento, rigor construtivo e do sentido prático do programa, daquilo que importune a imagem simpática. Coagida, a arquitetura é cativa dos corajosos, tem obrigação de maravilhar e ilusionar para causar sensação. Pode parecer estranho, mas é improvável destacar-se num concurso de arquitetura com um projeto correto, discreto e consistente. Parece que atrevimento e exagero sejam necessários, que a ênfase e destaque sejam inerentes, e que a circunspeção acarrete desinteresse, condene artefato e autor ao prosaísmo e anonimato.

É difícil explicar a origem dessa altivez artística, no entanto, ela deve estar vinculada a algum curto-circuito na formação e informação dos conceitos e juízos artísticos em escolas de arquitetura inundadas por ininterruptas teorias e opiniões. Não é exagero pensar que a maioria das pessoas prefira a arte apoteótica, espetacular e enigmática, já que não se reconhece mérito artístico naquilo que seja exigente e suficiente em condição de regularidade. Com a massificação da cultura, o refinamento é afrouxado e associado à afetação, enquanto a provocação, o protesto e o choque são estimulados para que possa haver interesse e apreciação, para dispor de imagens estimulantes, sem atentar para a consequência conceptiva, nem se entreter com o que possa ser inoportuno.

Os arquitetos insistem em ornamentar o projeto e, quase sempre, fazem-no em conformidade com a noção convencional de arte. Uma operação que suplanta o artefato sereno e mostra indiferença pela noção artística exigente, desapercebe o discreto ou inevidente, mas, nem por isso, insignificante. A massificação do ensino de arquitetura, por volta dos anos 1970, e a progressiva perda de poder sobre decisões da construção da cidade para astutos agentes imobiliários desencadeiam, com o arrefecimento da convicção profissional, a estratégia participativa, instalada para racionalizar e atenuar a imposição do empreendedor. Ao condescender com opinião e gosto do contratante e do usuário, certamente derretem o mérito artístico, ao rebaixar o prazer estético a um mero assunto de gosto. Se tais fenômenos estabelecem os limites da avaliação estética da arquitetura, então, é de se desconfiar que a acepção artística moderna e coerente, pautada na concepção clara, econômica e sistemática do artefato não sobreviva por ausência de brilho publicitário e presumível incompreensão. Surge, então, o gênero artístico modernizado, acomodado e confiado à estrutura material, diverso daquele que gera o artefato oportuno, útil e tradicional, porque não consegue reconhecer arte onde pareça haver apenas sentido prático, porque não reconhece arte quando a solução é moderada e sancionada. Coincide com o alheamento e insubordinação com o que seja perfeito, sintético e conforme no artefato comum.

A arte provida com inspiração suplica o gênio predestinado, concede celebridade, adorna as nações aventuradas e repercute o gosto popular. Tal acepção artística tem componente romântica, sentimentalista, com respeito à paisagem e tradição, mais ainda, com a nação, a ancestralidade, as vitórias, conquistas e os heróis. Para adaptar-se a esse perfil, a arquitetura moderna é nacionalizada e submetida ao regionalismo, sua aspiração universal é contida pela cultura local. É dessa maneira que as formas abstratas e silenciosas cedem a figuras simpáticas e alegóricas. No entanto, no caso de João Kon (1933–), a estruturação da arquitetura, por intermédio da forma estrita e abstrata, ainda corresponde à noção moderna apropriada, autêntica e necessária para reconhecer a pertinência de seu trabalho. Essa é a acepção que ele conhece e utiliza, nada há nela relacionado com a expressão artística, com a retórica, com protesto político, com mudança social ou com homenagem à técnica.

Menosprezar o simples, como se trivialidade fosse, limita o alcance de seu sentido. Entende o simples como algo fácil, em vez do simples como irredutível e irretocável; confunde o simples com a obviedade, em vez de entender o simples como o sistemático e o eficaz; e, ainda, reduz o simples ao vulgar, ao inartístico, pela impossibilidade de apreciá-lo como o que seja puro e genuíno. Tal interpretação coincide com um esquematismo mental que acarreta, além da descontinuidade e manipulação do juízo artístico, previsível ênfase dada à complexidade e à novidade. Quem reconhece a arte com critério isento pode concordar que o objeto simples e conciso costuma expor valor artístico daquilo que é exato, depurado, além de perfeito e potente. Por esse motivo, não deve estranhar que, na cidade ordinária, os edifícios usuais possam revelar relações estéticas apreciáveis. Isso só não acontece por causa da desatenção visual e preconceito que, juntos, impediriam a consolidação de um procedimento fecundo de estruturação formal, independente de meios escassos e limitação material, mas atento ao propósito de uma configuração prometedora. Porque a sucessão de manias estilísticas e de recursos abundantes dirigidos pela aventura inventiva nunca cede ao processo sistemático, hábil, econômico, eficiente, claro e aprovado para produzir e reproduzir arquitetura e cidade. Isso só acontece porque se costuma dar preferência ao episódio, em vez de prestigiar o sistemático, porque se acha graça na exceção e se despreza a regra para liberar arte.

Entre tantas experiências artísticas, há as que reproduzem critérios visuais e formais propícios, aderentes, discretos e reprodutíveis que configuram um

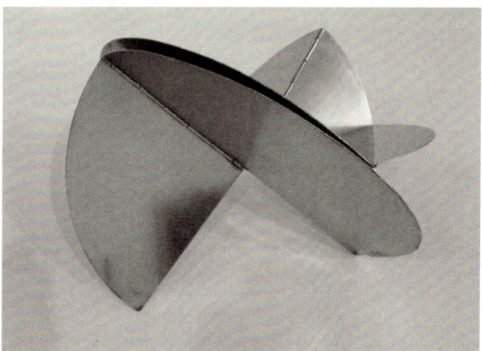

à esquerda

Gigante dobrada, Instituto Inhotim, Brumadinho, 2001, escultura de Amilcar de Castro

Escultura da série *Bichos*, 1960-1964, obra de Lygia Clark

no centro

Edifício Jaraguá, São Paulo, 1984, arquiteto Paulo Mendes da Rocha

à direita

Congresso Nacional, Brasília, 1960, arquiteto Oscar Niemeyer

artefato sempre novo a partir da mesma engendração. Essa é a experiência artística favorável aos arquitetos e urbanistas, pois está em sintonia com a concomitante repetição implícita no cenário urbano, diversa da arriscada, experimental e irresponsável arquitetura inspirada e novíssima. Mas, prefere-se o panfleto da vanguarda ideológica ao sistema ordenado da vanguarda formativa e propositiva, por isso, impressiona que o infinito neoplasticismo tenha sido banido pelo classicismo do imediato eixo especular, pelo arbítrio do autor ou pelo amável vernáculo da paisagem e, assim, não admira que, com tantas teorias e palpites, a cidade tenha se desfigurado e renunciado à ordem. A visualidade educada para distribuir e relacionar edificações, ordenar e controlar formatos e distâncias dá lugar à aritmética legislativa, à aplicação automática das taxas, coeficientes e recuos. Deve ser por isso que se prefere a palavra *implantar* em vez do termo *dispor*.

O construtivismo[2] na arte aparece entre as correntes conformes com a concepção estrita da arte moderna. O mote construtivo prestigia e deixa as pistas de uma geração do artefato concomitante e propício à construção de arquitetura, em vez de insistir no aspecto, pele e acabamento. O artifício configurador torna-se princípio da operação artística e, sem perder de vista o valor do artefato, desencadeia um entendimento, um prazer, mais estimulante que aquele proporcionado pelo próprio artefato. Se esse princípio parece tão adequado à circunstância arquitetônica e se a experiência construtivista é tão abundante e bem-sucedida no país, não parece haver demasiado intercâmbio entre a experiência dos artistas plásticos e arquitetos. Escultores e artistas plásticos parecem ter sido mais efetivos e atentos à tradução construtiva na arte.

Amilcar de Castro (1920-2002)[3] ombreia os grandes escultores do século 20. Suas obras são familiares, porque são compreensíveis e resultam da mesma gênese, são esculturas concebidas segundo um processo fértil, estrito e, por isso, sistemático. Em Castro, a arte não parece ser cria da inspiração, mas desse processo único para desvelar configurações inesperadas a partir de simples operações formais, precisas e repetitivas, processadas em espessas chapas planas de aço. A Castro compete cortar e dobrar, relacionar esses dois diferentes riscos, marcas lineares de resultado material diverso para reequilibrar o aço e construir tridimensionalidade. Operação cujas regras geométricas revigoram a percepção estética da forma e seu material. Do formato puro da folha, recorta um segmento, escolhe o ângulo, vinca e torce para revelar insuspeita composição, nova condição, todavia, mais importante, porque dispara o prazer estético ao permitir reverter mentalmente a operação conformadora. O valor da obra reside na consequência, fecundidade e novidade disponibilizadas pelo sistema incansável. Como deve ser no caso da experiência elevada da arte, o juízo antecipa o prazer.

Os *Bichos* de Lygia Clark (1920-1988) se constroem segundo uma intenção artística análoga. Um mesmo sistema pode produzir séries de objetos com incontáveis formatos, arranjos e resultados. Parece que a beleza está no mecanismo gerador, em seu reconhecimento e nas séries de artefatos ao mesmo tempo iguais, diferentes e mutantes. Placas de alumínio com dobradiças nas arestas sugerem ao observador, mais que uma reflexão artística, a intervenção com infinitos equilíbrios tridimensionais. Nesse caso, a arte tampouco depende do totem venerado, mas da perspicácia que engenha.

João Gilberto (1931–) é o músico solitário e meticuloso que trata a bossa nova com integridade, como música autêntica. Há anos é cantor de uma mesma canção, sua arte não renova repertório como faz um intérprete para adequar-se à lógica do lançamento, show e consumo. Gilberto está obcecado com o aprimoramento, persegue a máxima correção harmônica das notas musicais, o tempo, a conjunção da voz e acompanhamento, o violão. Com ele, a arte é ascendida à exatidão, é a regra e a exigência de perfeição, do sentido auditivo mais educado e privilegiado, que repete o mesmo para corrigir e sentir prazer com julgar e reconhecer a pureza melódica. Só introduz nova música se for para repetir o mesmo exercício. É um artista notável, porque acredita mais na sua sensibilidade musical, e na daqueles que o escutam, que na novidade e encanto do estribilho. Porque deve estar convencido de que refrão e virtuosismo, assim como episódio e exagero, não correspondem à completude musical.

Aceitar a importância da obra desses artistas é admitir que a repetição de uma concepção artística não implica tédio, ou trivialidade, que a arte é sempre diferente, mesmo a partir do princípio comum, que sua repetição, coletiva ou individual, desencadeia um processo fecundo para a construção da cidade que se ressente quando há falta de identidade e aderência entre construções. Nesse sentido, João Kon, com tantos edifícios construídos e baseados em protótipos oportunos, age com acerto e parece concordar com o inoportuno risco dos experimentalismos. Como outros grandes arquitetos, projeta com o que conhece e controla, sempre melhor. Da mesma maneira agem grandes arquitetos como Paulo Mendes da Rocha (1928–), com suas notáveis e reiteradas composições neoplasticistas, ou Salvador Candia (1924-1991), com sua série de plantas metódicas pautadas em grelhas estruturais, perimetrais e moduladas.

O prazer estético despertado pelo reconhecimento da configuração oportuna, da apropriada estrutura formal, parece mais consequente que a espontânea reação emotiva e afetiva que impregna a arquitetura moderna brasileira, tornada comovente e atraente ao destacar a brasilidade sobreposta à aspiração moderna e universal, àquilo que o rigor teórico defende como autêntica postura moderna. Naquela, há de se reconhecer não só peculiaridade e individualidade tributárias, em grande medida, da genialidade do arquiteto Oscar Niemeyer (1907-2012), mas também, de forma específica, entusiasmo e sucesso medidos em sua obra maior, a capital Brasília. Poderia considerar-se que a idealizada arquitetura moderna brasileira, tão ocupada com a imagem inovadora e modernizada, com a transformação social e urbana, não procura a forma da arquitetura doméstica. Então, pode se dizer que não seja atenta ao problema cotidiano ou ordinário da cidade, à cidade prosaica, porque só há olhos para o áulico, magnífico e capital. Para comprovar essa afirmação, basta olhar a cidade brasileira. A capital, ascendida a arquétipo urbanístico nacional, é a mesma que tolhe o urbanismo simples e prático. Essa omissão também pode estar relacionada com o famoso fenômeno brutalista – que também vai influenciar João Kon – arraigado no meio paulista e que, tantos anos depois, ainda exibe fôlego. É fácil demonstrar que essa musculosa e cinzenta arquitetura do concreto aparente e bruto está restrita a um campo ínfimo de atuação, dada sua impossível difusão e aplicação no grosso das demandas.

Se for entendido assim, para aderir ao artefato contundente, artístico e heroico, a arquitetura prestigiada esquiva-se da missão urbana e a repassa ao especialista em planejamento urbano, ao planejador. Essa postura não favorece a noção moderna prudente e eficiente com a qual desenhar a cidade. Decisão que desemboca numa importante renúncia das incumbências profissionais. Outro comentário que ajuda a entender a omissão camuflada emerge do preconceito por temas habitacionais habituais. Se o sobrado urbano corresponde ao tipo de moradia mais reproduzido nas cidades brasileiras, não se identifica qualquer iniciativa nas escolas para sistematizar seu desenho e produção com disciplinas que exercitem alunos em soluções aperfeiçoadas. Se, por um lado, a habitação coletiva horizontal representa grande porcentagem edificada das cidades, por outro, ela não faz parte das práticas obrigatórias de formação do aluno, tampouco é comum na atividade profissional de arquitetura.

Com Rodrigo Brotero Lefèvre (1938-1984), Flávio Império (1935-1985) e Sérgio Ferro (1938–), em uma das raras vezes em que acadêmicos e arquitetos renomados se debruçam sobre o tema da moradia unifamiliar sistematizada, do sobrado urbano, este é exibido e involucrado em abóbada cerâmica fundada no chão, como um *quonset* metálico,[4] seu pavimento superior é provido de mezanino independente com pilares e vigas e, assim, amontoa técnicas construtivas para isentar a solitária cobertura parabólica.[5] Uma proposta técnica que, mesmo sem seriação e, mesmo com muita repercussão e comemoração no meio acadêmico mais comprometido, é tão insólita que nem sequer repercute na cidade.

Quando, em 1969, desenha, para a Construtora Formaespaço Arquitetura e Construções, dezoito sobrados na rua Luís França Júnior, no Jardim Los Angeles, antigo Jardim Prudência, zona sul da cidade de São Paulo, o arquiteto Abrahão Sanovicz

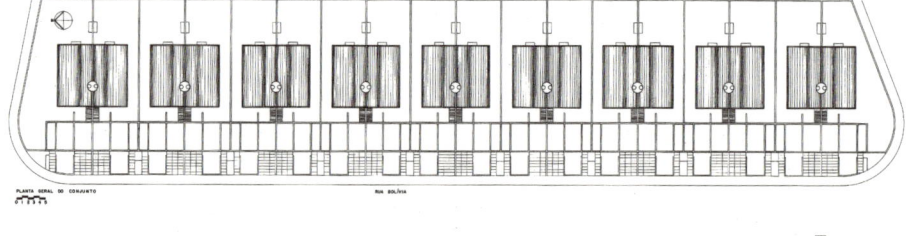

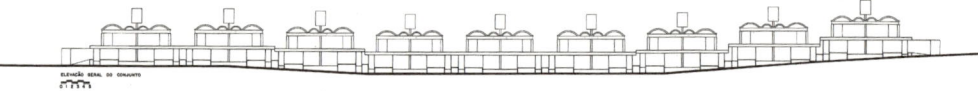

Conjunto residencial
na rua Bolívia,
implantação e corte geral,
São Paulo, 1969,
arquiteto Abrahão Sanovicz

Residência Pery Campos,
São Paulo, 1970,
arquitetos Rodrigo Lefèvre e
Nestor Goulart Reis Filho

Conjunto de residências
no Alto da Boa Vista,
São Paulo, 1973,
arquitetos Marcos Acayaba,
Marlene Milan Acayaba e
Marta Dora Grostein

(1933-1999) emprega um esquema inusual, com cobertura de carros e serviço num corpo frontal no terreno. Abóbadas de diferentes amplitudes causam estranheza no bairro, mas, certamente, repercutem as Residências Jaoul, de 1952/54, em Paris, de Le Corbusier. O concreto copia a ancestral figura da abóbada de canhão mediterrânea, aquela que o mestre franco-suíço tanto aprecia retomar com forma e sentido modernos. Porém, no caso paulistano, não há adesão ao sistema de paredes e abóbadas. A abóbada menor apenas se alinha com sanitários superiores, e a estrutura reticular de concreto é independente da situação de paredes de carga paralelas que constroem impostas. As plantas mostram uma escada esconsa e um lavabo cilíndrico girado 45° que, juntos à janela lateral e oblíqua do dormitório, explicitam uma distração formalista desviada da integração do programa e alheia aos princípios formais e estruturadores do sobrado.

Uma solução notável de sobrados que parece estar comprometida com essa tipologia pode ser apreciada no Grupo Residencial Alto da Boa Vista, de 1973, dos arquitetos Marcos Acayaba (1944–), Marlene Milan Acayaba (1949–) e Marta Dora Grostein (1948–). Quatro unidades, na rua Alberto Hodge, esquina com a rua General Osório, Brooklin, São Paulo. A pequena profundidade dos lotes exige esforço para reservar a vaga do automóvel e amplia a testada a tal ponto que os três dormitórios se abrem para a fachada frontal. Uma situação rara num sobrado define uma planta peculiar, porém, bem setorizada e promissora, ao opor a faixa de circulação, a escada e os sanitários à zona regular de dormitórios. No nível inferior, acessos, circulações e paredes de carga estabelecem com perfeição os usos e suas relações. A curva da rua permite desenhar duas versões escalonadas e detalhadas segundo um sistema de alvenaria aparente com blocos de concreto. Não resta dúvida de que se trata de um conjunto de sobrados em que os arquitetos fazem a diferença, um conjunto exemplar, que substitui a organização comum e tradicional pela configuração oportuna intuída por uma intervenção profissional sólida e responsável.

De maneira análoga parece agir o arquiteto João Kon quando projeta conjuntos habitacionais com sobrados no bairro do Brooklin Paulista (Brooklin Novo), em São Paulo. Nesse bairro paulistano, a Construtora Diâmetro vai empreender três conjuntos de sobrados geminados, com características convencionais reforçadas pelo uso de telhados cerâmicos de duas águas, revestimento de tábuas de madeira e muros de pedra irregular. Em composição de planos íntegros, são desenhadas diversas variantes das plantas, em função da profundidade do lote e da quantidade de dormitórios, porém, o que chama mais atenção nesses sobrados de três dormitórios é o artifício constante que desloca os dormitórios frontais, para poder abrir duas janelas na mesma fachada de um lote estreito.

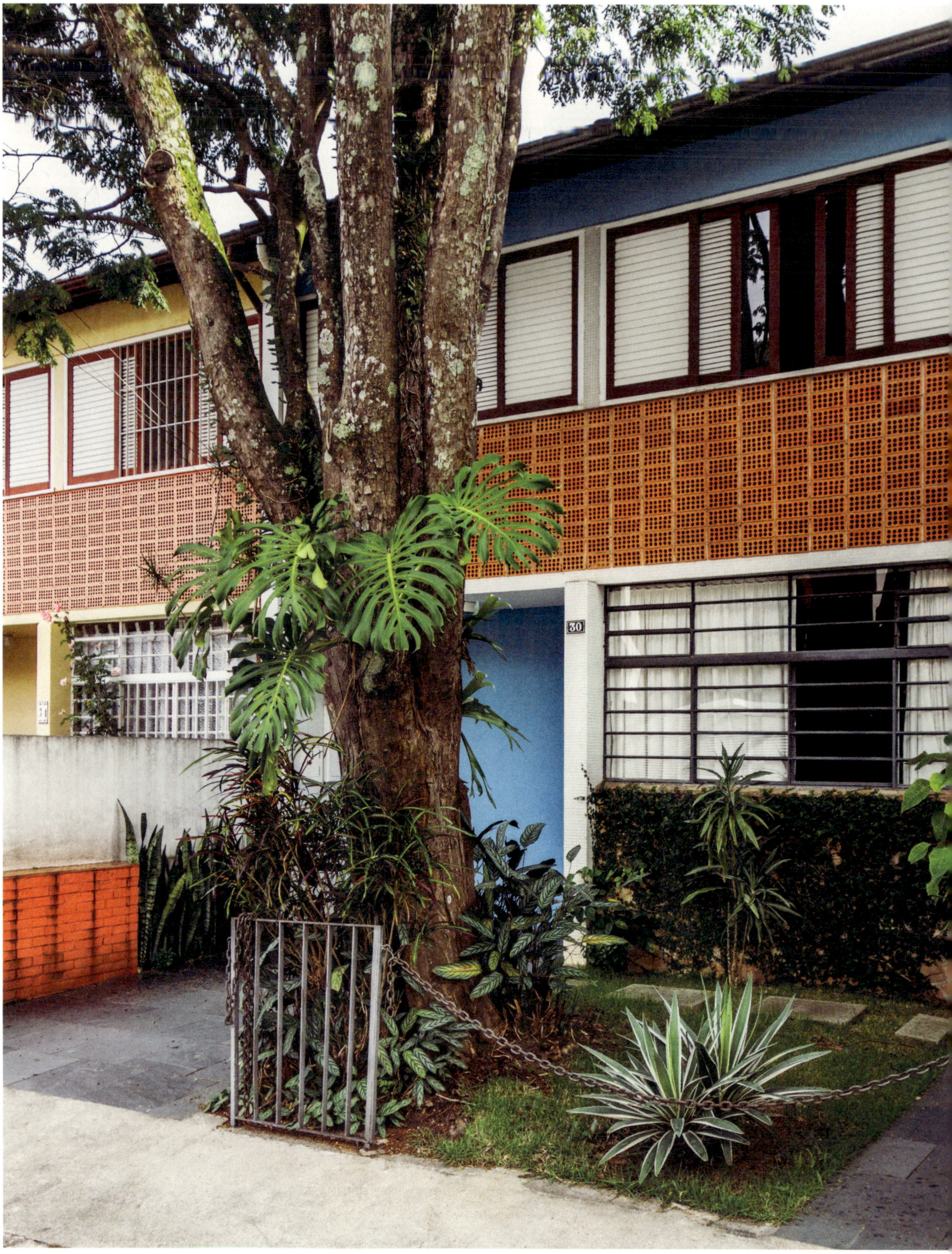
30

Conjunto residencial na quadra formada pelas ruas Bernardino de Campos, Barão de Jaceguai, Antônio de Macedo Soares e Doutor Diógenes Certain, Brooklin, São Paulo, 1969

Esse estratagema é idêntico ao que o arquiteto usa em algumas das plantas de edifícios para obter mais dormitórios, no caso dos sobrados, para alcançar um número rentável de unidades, porém, tal arranjo acrescenta um corredor extenso e gera planos de fechamento deprimidos ou fendas entre sobrados geminados.

Os sobrados geminados e mencionados não são regra. Ao contrário, uma cidade genérica que não dispõe de um sistema urbano e arquitetônico competente, testado e eficaz, fica abandonada e se torna vítima da ação inculta, do incerto, do gosto leigo e da exploração. Quando o arquiteto se dispõe a atuar na parte perdida para o mercado imobiliário e submetida à especulação, não está treinado para dar resposta formal apropriada, não dispõe de recurso prático confiável, convincente e, certamente, experimenta desprestígio. Não é casualidade que a história de João Kon aponte para outro lado, para resultados animadores. Com formação profissional invejável – adquirida na escola que gradua os arquitetos mais respeitáveis, que acredita na prevalência prática da profissão e na experiência com projeto, preenchidas com critérios decantados nos anos culminantes de produção de arquitetura moderna que antecedem as permanentes e desestabilizadoras divergências teóricas e críticas que marcam a segunda metade do século 20 –, Kon projeta bons edifícios habitacionais para o mercado, porque é profissional e porque a autêntica atitude moderna desconsidera os palácios.

A SOMBRA DE BRASÍLIA E A ARQUITETURA INABITUAL

A expectativa artística implícita na demanda brasileira de arquitetura é a da arte extraordinária e futurista que compense o subdesenvolvimento. A nova arquitetura, carro-chefe dessa estratégia, deve abandonar processos de decisão intrínsecos, práticos, coletivos e oportunos na década de 1950, para enveredar-se na produção de imagens do futuro, metafóricas, e correlatas com o destino otimista e irrefreável de uma nação eleita. Não há dúvida de que essa incumbência seja estimulante, até irrecusável, que excite a imaginação dos artistas que têm, então, a obrigação de ofertar representações à altura desse desejo. A estratégia política precisa de uma nova imagem e encontra em Brasília a poderosa fisionomia brasileira, sua nova fotogenia, com a qual sustentar que o país muda.

Nos últimos cinquenta anos, a arquitetura no Brasil adota, a exemplo do que acontece em outros países, uma aspiração artística luxuriante, entusiástica e inovadora, com ingrediente promocional e aspecto deslumbrante, para convencer, superar e comemorar, para expor a transfiguração dos objetos, a transformação do mundo e, forçosamente, embelezar o país. Vislumbra uma revolução[6] com uma equação empenhada em equidade e progresso, uma sociedade justa numa cidade sem precedente. Com isso, improváveis e incomuns criações impõem-se e fascinam pela invenção, pela ausência de filiação com o que seja habitual, com o familiar e validado, com o que vigora. Sedutoras pela magnífica tarefa a que aludem, por sua aparência moderna. Sem explicação genealógica, sem linhagem entre novo e conhecido, basta apenas cortejar a inspiração e a variedade cultural para experimentar e comemorar o impacto das novidades que, como num sobressalto, num assombro, causam turbulência emocional acompanhada de lapso perceptivo, uma instantânea desordem ou provocação cognitiva equiparada a uma experiência fruto da emoção, do prazer sensível e diverso do prazer estético transcendente. Como, cada vez mais, torna-se difícil promover prazer e desprazer em observadores desatentos, intensifica-se o choque artístico para provocar atenção e interesse, ou nada que possa despertar uma categórica experiência estética. Em parte, porque o mecanismo engrandecedor, sublimador, aquele que entende a arquitetura como uma metafísica da construção, ao ponto extremo de muitas vezes cindi-la do próprio sentido construtivo, faz com que a arquitetura confie cada vez mais na adaptação e na disponibilidade da técnica.

Assim é concebida Brasília, "capital da esperança", ou o cenário da epopeia moderna brasileira.[7] Com sua exuberância, heróis e heroísmo, a empresa ímpar que salva o povo do estigma colonial, do atraso e da dependência. A todos anima a consciência de enfrentar e dar continuidade a tão atrativo ícone progressista, representação futurista e futurosa da nação que infla especialmente a autoestima do arquiteto espelhado na potência de convincentes imagens da ascensão nacional.

Dentro desse processo, está incluída a superação, a catarse do drama nacional, a expiação do passado trágico, o prêmio final e merecido, a compensação de todos, com julgar a terra especial e predestinada, com distingui-la. Uma aventura bem ilustrada no documentário praticamente amador de Jean Manzon (1915-1990).[8] Para aplacar detratores de Juscelino Kubitschek (1902-1976), o cineasta explora a visionária e epopeica conquista, a irrefreável aventura que transforma uma dispensável capital em emblema para substituir a cidade do Rio de Janeiro, a capital colonial, que sobrevive à independência e à proclamação da República, mas não à escaramuça político-partidária. Brasília, como nas bandeiras, nas conquistas, é estratégia de poder camuflada como reação à acomodação, como inconformidade com o conformismo litorâneo, caranguejeiro, marítimo e apequenado. Despede a paralisia, a covardia, os infortúnios, o mundo inferior, ao congregar forças e adesão para rumar ao interior brasileiro e edificar a cidade nova, paradisíaca e americana que, como uma utopia apalpada, simbolize o novo e merecido país, lugar da primeira geração da nova era. Servem aqui os superlativos associados aos impulsos divinos para ascender a arte a um poderoso instrumento persuasivo, para incentivar povo e artistas, para viver grandes momentos.

O Brasil moderno e progressista precisa de um apelo convincente, e cabe à arquitetura obter esse novo estado de espírito, cumprir aquilo que tradicionalmente é atribuição da música. É insuficiente e preterida a colaboração de Antônio Carlos Jobim (1927-1994) e Vinícius de Moraes (1913-1980) na parceria que compõe *Brasília, sinfonia da alvorada – trabalho e a construção*, em 1960:

– Ah, as empenas brancas! –
– Como penas brancas...
– Ah, as grandes estruturas!
– Tão leves, tão puras...
Como se tivessem sido depositadas de manso por mãos de anjo na terra vermelho-pungente do planalto, em meio à música inflexível, à música lancinante, à música matemática do trabalho humano em progressão...
O trabalho humano que anuncia que a sorte está lançada e a ação é irreversível.[9]

Se a arte planta e colhe na safra emancipadora, afere nova medida de interesse e cumprimento, de destaque. Depois de Brasília, a tarefa do arquiteto e do urbanista torna-se previsivelmente exagerada, insuflada pela expectativa. Isso pode ser verificado por quem retroceder na história com esse parâmetro. Apesar da conveniente continuidade e adesão de Brasília à experiência moderna, é possível distinguir um divisor de águas entre a elogiada e consensual produção de arquitetura moderna dos anos 1950 e a conseguinte arquitetura cooptada pela repercussão brasiliense, pelo enaltecimento da tarefa arquitetônica.[10] É possível defender que a "escola paulista" e a "escola carioca", ao contrário de expressarem regionalismos, ambivalência, resultem do mesmo extravasamento arquitetônico estimulado pelo extraordinário sucesso brasiliense. É possível que muitos estudantes de arquitetura tenham sido incentivados mais a participar de uma missão que propriamente a aprender uma profissão.

Em arquitetura, a configuração do objeto busca estabelecer acordo apropriado entre lugar, programa e construção, a ordem deve comandar as variáveis do projeto. A construção da arquitetura constitui seu objeto, portanto, e, sem evocar o determinismo material, há benefício no acordo, na confluência entre meios construtivos e configuração. Nos edifícios mais apreciados, construção e configuração acusam congruência, e essa ambivalência aplainada é dissolvida pela previsão, não pela omissão da questão construtiva. O sucesso dessa fusão parece coincidir com o aspecto mais favorável do juízo estético em arquitetura.[11]

Essa dualidade e essa interdependência estão previstas desde o tratado clássico de arquitetura, que se conforma, estabelece as ordens, antecipa corpo e proporção, fá-lo em concomitância com a antecipação construtiva e, de uma só vez, representa e esboça a construção do edifício. De maneira semelhante, a estrutura abstrata da arquitetura moderna pauta a condição material do edifício, valoriza e relaciona seus componentes segundo o sentido estético próprio da estrutura abstrata congruente com o entendimento material e técnico. Parece ser dessa forma que o sentido estético expõe racionalidade.

Portanto, a arquitetura também pode ser ajuizada pela vantajosa ordem do objeto, não apenas pela sua representação, autoridade ou capricho. Assim, além da convenção moral e da convenção estilística, pode haver reconhecimento e reverberação estética pelas escolhas propícias. Dessa maneira, não haveria diferença entre o projeto grande e o pequeno, entre o tema palaciano e a demanda popular. A noção moderna sensível à forma abstrata e estruturadora, a arte distinguida pela concepção, abre a possibilidade de valorizar utensílios primitivos, cerâmica antiga, engenhosidade popular, simples e aperfeiçoada pela história, não apenas como interesse antropológico, ou arqueológico, mas porque encerram admirável instinto configurador. A estética formativa e moderna, que confere distinção à ordem oportuna do objeto ou conjunto de objetos, depende da disposição notável estabelecida e reconhecida pela acuidade visual para desenhar a colher e a cidade. Conceber, com sentido visual, é permitir a preponderância da ordem e da forma, enquanto a explicação do projeto como partido é uma tarefa discursiva paralela à dificílima e sempre inconforme descrição de atributos formais. Se o valor artístico da arquitetura se encontra no discurso e na metáfora, no luxo ou na grandiosidade, então não é possível produzir arquitetura respeitável em situação restritiva com meios comuns. A arquitetura que Le Corbusier projeta, amparada na tradição vernácula, deixa transparecer que o arquiteto purista busca a forma-tipo depurada pela experiência milenar para, então, relançá-la, segundo nova sensibilidade. Deixa claro que o mérito da operação é estritamente formal e que ela pode ser reproduzida em qualquer contexto; deixa claro que o expediente palaciano perde importância para a estrutura formal oportuna. Quando se entra em contato com a obra de João Kon, reconhece-se, de imediato, que tipo de mentalidade moderna prevalece. Os planos de fachada integrados por réguas verticais e linhas de peitoril contínuo horizontais, as plantas estruturadas com geometria consistente e ordem dão notícia de um arquiteto moderno em ação.

Se for verdade que a arte moderna resulta da forma apropriada para uma situação específica, se corresponde a uma particular sensibilidade estética, então, seu sucesso se comprova na respeitável ordem das partes, com a assimilável e brilhante síntese de meios e escolhas. Então, a ocorrência de arte moderna nada deve à abundância, ao excesso, nem à nobreza da tarefa. A atitude moderna não tem adesão ética, nem técnica e sequer cronológica, repercute onde a forma for singular e apropriada. Portanto, é aderente ao prosaico e pode ser identificada na simples e adequada moradia coletiva da metrópole, sempre que sua concepção tenha critério apropriado.

A arte moderna não é sentimental nem audaciosa, tampouco favorece deleite e emotividade; no entanto, comove, sem ser comovente, quando deixa reconhecer e apreciar o que tem de inteligente e favorável na concepção[12] de sua forma, quando ratificada pela perspicácia dos sentidos e não pela lógica, ou pela racionalidade, como se costuma afirmar. A arte grandiosa chamada de moderna está contaminada, é arte convencional submetida ao mote moderno, portanto, não passa de estilo, convenção. O maior vão estrutural corresponde a um corajoso desafio técnico, ao recorde que protagoniza a construção, ao sentimento sublime. Numa espantosa façanha desse gênero, não repercute a asserção moderna. O vão estrutural do edifício moderno é ponderado, indispensável, o mais ajustado às condicionantes de um projeto. É esse entendimento que libera a arquitetura moderna dos momentos prodigiosos para a possível difusão urbana.

Aceita-se que o aprendizado das relações e operações da forma moderna ocorra de maneira intuitiva, como parece ter sido o caso brasileiro relatado como o rápido entendimento moderno que a equipe de arquitetos brasileiros manifesta no desenvolvimento do projeto do Ministério de Educação e Saúde, em 1936. No entanto, observa-se que a difícil discussão teórica que dá sustentação e depura o fenômeno moderno europeu conta com quase dois séculos, quando Le Corbusier faz a segunda viagem à América do Sul, se for considerada a invenção da palavra "estética".

Não se deve descartar a hipótese de que, diferentemente de bradar o *slogan* moderno, a apreciação de seu exigente fundamento teórico, dispensado pela rápida difusão do moderno intuído com facilidade – superficialidade –, poderia ter sustentado outra experiência e história modernas.

Edifício-sede do Ministério da Educação e Saúde, Rio de Janeiro, 1936, arquitetos Lúcio Costa, Affonso Eduardo Reidy, Jorge Machado Moreira, Oscar Niemeyer, Ernani Vasconcellos e Carlos Leão

Edifício Louveira, São Paulo, 1946, arquiteto Vilanova Artigas

Nos anos 1960, a presunção profissional parece desestimular, até mesmo reprimir, direta e indiretamente, a ação dos profissionais de projeto no segmento de edificações do mercado da construção. Depois de projetar os Edifícios Louveira, em 1946, João Batista Vilanova Artigas (1915-1985) parece desincumbir-se desse tipo de encargo, da demanda imobiliária, sem que se saiba ao certo se há indisposição ideológica, se há interferência ou inadequação do novo estilo brutalista.[13] Oscar Niemeyer, com invulgares obras de habitação coletiva em conjuntos mistos, especialmente nas cidades de São Paulo e Belo Horizonte, declina desse tipo de projeto, cujo resultado a crítica subestima,[14] para tramar Brasília e, constantemente, desenvolver projetos de Estado. Ambos os arquitetos, muito competentes com temas convencionais, migram para a arquitetura excepcional e escassa. Nos poucos e conhecidos[15] casos em que os arquitetos paulistanos respondem a esse tema de arquitetura, reproduzem a ortodoxia, propõem artefatos inabituais na cidade. Por exemplo, o Edifício Guaimbê, de Paulo Mendes da Rocha e João Eduardo de Gennaro (1928-2013), São Paulo, 1964, está entre as exceções que confirmam a improbabilidade de difusão da arquitetura rude. O Edifício Giselle, de 1968, de Telésforo Cristófani (1929-2002), em São Paulo, é outro totem urbano. Além do custo elevado e do questionável uso intensivo de concreto, sua excepcionalidade assevera sua unicidade, já que a difusão urbana de tantos exageros torná-lo-ia insuportável. Considerados esses edifícios, suspeita-se que a arquitetura oficial tenha como obrigação ser incomum e infrequente, e renuncie à forma da cidade.[16] Tal constatação, como um sobressalto, reforça a intangibilidade entre a escola de arquitetura e a construção do programa convencional na cidade. A incompatibilidade oscila entre a insistência generosa de uma noção nobre da arte e a persistência do argumento revolucionário e transformador da sociedade. É razoável considerar que os arquitetos estão mais interessados nos palácios de Brasília do que nas belas lâminas habitacionais das primeiras superquadras. Independentemente da escolha, pode considerar-se que a arquitetura moderna paulistana da década de 1960 não apresenta alternativa para a cidade. Não porque o arquiteto esteja ausente dessa produção e aguarde convocação, mas, porque o arquiteto é imobilizado pelos próprios pressupostos, não está preparado para configurar segundo a concepção ágil e esclarecida que reúna meios e objetivo. Talvez porque seja impensável, para ele, que a arquitetura moderna assuma fisionomia respeitável, quando é prudente e diferente daquela a que está acostumado.

O Edifício Barão de Iguape, de 1956, na Praça do Patriarca, centro de São Paulo, concebido pelo escritório norte-americano Skidmore, Owings and Merrill, por encargo do banqueiro Walther Moreira Salles (1912-2001), embaixador brasileiro em Washington na década de 1950, tem o projeto acompanhado e a obra fiscalizada pelo escritório de Jacques Pilon (1905-1962), em que, na época, trabalha o

Edifício-sede do Ministério da Educação e Saúde, Rio de Janeiro, 1936, arquiteto Lúcio Costa e equipe

Edifício Giselle, São Paulo, 1968, arquiteto Telésforo Cristófani

Edifício Guaimbê, São Paulo, 1964, arquitetos Paulo Mendes da Rocha e João Eduardo de Gennaro

Edifício Seagram, vista a partir do pátio do Edifício Lever House, Nova York, 1958, arquiteto Mies van der Rohe

Edifício Union Carbide, Nova York, 1960, escritório Skidmore, Owings and Merrill (SOM)

Edifício Barão de Iguape, São Paulo, 1956, escritório Skidmore, Owings and Merrill (SOM), colaboração do arquiteto Giancarlo Gasperini / escritório Jacques Pilon

arquiteto Gian Carlo Gasperini (1926–). A pouca atenção dispensada a um edifício dessa importância permite desconfiar da distorção no ideal artístico local. O tipo coincide com o utilizado em importantes projetos nova-iorquinos, como é o caso do impressionante Edifício Union Carbide, de 1961, do mesmo escritório de arquitetura, e do Edifício Seagram, de 1958, de Mies van der Rohe (1886-1969). Um tipo que ajusta as edificações modernas e isoladas da cidade de quarteirões aos edifícios mais baixos e vizinhos das divisas dos lotes adjacentes, com estrutura na fachada e fechamento em *cladding* equivalente ao que há de mais avançado e tecnológico em sua época. No entanto, o edifício torna-se invisível, por expor a face corporativa do *international style*,[17] por evitar episódios artísticos e descartar as soluções pesadas e artesanais mais admiradas. Serve também como evidência contra a alegada inviabilidade construtiva a partir de soluções industrializadas no ambiente paulistano dos anos 1950.

Persiste a impressão de que o arquiteto, em nome da integridade profissional, despreze a edificação feita como negócio, já que, a ideologia antecipa que o projeto no mercado não admite resposta descontaminada. Tampouco desmedida, presunçosa, elitista, típica do desejo majoritário. Por isso, depende do mecenato, entretém-se com a residência do cliente altruísta, do amigo abnegado, do programa institucional, do governo ou, em último caso, do refúgio acadêmico.

Em todo caso, o entrave não parece ficar restrito apenas ao imperativo ético, como insiste quase todo discurso. Como acontece com todo artefato considerado moderno nos anos 1960, ele está legalizado por uma suposta aderência ideológica que não deixa margem de dúvida quanto a sua probidade artística, pois nunca passa pela cabeça do arquiteto a possível inadequação entre a descrição do partido e a ambição artística. Nunca se discute, tampouco se investiga, a provável distorção que tais projetos possam comportar.

A experiência das *Case Study Houses*, da revista *California Arts and Architecture*, mais tarde, *Arts & Architecture*, na mão de seu editor John Entenza (1905-1984), serve de parâmetro para diferenciar e comparar noções de arquitetura. Para difundir a arquitetura moderna nos EUA, seria necessário demonstrar sua vantagem e competitividade com respeito à tradicional moradia americana. Esse é o objetivo do Programa CSH, estabelecido pela revista, no período de 1945-66. Casas com estruturas perfeitas, muito elementares, componentes leves e econômicos que favoreçam cargas bem distribuídas e painéis de fechamento industrializados montados a seco potencializam as vantagens da *balloon frame* e da *platform frame* de madeira. Craig Ellwood (1922-1992) projeta a CSH 16, ou Residência Salzman, de 1953, a CSH 17, ou Residência Hoffman, de 1956, e a CSH 18, ou Residência Fields, de 1958, e Pierre Koenig (1925-2004) projeta a CSH 21,

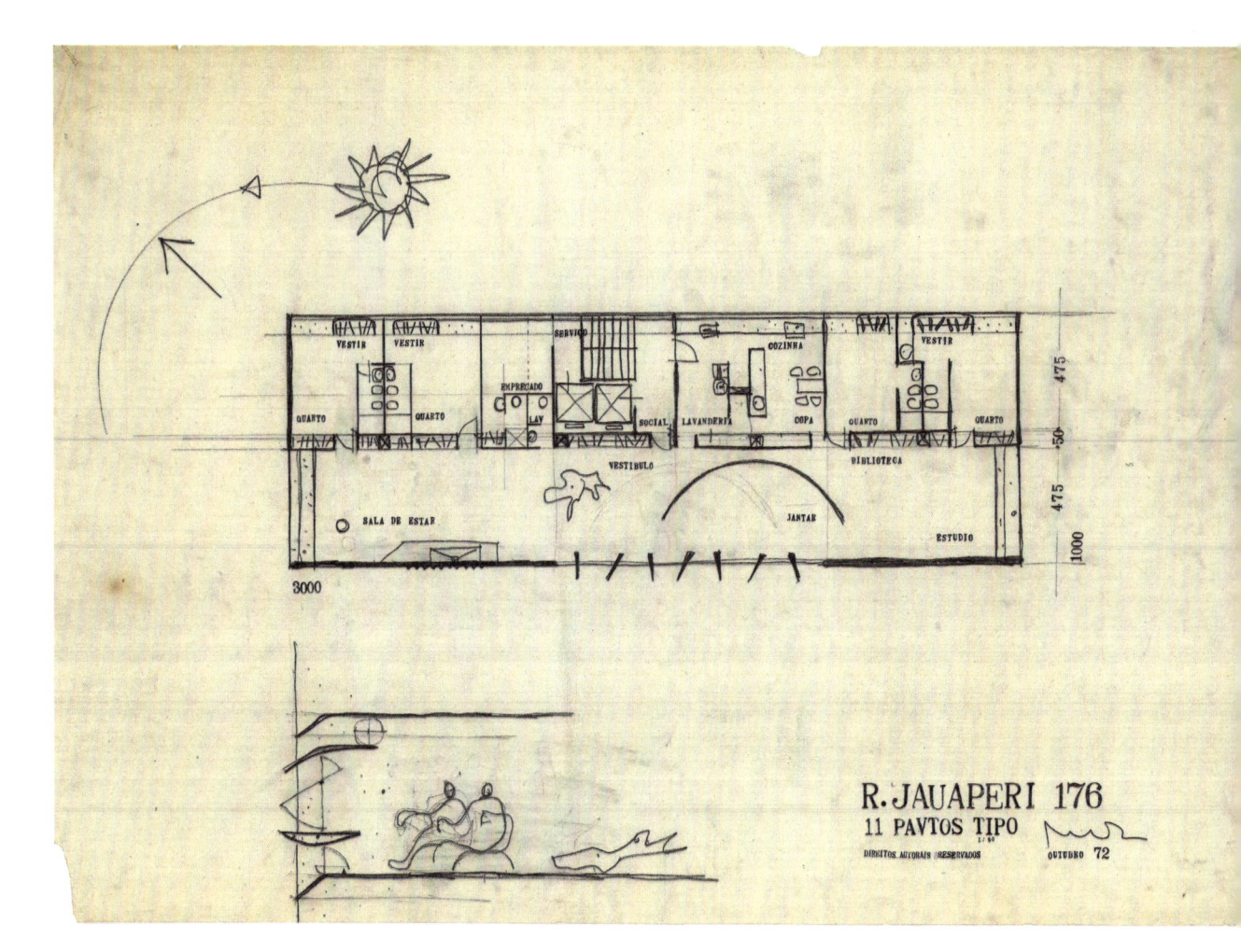

R. JAUAPERI 176
11 PAVTOS TIPO
DIREITOS AUTORAIS RESERVADOS   OUTUBRO 72

fotos, acima

Case Study House 8, Los Angeles, 1945, arquitetos Charles e Ray Eames, foto atual

Case Study House 21, Los Angeles, 1958, arquiteto Pierre Koenig, foto atual

desenhos, abaixo

À esquerda, Edifício Clermont, planta do pavimento tipo com uma unidade e corte, São Paulo, 1973, arquiteto Paulo Mendes da Rocha

À direita, acima, Edifício Abaeté, planta do pavimento tipo com duas unidades, São Paulo, 1963, arquiteto Abrahão Sanovicz

À direita, abaixo, Edifícios Gemini, plantas dos pavimentos tipo, São Paulo, 1969, arquitcto Eduardo de Almeida

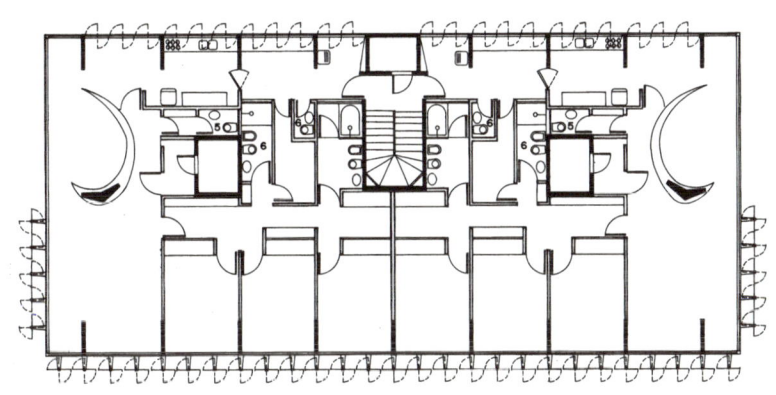

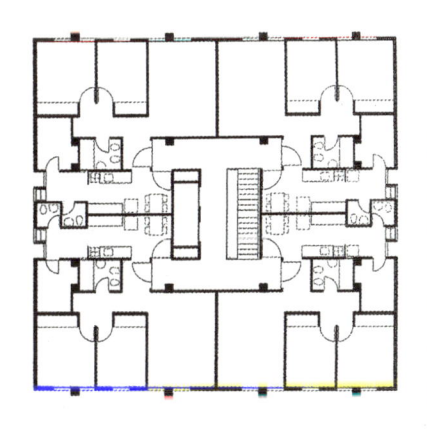

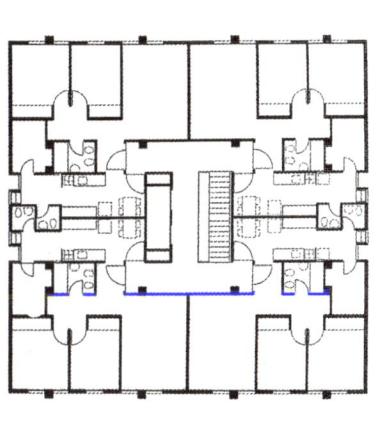

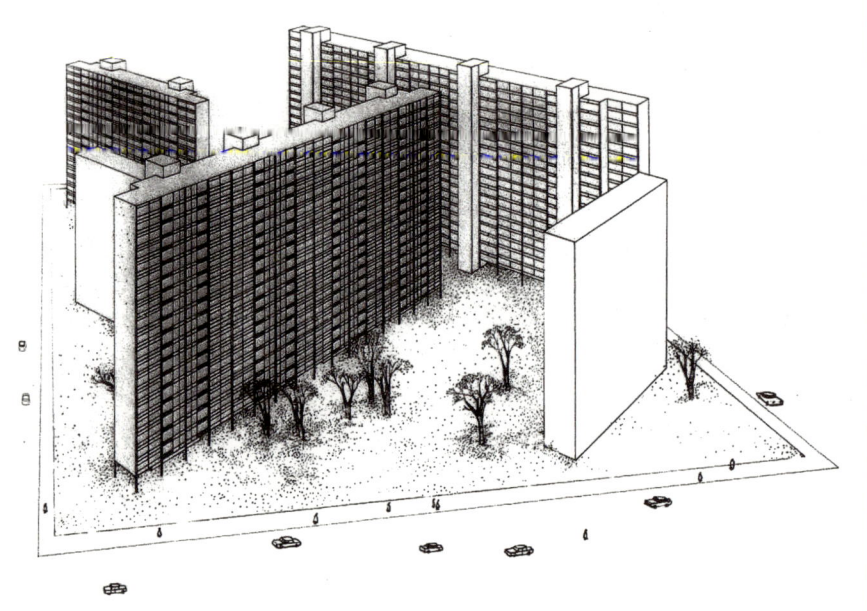

Edifício João Ramalho,
perspectiva do conjunto,
São Paulo, 1954,
arquitetos Salvador Candia,
Roberto Aflalo e Plínio Croce

Edifício Villares,
São Paulo, 1961,
arquiteto Salvador Candia

Edifícios Barão de Laguna e
Barão de Ladário,
São Paulo, 1959-60,
arquiteto Salvador Candia

Edifício das Nações,
São Paulo, 1973-74,
arquiteto Salvador Candia

Edifício Iguatemi,
São Paulo, 1970,
arquiteto Salvador Candia

ou Residência Bailey, de 1959, e a CSH 22, ou Residência Stahl, de 1960, para citar apenas dois dos arquitetos mais evidentes desse programa e uma pequena lista de residências unifamiliares que integram o que há de mais promissor a partir do segundo pós-guerra. Há de se destacar como a concepção das residências atinge elevada qualidade construtiva e paisagística com o mínimo de recurso material e máxima economia. A montagem de componentes industrializados, a sistematicidade e os processos técnicos definem espaços íntegros, generosos, confortáveis, amplos e transparentes, com jardins e a imprescindível piscina californiana. O projeto deve ser construído e vendido para dar sustentação e credibilidade ao programa. É condição para que o projeto obtenha apreço a custo compatível com o mercado. A divulgação das casas se faz com publicidade, com material de fotógrafos profissionais e ambientação com modelos para vender arquitetura competente como produto de consumo. Nesse caso, não parece haver conflito entre arte e comercialização, ao contrário, o sucesso econômico confirma o êxito do projeto. Nesse sentido, é curioso que um arquiteto como João Kon, absorvido pelo mercado imobiliário, escrupuloso com arquitetura e sensível a todas as manifestações artísticas, não seja reconhecido como profissional bem-sucedido, como referência no meio da arquitetura.

Muitos exemplos dão respeitabilidade à intervenção moderna de arquitetos em programas populares e econômicos. A série de conjuntos habitacionais conhecida como *Poblados Dirigidos*: Caño Roto,[18] Entrevias, Canillas, Fuencarral e Orcasitas, em Madri, da política urbana franquista da segunda metade dos anos 1950, é exemplar para sugerir que a ditadura mais truculenta e a radical restrição de meios e recursos não impedem que arquitetos esclarecidos cumpram bem a tarefa de ordenação de setores habitacionais subvencionados e parcialmente autoconstruídos para abrigar migração rural na metrópole em expansão. É notável que assentamentos desenhados na periferia, com um orçamento mínimo, atinjam uma ordem urbana equiparável à dos melhores setores da capital. É apreciável que arquitetos e artistas mostrem desenvoltura e sucesso para atuar em unidades habitacionais e espaços de uso coletivo com critérios claros de ordenação, aptos a alcançar densidades altas com uma inteligente alternância de tipos e uso intensivo do terreno e, ainda, para obter condições espaciais diferenciadas e adequadas para as diferentes atividades e usos urbanos previstos na vida das famílias.

Se a arquitetura moderna é capaz de suprir qualquer demanda, como defende este texto, deve ocorrer que a oportuna acepção moderna não coincida com a noção de arquitetura moderna preconizada. Visto assim, e apesar da ganância imobiliária, não é o mercado insensível ao arquiteto moderno, mas são a manipulação e a dispersão da acepção moderna, a ousadia profissional, a teimosia e a intransigência típicas do arquiteto que impedem a exploração da versatilidade moderna na justa solução do projeto. A ideia subjacente de arte está comprometida com a exigência nobre do feito arquitetônico e é oposta à possibilidade de impor ordem moderna e sentido estético na intervenção do que seja simples ou cotidiano. Basta rememorar a experiência da Construtora Formaespaço,[19] em São Paulo, na segunda metade do século 20, para sustentar que um arquiteto moderno e isento de preconceitos estilísticos dispõe de recurso para garantir a produção apropriada e imprimir atributos em edifícios habitacionais oferecidos pelo mercado. A sistematização dos edifícios modulares e a incorporação de técnicas e materiais industrializados resultam em edifícios consistentes. A série Gemini, do arquiteto Eduardo de Almeida (1933–), os Edifícios Modulares Alpha, Beta e Gama de Abrahão Sanovicz e o projeto dos Edifícios Protótipo de Paulo Mendes da Rocha correspondem a plantas, fachadas e estruturas sistemáticas desenhadas por profissionais experientes, a partir de regras modulares para produção e comercialização intensiva, edifícios reconhecidos mesmo quando a menção à produção do segmento que constrói e comercializa para o mercado de imóveis é escassa. Pressente-se um consenso provavelmente estimulado pela moralidade, que faz duvidar do partido isento, no caso de programas da Iniciativa privada. Com raras exceções, o notável portfolio de edifícios projetados para o mercado por Salvador Candia é, durante muito tempo, marginal à discussão e parece subestimado na lista de obras relevantes da cidade até que sua obra se torne tema de sérias pesquisas acadêmicas.[20] São dignos de nota o Edifício João Ramalho, 1954, os Edifícios Barão de Laguna e Barão de Ladário, 1959-60,[21] o Edifício Villares, 1961, os Edifícios Santa Cândida e Santa Francisca, 1961-63, o Edifício São Vicente, 1963, o Edifício Iguatemi, 1970, e o Edifício das Nações, 1973-74, que, durante tantos anos, é conhecido e aviltado pela alcunha racista "Idi Amin".

A teoria desenvolvida pelo arquiteto e professor Sérgio Ferro,[22] com base no texto marxista, trata de desmascarar a inocência do projeto e dos arquitetos no jogo do capital. Seu argumento destitui, omite a componente cultural e artística da concepção de arquitetura, mesmo quando inteligente e oportuna, para expor cumplicidade com o lucro e o poder, para rebaixá-la a mera tarefa produtiva, simples mercadoria obtida pelas relações desiguais de trabalho. O canteiro, lugar dessa manufatura, onde arquitetura e construção são produzidas, é o cenário embrutecido. Lá, operários são explorados e estupidificados pelo mecanismo dominador e enquistado no desenho. Deve ser por isso que canteiro, mercado e capital tornam-se tópicos esconjurados pelo arquiteto que busca idoneidade e dignidade no projeto ideal e moral, já que, sinceramente, acredita na deturpação pelo capitalismo.

A crítica anticapitalista também vê prejuízo no edifício de habitação vertical com gabarito exagerado e associado ao congestionamento, à causa de distopia urbana. Repudia concentração e multidão propiciadas pela mesma lógica do capital, representadas pelo arranha-céu da metrópole norte-americana que realimenta o antiamericanismo, mas não hesita em ceder ao argumento conservador e restaurador da vida campestre e comunitária na cidade-jardim, com a consequente evasão do centro para o subúrbio.

Há casos em que o interesse histórico da pesquisa acadêmica está antecipado pelo atalho ideológico favorável que legalize a vantagem da pesquisa e empreste prestígio à produção material e artística correlata. A fama adquirida pelo artista pode fazer pensar que toda sua obra seja sobresselente, o discurso político atribuído ao arquiteto pode dar fama a uma obra de escasso valor artístico, assim como a filiação do artista a uma corrente política condenável desmerece uma obra. Por isso, parece que a suposta insolubilidade da arte no mercado e o selo ideológico acarretem exclusão e desprezo pela maioria dos empreendimentos habitacionais. A ideologia pode recomendar acervo de escasso empenho estético e incitar intolerância com a arquitetura comercial e corporativa associada ao *international style* ou, paradoxalmente, ao que também poderia ser entendido como o conjunto em que se encontram as obras de arquitetura mais autênticas do legado moderno.

A concentração das pesquisas de arquitetura em temas recorrentes explicita preferências que, certamente, favorecem o fenômeno aderente ao método histórico e ao julgamento ético. É comum que a pesquisa de arquitetura em conjuntos habitacionais de interesse social isente a qualidade, o valor artístico da arquitetura. O fato estético, mesmo quando improvável, raramente é admitido como uma meta. No entanto, se a pesquisa de arquitetura privilegia os aspectos sociais, patrimoniais e históricos em obras catalogadas, ela vai evitar os empreendimentos de habitação coletiva produzidos no mercado imobiliário.

Se a ideia que se faz da arquitetura notável depende da acepção de arte adotada, a imediata rejeição ao projeto comercial, na arquitetura oficial, motivada pela restrição ideológica, tem conhecida causa; no entanto, deve-se considerar, também, que está em jogo a teimosia do arquiteto-artista em explorar o novo, desconhecido e associável à arte enfática.[23] É mau sinal que, em um país por construir, a arquitetura prestigiada coincida com o que seja sempre extraordinário e excessivo, e não haja admoestação ética quanto ao exagero, porque não se deseja restringir o direito à notabilidade. Substituir a retidão pelo brilho artístico faz duvidar da imparcialidade e da boa intenção, pois revela arbitrariedade para censurar o indesejável, em especial, a arquitetura do *international style*.

Não há justificativa para que o arquiteto se desincumba do mercado imobiliário. O reiterado estranhamento do mercado de edificações apenas confirma que a defesa da livre concepção e do experimentalismo do arquiteto em busca de deslumbramento não se ajusta à construção da cidade. Então, pode parecer que a criação e a expectativa sejam irreais e inoportunas para rodar o mecanismo de produção de bairros. É inconsequente que a arquitetura idealizada para a cidade não considere limites, que insista, com caprichos, em cenários improváveis. Por outro lado, antecipa que o vácuo deixado pela ausência de um sistema formal eficaz e apto para responder à demanda é remediado pela improvisação, insensibilidade e por resultados inadequados que realimentam repúdio e desesperança. Poucas são as exceções e rara é a compreensão entre o que seja o experimentalismo e o que é uma proposta séria.

Caso seja possível acreditar no sucesso de arquitetos que se arriscam no mercado perverso, torna-se plausível contar com os que consigam oferecer arquitetura correta e vantajosa. A máxima que acusa o mercado imobiliário de selvagem e sufocante é simultaneamente correta e escusada, apenas justifica a paralisia de arquitetos dominados pelo preconceito, pela soberba, e insinua que a profissão não deva submeter-se ao projeto voltado para a demanda.[24] Abstenção censurável, já que castiga a cidade com quantidade de projetos desastrosos.

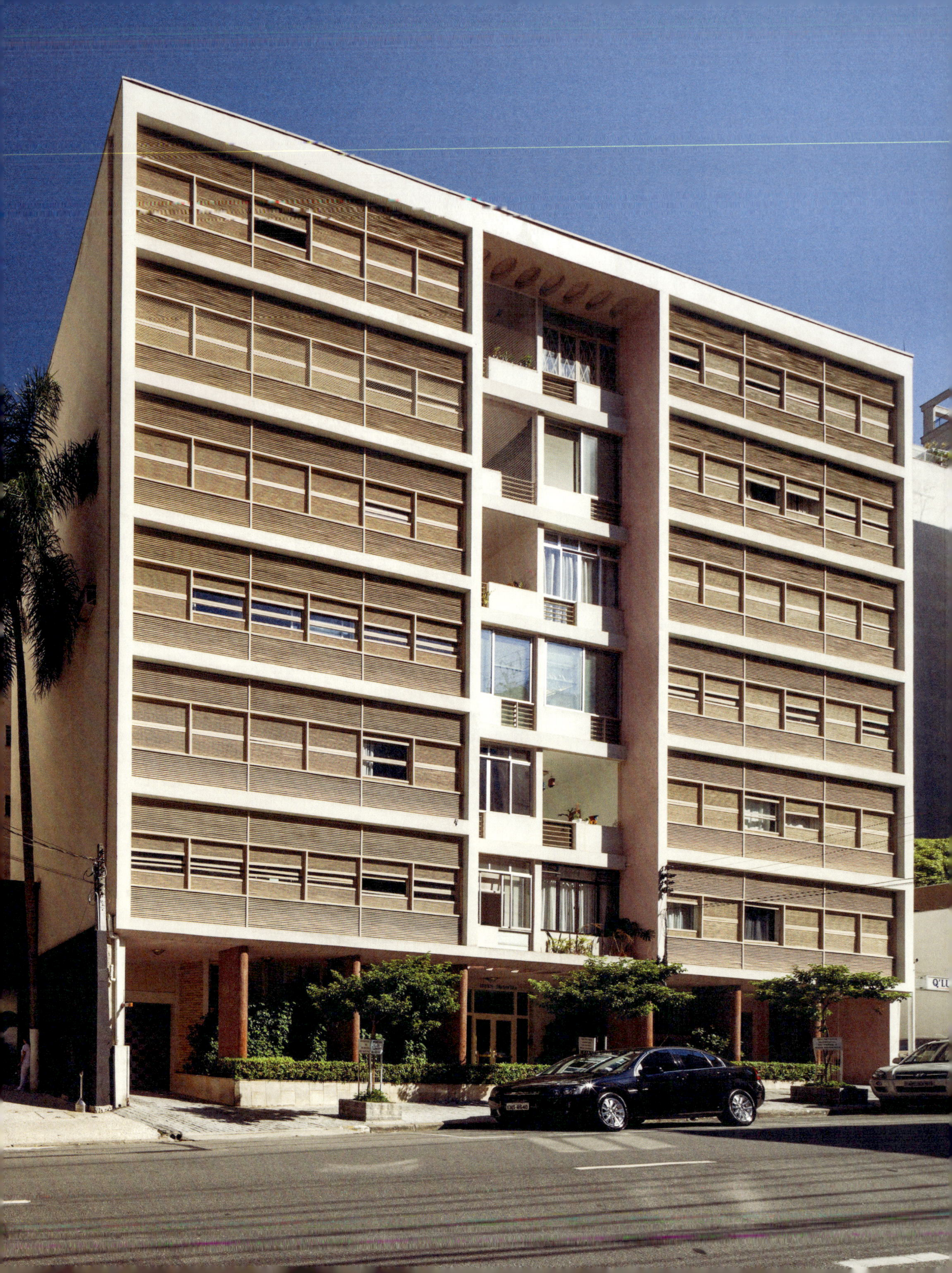

à esquerda
Edifício Primavera,
São Paulo, 1954

acima
Edifício Perla,
São Paulo, 1962,
arquiteto Jorge Wilheim

A ARQUITETURA AJUIZADA DE JOÃO KON

Dois são os eventos que transformam o cenário profissional no começo da carreira do arquiteto João Kon. O primeiro tem origem no exterior, mas, nem por isso, um impacto menor no Brasil. Corresponde ao questionamento e dúvida profissional ocasionados por uma ampla reação ao que se rotula como *international style*, a rebelião contra a arquitetura comercial ou corporativa das grandes cidades contratada por clientes poderosos e desenhada em grandes escritórios. Arquitetura combatida pelo presumido desvio das preocupações sociais e transformadoras do texto programático, que promove um conjunto de fenômenos denominado "movimento moderno", e criticada por jovens e rebeldes arquitetos representados pelo grupo Team X, que tumultua o Congresso Internacional de Arquitetura Moderna, até dissolvê-lo. O enfraquecimento da arquitetura moderna como sistema formal e consensual abre os flancos para o retrocesso artístico e para a diversificação estilística envolta pelo fenômeno de massificação profissional que interfere, desde a década de 1960, na arquitetura mundial. Uma das consequências dessa desorientação é a instalação de um teorismo excessivo na segunda metade do século 20. Quer se acreditar que o brutalismo se instala aqui, no bojo dessa divergência, apesar de que seja estratégico descrevê-lo como próprio e propício, como retificação e adaptação brasileira do moderno. Trata-se de uma mudança radical disfarçada de atualização que, além de desterrar a forma moderna, repudia a ingerência empresarial, a indústria da construção, o pré-fabricado, o catálogo de componentes, a equipe da construção civil e qualquer interferência externa ao canteiro de obras, na trincheira do arquiteto e de sua vontade para retroceder a um concreto rústico, artesanal e primitivo que cinda o conforto espiritual – a consciência – da comodidade material e burguesa, aposte na adequação da anacrônica moradia ancestral, ou regional, e na simpatia pela essencialidade, pela transcrição do que seja simples na arquitetura moderna. Boa parte do discurso de esquerda associado ao brutalismo exorciza a arquitetura internacional e explica o repúdio ao projeto com o cognome comercial.

O segundo acontecimento é local e se inicia com o choque e a perplexidade com Brasília. O concurso da nova capital, em 1957, introduz uma metamorfose profunda no interesse e no papel que a arquitetura exerce enquanto notícia e representação do porvir nacional. Era previsível que seu sucesso e impacto mexessem com a cabeça dos arquitetos, e que estes se sentissem estimulados a propor similares e grandiloquentes artefatos, como se de uma missão participassem. Não com uma citação literal, já que a arbitrariedade e o individualismo de Niemeyer não se prestam nem para copiar nem como base de um estilo coletivo, mas como estratagema que retenha a atenção, provoque admiração ou espanto, e confirme a genialidade do arquiteto. O endereço de Niemeyer no Rio de Janeiro, ou qualquer adesão similar, faz pensar que seus seguidores exerçam espontaneidade e gesto na Escola Carioca e que, ao contrário, a Escola Paulista premedite o ângulo reto. Mas, no final das contas, ambas aprendem com Brasília a intensificar a figura e exibi-la.

É importante ressaltar que essas duas instabilidades no meio arquitetônico tenham sido entendidas pelos cronistas especializados como turbulências isoladas que não chegam a afetar a rota e a soberania moderna, quando muito, criticam-na ou a potencializam, portanto, reparam-na e a distinguem. No entanto, há por trás disso a interessada manutenção da grife moderna para preservar um texto contestador, revolucionário e missionário dissociado da anódina arquitetura sistemática dos caixotes[25] que a tantos enfada. A improvável ideia de continuidade e aquisição moderna na produção posterior a Brasília insinua um grave equívoco historiográfico.[26]

O jovem João Kon frequenta a universidade antes dos dois fenômenos apontados. É, portanto, educado para produzir arquitetura moderna, sem a interferência das profundas transformações iniciadas nos anos 1950. Também pode ser assumido que a condição restritiva de mercado em que desenvolve seus projetos tenha ajudado a preservar essa formação propícia e desestimulado a alternância de modas passageiras. Apreciar a obra de Kon[27] é entrar em contato com uma arquitetura estruturada pela forma moderna, que revela qualidade superior à que se costuma encontrar na cidade doméstica.

Na Faculdade de Arquitetura e Urbanismo Mackenzie, em 1955, João Kon tem como colegas de turma, ou de anos próximos, jovens que se tornam reconhecidos arquitetos, caso de Pedro Paulo de Melo Saraiva (1933–), Marc Rubin (1931–), os irmãos Roberto e José Maria Gandolfi (1933–), Paulo Mendes da Rocha, Jorge Wilheim (1928-2014), entre outros, nos tempos de uma educação séria e unida a um curso superior exigente que gradua as influentes e confiantes gerações das primeiras turmas das escolas de arquitetura de São Paulo. Kon não é desconhecido no meio,[28] no entanto, sua obra é pouco apreciada, se for considerada a quantidade de projetos que produz e a excelência de muitos deles. Kon certamente percebe a diferença entre a realidade atendida por seus projetos e a ilusão transformadora adotada pela categoria. Poucos profissionais, com os clientes mais importantes que tenham, podem expor obra tão consistente e abundante.

João Kon não fica à margem da arquitetura paulista por falta de talento, ou porque tenha se desgarrado no mercado imobiliário com arquitetura corrompida, ou porque pratica arquitetura comercial, mas porque as mudanças na profissão passam a exigir transcendência e militância. Ocorre o imprevisto, João Kon projeta a partir do que aprende na escola e nas revistas de arquitetura e se mantém, ao longo da carreira, relativamente fiel à atitude moderna; o que muda ao seu redor é a orientação da crítica dominante, que institui um julgamento favorável à arte engajada e excêntrica. É previsível que a formação no Mackenzie fosse pragmática e voltada para a prática da profissão, característica que repercute positivamente na maneira de produzir toda a arquitetura.

O descompasso entre a arquitetura de João Kon e a crítica não ocorre porque o arquiteto emprega sensibilidade moderna numa situação empreendedora censurada por ideólogos, mas porque sua atitude moderna sobrevive às profundas revisões estilísticas introduzidas com ataques velados ao projeto moderno. A crítica apenas se refere à repreensão ideológica, porque é de interesse que as importantes mudanças sejam consideradas modernas. Nas décadas de 1960 e 1970, os estudantes ainda estão convencidos de receber educação moderna. A arquitetura de Kon tem importância por dois motivos: o primeiro, e mais apreciável, porque projeta edifícios notáveis em condições competitivas; o segundo, porque comprova que o alcance da arquitetura respeitável não está restrito à demanda fausta, como faz crer o senso comum.

Com uma lista[29] de obras da construtora fundada em 1966, é possível fazer comentários sobre os tipos habitacionais projetados e sobre sua evolução. Também é possível reconhecer procedimentos recorrentes em diferentes períodos e, ainda, examinar a mudança de expectativa e o escrúpulo no projeto de arquitetura.

Num arquivo morto mantido durante tantos anos, encontram-se todos os projetos do arquiteto em caixas de papelão. Centro cultural, boliche, conjuntos de sobrados, edifícios de escritórios, residências unifamiliares, loteamentos, reformas, comércios, estacionamentos verticais etc. Nota-se, de imediato, que os projetos de arquitetura são sempre sistemáticos ao longo dos anos e pode observar-se um número crescente de folhas de desenho por projeto, de acordo com a tendência profissional em que cada vez mais o arquiteto desenha e especifica para a obra. É provável que o aumento de informação não acrescente muito ao resultado construtivo.

Por tratar-se, em sua maioria, de projetos para habitação coletiva e vertical, dá-se preferência à pesquisa em projetos com esse programa e, ao mesmo tempo, considera-se comentar uma seleção de quatro apreciáveis residências unifamiliares. Estipular a digitalização de todas as plantas tipo de todos os noventa projetos habitacionais construídos em edifícios verticais pressupõe a chance de estabelecer analogias e comparações, assim como de avaliar a evolução dos tipos de planta habitacional. Dessa maneira, torna-se possível identificar constâncias, mudanças e variações.

Além das plantas tipo, selecionam-se implantações dos empreendimentos maiores, dos empreendimentos compostos por mais de um edifício habitacional e dos condomínios construídos em terrenos grandes. É possível presumir qualidade nas implantações e a manutenção de critérios de projeto e noções paisagísticas comuns em muitos casos. É curioso notar que desenhos de esquemas verticais para cotar os níveis dos peitoris das janelas são produzidos para todos os projetos executivos. Uma maneira prática e precisa para controlar a execução dos vãos das esquadrias.

*da esquerda para a direita,
de cima para baixo*

Edifício Silva Pinto, São Paulo, 1958

Edifício na rua Doutor César Castiglioni Jr., São Paulo, 1958

Edifício na rua Teodureto Souto, São Paulo, 1956

Edifício na rua Santo Antônio, São Paulo, 1960

Edifício Bosque, São Paulo, 1960

No começo, seus projetos podem ser considerados modernistas, compreendem ainda esquemas estilísticos hesitantes que progressivamente vão ser substituídos por soluções consistentes e consequente experiência, por uma configuração mais segura e desenvolta, obtida com atenção simultânea aos meios e às condições urbanas específicas, com franca utilização de componentes industriais. Pequenos imóveis com fachadas estruturadas e coloridas indicam o desejo de contrastar elementos na composição e citar gêneros artísticos. A estrutura e as vedações com as esquadrias são separadas e distinguidas, algumas vezes, são convencionais, com formato padrão, no entanto, são mimetizadas com a mesma cor dos planos regulares de fechamento para obter formas regulares na fachada. O escalonamento dos planos no conjunto parece implicar a importância dada aos elementos, mas deixa escapar alguma adesão a esquemas hierárquicos, recursos focais e episódios para chamar atenção. A moldura perimetral e marcante pode ser considerada, desde o início, um formalismo recorrente da arquitetura moderna, que denota arestas regulares desenhadas com elementos diferentes, como são a viga, a parede e o pilar.

Do primeiro período profissional são pequenas obras – como o Edifício Bosque, na rua do Bosque, Barra Funda; Edifício Silva Pinto, na rua Silva Pinto, Bom Retiro; e os edifícios localizados nas ruas Doutor César Castiglioni Junior, Casa Verde; Teodureto Souto, Cambuci; Casimiro de Abreu, esquina com a rua Oriente, Brás; Santo Antônio, Bela Vista; e Doutor Carvalho de Mendonça, Campos Elíseos – que, aos poucos, dão lugar ao tema da arquitetura habitacional coletiva e vertical, a especialidade do arquiteto. Chama atenção como os projetos menores expõem um moderno híbrido e impreciso e como, com o passar do tempo, a arquitetura moderna disponibiliza um projeto hábil e constante em todos os empreendimentos.

Parece consenso que a primeira obra destacada de Kon seja o Edifício Primavera, em 1954, na rua Peixoto Gomide, Jardim Paulista, um projeto produzido quando ainda cursa o quarto ano de arquitetura. Esse interesse reside na excelente e importante paginação das esquadrias de madeira dos dormitórios, formadas por

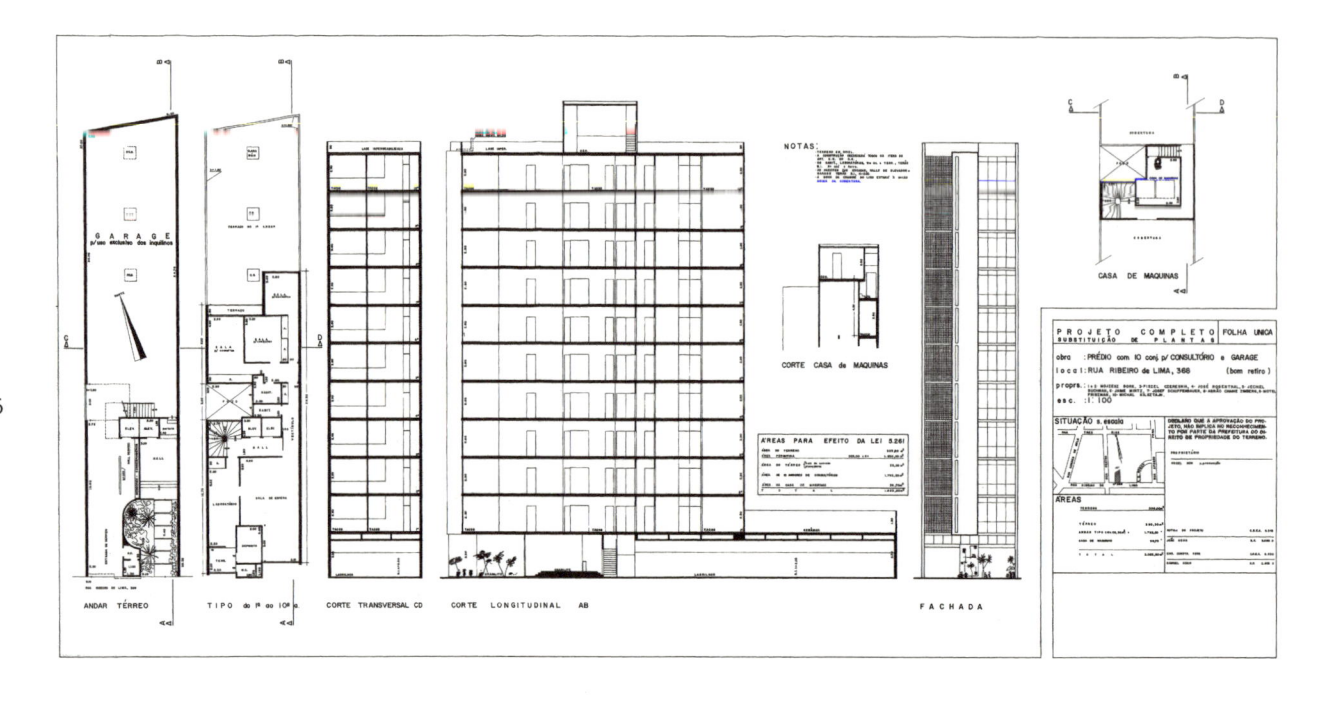

à esquerda

Edifício Colibri,
desenhos de aprovação na
Prefeitura e foto da fachada,
São Paulo, 1963

à direita

Edifício Mara,
planta do pavimento tipo
e foto da fachada,
São Paulo, 1976

três painéis industrializados, conhecidos como "Janela Ideal". Ainda assim, na fachada, a divisão tripartida e acentuada pela sombra do recuo dos caixilhos da sala reestabelece simetria e equilíbrio clássico. A planta parece convencional, com o recurso dos pátios de luz, corresponde a uma solução para edifícios ajustados nas divisas e na testada que têm ambientes em seu interior ventilados por dois poços. Em todo caso, os apartamentos são compartimentados com critério ainda atual. É notável a economia com circulação coletiva, a oposição entre as áreas molhadas e ambientes principais, além da separação de âmbitos sociais e familiares com possibilidade de ampliar a sala. A estrutura de concreto ainda é adaptada ao programa, aproveita o formato dos ambientes para definir lajes com vigas e pilares nas arestas e cruzamentos das paredes. Deixa ver que, nesse momento, a estrutura ainda não desempenha um papel ordenador da planta.

A comparação das obras de João Kon comprova a sistematicidade como condição do projeto. Não porque haja carência criativa, mas porque a solução e a experiência constituem uma reserva de tipos com que o arquiteto dá respostas, porque a dinâmica empresarial dos projetos e a responsabilidade tornam inapropriado descartar a solução comprovada em nome do experimentalismo. Algo incompreensível para o arquiteto, que acredita ser obrigação arriscar-se com o que ainda não sabe.

Kon demonstra muitos recursos para escolher e produzir configurações em função do programa e do formato de seu terreno. A estrutura formal e abstrata do edifício manifesta-se principalmente nas plantas. A partir dos protótipos reconhecidos na produção do arquiteto, é possível esboçar uma classificação. Há incontáveis soluções: para edificação nas divisas, subdivididas em variantes com poços de luz; com caixilharia contínua, para fachadas principais, em oposição a fachadas de serviço traseiras; para terrenos profundos, com circulações verticais em série; para prédios em "L", quando os terrenos têm muita área, mas pouca profundidade; e, ainda, soluções variadas de plantas para edifícios com uma unidade por pavimento. Além das plantas sistemáticas, encontra-se, também, a solução com planta peculiar formulada para condições especiais. Fazem parte desse acervo plantas imprevistas, que também atestam habilidade e versatilidade para organizar circulação e ambientes em fachada única, com poços de luz para setores secundários. É assim o pequeno e simples Edifício Depósito Imperatriz, com desenhos de 1970, na rua Matias Aires, Bela Vista, onde a escada e o elevador centrados são recuados até o fundo do lote, para liberar o uso comercial na calçada e dividir o poço traseiro em metades. Sua estrutura simétrica acomoda-se à inflexão da divisa lateral. Como sempre, a circulação coletiva é suficiente para atender três unidades, e a estrutura de lajes, pilares e vigas se resolve com uma estrutura regular. O apertado Edifício Colibri, de 1963, na rua Ribeiro de Lima, Bom Retiro, também pode ser considerado único. Ajustado nas divisas laterais de um terreno muito estreito, o projeto desenha uma unidade por andar, divide a planta da unidade em duas porções, com o núcleo central de circulação vertical composto de escada, dois elevadores e um poço de iluminação. Compartilha a fachada frontal entre sala e cozinha com serviços e quarto de empregada, na parte posterior, dois sanitários na circulação são ventilados pelo poço e três dormitórios disputam uma fresta na fachada do fundo para ventilar e obter luz. O artifício do corredor que desloca os ambientes para construir mais dormitórios pode ser visto em várias ocasiões.

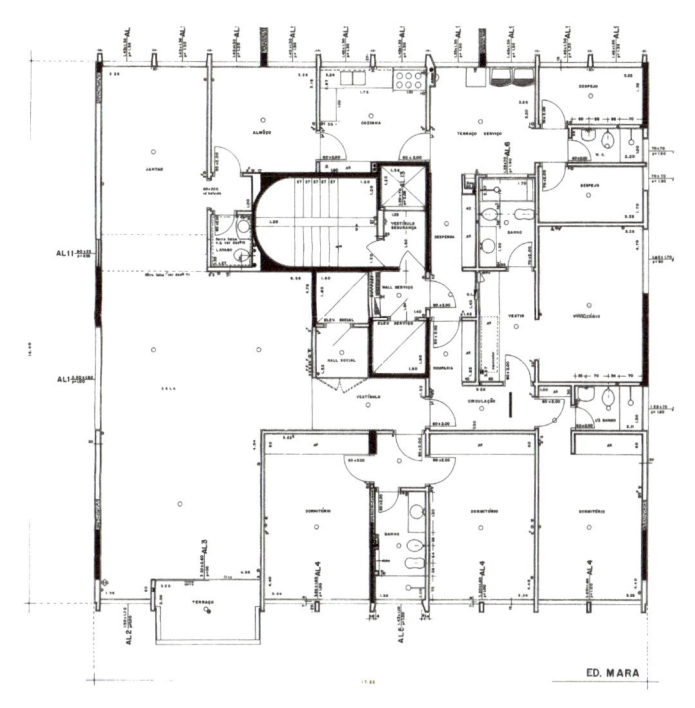

Há um conjunto de modelos com plantas de uma unidade por andar e núcleo descentrado. É o caso do Edifício Mara, de 1976, na rua Maranhão, Higienópolis, com planta quadrada em aparente desordem interna. Por tratar-se de planta com um apartamento por andar, a simetria é descartada, e os elevadores e escada, uma estrutura central, podem ser circulados como uma "ilha". É por esse motivo que encontram a posição e a forma adequadas em função da orientação do terreno, das áreas necessárias para os setores do programa e de uma ordenação dos ambientes que propicie fachadas uniformes. No sentido da rua, a planta é dividida em dez intervalos que dispõem as paredes e estruturam caixilhos em série. O Edifício Tijuca, de 1976, na rua Haddock Lobo, Jardim Paulista, com estrutura modulada e acusada de pilares perimetrais e balanços laterais, também apresenta um núcleo de circulação vertical muito irregular e estratégico na planta. Metade da área da planta é reservada para dormitórios emparelhados com sanitários e com a suíte traseira.

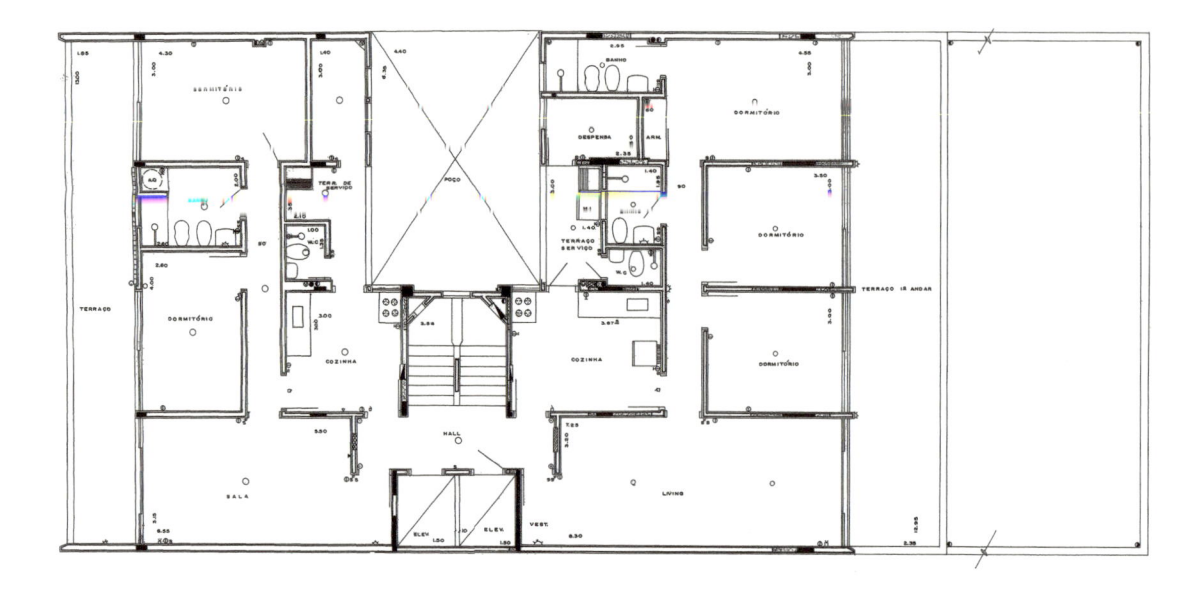

à esquerda

Edifício Iperoig,
planta do pavimento tipo,
São Paulo, 1973

à direita

Edifício Cotovia,
planta do pavimento tipo e
perspectiva frontal,
São Paulo, 1964

O elevador social desemboca em um hall que faz a ligação independente entre os setores do apartamento e, por esse motivo, nesse caso específico, não há necessidade de circular em volta do núcleo.

A ordem das plantas obtida com séries de paredes paralelas corresponde a outro padrão rígido e muito utilizado pelo arquiteto, no caso de edifícios com pequenas unidades. O Edifício Batuíra, de 1964, na rua Maria Antônia, Vila Buarque, vale-se da mesma estrutura formal e, de maneira análoga, soluciona unidades estreitas e longilíneas, obedientes ao rigor das paredes longitudinais e paralelas sobre estrutura reticular de pilares, vigas e lajes, com a combinação de dois poços de luz separados pelo núcleo de circulação vertical – nesse caso específico, o núcleo é isolado e desvinculado do corpo construído principal. Nestes projetos, de padrão popular, sobressai o tema da unidade mínima de habitação e se depreende clara e solidária relação entre a solução estrutural regular e a concepção do programa. Tal ajuste com a estrutura não impede que, diferentemente das duas unidades frontais de um dormitório, as unidades traseiras de menor valor imobiliário aproveitem as faixas com três quitinetes para ampliar o negócio.

Outros edifícios têm suas plantas definidas segundo o mesmo processo. Com cinco quitinetes por planta, o Edifício Aleto, de 1968, na rua das Palmeiras, Santa Cecília, reedita o Edifício Batuíra, com reposicionamento do núcleo central, forro falso e outro artifício para ventilar os sanitários pelo poço de luz. A organização hidráulica parece dar as pistas do arranjo, enquanto a estrutura, como de costume, procura a máxima regularidade e simplicidade para seus elementos. O Edifício Cotovia, de 1964, na rua das Palmeiras, Santa Cecília, tem esquema similar, onde o número de faixas possíveis na largura do terreno define a quantidade de unidades mínimas da planta. Na fachada frontal, duas unidades com um dormitório nas divisas e ambientes hidráulicos voltados para os poços de luz internos, e uma quitinete no meio. Atrás, em níveis desencontrados da escada, outras quatro quitinetes com programa variado. Um simples edifício popular, com esquema distributivo rígido e favorável.

Outra importante família de esquemas é a que responde ao edifício ajustado às

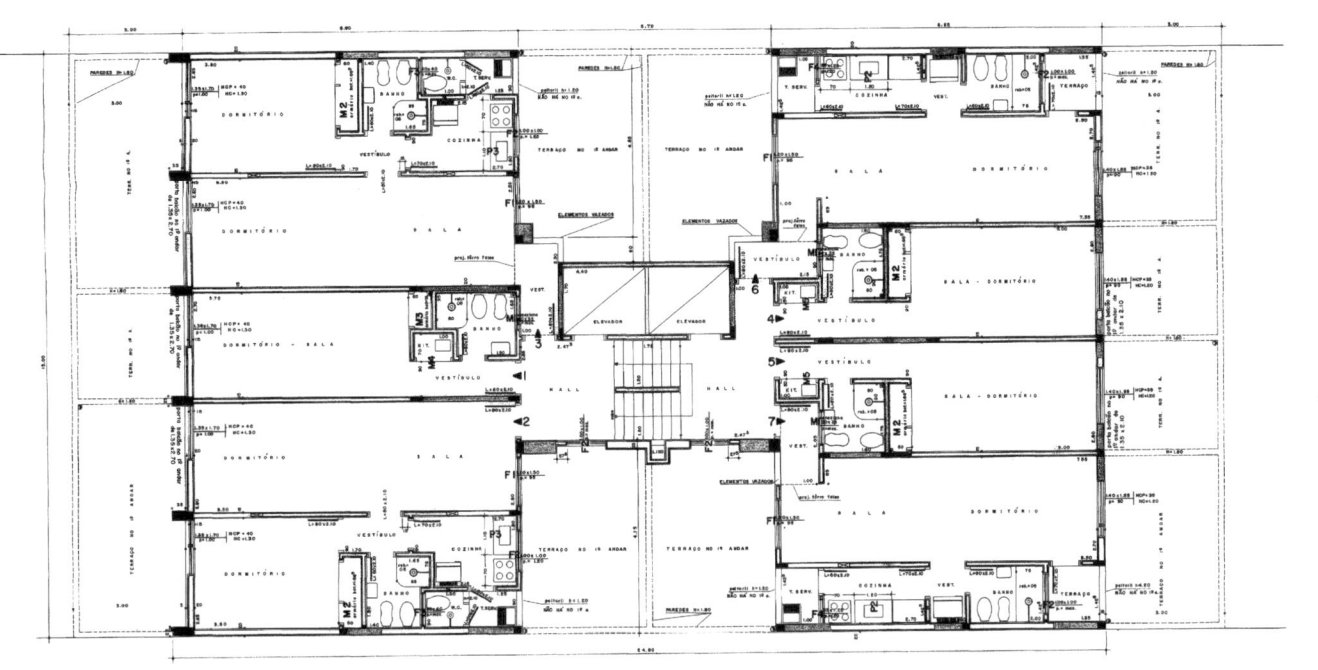

ANDAR TIPO do 1º ao 15º

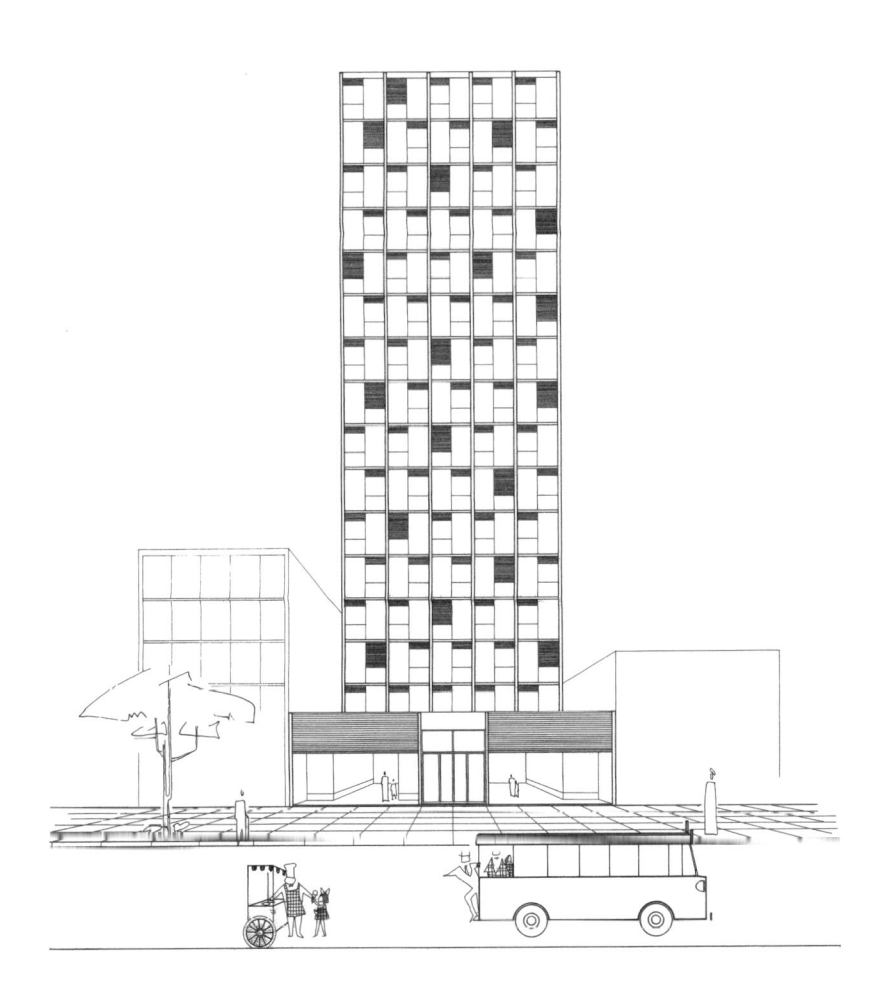

PLANTA do 1º ao 12º andar.

PLANTA DO ANDAR TIPO — DO 1º AO 14º ANDAR

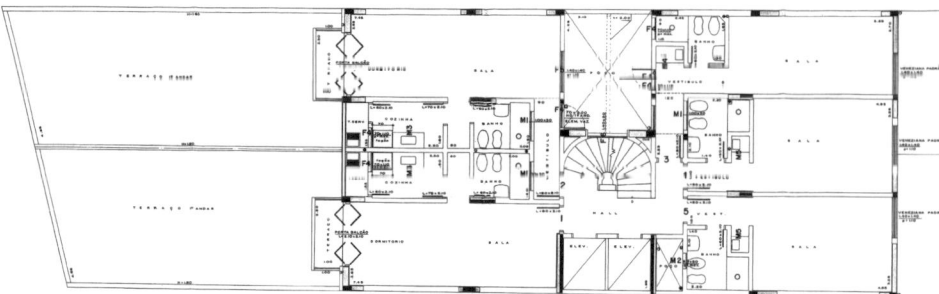

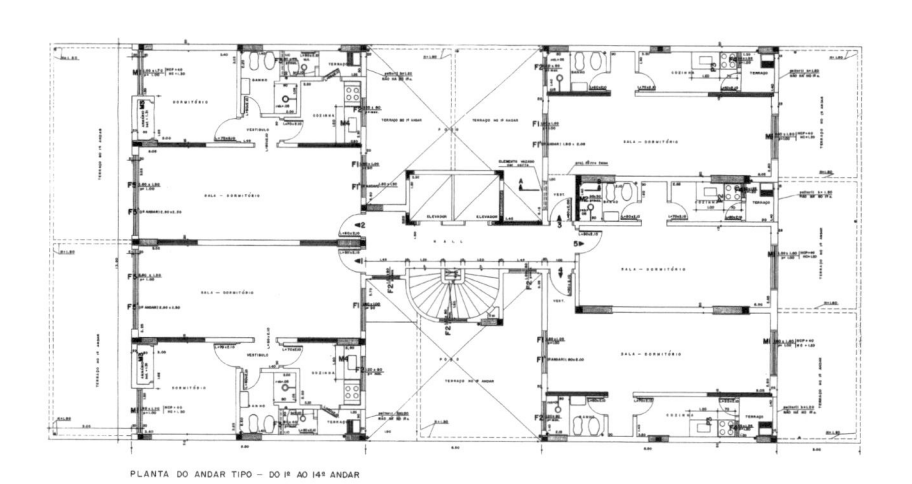

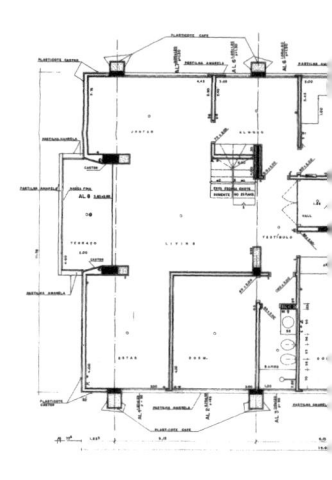

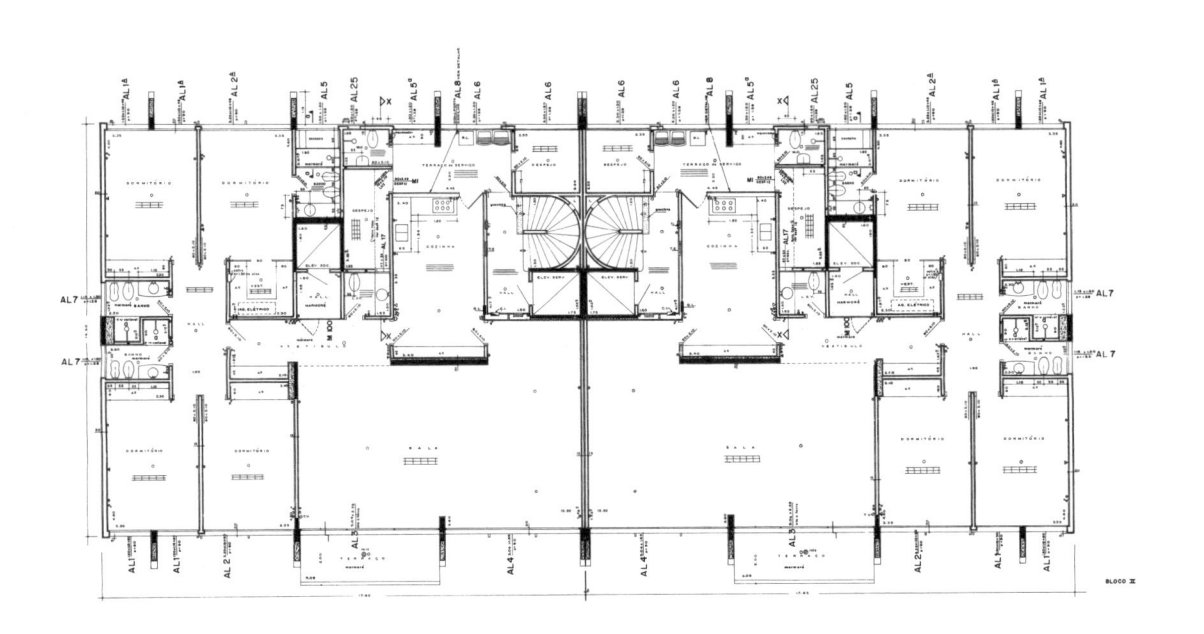

BLOCO II

de cima para baixo, da esquerda para a direita

Edifício Aleto, planta do pavimento tipo, São Paulo, 1968

Edifício Batuíra, planta do pavimento tipo, São Paulo, 1964

Edifício Tijuca, planta do pavimento tipo, São Paulo, 1976

Edifício Araçari, planta do pavimento tipo, São Paulo, 1972

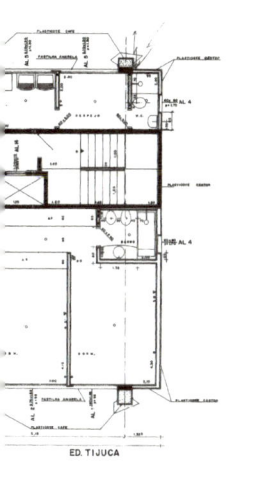

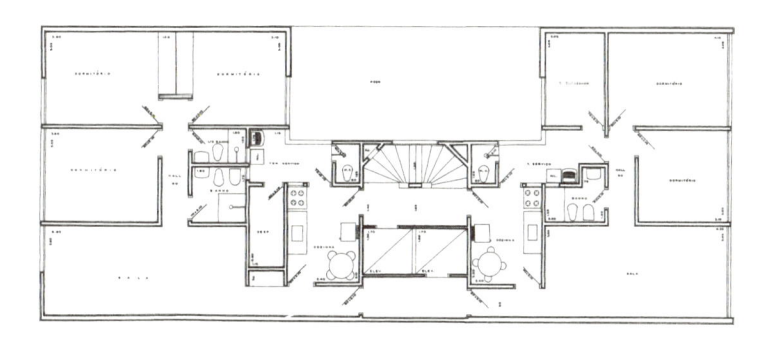

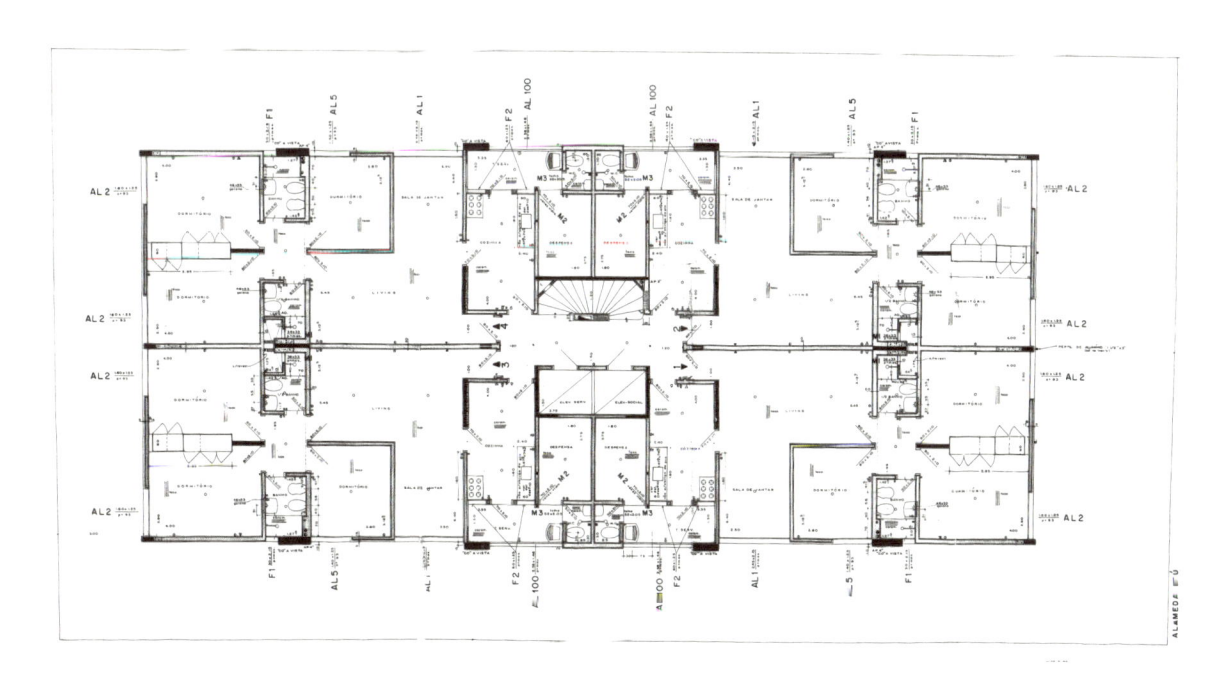

Edifício Ave Real, planta do pavimento tipo, São Paulo, 1972

Edifício Maguari, planta do pavimento tipo, São Paulo, 1972

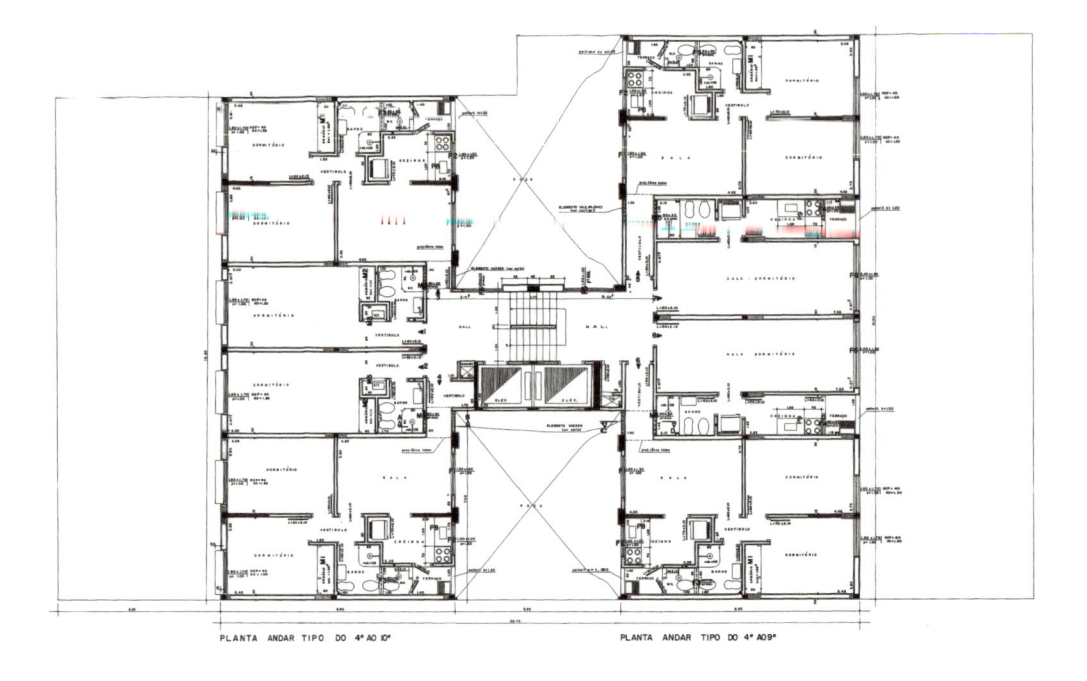

à esquerda

Edifício Uirapuru,
planta do pavimento tipo e
elevação frontal,
São Paulo, 1963

à direita

Edifício Lido,
planta do pavimento tipo e
publicação na revista
Arquitetura e Construções,
São Paulo, 1962

divisas. Entre eles, e com duas unidades por andar, o Edifício Iperoig, de 1973, na rua de mesmo nome, Perdizes, utiliza a frente e o fundo com fachadas para atender os ambientes principais com terraços. O poço de luz – que, no interior, ventila cozinhas, serviços, dormitórios de empregada e sanitários – e o núcleo de circulação vertical dividem o miolo da planta. Um sutil deslocamento do que seria o eixo médio da planta disponibiliza mais área para as unidades traseiras, ampliadas com dois dormitórios, suíte e demais ambientes do programa. No entanto, a estrutura formal mantém-se intacta. As mesmas linhas de pilar, as mesmas vigas, os mesmos vãos e o mesmo esquema distributivo dão poucas pistas das diferenças do programa. No Edifício Araçari, de 1972, na rua Joaquim Antunes, Pinheiros, em terreno mais largo, amplia-se o poço de luz para incorporar as cozinhas em sua largura e opta-se, outra vez, por unidades com área diferenciada. A unidade traseira é maior, mas tem esquadrias mais modestas. Dois sanitários para a família, um quarto de empregada indicado como despensa, enquanto a unidade frontal tem dois dormitórios familiares e um terceiro flexível, que pode tanto ser para a empregada como para a família. Nesse apartamento, o sanitário familiar único, como uma ilha, permite percorrer os ambientes em circulação.

No Edifício Lido, de 1962, de 1962, na rua Correia de Melo, Bom Retiro, a condição de aproveitamento máximo do terreno encontra solução inteligente e singular. Com quatro apartamentos por andar, o edifício tem seu eixo central aproximado da divisa direita, de tal maneira que a testada do terreno – excessiva para a largura de duas unidades de dois dormitórios e insuficiente para a largura de duas unidades de três dormitórios – possa acomodar uma planta híbrida e assimétrica, com unidades de dois dormitórios ao lado de unidades de três dormitórios. A solução dada à fachada, com recuo e terraços nos dormitórios das divisas e um corpo avançado com cinco panos de esquadrias e terraços das salas, promove a apresentação correta do edifício na rua. Ao deslocar e encavalar os dormitórios com corredores e terraços, fica evidente o aumento de profundidade da laje e o esforço feito para iluminar e ventilar tantos ambientes.

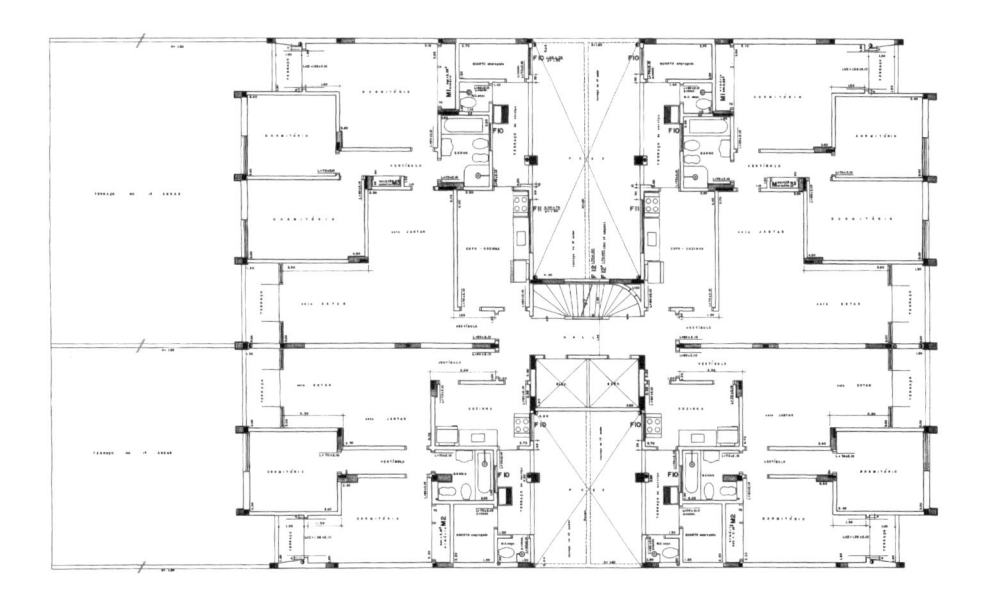

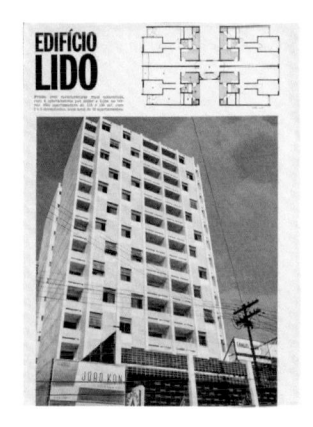

O Edifício Uirapuru, de 1963, na rua Jaguaribe, Santa Cecília, apresenta uma solução comparável à do Edifício Lido. Um estreitamento na largura do terreno, causado por uma dobra na divisa, introduz um problema formal raro e faz com que as unidades frontais e traseiras, atendidas por um esquema "H", composto com o núcleo central de escada e dois elevadores, tenham eixos de simetria diferentes. Com oito unidades por planta, tem quatro unidades voltadas para a rua e outras quatro para os fundos, que se diferenciam pela alteração entre os ambientes hidráulicos nas quitinetes frontais e posteriores. Chama atenção como a ordem das plantas se apresenta inalterada, apesar das medidas diversas.

A constituição diferente das áreas de circulação vertical, com respeito a duas porções habitacionais da planta, propicia um desenho que justapõe três arranjos distintos na laje. O Edifício Maguari, de 1972, na alameda Itu, Jardim Paulista, constitui uma forma regular com sistema distributivo consistente. O núcleo central, tratado como parte do setor de serviços, é compacto e eficiente, com circulação coletiva mínima para atender quatro unidades espelhadas e iguais. As paredes são previsíveis e sempre coincidem com eixos, enquanto as faixas de sanitários transversos expõem uma notável solução para portas, hall e corredores íntimos para os dormitórios. Uma solução sempre repetida com muita habilidade e adotada com variações em diversas ocasiões. Com a mesma estrutura, desenha-se o Edifício Palomar, de 1973, na rua Pará, Higienópolis, outro exemplo de planta simétrica e composta pela justaposição das três porções. O núcleo responde pela circulação e usos de serviço, mas, neste caso, o transporte vertical se faz com três elevadores, sem que se explore a posição dos dois elevadores sociais para definir alternativa distributiva e funcional na planta, sempre possível quando o acesso social é remoto com respeito ao núcleo. Neste caso, os elevadores sociais ainda ficam vinculados ao núcleo central. Essa não é a característica no Edifício Ave Real, de 1972, na rua Angelina Maffei Vita, Pinheiros, com corpo edificado composto por dois prédios independentes e geminados, onde os elevadores sociais são desvinculados do núcleo central e definem, com seu acesso, um hall social que interliga

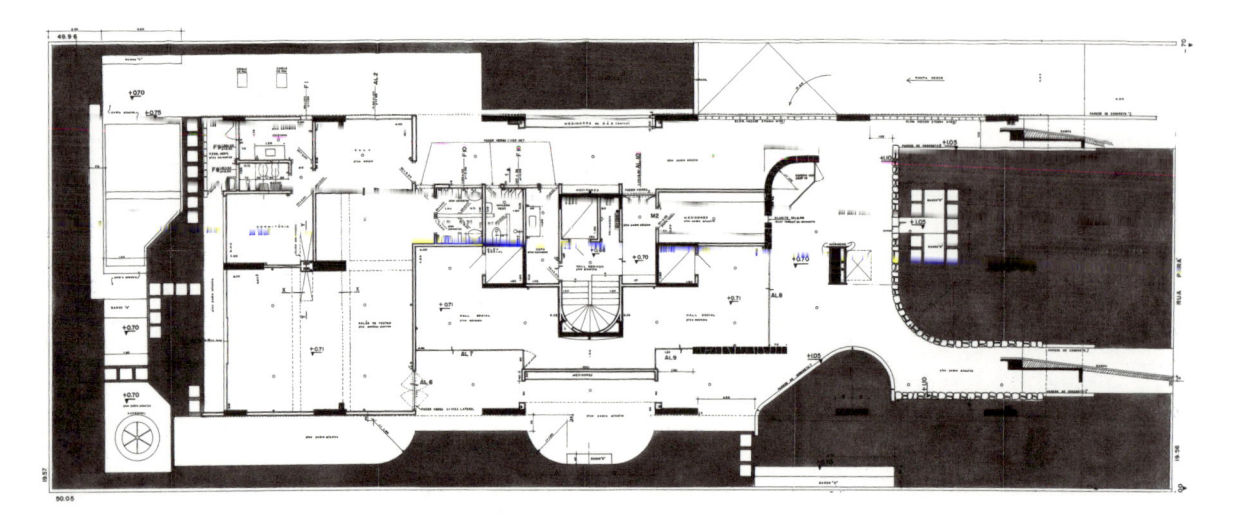

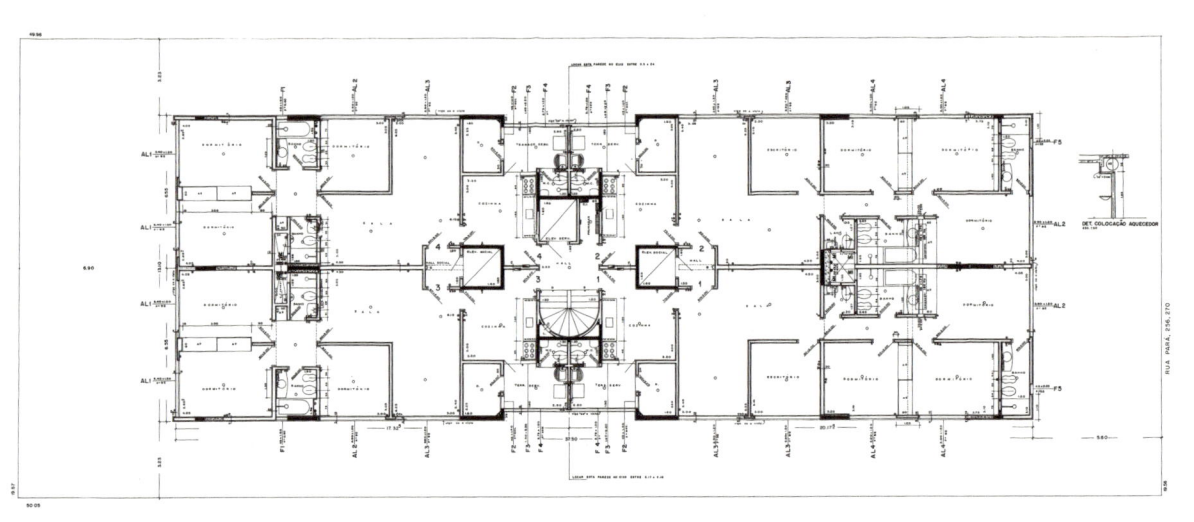

à esquerda

Edifício Palomar, implantação, planta do pavimento e foto da edificação, São Paulo, 1973

à direita

Edifício Acauã, implantação, planta do pavimento e foto da edificação, São Paulo, 1973

os três setores do apartamento. A planta do conjunto de dormitórios, sanitários e armários está organizada com as séries de paredes paralelas que constroem pequenos sanitários e áreas de armários e closet, ao mesmo tempo em que estruturam as circulações e definem o formato dos dormitórios.

No Edifício Acauã, de 1973, na rua Bahia, Higienópolis – com a mesma configuração de elevadores sociais desvinculados do núcleo vertical para acesso a dois apartamentos –, a divisão da laje e sua estrutura são exemplares: os volumes de sanitários constituem maciços que ordenam e dão sentido à compartimentação difusa e aos corredores, desenham os halls de distribuição e a eles se refere a estrutura, e os poucos alinhamentos posicionam paredes que formam, com perfeição, os dormitórios. Neste caso, o terceiro dormitório invade e ocupa um setor da área da sala, e a transforma em um "L", com consequente setor escuro.

Essas plantas expõem o princípio de desintegração formal das plantas, elas antecipam o derradeiro procedimento na fase final de produção de edifícios habitacionais. A forma regular e perfeita do perímetro construído e ajustado ao terreno e, portanto, à cidade dá lugar a um processo compositivo desagregado, que não ordena integralmente, mas apenas organiza o programa com conexões. Assim, esses edifícios, como quase todos que vão ser construídos nesse período, passam a ter perímetro recortado e núcleo de circulação vertical independente do volume construído para encerrar os apartamentos. Há evidente perda na estruturação formal com a extrusão irregular e indiferente ao terreno, com a geração de cavidades e reentrâncias sombrias que rememoram as antigas plantas entre divisas e denotam insensibilidade visual, e anunciam tempos de arquitetura relativa e tateante.

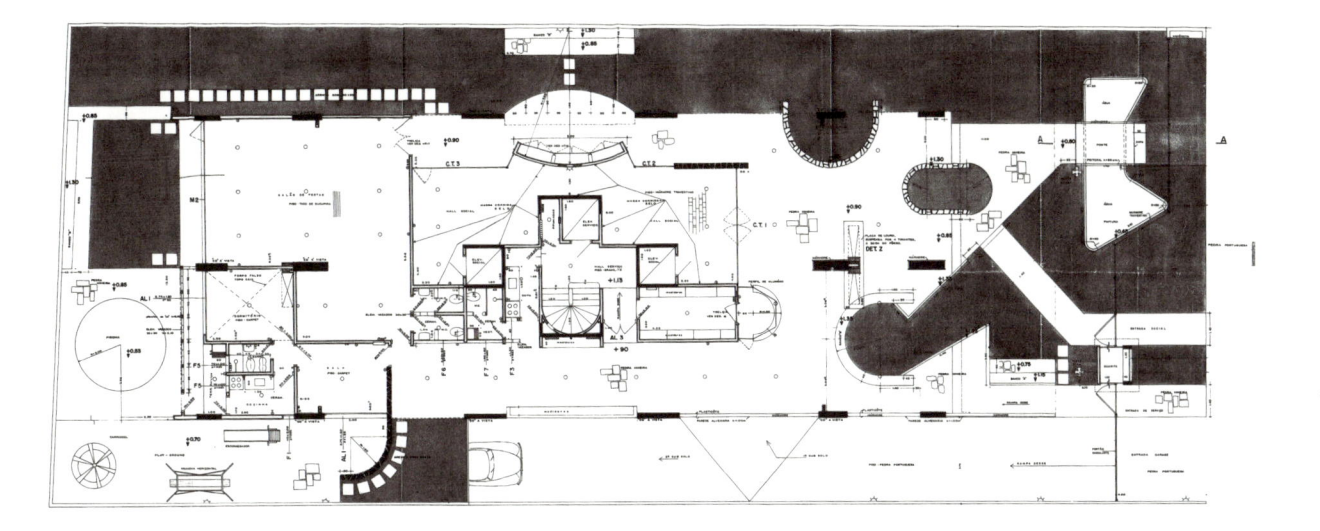

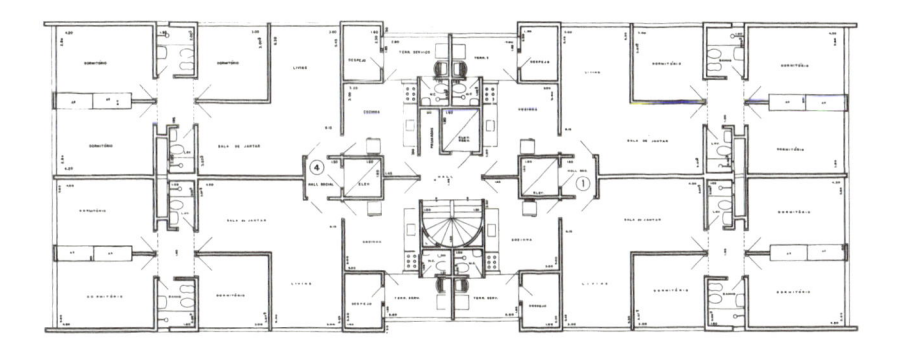

Outro tipo muito explorado é o que abre as salas para os recuos laterais, e os dormitórios para a fachada frontal. O Edifício Place de L'Etoile, de 1973, na rua Pará, Higienópolis, e o Edifício Ipanema, de 1974, na rua Oscar Freire, Jardim Paulista, constroem-se com plantas de uma unidade por andar, idênticas e quase perfeitas. Juntas, reiteram a sistematicidade com que o arquiteto enfrenta tarefas semelhantes, com a afirmação de sua experiência, com o que conhece. O hall social, centrado e oposto ao de serviço, dá acesso no ponto que conecta os três setores da unidade. É possível ir de um setor ao outro sem passar pelo terceiro. Como sempre, as faixas hidráulicas são submetidas à máxima ordem, solucionam problemas distributivos e estabelecem uma uniformidade rara em compartimentação dessas plantas. Toda a fachada frontal dedicada aos dormitórios antecipa, como em outros empreendimentos, uma solução contínua, com esquadrias de alumínio com venezianas e réguas verticais ininterruptas, que sugerem um fechamento único com painel de esquadria industrializada, um resultado equivalente ao dos bons tempos de *cladding*, com painéis de caixilharia de madeira, com folhas guilhotina contrapesadas.

146

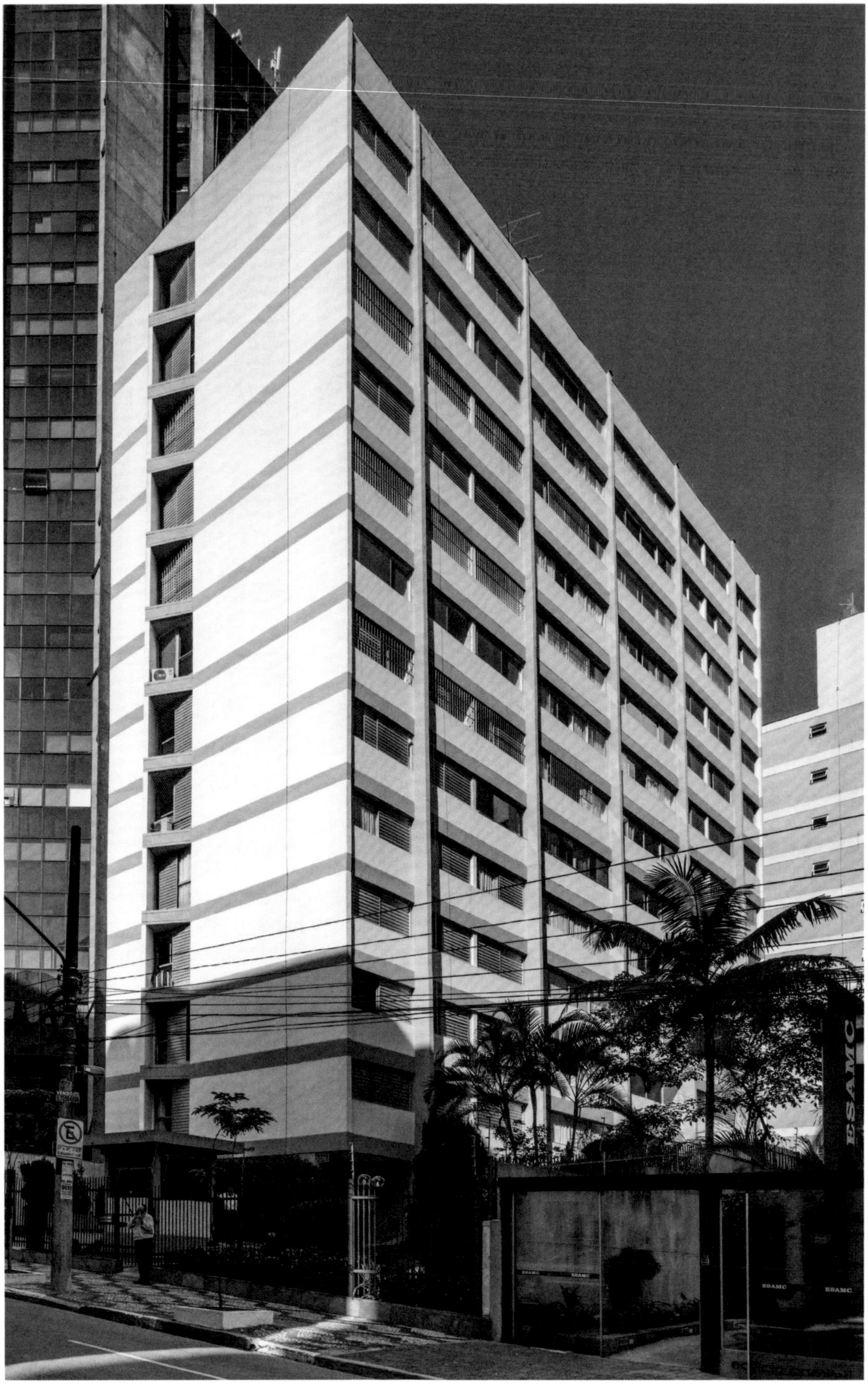

Edifício Álamo, foto da edificação e elevações, São Paulo, 1974

O Edifício Garça Real, de 1966, na alameda Tietê, Cerqueira César, o Edifício Arpoador, de 1973, na rua Gil Eanes, Campo Belo, o Edifício Aura, de 1971, na rua Haddock Lobo, Jardim Paulista, e o Edifício Jardins de Ilhéus, de 1980, na rua Doutor Homem de Mello, Perdizes, reproduzem o mesmo esquema de planta adaptado ao terreno, com a diferença de que as circulações entre os setores da unidade utilizam o setor social, a sala, ou recorrem a um móvel para estabelecer uma circulação independente. Também a Lei 8.266, de 1975, que ratifica o Projeto de Lei nº 172/1974, influencia as decisões do arquiteto; os projetos de 1974 já acusam uma escada de segurança, na qual se proíbem os degraus em leque, isola-se a escada dos elevadores, introduzem-se portas corta-fogo, dutos e antecâmaras que vão dificultar, até inviabilizar, a regularidade do prisma edificado e favorecer a saliência das caixas de circulação vertical por causa da área maior, um expediente que desqualifica as implantações e, consequentemente, as relações do edifício com o lote. Já no caso do Edifício Arpoador, as abas verticais, inclinadas e salientes nas arestas aparecem como artifício que tenta dotar o prédio de interesse, sem aderência ao propósito formal, à forma inteligível que costuma orientar todas as decisões; insinua que essa arquitetura cede à pressão criativa, à inventividade que cobra todos os arquitetos quanto ao empenho artístico. Não pode ser diferente com João Kon, pois todos os arquitetos são obrigados a mudar para expor novidades.

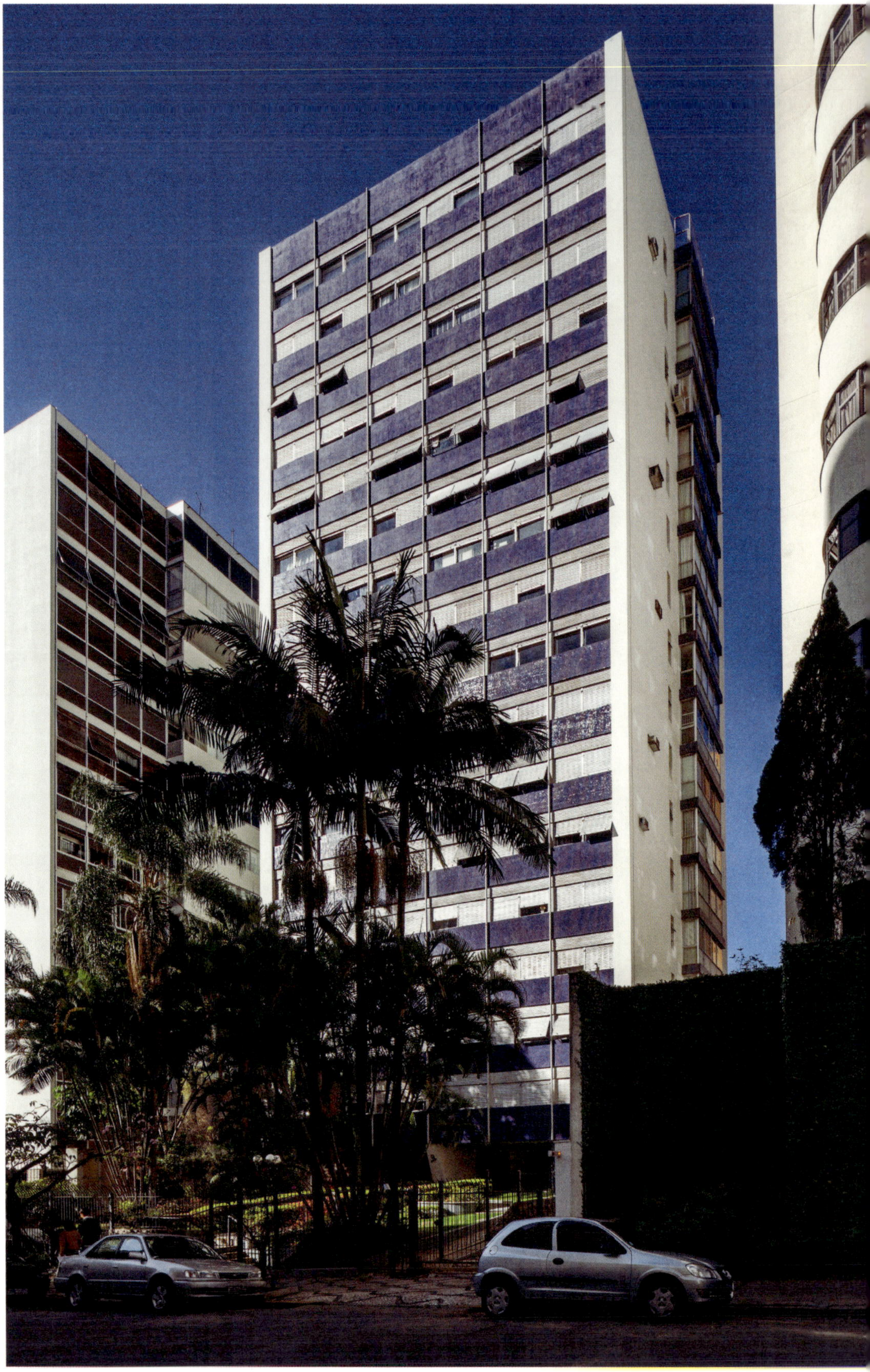

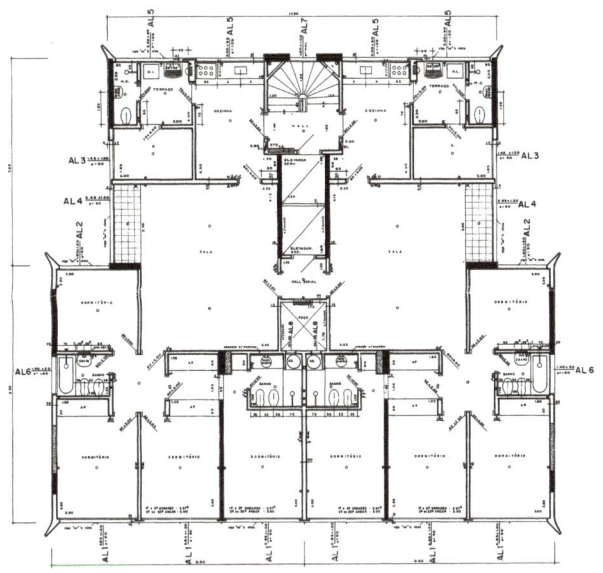

à esquerda

Edifício Place de L'Etoile,
São Paulo, 1973

à direita

Edifício Arpoador, área de lazer externa e planta do pavimento tipo, São Paulo, 1973

Como em toda a obra constituída em décadas, experimentam-se caminhos confusos e insegurança. Esse fenômeno não é diferente na obra de João Kon, os materiais mudam, as soluções técnicas atualizam-se ou simplificam-se. Primeiro, os tipos têm importância pela integridade e precisão geométrica; mais tarde, as paredes sofrem distorção e arredondamento, o perímetro regular perde a potência do prisma simples e puro para expressar a extrusão de uma figura planimétrica, obtida a partir da associação de retângulos que correspondem a ambientes e encontros tratados como conexões que explicam, simbolizam, a circulação, o funcionamento. Os arquitetos são seduzidos pela novidade. Revistas, críticas e discursos empenhados em apresentar o que há de mais atual no mundo estimulam constante atualização, fazem acreditar que os processos conceptivos desvelam configurações inesperadas, que a apresentação do edifício deve revelar aspectos desconhecidos. Esse fenômeno invade a obra de Kon, mas, mesmo assim, é possível referir-se à persistência de critérios de construção da forma.

Das pastas de projetos, são selecionadas as plantas mais sistemáticas e irretocáveis, edifícios longitudinais e simétricos, com fachada principal com salas e dormitórios, e fachada de serviço com conjuntos hidráulicos regulares, compactos, e alinhamentos para definir circulações e paredes principais, metódicas e irretocáveis. Do Edifício Perdiz, de 1963, na rua Paraguaçu, Perdizes, a planta pode ser considerada modelar de um arquétipo moderno. Muitos são os arquitetos que desenham variantes desse arquétipo, com resultado sempre admirável. Kon consegue atingir apreciável compromisso entre o formalismo, a funcionalidade e a estrutura. Nos planos, tudo parece ajustado e apropriado. Medidas, áreas, distribuição e construção estabelecem um raro e oportuno acordo de diferentes demandas. Da mesma linhagem, pode ser citado o Edifício Cisne, de 1962, na rua José Maria Lisboa, Jardim Paulista. Com implantação transversal, comprova a versatilidade do esquema com o pequeno hall de distribuição dos setores do apartamento, circulação do serviço pela sala, pelos dormitórios, e com as suítes giradas para as testeiras do paralelepípedo. O Edifício Álamo, de 1974, na rua Sabará, Higienópolis, com quatro dormitórios

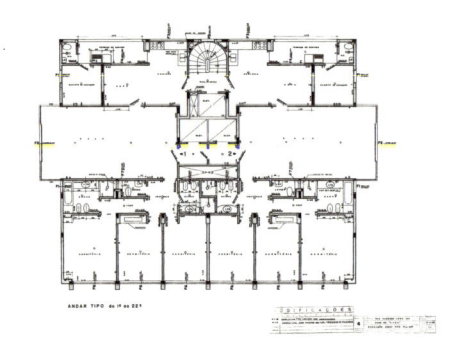

à esquerda

Edifício Aura, planta do pavimento tipo, elevação e cortes da estrutura, São Paulo, 1971

à direita

Edifício Jardins de Ilhéus, planta do pavimento tipo, São Paulo, 1980

Edifício Ipanema, planta do pavimento tipo, São Paulo, 1974

Edifício Perdiz, planta do pavimento tipo, São Paulo, 1963

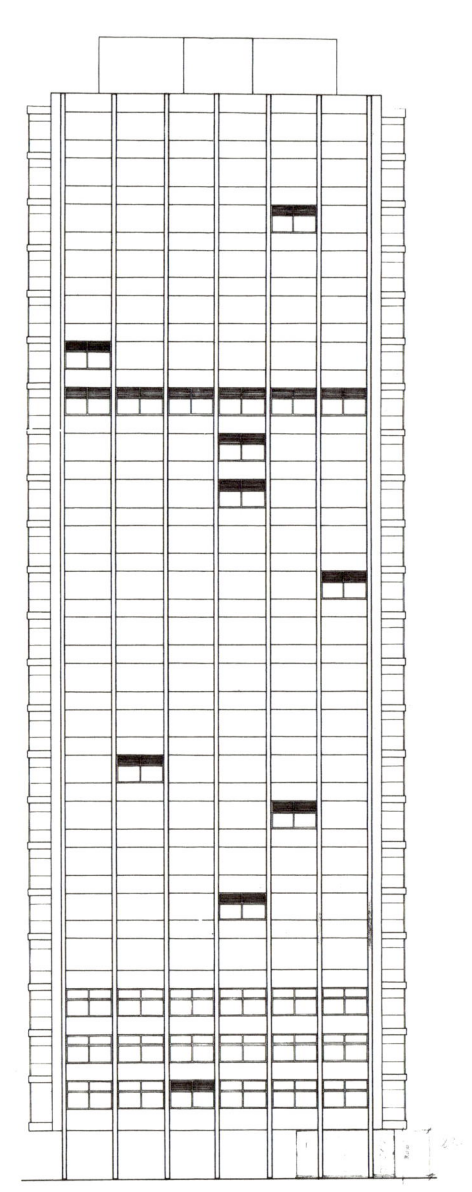

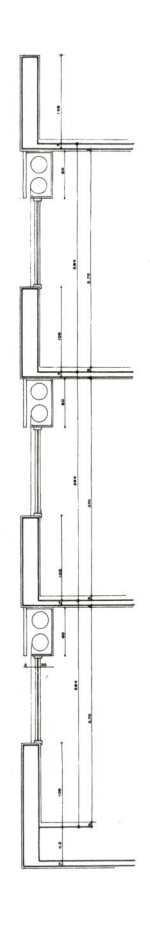

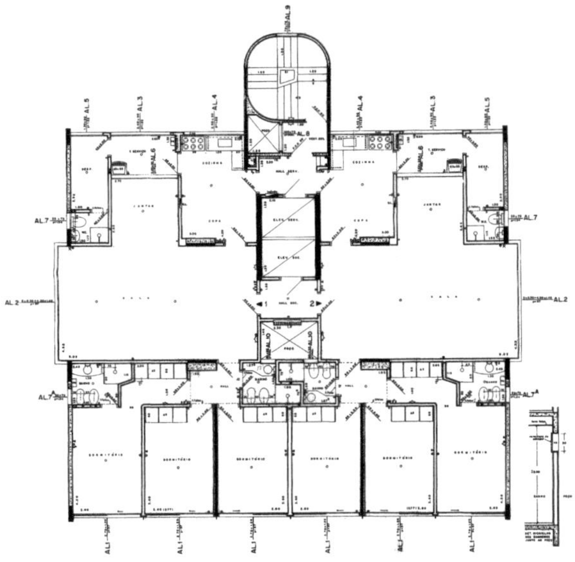

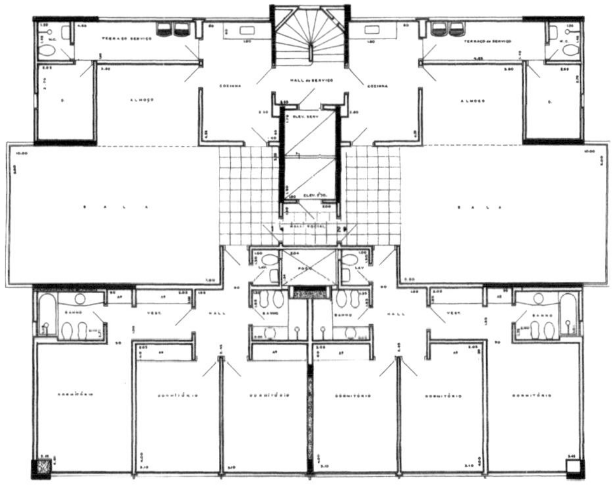

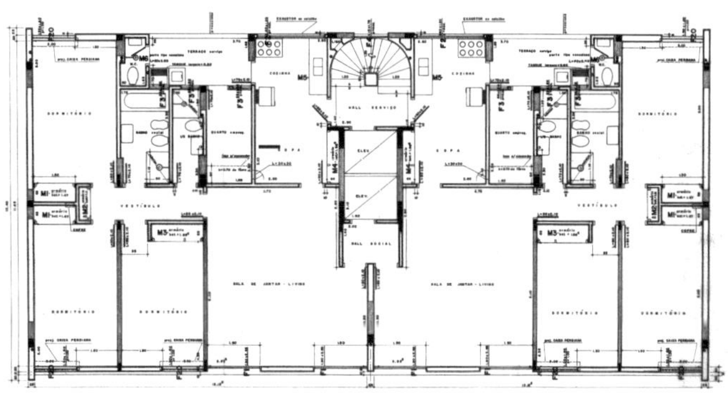

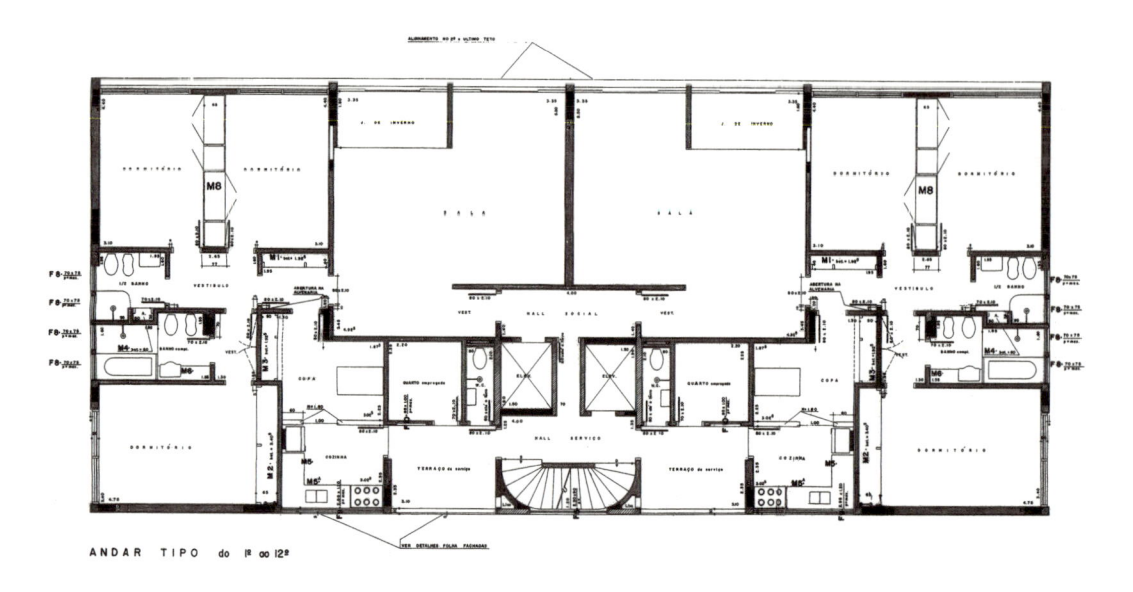

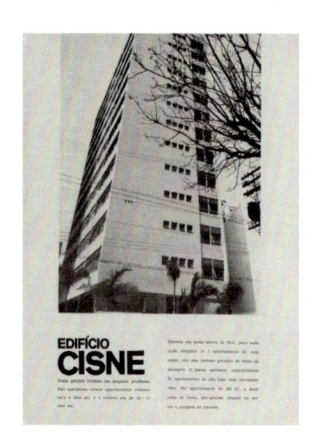

por unidade, também é um modelo desse esquema, ainda com a caixa de escada dentro do perímetro regular, com um bloco hidráulico com serviços, e uma estrutura modulada e ajustada às divisões principais do apartamento. No Edifício Camboriú, de 1976, na rua Doutor Albuquerque Lins, Santa Cecília, com quatro dormitórios, o esquema é idêntico, porém, a escada de circulação, que sempre dificulta a solução central da planta – e que a legislação exige que seja de segurança –, é acoplada ao perímetro retangular e regular da planta, ou resulta no que os arquitetos podem fazer com as novas regras. Pode ser considerado relaxamento da ordenação moderna, aceitação de esquemas menos exigentes de organização.

O Edifício Caiobá, de 1978, na rua José Maria Lisboa, Jardim Paulista, pode ser entendido como persistência do processo original para a concepção de plantas controladas pelo sentido formal rigoroso. O retângulo, com elevadores e escada de segurança com portas de acesso deslocadas do eixo central, desequilibra a simetria da planta e parece contestar a estrutura. As paredes da mesma caixa são prolongadas, e a área desequilibrada da escada e elevadores é compensada com a extensão da metade posterior da planta, para terminar os corredores com sanitários. Os últimos dormitórios do corredor são girados, e as condições gerais que atestam ordem e sistematicidade são reestabelecidas.

O estreito Edifício Erweg, de 1973/75, na rua Bela Cintra, Cerqueira César, pode ser tomado como exemplo extremo de simplicidade. Uma lâmina estreita e isolada de dois apartamentos por andar, iluminados e ventilados pelas quatro fachadas, tem compartimentação correta e um sentido construtivo irretocável. A lâmina dividida ao meio apresenta uma única parede longitudinal e contínua que, sozinha, ordena toda a planta. Outros dois trechos de parede longitudinal a um quarto da largura definem os ambientes menores. Impressiona muito a concisão do projeto.

O Edifício Leblon, de 1975, na avenida Rouxinol, esquina com a rua Tuim, Moema, com 21 andares e avantajados contrafortes de concreto, encerra generosos apartamentos de três dormitórios e uma suíte em sua planta. Certos aspectos do projeto de

à esquerda
Edifício Cisne, planta do pavimento tipo e publicação na revista *Arquitetura e Construções*, São Paulo, 1962

à direita
Edifício Caiobá, planta do pavimento tipo e foto da edificação, São Paulo, 1978

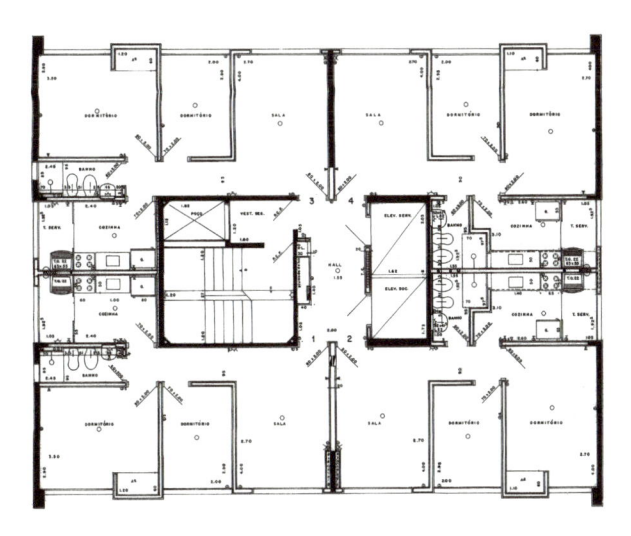

arquitetura são atualizados e parecem responder a tendências estilísticas que fazem sucesso. É adequado pensar que os pilares oblíquos expressam estabilidade numa lâmina de habitação muito alta para os padrões da época e que tenham correspondência com valores construtivos e estruturais colocados na moda pelo brutalismo. O Edifício Camboriú, de 1976, na rua Albuquerque Lins, Santa Cecília, com a ascendência da planta estabelecida no Edifício Lorena, 1960, na alameda Lorena, mostra o mesmo extraordinário recuo e os mesmos contrafortes do Edifício Leblon, de inspiração brutalista, agora com vigas de concreto aparente. Em ambos os edifícios, a altura sugere um térreo mais alto e a inclusão de mezaninos recuados que completam o programa de uso coletivo e condominial.

Finalmente, pode-se fazer referência a uma série de edifícios longos. São eles os desenhados em terrenos estreitos e profundos. O Edifício Jandaia, de 1965, na avenida Presidente Wilson, José Menino, na cidade de Santos, parece, entre todos, ter o esquema mais variado, em 56,58 metros de comprimento. Por duas escadas, acessam-se as unidades muito diferenciadas. Na porção frontal, e com três elevadores, o projeto reserva a fachada do passeio marítimo para a unidade maior, com dois dormitórios, suíte e ampla sala com terraço. Atrás, a unidade contígua é mais compacta e dispõe de dois dormitórios. O núcleo de circulação no fundo do lote está conectado a uma galeria que dá acesso a uma unidade com um dormitório e mais quatro quitinetes. Ambos os núcleos de circulação vertical são internos à planta e compartilham a faixa de serviços oposta à faixa de salas e dormitórios, à fachada com pequenos balcões espaçados. Outras construções longas são o Edifício Albatroz, o Edifício Jaborandi e o Edifício Juriti, comentados em fichas autônomas neste mesmo volume, além do Edifício Fragata, de 1972, na rua Melo Alves, Cerqueira César, com duas escadas e elevadores para dois apartamentos em série, e o Edifício Mainá, de 1962, na rua Padre João Manuel, Consolação, com uma proporção pouco usual, já que a limitada profundidade do edifício, composto por dois núcleos de circulação vertical, força o alargamento da lâmina e faz surgir circulações transversais e contrárias ao movimento alongado da edificação.

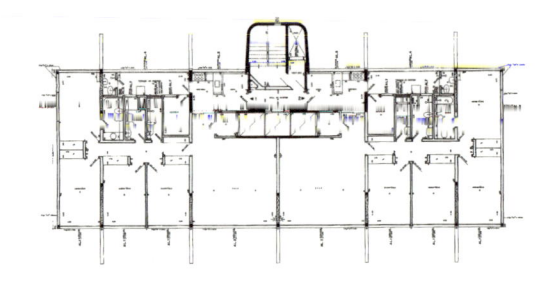

154 *à esquerda*

Edifício Camboriú,
planta do pavimento tipo
e elevações, São Paulo, 1976

à direita

Edifício Herweg,
planta do pavimento tipo,
São Paulo, 1974

Edifício Fragata,
planta do pavimento tipo,
São Paulo, 1972

Edifício Jandaia,
plantas do pavimento tipo
e da unidade alternativa,
Santos, 1965

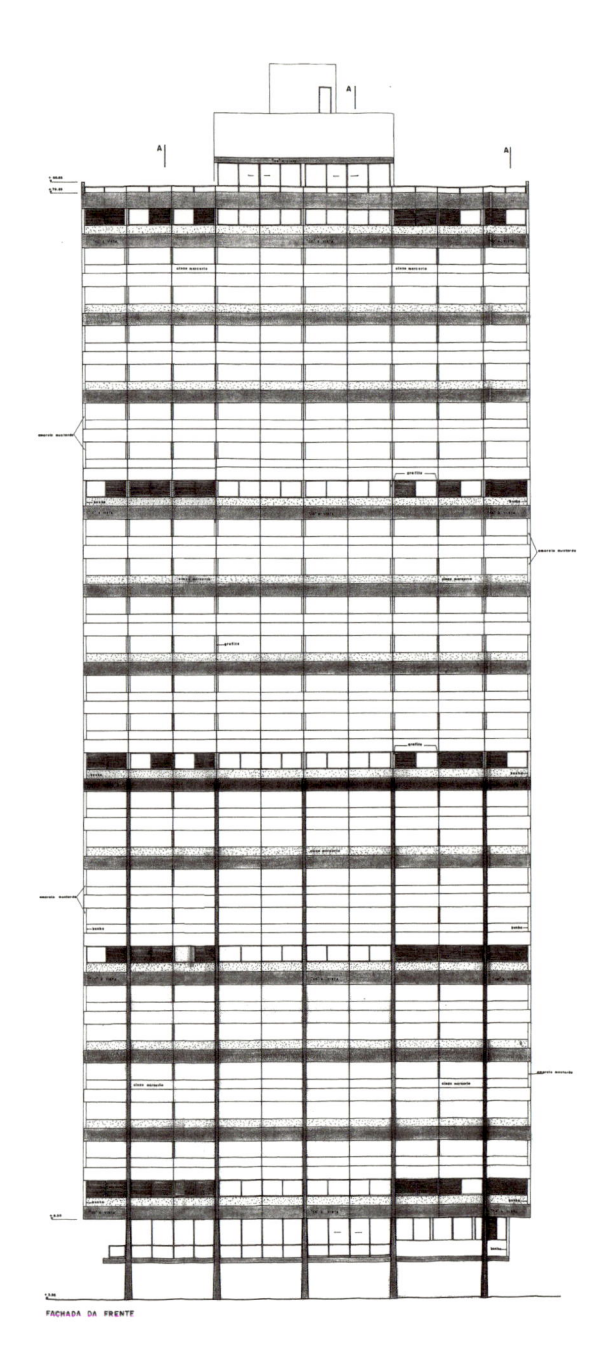

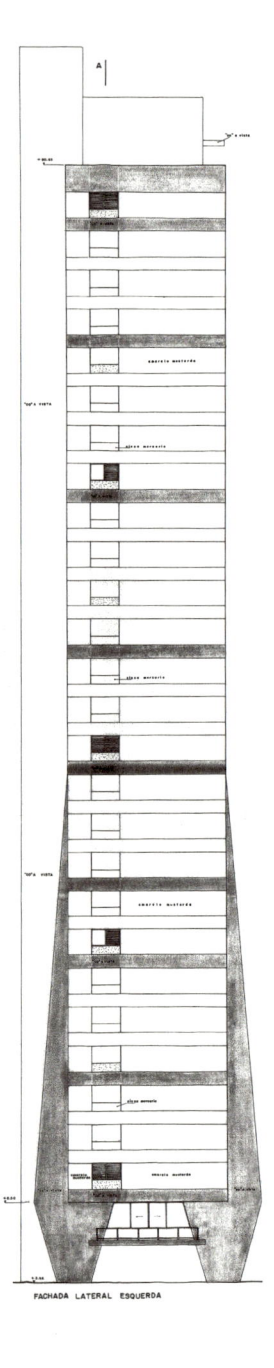

ANDAR TIPO DO 1º ao 15º

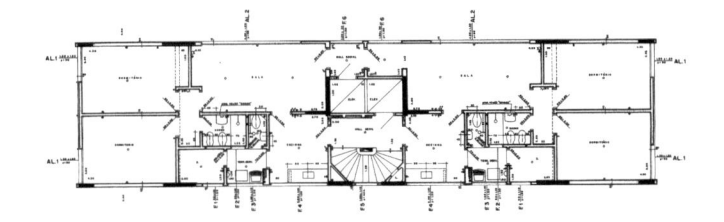

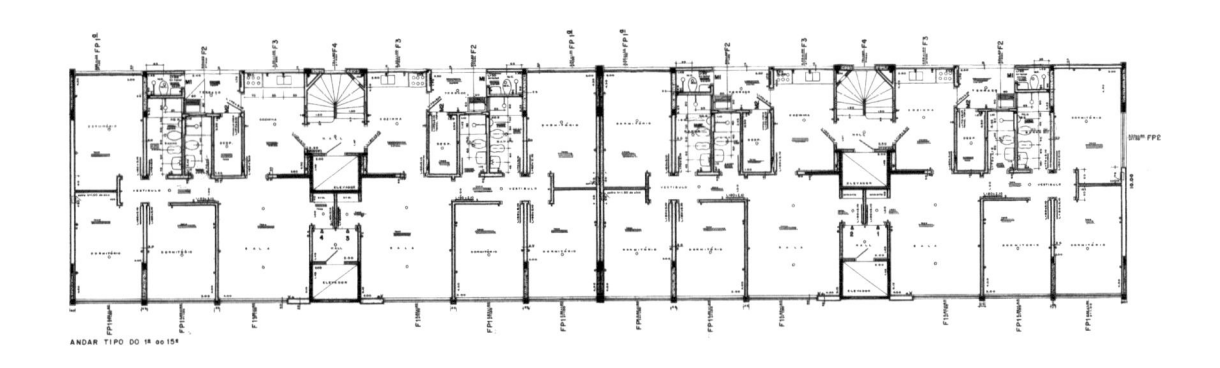

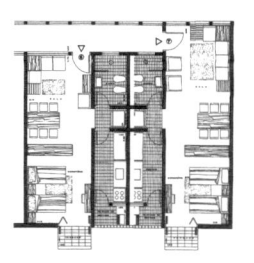

ED. JANDAIA

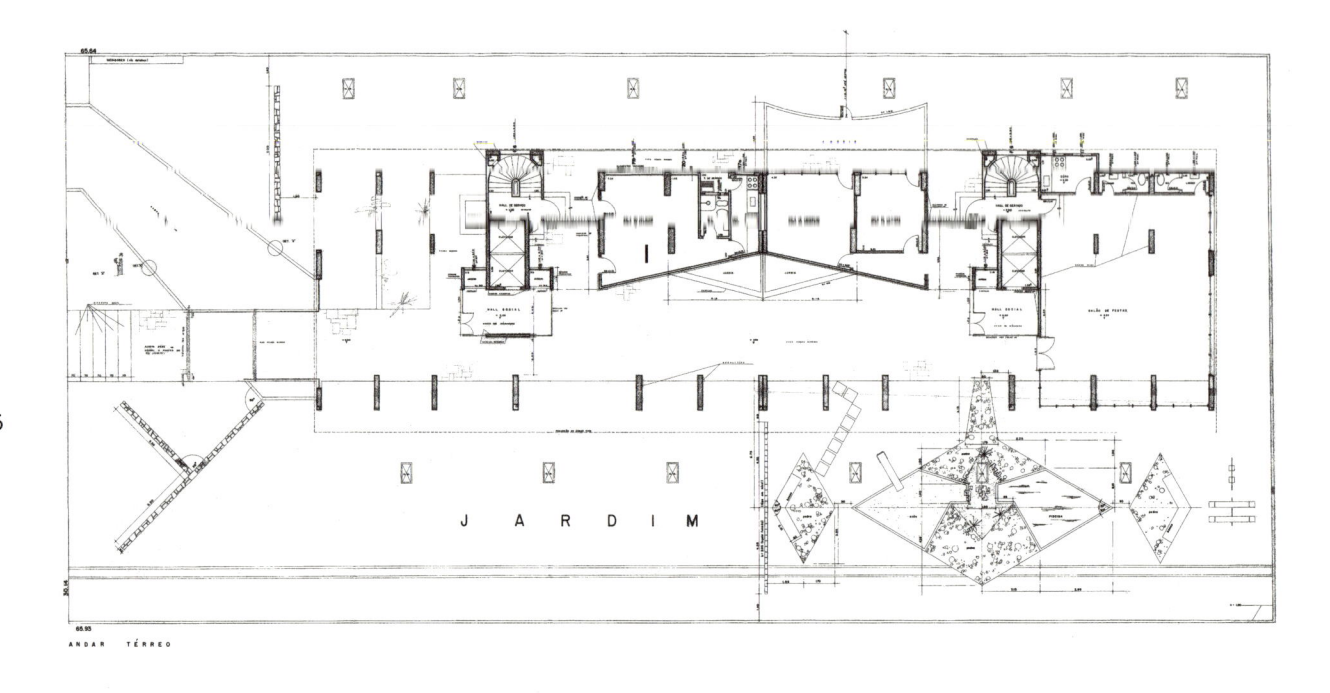

à esquerda

Edifício Mainá, implantação, São Paulo, 1962

à direita

Edifício Iraúna, implantação (semelhante ao Edifício Anambé), São Paulo, 1968

A importância dada pelos projetos ao paisagismo é apreciável, não apenas pelos agradáveis jardins, pela emocionante abundância e dimensão vegetal, mas porque a qualidade das áreas abertas resulta, em grande medida, das decisões fundamentais de arquitetura, da habilidade em dispor os edifícios na cidade. Admite-se que esses projetos são concebidos em terrenos mais generosos se comparados com o padrão urbanístico mais recente e compacto. São terrenos em que ficam evidentes coeficientes e taxas favoráveis, porém, também há de se creditar o destaque a decisões acertadas decorrentes da sensibilidade visual, à repetição de critérios abrangentes quanto à calibragem e relação dos espaços abertos no terreno, e ao significado e gradação dos espaços livres em um projeto para moradia. É fácil perceber que essas decisões são alheias a regras imediatas e burocráticas de recuo do lote que implantam como numa sucessão de offsets com as divisas. O máximo afastamento frontal do edifício com respeito ao alinhamento não deve ser interpretado como mero recurso para ostentar jardins, para proteger moradores privilegiados; há evidente repercussão na cidade, há benefício urbano, portanto, vantagem pública e privada. Edifícios muito recuados podem ser mais altos, sem congestionar ou oprimir a cidade, desafogam as ruas, ampliam o domínio visual do pedestre e o volume atmosférico, a paisagem e a perspectiva. Dois conjuntos de edifícios em cantoneira, com gabarito mais alto no fundo do lote, evidenciam essa preocupação do arquiteto: o Edifício Anambé, de 1967, na rua José Maria Lisboa, Jardim Paulista, e o Edifício Iraúna, de 1968, na rua São Vicente de Paula, Santa Cecília, ambos com gabarito mais alto no corpo traseiro e paralelo ao logradouro.

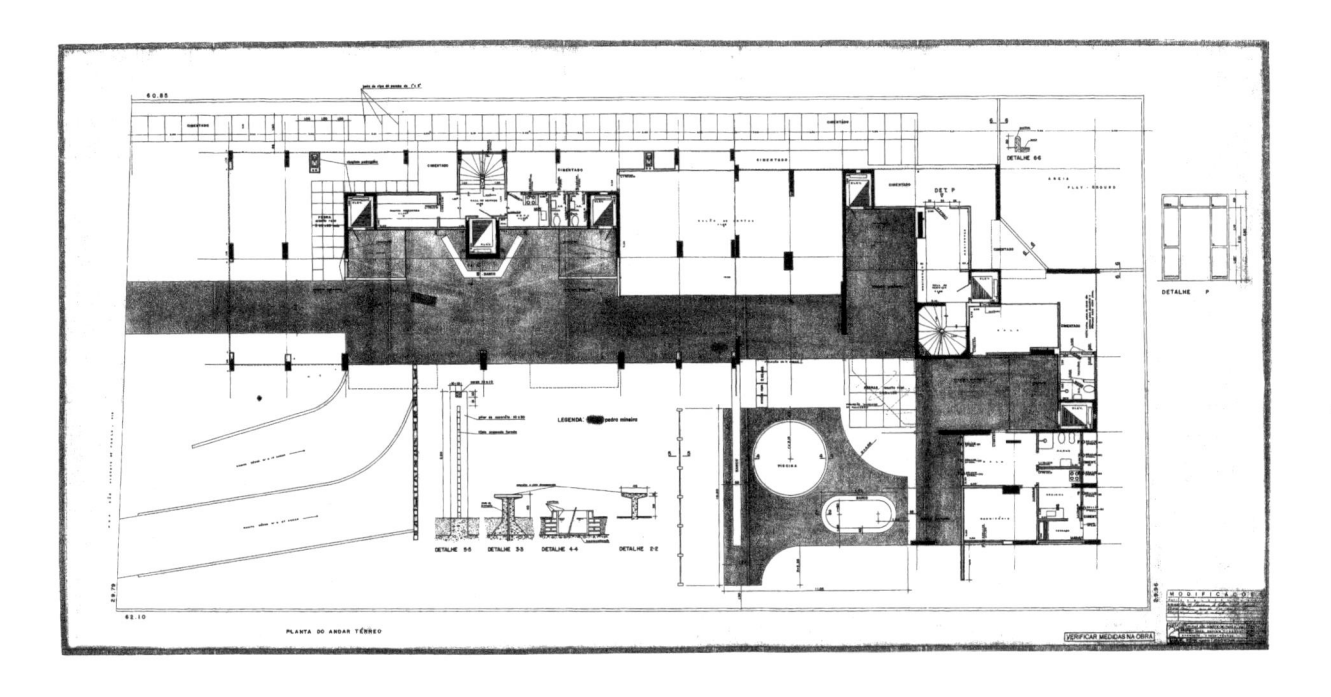

Os projetos evidenciam a aplicação de critérios de implantação que alcançam resultado espacial surpreendente. Grandes árvores frontais estão entre as decisões constantes para formar generosos jardins com um recuo acentuado dos corpos edificados.

Mesmo nos empreendimentos mais simples, como no Condomínio Jardim do Sumaré, de 1970/71, na rua Apinajés, Sumaré, a conexão das paredes cegas se faz com o deslocamento entre os dois edifícios. Trata-se de uma conhecida operação com a forma moderna cuja vantagem está em definir duas áreas regulares, opostas e livres para as atividades coletivas dos moradores, além de diminuir o impacto urbano da construção ao ampliar o afastamento na esquina. É uma decisão paisagística acertada, que divide o terreno em quatro partes e lhes atribui usos numa sequência alternada e incomum.

Sempre que o arquiteto trabalha com dois prédios em um mesmo empreendimento, é de se esperar uma disposição vantajosa e inteligente no terreno, uma relação oportuna entre construções e os espaços abertos conformados. O Edifício Azulão, em conjunto com o Edifício Argo, de 1973, na rua Haddock Lobo esquina com a rua Matias Aires, Consolação, é um desses exemplos. Com o primeiro deles muito retirado da calçada, desocupa-se uma ampla área frontal, onde se encontra o importante jardim

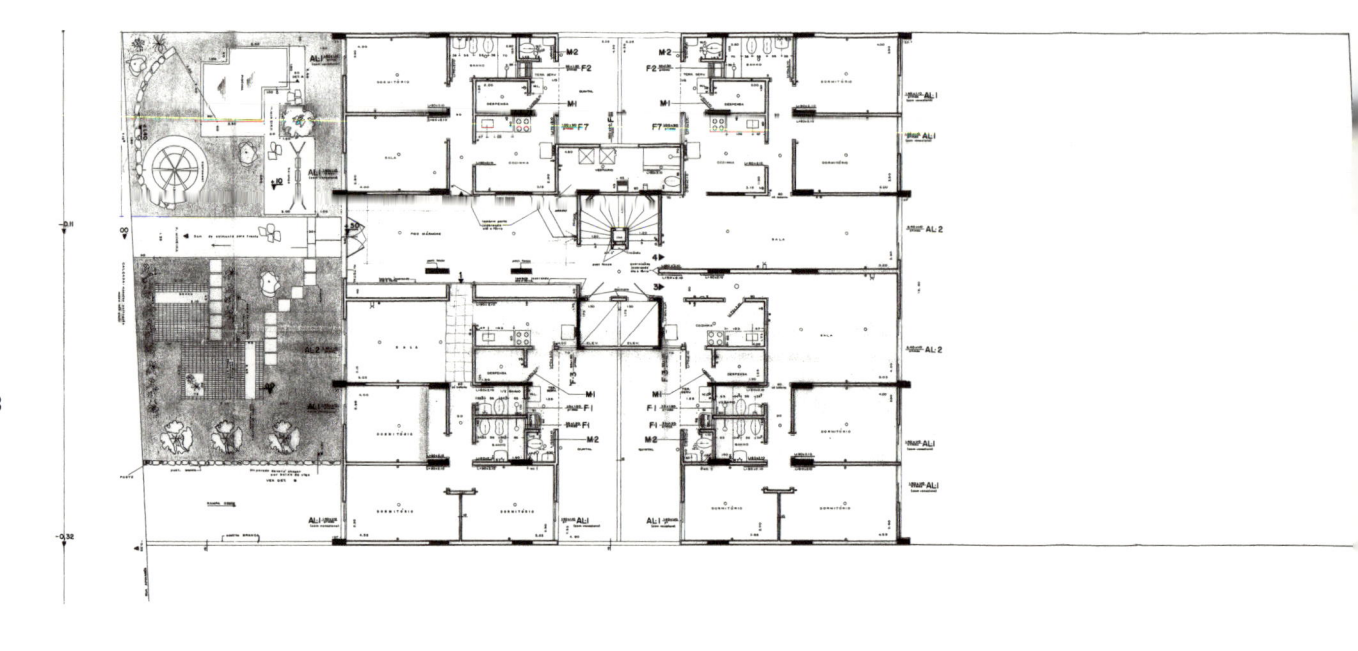

à esquerda

Edifício Jardim do Sumaré, implantação, São Paulo, 1971

à direita

Edifícios Azulão e Argo, implantação no mesmo terreno e plantas do pavimento tipo, São Paulo, 1973

arborizado do condomínio e, em decorrência, onde se constata a melhor ambiência pública. Além disso, os dois edifícios reagem com um terceiro e contíguo projeto de Kon, o Edifício Aura, de 1971, na rua Haddock Lobo, Jardim Paulista, que, muito recuado em direção da divisa de fundo, libera um importante jardim frontal usufruído pelo vizinho Edifício Azulão. O mesmo ocorre com o oposto Edifício Planalto, na esquina da Haddock Lobo com a rua Antônio Carlos, que tira vantagem do jardim aberto do condomínio vizinho. Trata-se de um raro fragmento urbano da cidade de São Paulo em que, apesar do parcelamento fundiário, dos tempos e responsabilidade diferentes, parece ter sido produzido segundo um acordo prévio que propicia uma cidade de edifícios altos entremeada de amplos vazios verdes. Outro projeto com resultado notável e análogo são os Edifícios Leme, de 1976, na rua Ministro Godói, Perdizes. Neste caso, as fachadas dos edifícios estão dispostas a 45° com respeito ao norte, e a disposição preserva toda a parte frontal do terreno aberta e repleta de equipamentos coletivos.

No caso do Edifício Perdiz, de 1963, na rua Paraguaçu, e do Edifício Araguaí, do mesmo ano, na esquina com a rua Cardoso de Almeida, Perdizes, são condomínios contíguos e independentes, porém com implantações complementares, definem e compartilham, em seus terrenos, decididos espaços frontais e livres, segundo critério visual que extrapola os limites da propriedade com uma espacialidade ampla e produz um resultado superior ao que comumente se observa na cidade de edifícios isolados.[30]

Além da obtenção de resultados consideráveis com o que parece ser uma acepção de paisagismo controlada pelo sentido visual, para notabilizar construções novas ou existentes com espaços amplos conformados entre elas, como revela ser essa decisiva construção da paisagem segundo o escrutínio urbano e geográfico, João Kon, atento a todas as artes, também dá muita importância à noção paisagística mais difundida e associada à ornamentação e ao ajardinamento das áreas abertas, em conformidade com um programa de atividades e cenários verdes de desfrute e contemplação. Nesse caso, o arquiteto sempre expressa um desenho muito próximo do paisagismo processado como entorno naturalizado, ou com formalismo independente e livre com que

TIPO DO 1º ao 17º ANDAR

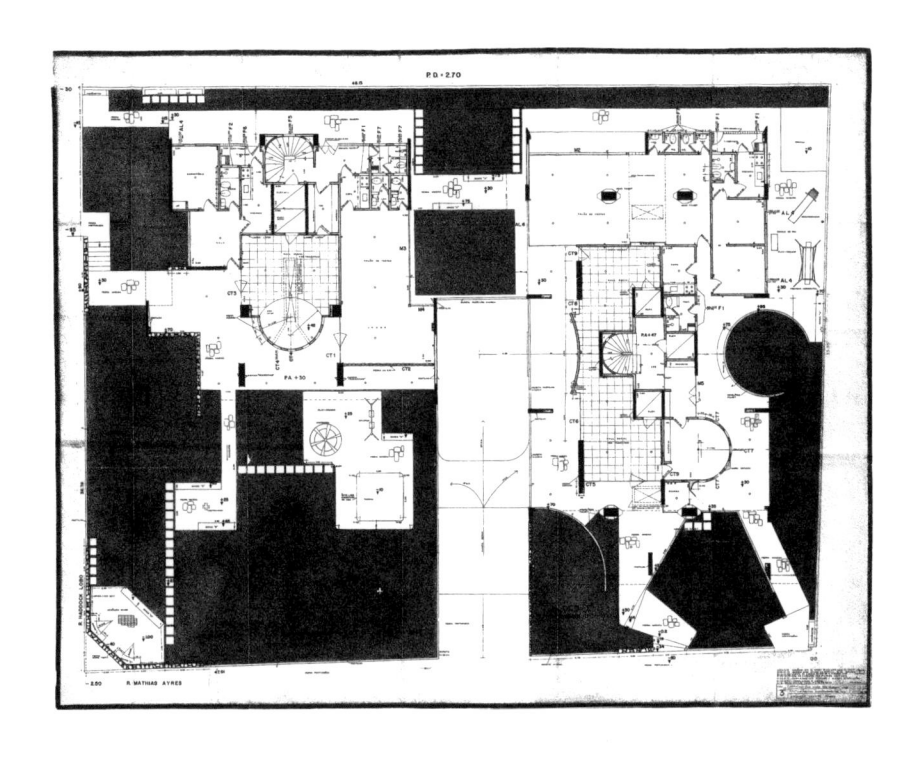

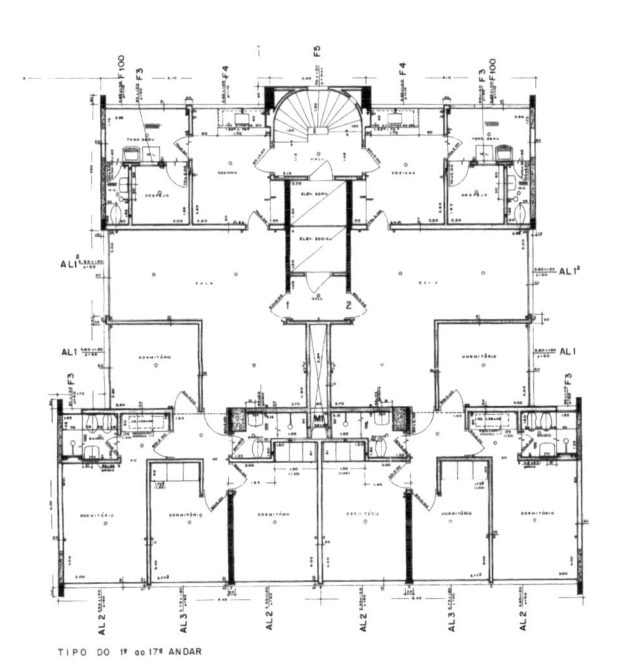

BLOCO I ED. AZULÃO

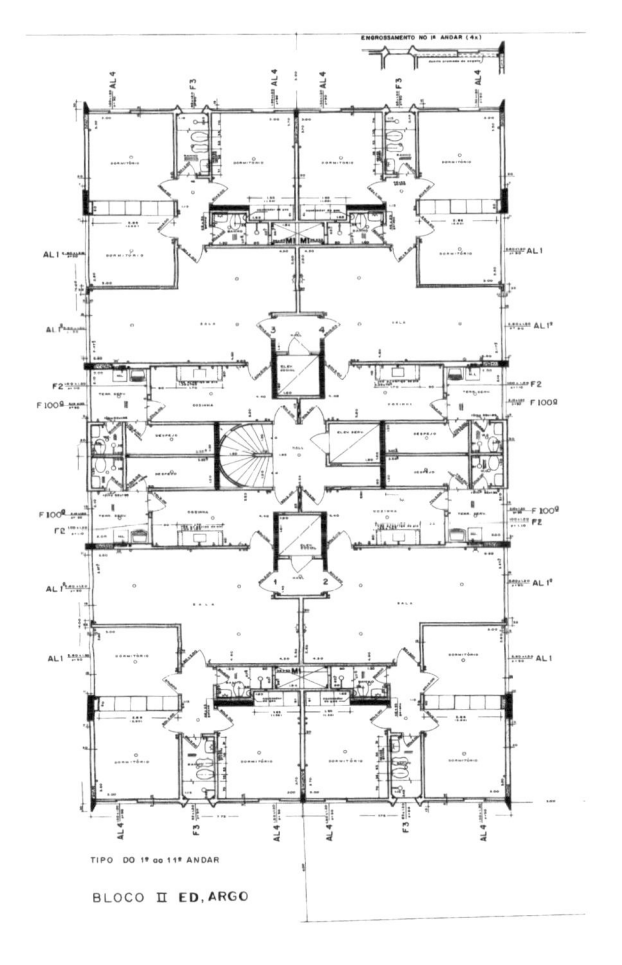

TIPO DO 1º ao 11º ANDAR

BLOCO II ED. ARGO

159

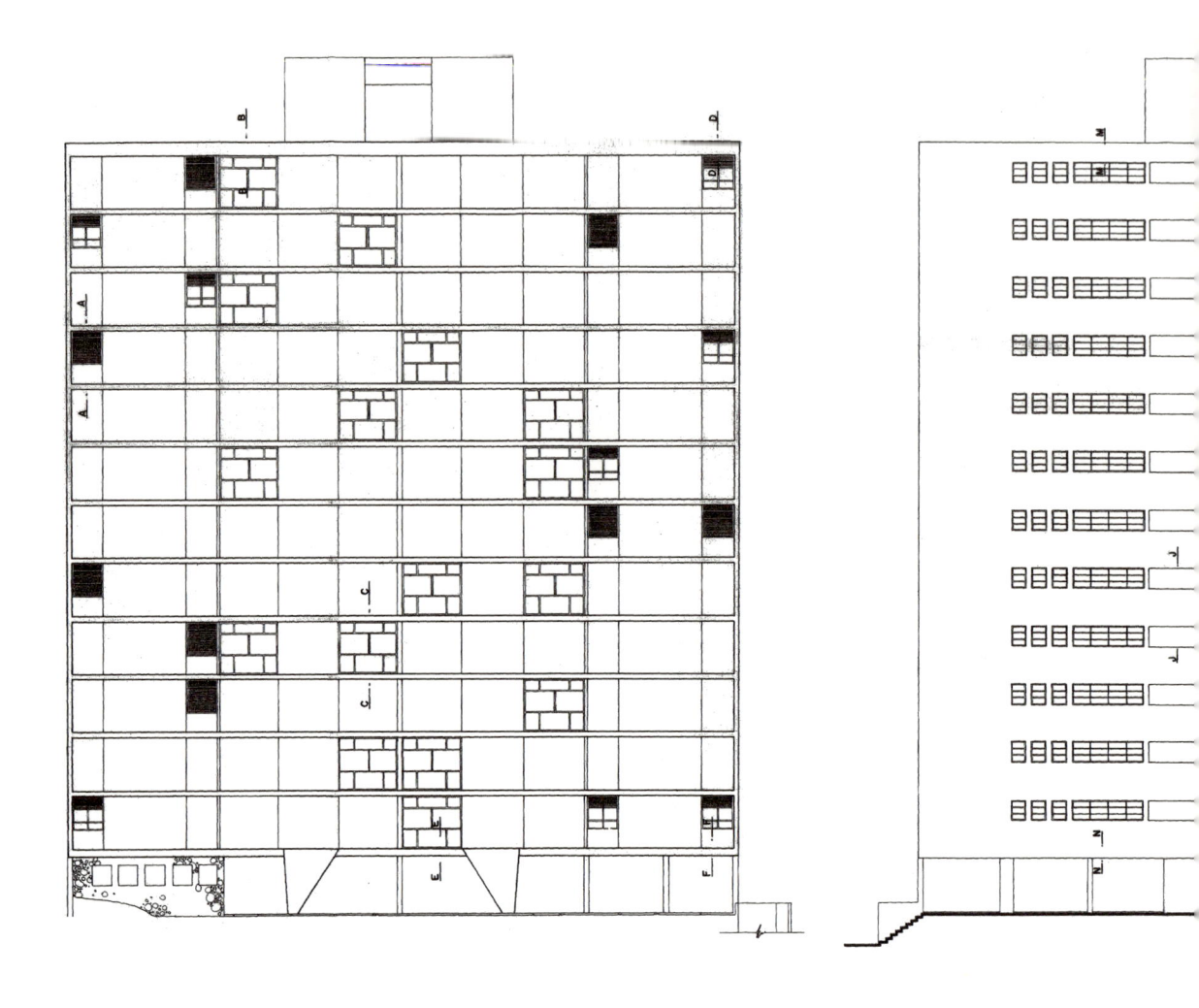

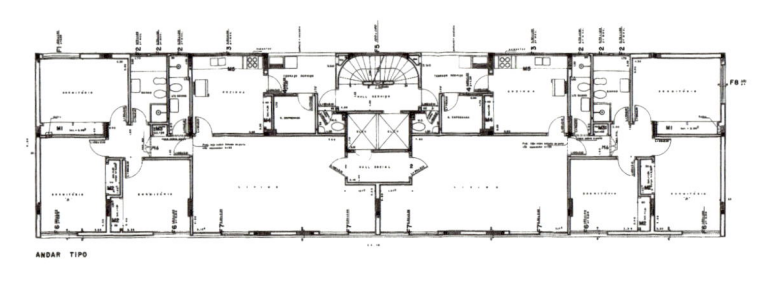

Edifício Araguaí,
elevações e planta do pavimento
tipo, São Paulo, 1963.
Localizado ao lado do
Edifício Perdiz,
ambos foram projetados em
conjunto para se obter uma
volumetria homogênea

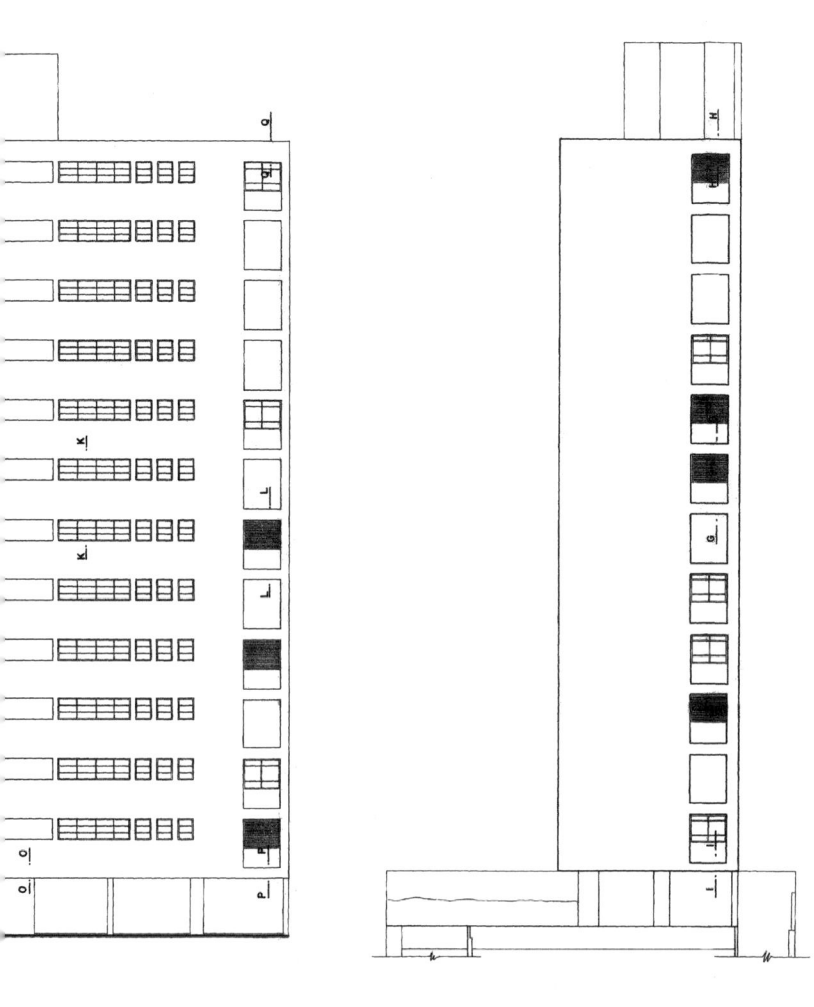

propor uma composição criativa e figurativa. Se for defensável que a disposição em Kon resulta da sensibilidade visual e que sua construção, além de constante e sistemática, é sempre subordinada à paisagem, o mesmo não se aplica ao tratamento dos espaços abertos onde ele parece aceitar a textura paisagística dotada da artimanha artística grata aos paisagistas brasileiros. Adepto da integração das artes, Kon nunca perde a oportunidade de compartilhar o projeto com colegas e artistas plásticos na produção de painéis, esculturas, pintura e paisagismo. No caso específico do paisagismo, é importante mencionar a colaboração, em diversos projetos do arquiteto, de Waldemar Cordeiro (1925-1973) – painel em pedrisco e afresco na residência do arquiteto na rua Honduras, de 1957; jardim e muro divisório em concreto na Residência Wajchenberg, de 1965; e jardim para o Edifício Condor, de 1960 – e de Rosa Grena Kliass (1932–) no Conjunto Itapoama, de 1976, na rua Doutor James Ferraz Alvim, Morumbi.

Após comentar plantas e implantações, é necessário comentar outro aspecto do projeto: as fachadas. É possível que a variedade de soluções para a apresentação do edifício explicite certa independência entre o fechamento e os tipos de planta classificados e comentados. Talvez seja necessário concordar com o intercâmbio entre a caixilharia e as edificações e, por isso, admitir que a constituição do edifício moderno admita que suas soluções também sejam típicas, autônomas e projetadas a partir de sistemas com componentes.

Edifício Cotovia, detalhe da fachada, São Paulo, 1964

As primeiras fachadas apreciáveis são as preenchidas com painéis de caixilharia compostos com veneziana de madeira e folhas de vidro contrapesadas, a celebrada Janela Ideal, que, na década de 1950, brinda a cidade de São Paulo com memoráveis fachadas. Essas esquadrias industrializadas propiciam a completa vedação, com painéis montados a seco e com o desenho da estrutura alinhado e acabado para receber uma janela que deixa de ser a perfuração da parede para constituir um componente íntegro da construção. A repercussão estética é imediata, e o resultado construtivo, irretocável. Esse componente industrial ajustado perfeitamente ao processo de concepção é inigualável, no caso da arquitetura moderna. A progressiva decomposição por planos e a subdivisão de componentes, conforme valor e importância acusada na evolução da arquitetura moderna, encontra, na Janela Ideal, a solução excelente para o problema. Dos painéis, desprendem-se a noção planar, a precisão, o bom acabamento e a exposição do sistema construtivo. Com esses elementos, os arquitetos fazem maravilhas.

A construção de fachadas a partir de uma estrutura formal é constante nos edifícios do arquiteto. O desenho liso e constante das testas de laje, que emoldura a fachada, repercute nos painéis de madeira, que precisam de medida e arremate constantes. Essa mesma estrutura é combinada com balcões salientes que acusam a variação das esquadrias das salas com respeito às esquadrias dos dormitórios. A fachada frontal do Edifício Condor, de 1960, na rua São Vicente de Paula, Santa Cecília, está dividida entre um balcão e um painel de veneziana e janelas guilhotina. As testas uniformes das lajes compõem, com as empenas laterais, a moldura branca preenchida por componentes secundários. Pequenos recuos geram a sombra que distingue, valoriza e permite apreciar o processo construtivo. Nas fachadas laterais, as mesmas faixas e os pilares do plano de fechamento desenham os entrepanos que mimetizam a variedade de esquadrias. O Edifício Cotovia, de 1964, na rua das Palmeiras, Santa Cecília, está entre os que apresentam uma fachada abstrata com planos íntegros e alternados, divididos dentro de uma retícula quadrada com faces regulares e brancas: uma grade composta por pilares salientes e as linhas horizontais das testas das lajes. Nada nessa fachada remete à figura da fachada tradicional do edifício, sua abstração ilude a percepção construtiva do prédio ao emprestar artifício formal de outro gênero artístico. A alternância na posição das esquadrias que dividem ao meio o entrepano delata uma composição abstrata e pictórica, introduz linhas diagonais na fachada de um objeto cuja realidade construtiva é ortogonal e cuja constituição é feita com unidades tipo.

A composição da fachada com caixilhos de dormitório e caixilhos de salas constitui um dos desafios formais. Mecanismos e formatos diferentes tornam a composição variada e quase sempre simétrica. Implantados em ângulo reto, o Edifício

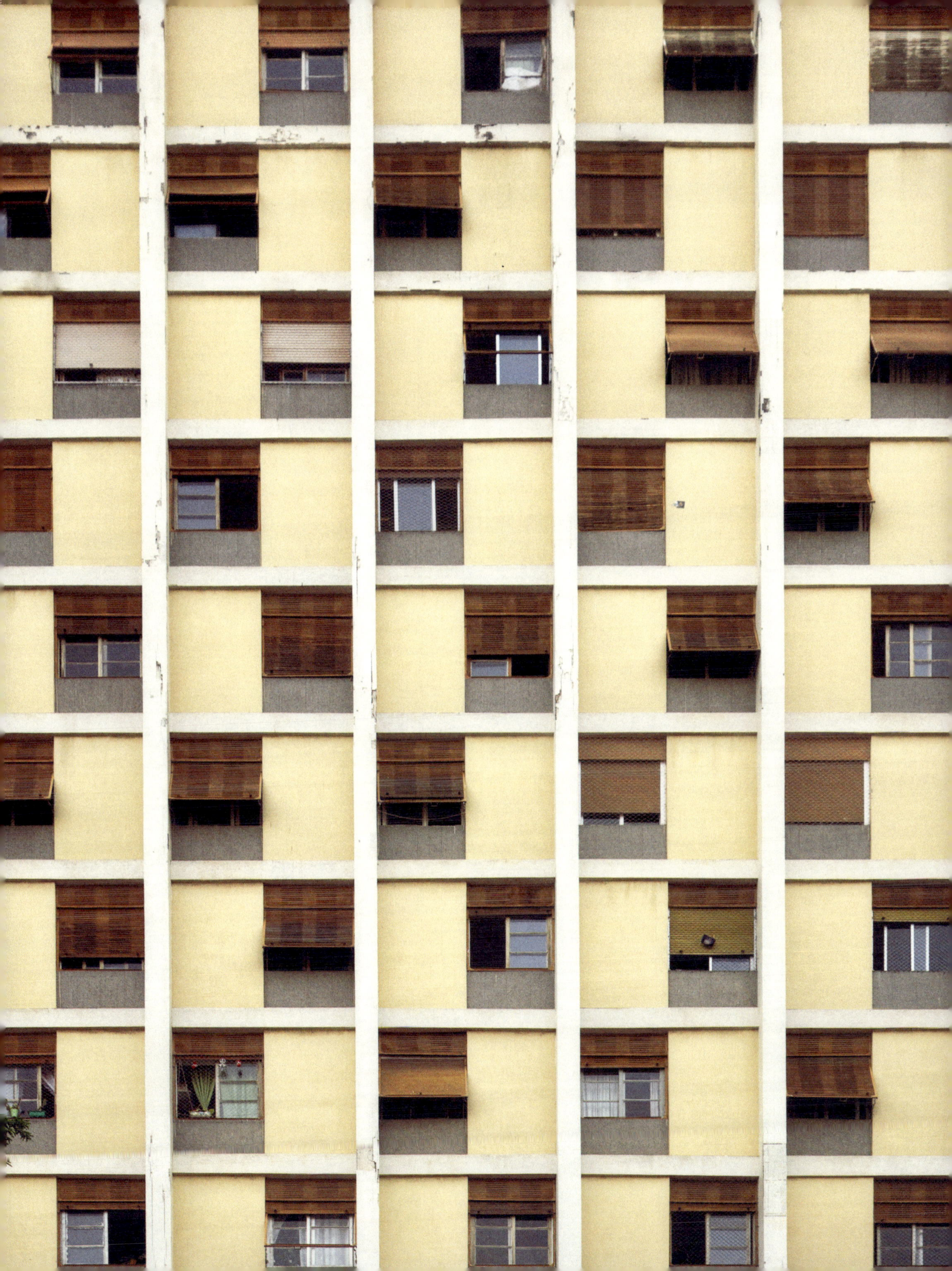

Edifício Vila de Olinda,
elevações e planta
do pavimento tipo,
São Paulo, 1987

ESQUERDA
ESCALA 1:100

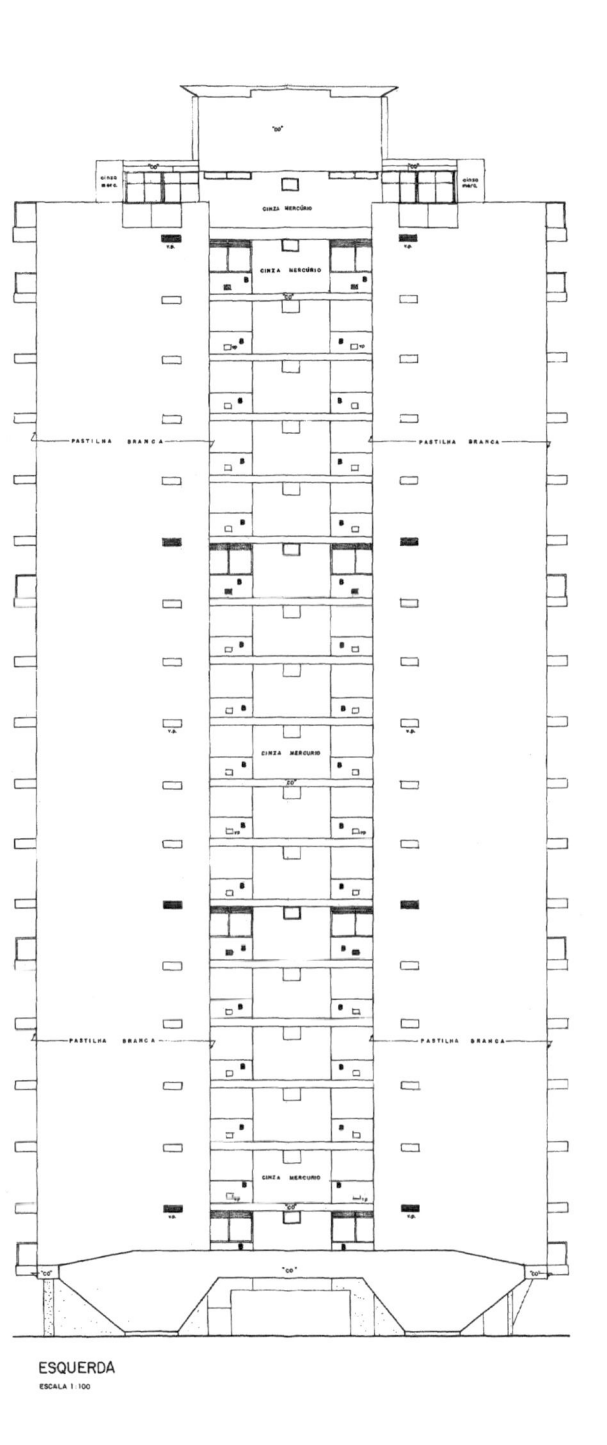

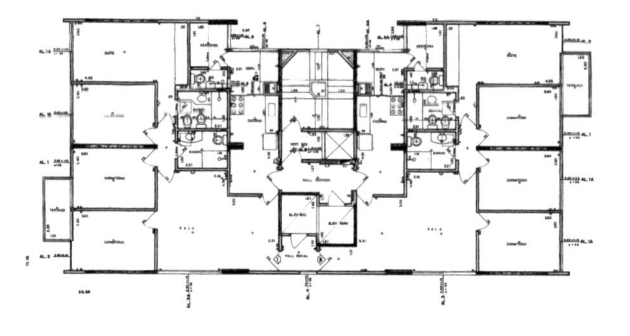

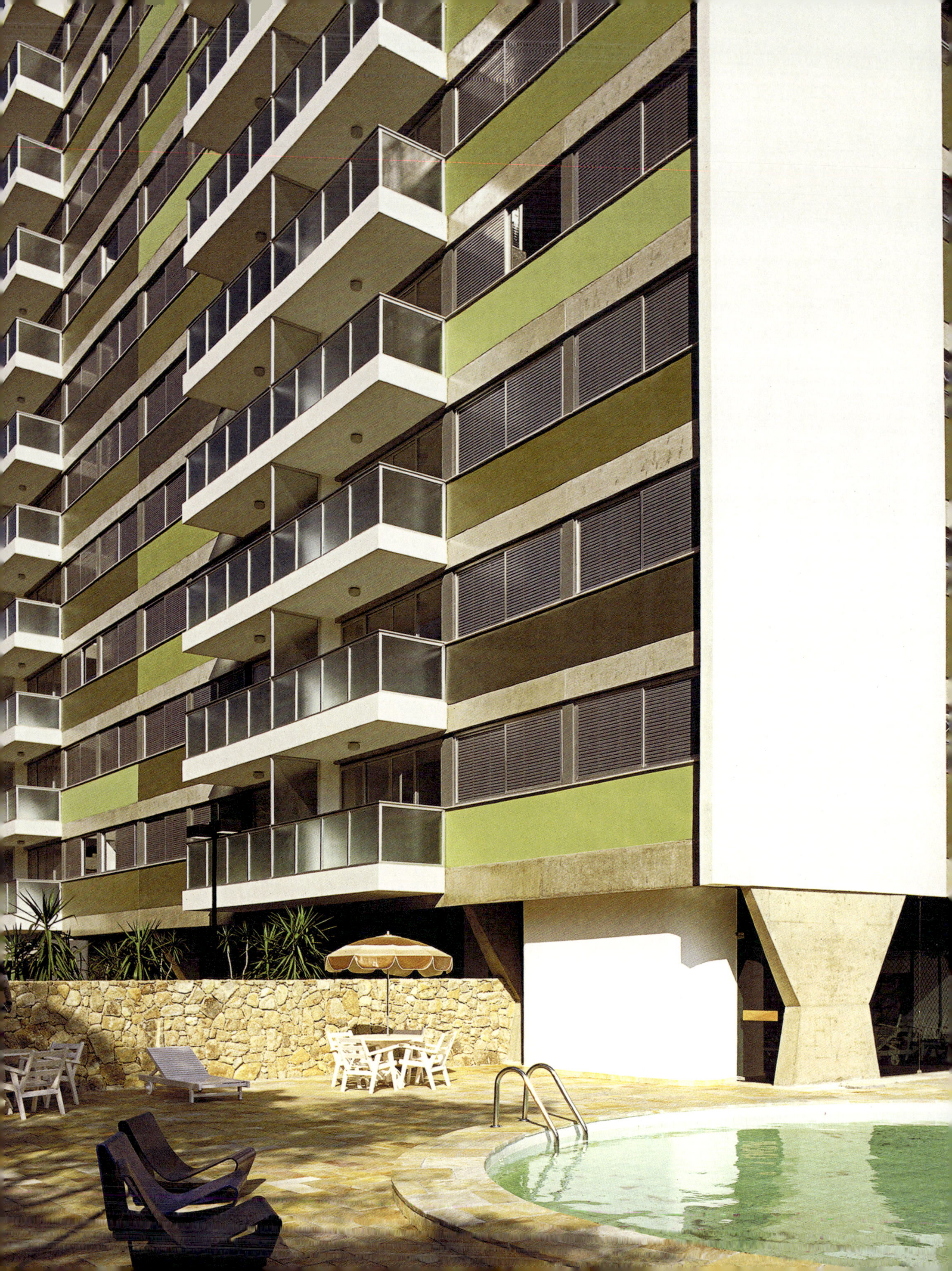

Edifício Jardins de Icaraí, São Paulo, 1985

Araguari e o Edifício Perdiz apresentam, na fachada principal, dois tipos de caixilho. A primeira decisão é agrupar esquadrias aos pares e deixar sozinhas as janelas dos dormitórios extremos. Com dois caixilhos no alongado living, uma esquadria do dormitório compõe uma mancha retangular com uma das esquadrias da sala e, dessa maneira, os planos de fechamento frontal de alvenaria têm sua medida ampliada e podem receber tratamento cromático. A parede amarela relaciona os caixilhos afastados, mas iguais, dos dormitórios. As testas das lajes, juntas às espessuras laterais e equivalentes, constituem o marco ressaltado em que se ajustam perfeitamente os elementos secundários. Na testeira, a faixa de janelas tensionada na aresta libera o predominante plano branco e homogêneo, e reforça a impressão de um volume decomposto em planos.

O Edifício Uirapuru, com aberturas alinhadas entre maciços de alvenaria vertical, é apresentado como uma solução de fachada diretamente relacionada com plantas muito disciplinadas por paredes paralelas e transversais à fachada, definidoras de unidades econômicas.

O recurso mais repetido nas fachadas é aquele que, em vez de relacionar os planos de esquadria dos dormitórios com os planos de abertura nas salas, vai contrastá-los, com a introdução dos volumes dos balcões associados às salas. Dessa maneira, são desenhadas faixas independentes, ora com esquadria de veneziana ou persiana, ora com caixilho metálico piso-teto para aumentar a claridade e a transparência nas salas. A maioria dessas soluções é simétrica. A lista é extensa: Juriti, Lorena, Iraúna, Jaborandi, o assimétrico Edifício Mara, com uma unidade por andar, o assimétrico Jardim de Brooklin, o Piatã, com viga de concreto, o cromático Itaguaçu, Pajuçara (às vezes, grafado "Pajussara"), Ondina, Jardins de Perdizes, o Araruama, com balcões afastados, Itapema, Jardins da Juriti, Jatobá, Jardins de Verona, Jardins de Icaraí, Vila Olinda, Vila do Carmo, Vila de Laguna, Vila de Vitória.

A substituição das janelas Ideal de madeira por esquadrias industrializadas de alumínio é, certamente, entendida como inovação, como a irrecusável evolução técnica e material que introduz perfil metálico, tecnológico, leve e versátil com muita vantagem do ponto de vista de custo, manutenção e durabilidade; no entanto, aposenta o mais versátil e neoplasticista componente industrial disponibilizado para projetar fachadas. A continuidade sugerida por planos fechados com a Janela Ideal faz adotar solução assemelhada nas primeiras esquadrias de alumínio montadas com série de réguas verticais e contínuas, fixadas na testa da laje, ou em viga peitoril apresentada como integrante do caixilho para dar sequência visual ao plano da esquadria. Essa é a beleza do Edifício Garça Real e de sua reedição, com o Edifício Place de L'Etoile, de 1973, na rua Pará, Higienópolis. São edifícios envolvidos por perfis aprumados e ininterruptos que associam os peitoris de alvenaria bem-acabados, compõem o desenho da fachada, integram a esquadria para simular solução única,

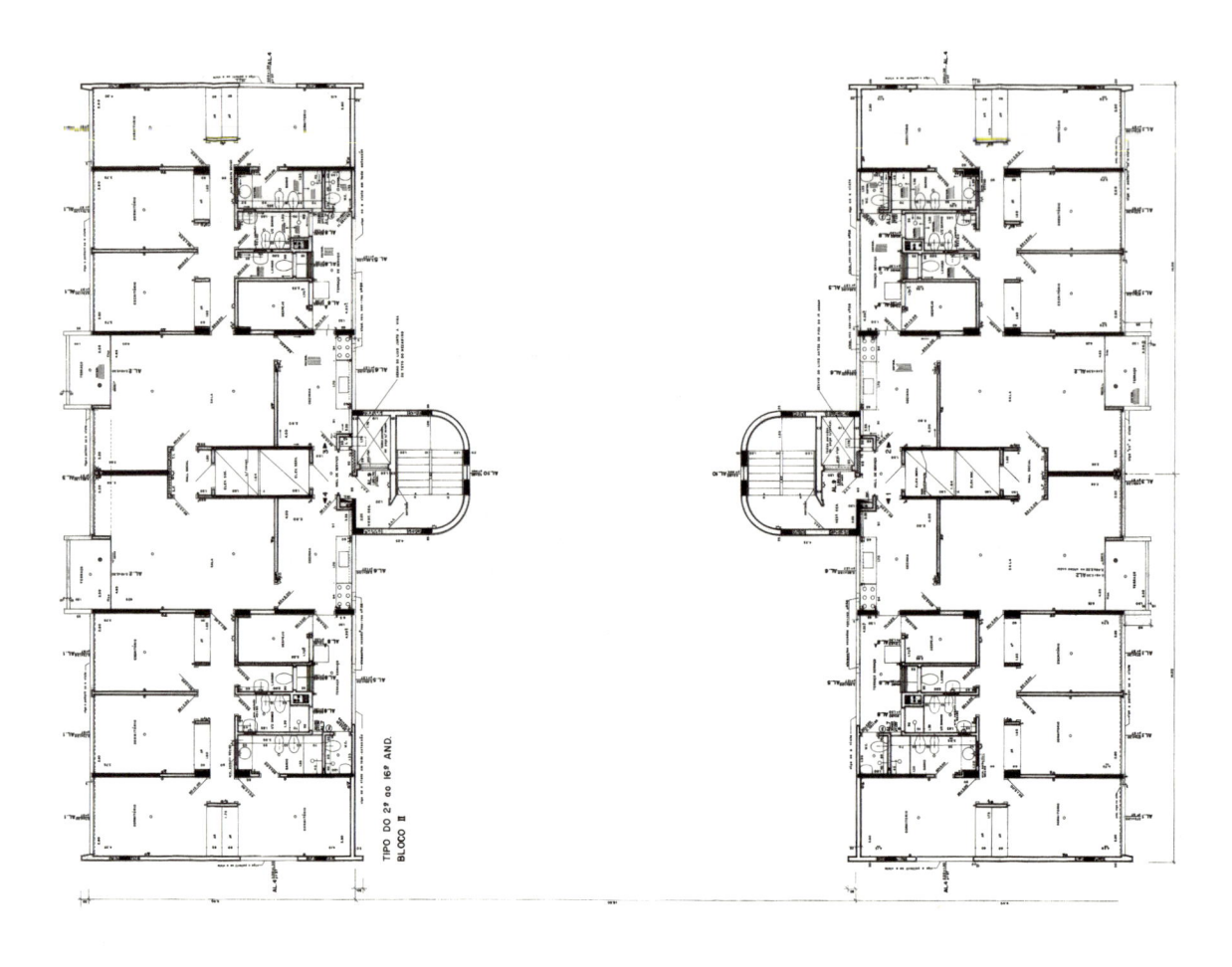

Edifício Piatã,
planta do pavimento tipo dos
dois blocos e foto da fachada,
São Paulo, 1977

homogênea, bem-sucedida e aderente à visibilidade moderna. Nessa mesma linha, pode ser citado o Edifício Sabiá, de 1972, na rua Peixoto Gomide, Jardim Paulista.

Com o tempo, os disciplinados e robustos perfis adossados são suprimidos, sem insinuar um pano; agora, o desenho das esquadrias restringe-se às camadas de andares com conjuntos de correr. A faixa horizontal e mais escura é disciplinada pelo destacado peitoril contínuo e, algumas vezes, seccionado pelos pilares salientes de fachada. Este é o último e reduzido recurso com que ordenar esquadrias e compor fachadas. Pode se considerar que, na maioria dos prédios da última fase, recorre-se a uma solução que continua a repudiar o recorte da janela na parede e procura associar os caixilhos em séries íntegras, horizontais e contínuas.

Mas a familiaridade e a confiança fazem com que o esquema preferido volte sempre à mente do arquiteto. No Edifício Vila del Rey, de 1990, na rua Doutor Homem de Melo, Perdizes, é o exemplo tardio que reestabelece a feliz ordem de uma retícula com réguas verticais e faixas horizontais de peitoril, a pauta que dá sentido e consistência às partes. Integridade das fachadas, boa proporção, formato perfeito e ajuste de componentes com subdivisão da pauta principal, além do matiz colorido certamente sugerido pelo artista e amigo Arcângelo Ianelli (1922-2009), e acatado pela recorrente integração das artes, tão apreciada pelo arquiteto.

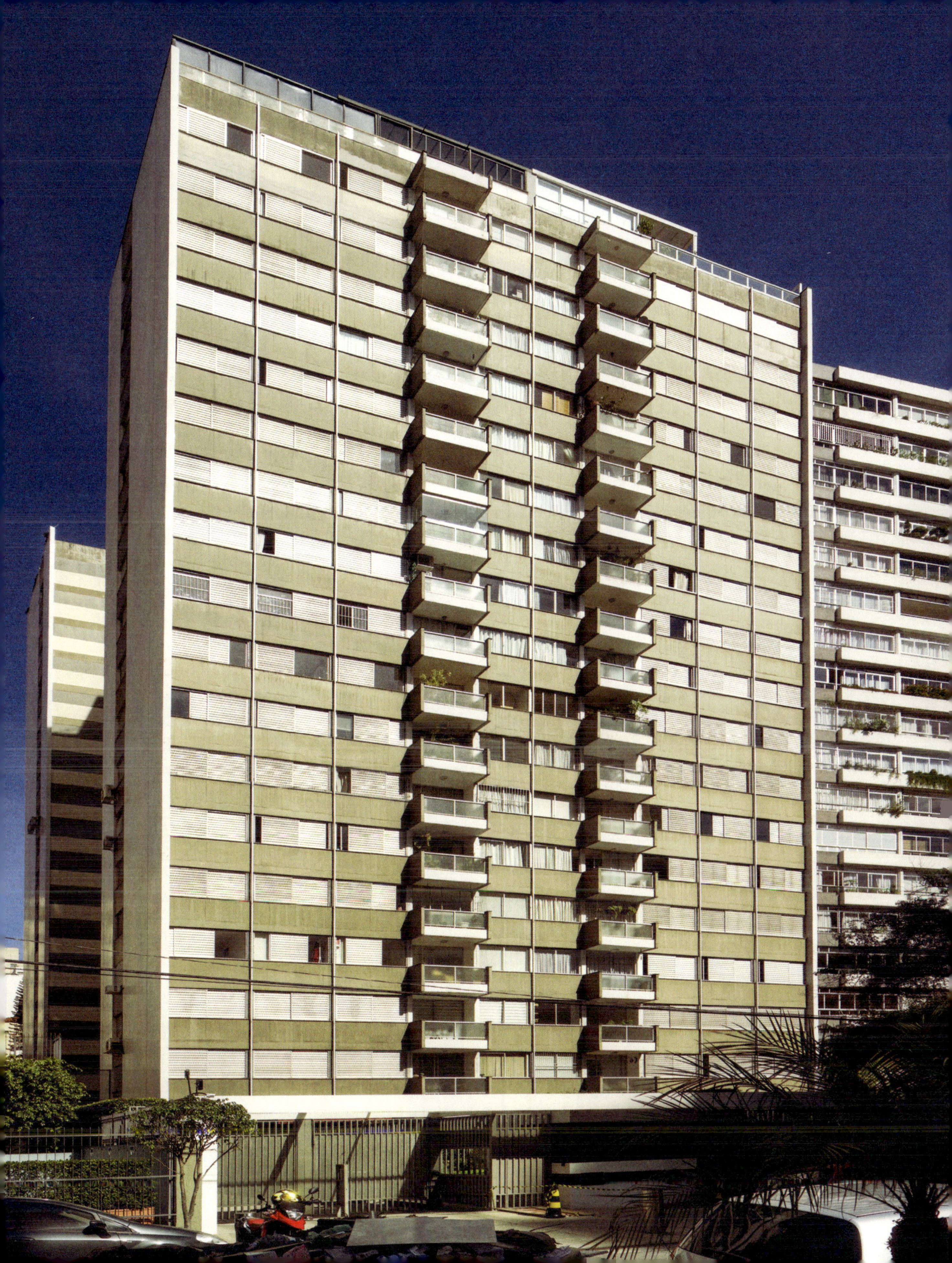

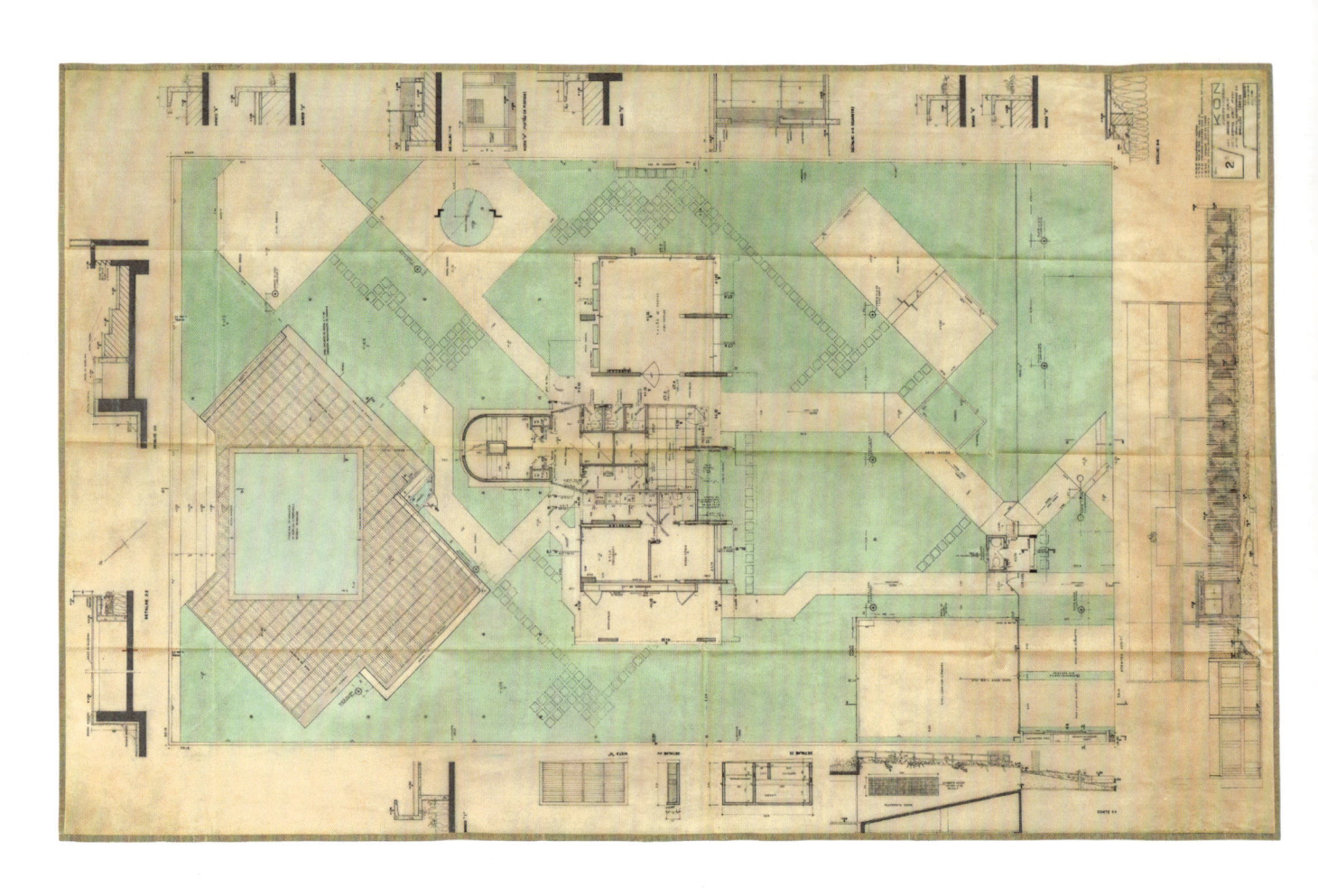

Edifício Jardins da Juriti, implantação, planta do pavimento tipo e vista aérea da fachada posterior, São Paulo, 1983

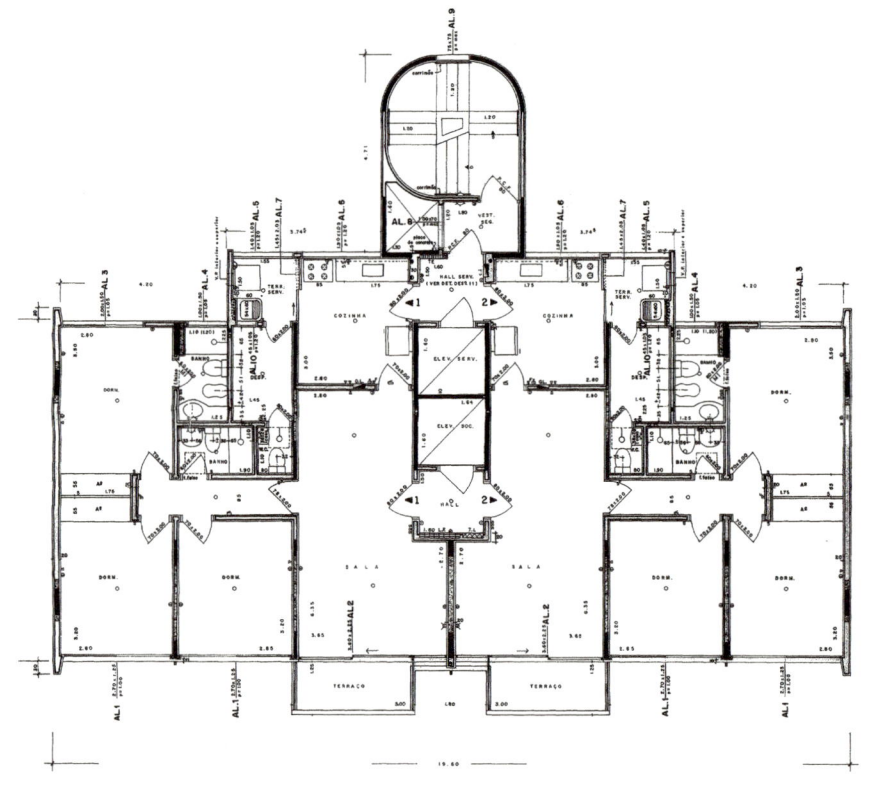

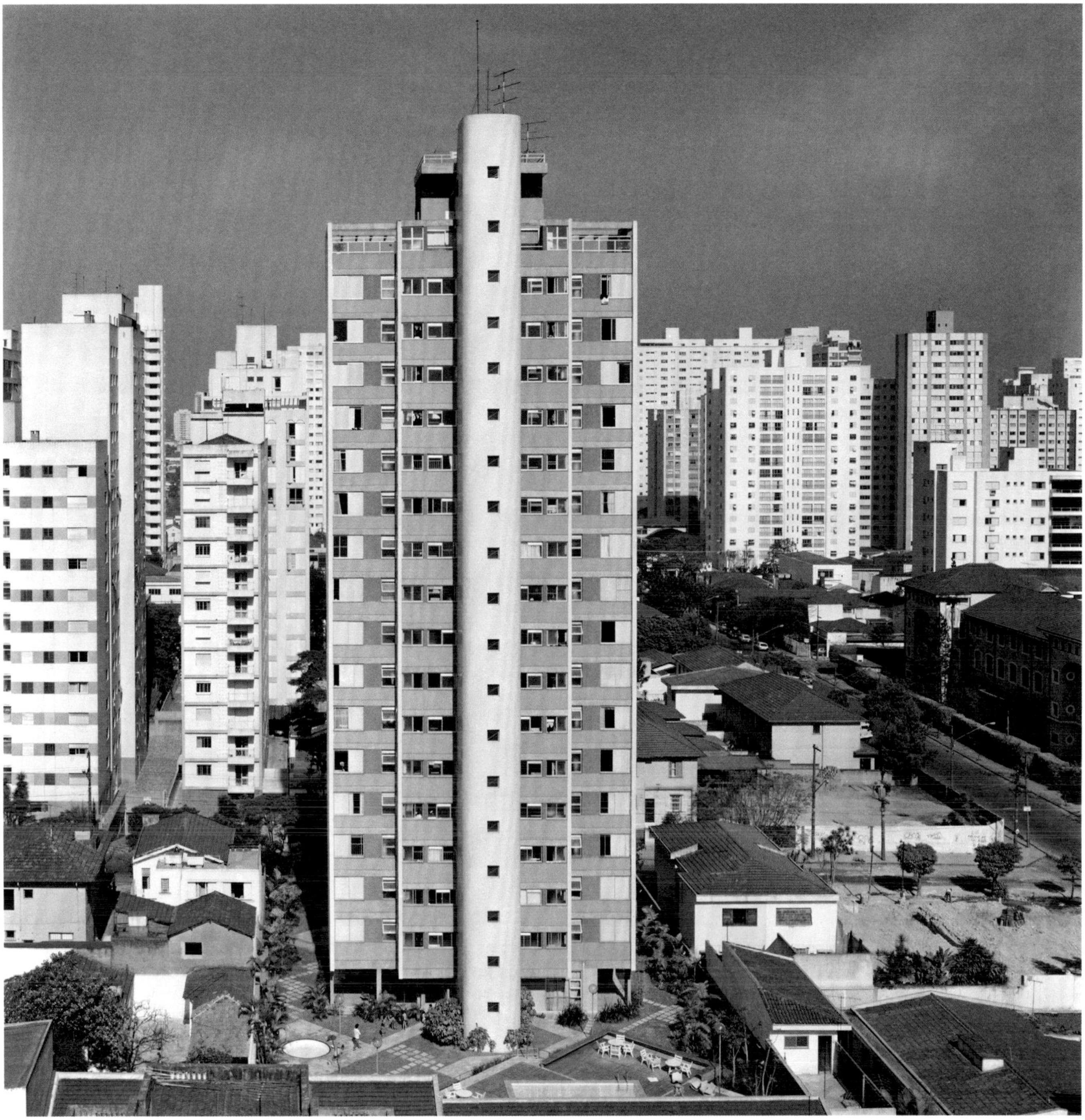

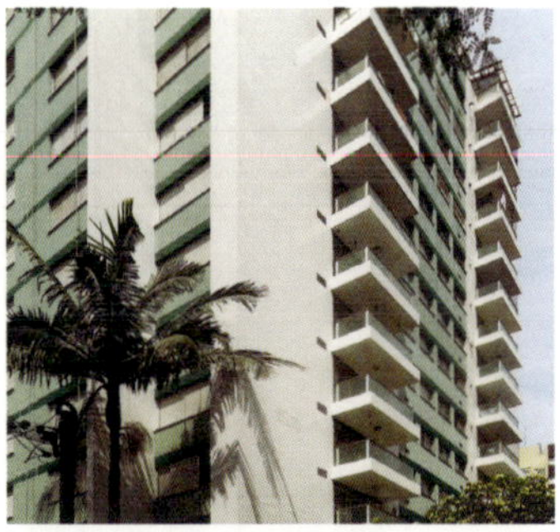

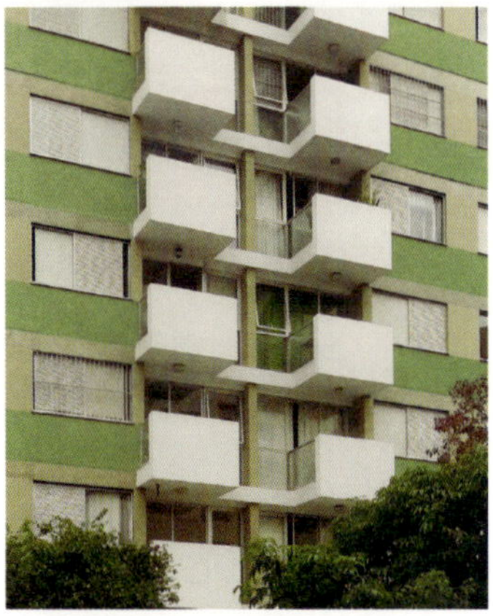

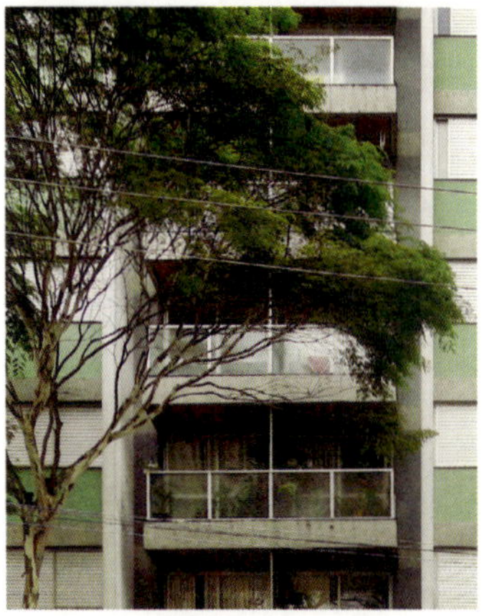

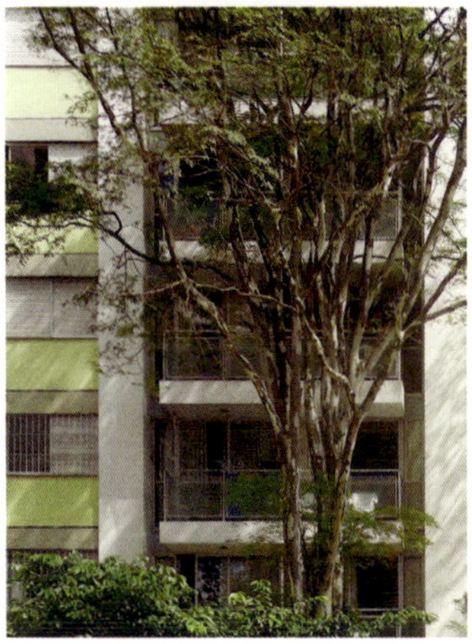

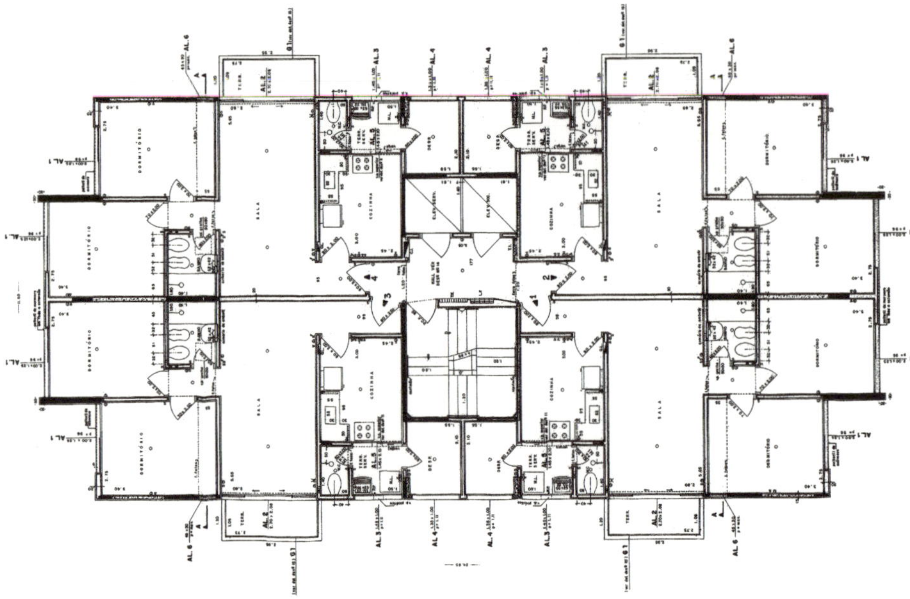

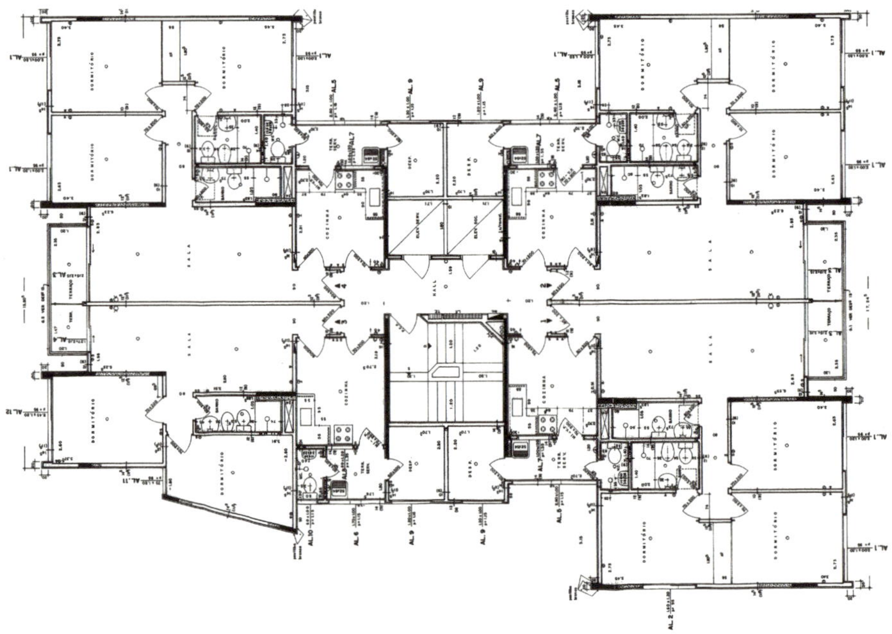

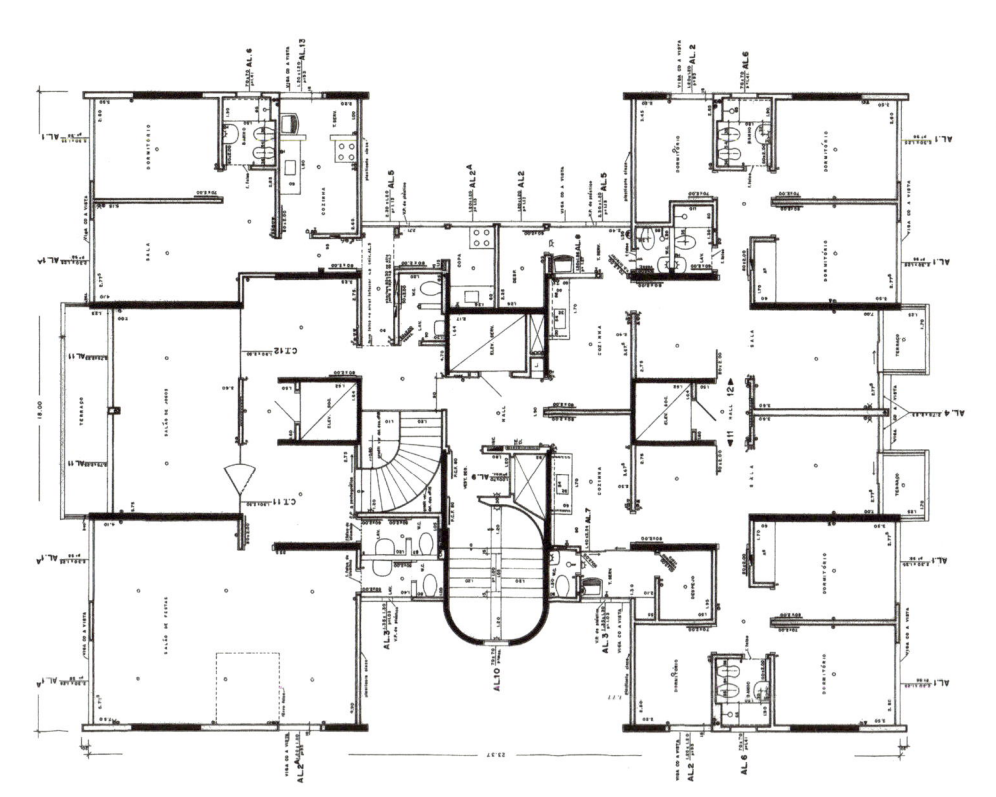

fotos, de cima para baixo; desenhos, da esquerda para a direita, de cima para baixo

Edifício Araruama, foto da edificação e planta tipo, São Paulo, 1982

Edifício Ondina, foto da fachada e planta tipo, São Paulo, 1980

Edifício Jatobá, foto da fachada e planta tipo, São Paulo, 1984

Edifício Jardins de Itapema, foto da fachada e planta tipo, São Paulo, 1982

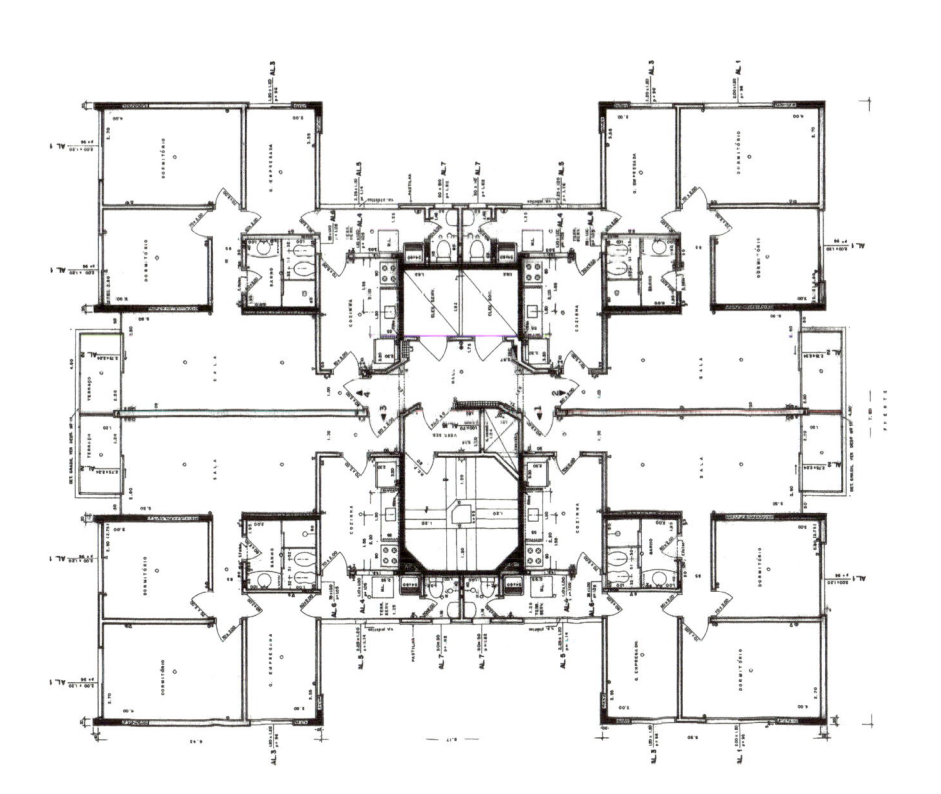

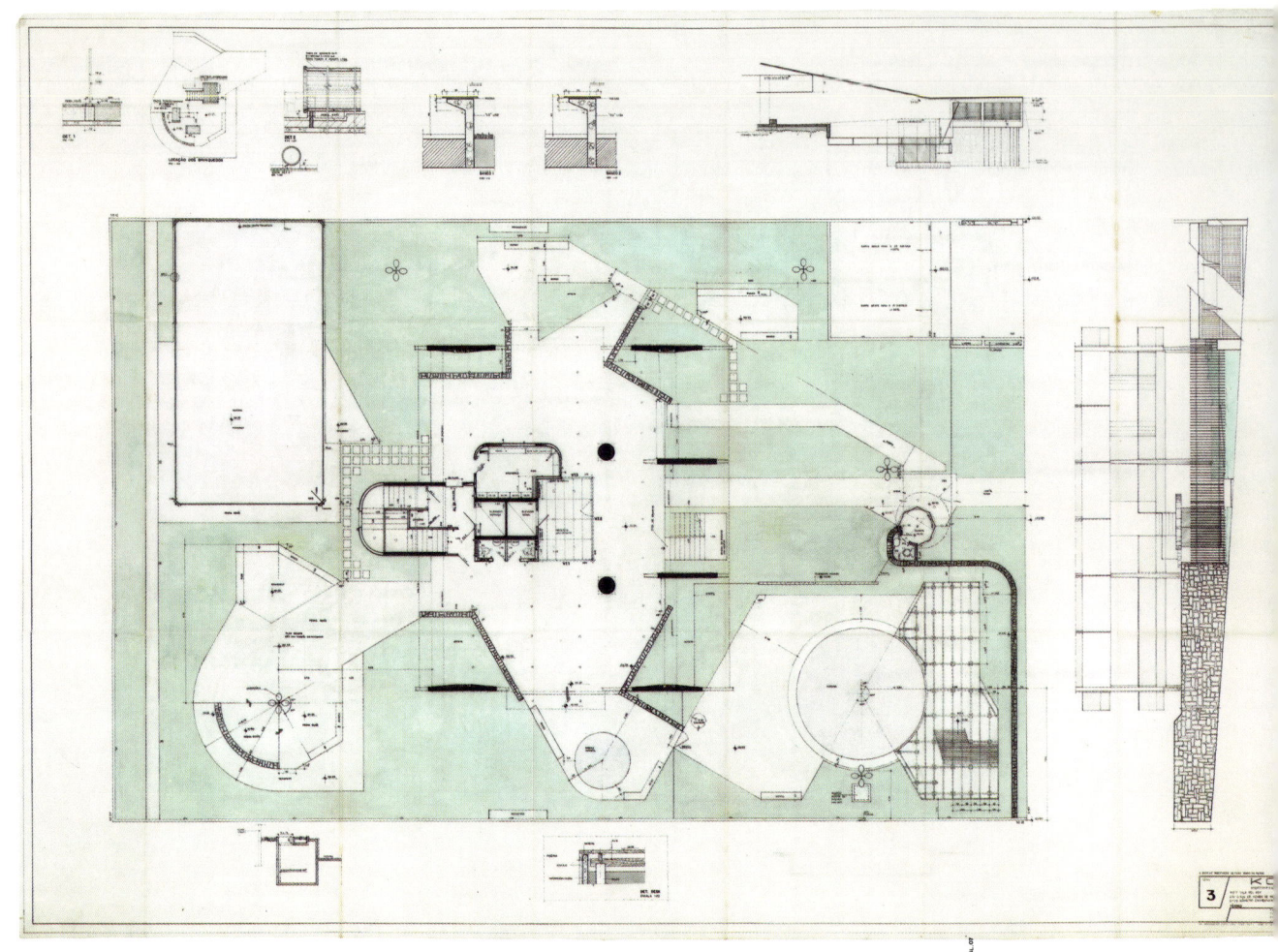

Edifício Vila del Rey,
implantação,
planta do pavimento tipo e
foto da fachada principal,
São Paulo, 1990

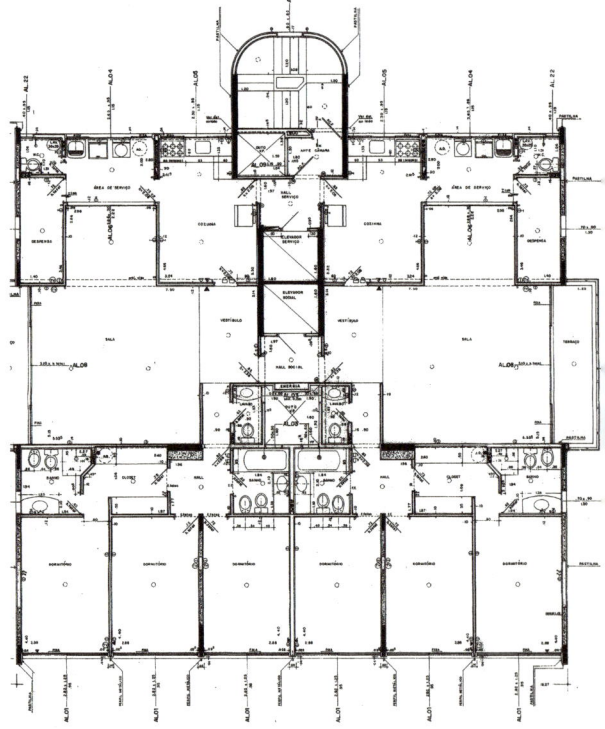

175

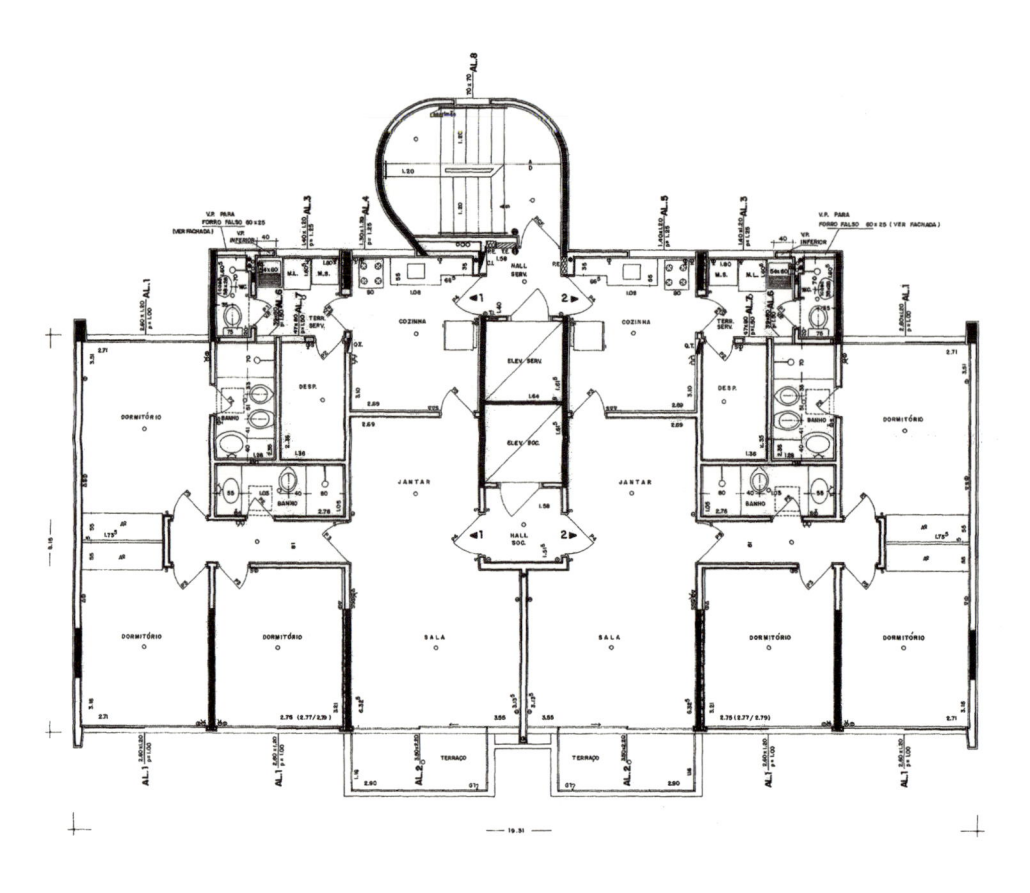

à esquerda

Edifício Jardins de Verona, planta do pavimento tipo e foto da edificação, São Paulo, 1985

à direita

Edifício Itaguaçu, planta do pavimento tipo e foto da fachada, São Paulo, 1978

O tema das residências parece seguir um caminho mais independente e à margem da implacável exigência produtiva e econômica nas edificações de habitação coletiva. Nas residências, diferentemente do negócio, prevalecem autoestima, conforto e prazer do proprietário, por isso parece possível encontrar a medida arquitetônica com que o arquiteto se sente à vontade para projetar. Tipos mais variados e assistemáticos, independentes dos travados esquemas distributivos com que ordenar a habitação coletiva. Porém, o mesmo e constante roteiro de decisões e a reiteração de tipos testados e confiáveis.

Nas residências não há dúvida quanto à desenvoltura moderna. Nelas, os veículos são estacionados na parte frontal do lote para que, no interior do terreno, salas transparentes se abram para jardins agradáveis, para elegantes projetos paisagísticos, segundo um esquema resultante da reinterpretação da casa no lote, da mudança cultural que um novo estilo de vida promove. O jardim ornamental do recuo de frente e uma via para esconder veículos na edícula do fundo do lote tornam-se anacrônicos, são reorganizados por uma nova configuração mais atenta ao desfrute familiar e despreocupada com a ostentação. Como uma antessala, o jardim deixa de ser representativo e ornamental, apenas público, para transformar-se em ambiente contemplativo e integrado, para participar da paisagem do morador. O veículo motorizado, desassociado da carroça e da charrete, adquire *status* e é aceito na frente dos imóveis, fica exposto – porque os carros tornam-se elegantes e prestigiosos, porque é um desperdício atravessar a profundidade do terreno para estacionar, porque não há mais tempo a perder com manobras.

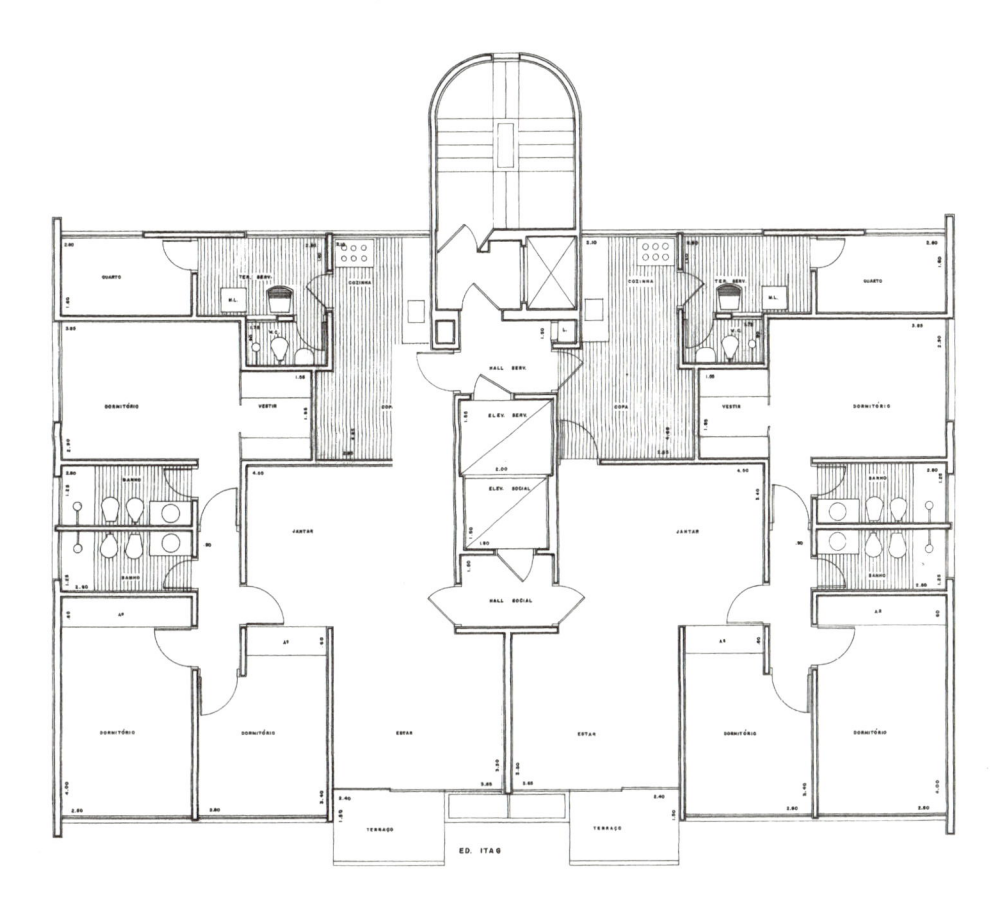

A esse novo sentido estabelecido para a residência urbana, soma-se a sensibilidade da forma moderna; a nova compartimentação dos ambientes substitui os esquemas hierárquicos e convencionais por circulações, por ilhas, por estruturas distributivas claras, ordenadas e eficientes. Os insensíveis recuos que delimitam a casa conservadora no lote são transformados em extensões, prolongamentos dos ambientes construídos, sensibilidade que faz da paisagem um complemento da vida doméstica, confere-lhe um intenso sentido visual, com participação ativa nos ambientes de moradia. Espaços construídos e espaços abertos são complementares, porque é típico da estética moderna integrar a partir de uma estruturação única. Com essas vantagens, os arquitetos formados na década de 1950 não têm dúvida quanto à supremacia moderna e entregam-se com entusiasmo aos projetos que fazem sonhar com cidades melhores.

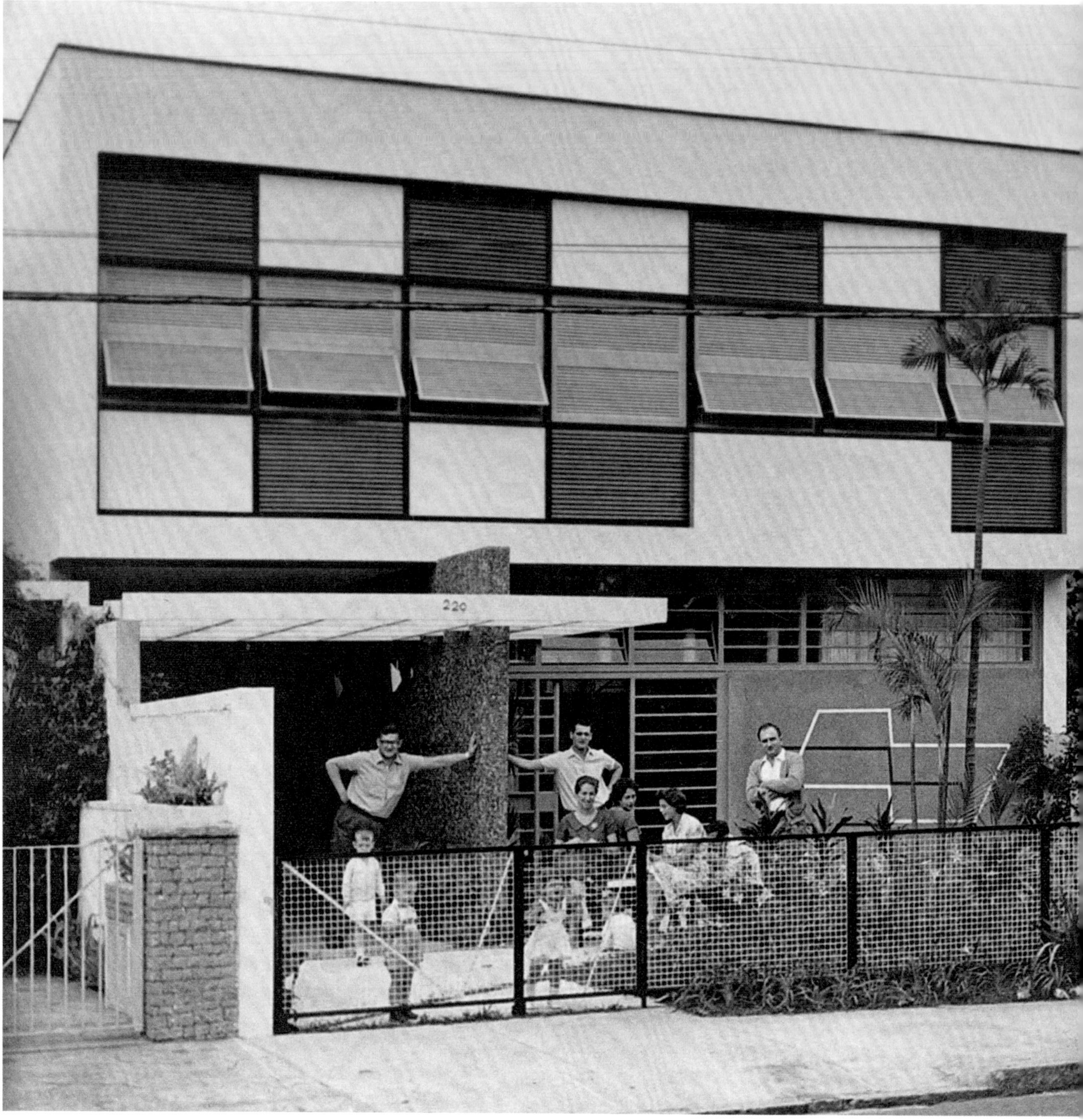
220

Residência João Kon,
São Paulo, 1957

Família diante da fachada,
foto de 1959

Helena, Rubens, Nelson e Fábio,
filhos do arquiteto, diante do
painel de Alfredo Volpi,
foto de 1970

Mulheres e crianças na piscina,
foto de 1962

A residência do arquiteto, de 1957, na rua Honduras, Jardim Paulista, tem seu corpo construído entre as divisas, com formas regulares e íntegras; uma única parede longitudinal separa o setor de serviço, garagem, copa, cozinha, área de secagem, área e sanitário de serviço e dormitório de empregada do setor social, com três salas e lavabo. A escada separa a sala de estar da sala de jantar, e o pátio interno repõe a insolação e a ventilação perdidas pela ausência de recuos laterais. Como um sobrado compacto, a planta superior é um quadrado dividido em quadrantes, garantia de um processo formal capaz de ordenar o programa com absoluta clareza e precisão; metade da planta é dividida por dois dormitórios grandes e quase idênticos, ou por uma fração de dois quartos da área, enquanto os dois outros quadrantes são compartilhados pelo hall de distribuição, pela escada, sanitários e pelo dormitório menor. Entendido esse processo geométrico, todos são capazes de antecipar a distribuição da planta, que se abre para duas fachadas opostas com aberturas análogas e compatíveis com sua importância no programa.

Além da despercebida e elogiável facilidade para estruturar arquitetura como assunto da forma moderna, outra sorte de intervenção subjetiva pode ser apreciada em texturas abstratas e ângulos inclinados. Sobreposições indicam diverso nível de entendimento artístico propiciado por empréstimos de outros gêneros da arte, pelo desejo de experimentar na integração das artes. Adesão e recurso a padrões

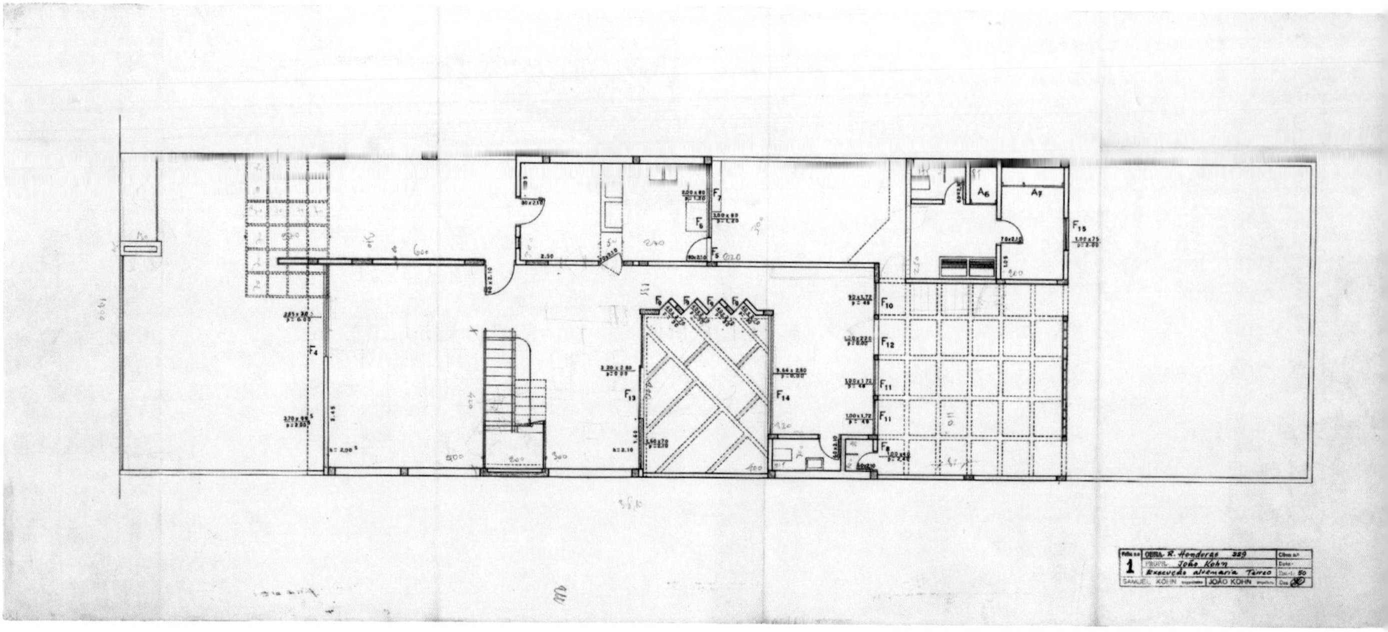
Folha n.o 1
OBRA R. Honduras 229
PROPR. João Kohn
Execução alvenaria Térreo
Esc. 1: 50
SAMUEL KOHN
JOÃO KOHN

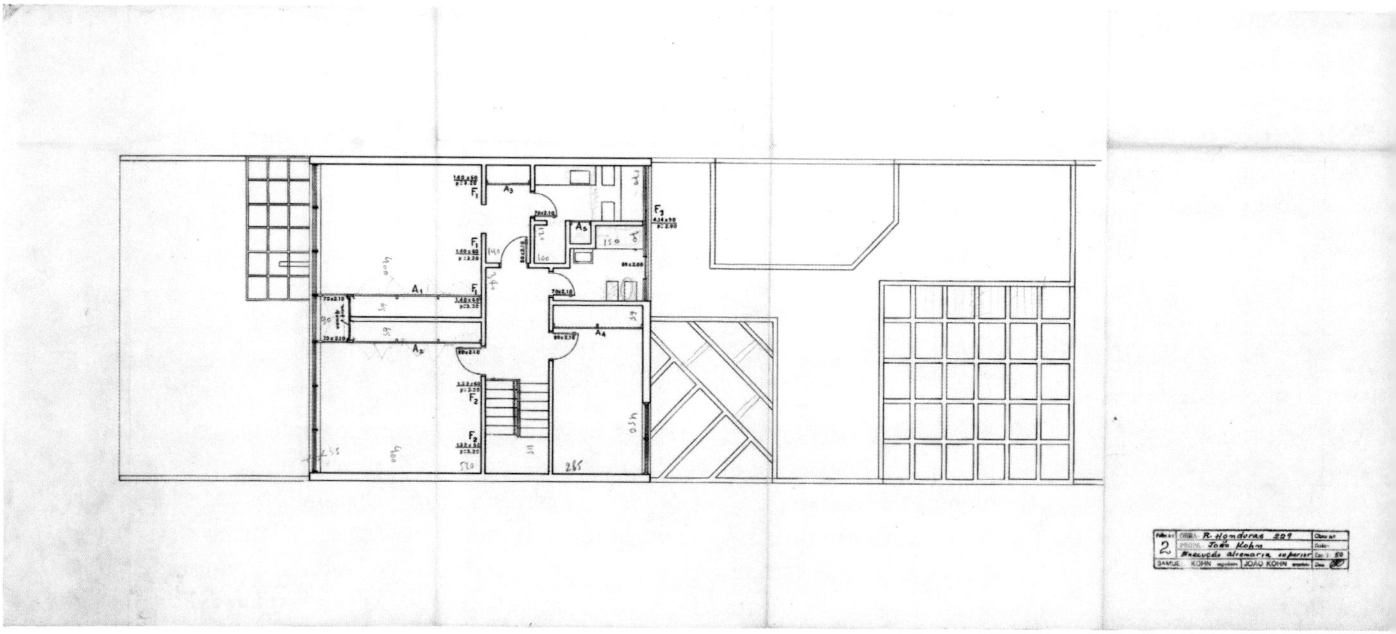
Folha n.o 2
OBRA R. Honduras 229
PROPR. João Kohn
Execução alvenaria superior
Esc. 1: 50
SAMUEL KOHN
JOÃO KOHN

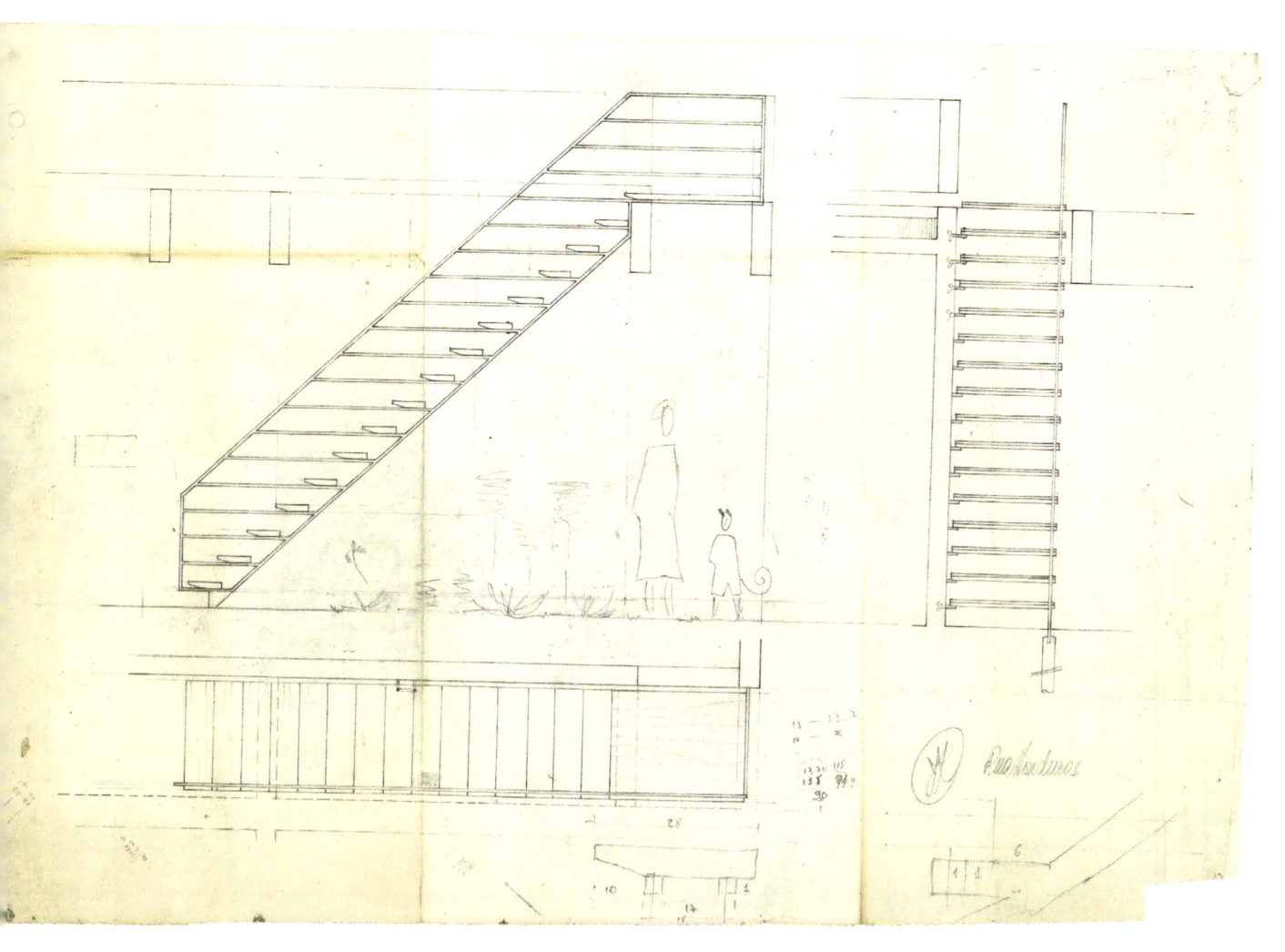

Residência João Kon,
São Paulo, 1957

Planta do pavimento térreo
Planta do pavimento superior
Desenhos técnicos da escada externa
Escada externa

Residência João Kon,
São Paulo, 1957

Sala de estar

Desenhos técnicos da
escada interna

Majer Chil Okret com os
netos Helena Kon e Rubens
Kon em sofá desenhado
pelo arquiteto

Encontro musical na sala de
estar com Roberto Ribeiro,
Baby, João Kon, Jorge
Fragoso e Jaime Freidenson

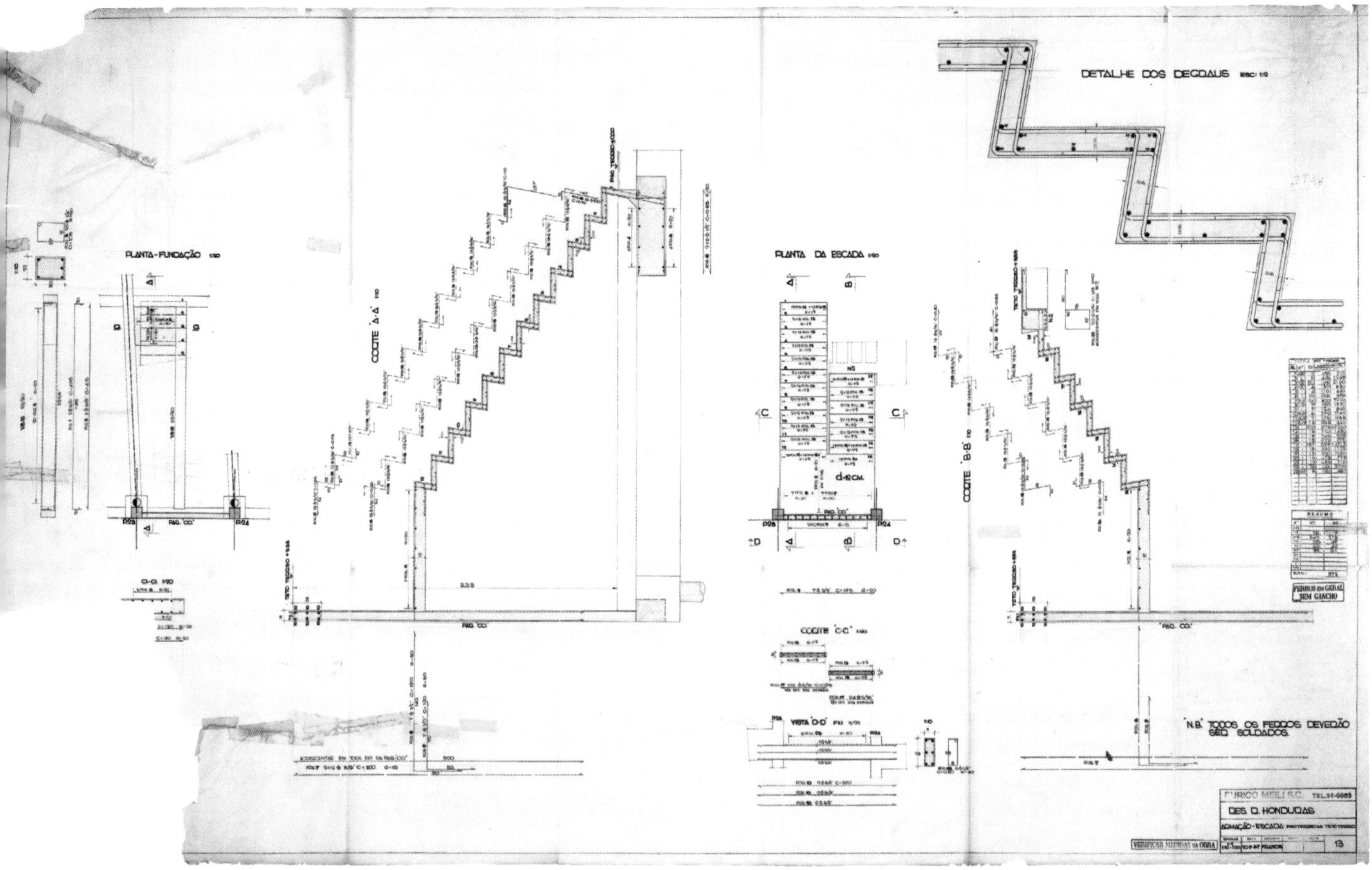
DETALHE DOS DEGRAUS
PLANTA-FUNDAÇÃO 1:50
CORTE A-A 1:50
PLANTA DA ESCADA 1:50
CORTE B-B 1:50
CORTE C-C
VISTA D-D
N.B. TODOS OS FERROS DEVERÃO SER SOLDADOS.
FERROS EM GERAL SEM GANCHO
DES. D. HONDURAS
VERIFICAR MEDIDAS NA OBRA

Residência Waldemar Zaclis, fotos da sala e fachada, desenhos das plantas dos dois pavimentos e elevações, São Paulo, 1958

geométricos que parecem cumprir a ornamentação, uma proposição artística decorativa ou adicionada, que dota edificações com aparência e estilo, que atribuem importância ao capricho.

Na Residência Waldemar Zaclis, de 1958, na rua Zequinha de Abreu, Perdizes, as decisões fundamentais de disposição são claras e acertadas. Outra vez, um muro longitudinal determina a faixa de serviços voltada para oeste e o âmbito social orientado a este. A mesma parede engancha a edícula de dois pavimentos restrita à zona dos serviços de tal maneira que o jardim traseiro tenha a maior dimensão possível. A sala definida por planos soltos dispõe de dois grandes jardins opostos, para os quais se abre, com máxima transparência, para permitir que o olhar domine toda a profundidade do terreno. O hall de acesso e a escada concentram o cruzamento de acessos aos setores da moradia e preveem a conexão entre eles, sem que seja necessário atravessá-los para passar de um para o outro. A escada sob um pé-direito duplo desempenha um papel de destaque na planta, e seu bom desenho, como em todas as residências, explora uma solução estrutural com forte repercussão plástica. Com dois dormitórios e uma suíte completa, os ambientes de dormir são bem orientados; a planta é ordenada segundo um sistema distributivo central e longitudinal, combinado com uma sala íntima que abre ao sul para o jardim traseiro.

185

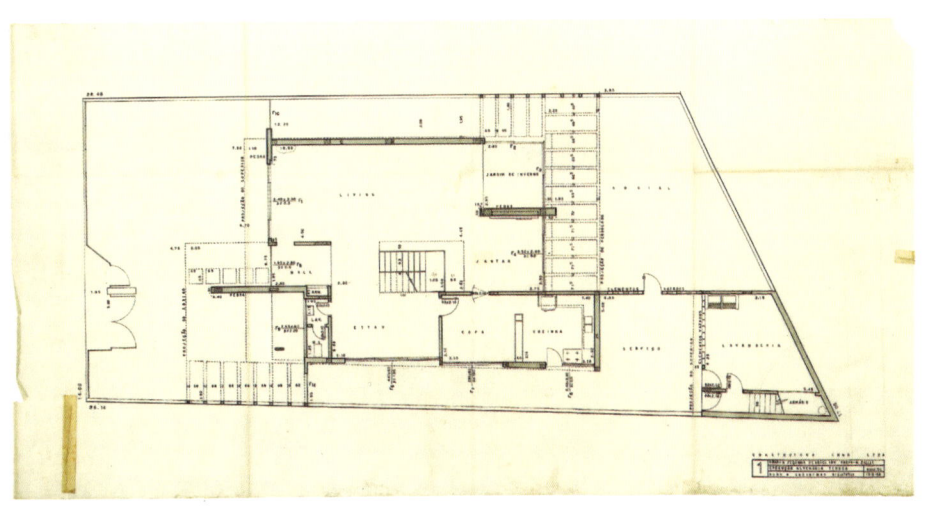

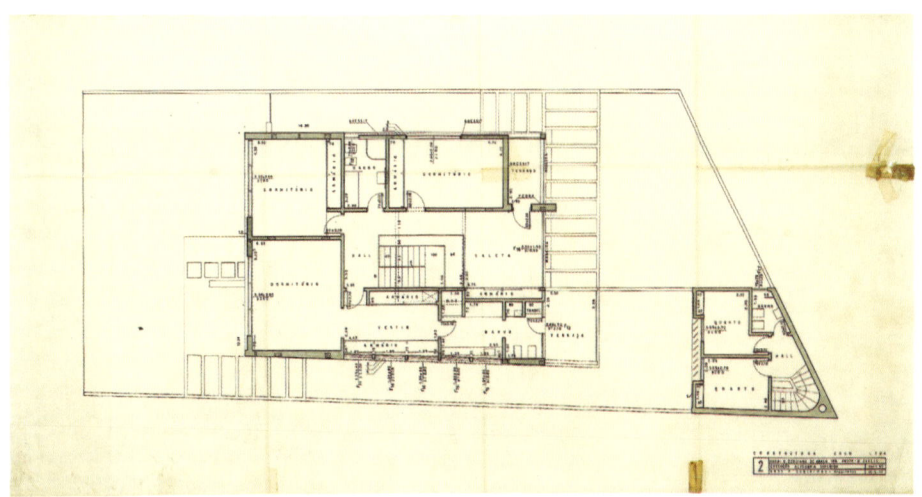

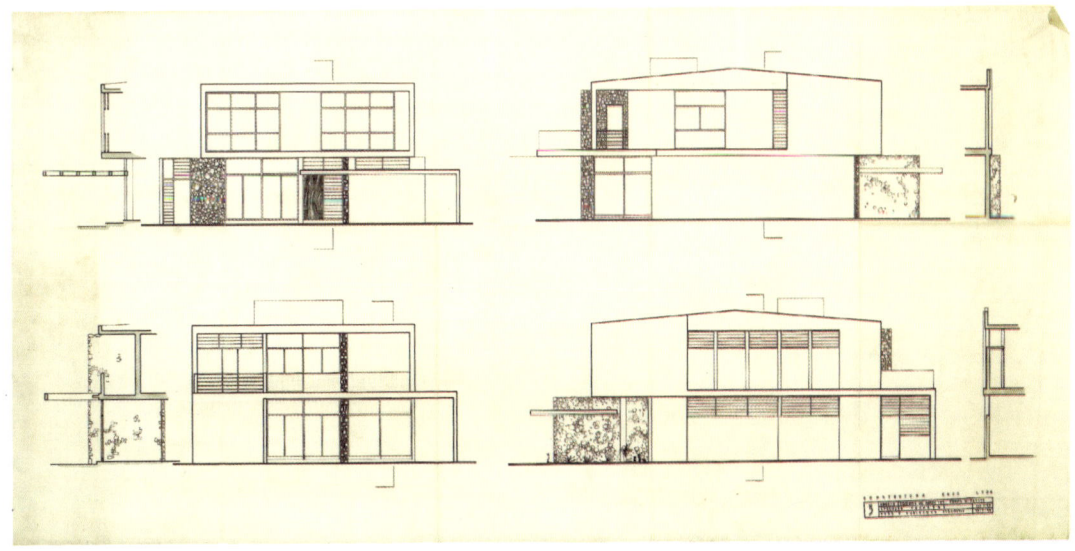

FACHADA LATERAL ESQUERDA

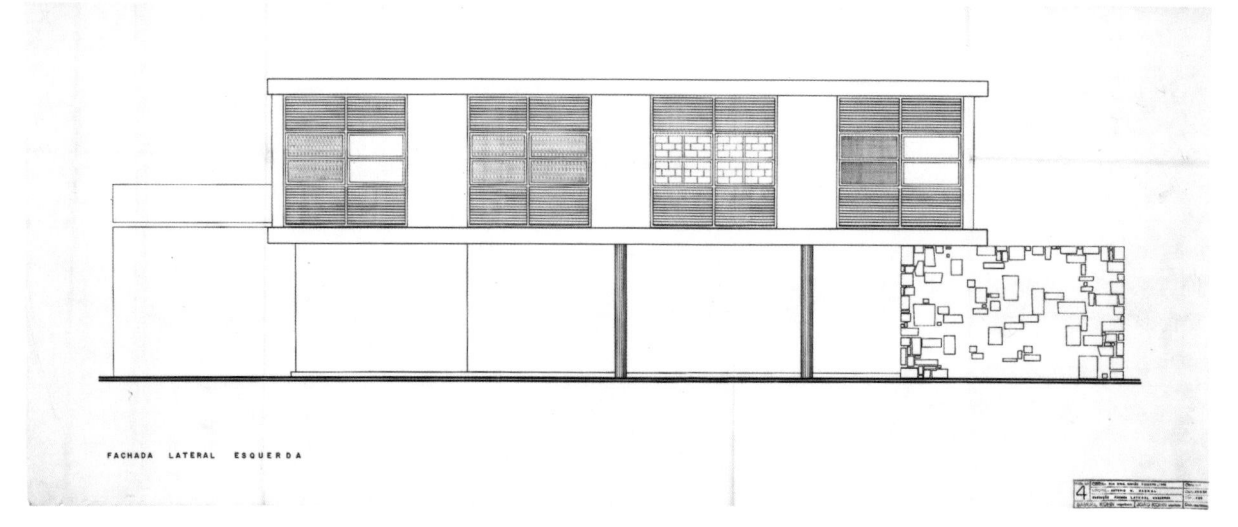

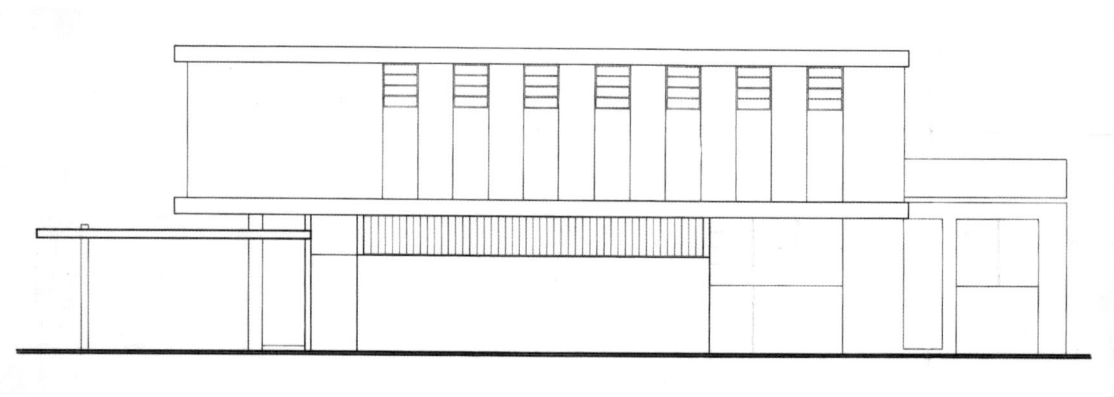

FACHADA LATERAL DIREITA

Residência Antônio
de Medeiros Cabral,
fotos da fachada
e sala com escada,
e desenhos das elevações,
São Paulo, 1961

Na Residência Antônio de Medeiros Cabral, de 1961, na rua Brigadeiro Gavião Peixoto, Lapa, um recuo frontal ajardinado envolve a sala com áreas verdes integradas com quatro grandes caixilhos enfrentados dois a dois. Desta vez, com certa informalidade, divide o terreno para estabelecer os setores residenciais no nível térreo. O esquema distributivo é simples e serve aos dois pavimentos: uma única circulação longitudinal acessa os ambientes, e a escada dobrada, neste caso, fica mais afastada da sala de almoço e da cozinha. O fechamento dos ambientes, ora cego, ora transparente acata um formalismo com planos interrompidos que, nitidamente, decompõem a construção do volume. Num desses casos, uma parede em "U" é deslocada do corpo da residência para permitir entrada de luz filtrada por um pergolado através de um caixilho em contraplano, que recupera a luz capturada por um estreito jardim de inverno. A área de serviço é proporcionalmente menor, e a garagem está desmembrada do setor de serviço no fundo do lote, no entanto, mantém-se uma setorização estrita que define um retângulo de serviços em que a edícula participa ao mesmo tempo em que libera o jardim social até o muro do fundo do lote. No pavimento superior, a escada acessa uma sala íntima frontal e o corredor que ordena os três dormitórios e a suíte do fundo, todos orientados para a mesma fachada. A largura da escada coincide com o corpo dos banheiros que, além de ordenar a planta em faixas, parecem proteger da orientação desfavorável.

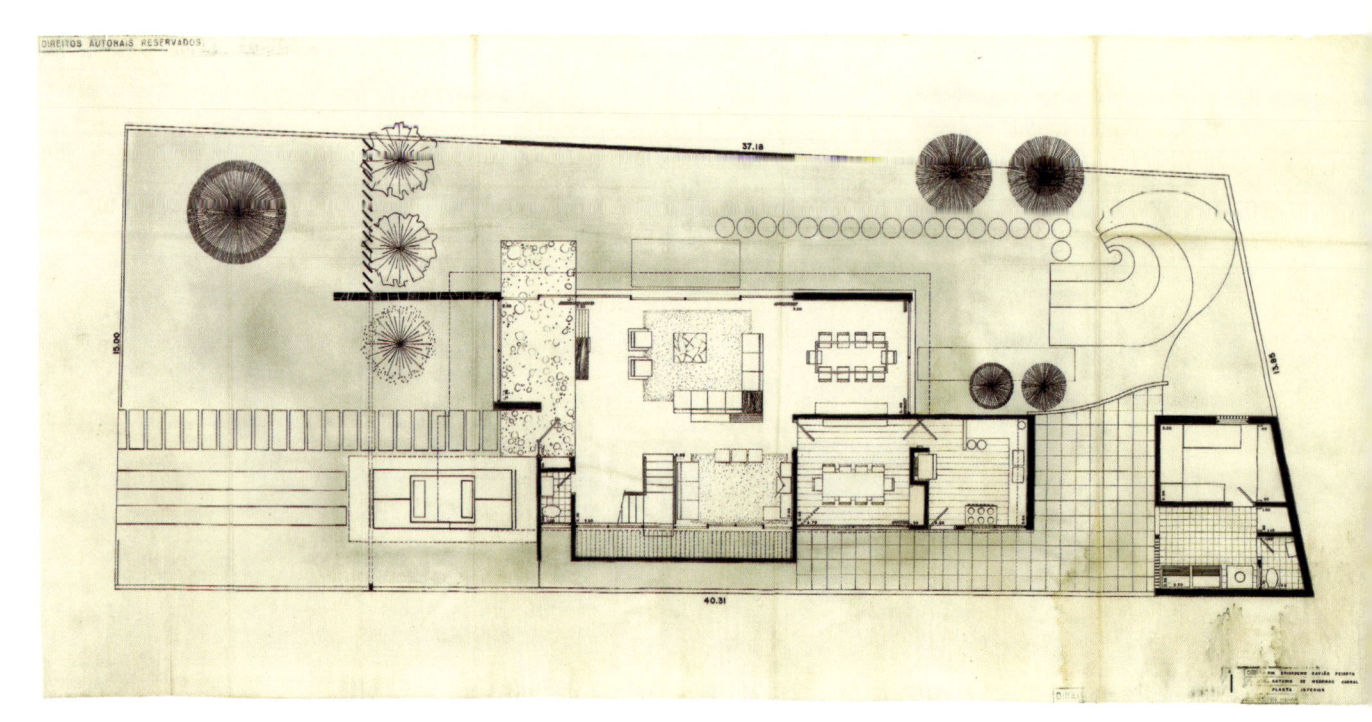

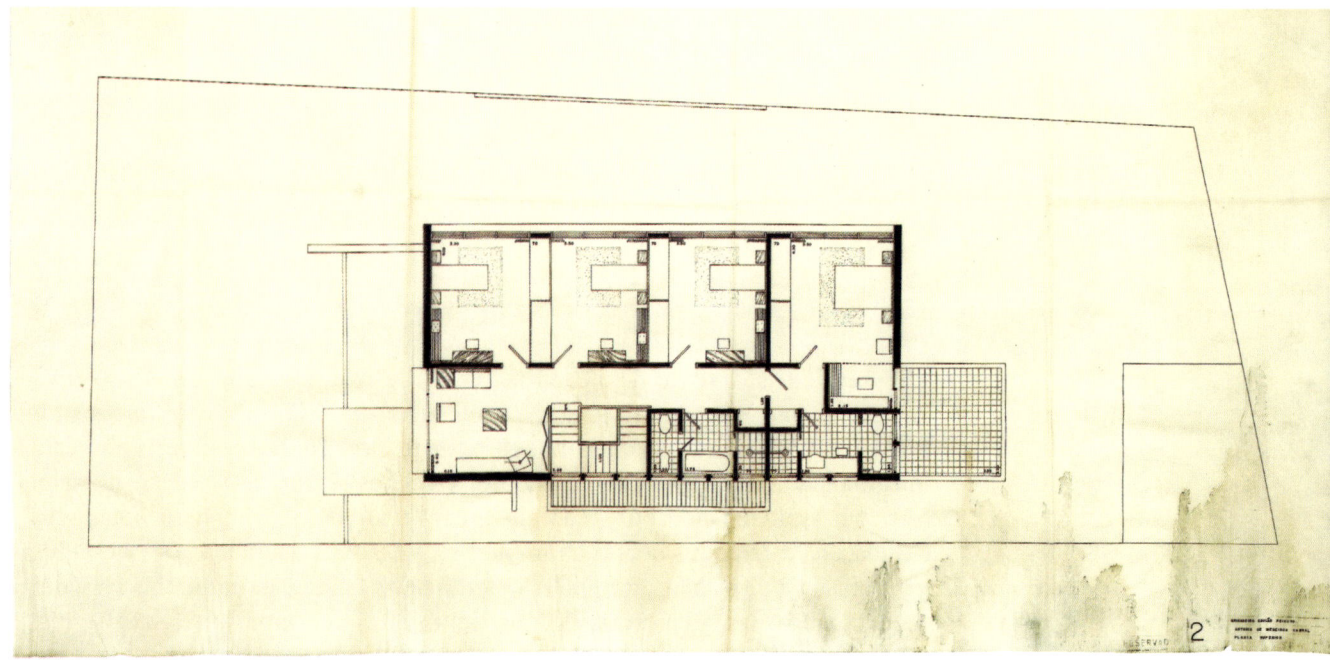

Residência Antônio de Medeiros Cabral, plantas dos dois pavimentos e detalhes técnicos de brises e portas, São Paulo, 1961

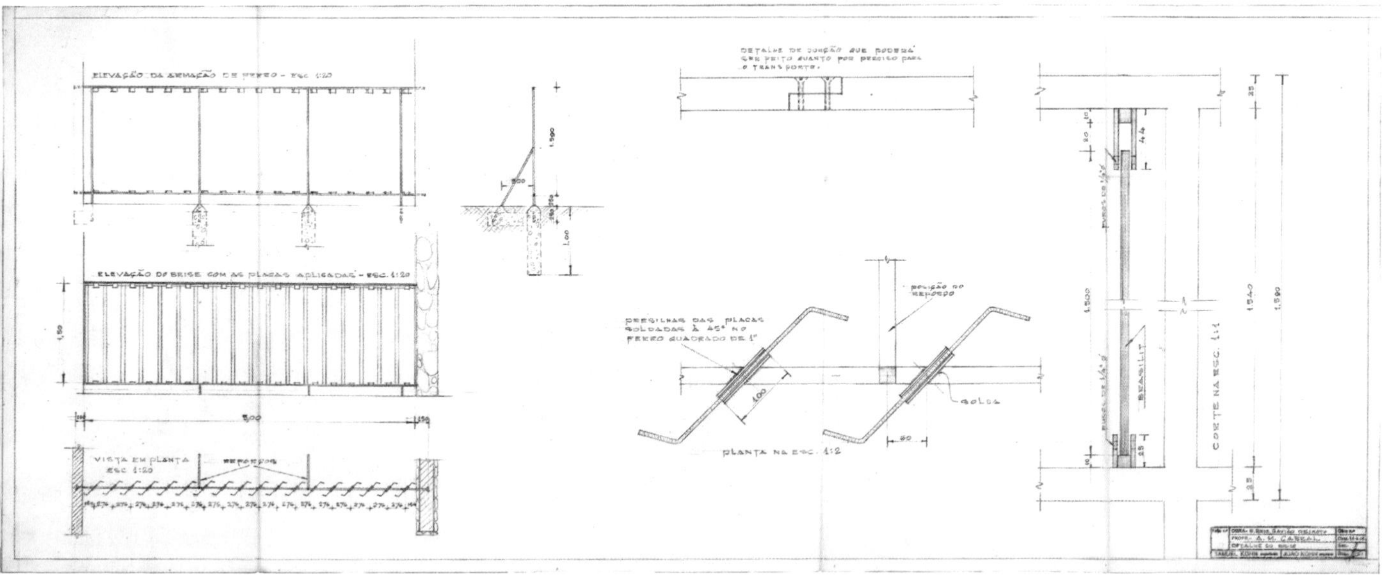
ELEVAÇÃO DA ARMAÇÃO DE FERRO - ESC. 1:20
ELEVAÇÃO DO BRISE COM AS PLACAS APLICADAS - ESC. 1:20
VISTA EM PLANTA
ESC. 1:20
REFORÇOS
500
DETALHE DE JUNÇÃO QUE PODERÁ SER FEITO QUANTO FOR PRECISO PARA O TRANSPORTE.
PRESILHAS DAS PLACAS SOLDADAS À 45° NO FERRO QUADRADO DE 1"
POSIÇÃO DO REFORÇO
SOLDA
PLANTA NA ESC. 1:2
BRASILIT
CORTE NA ESC. 1:1
1.500
1.540
1.590
PROF. A. M. CABRAL
DETALHE DO BRISE

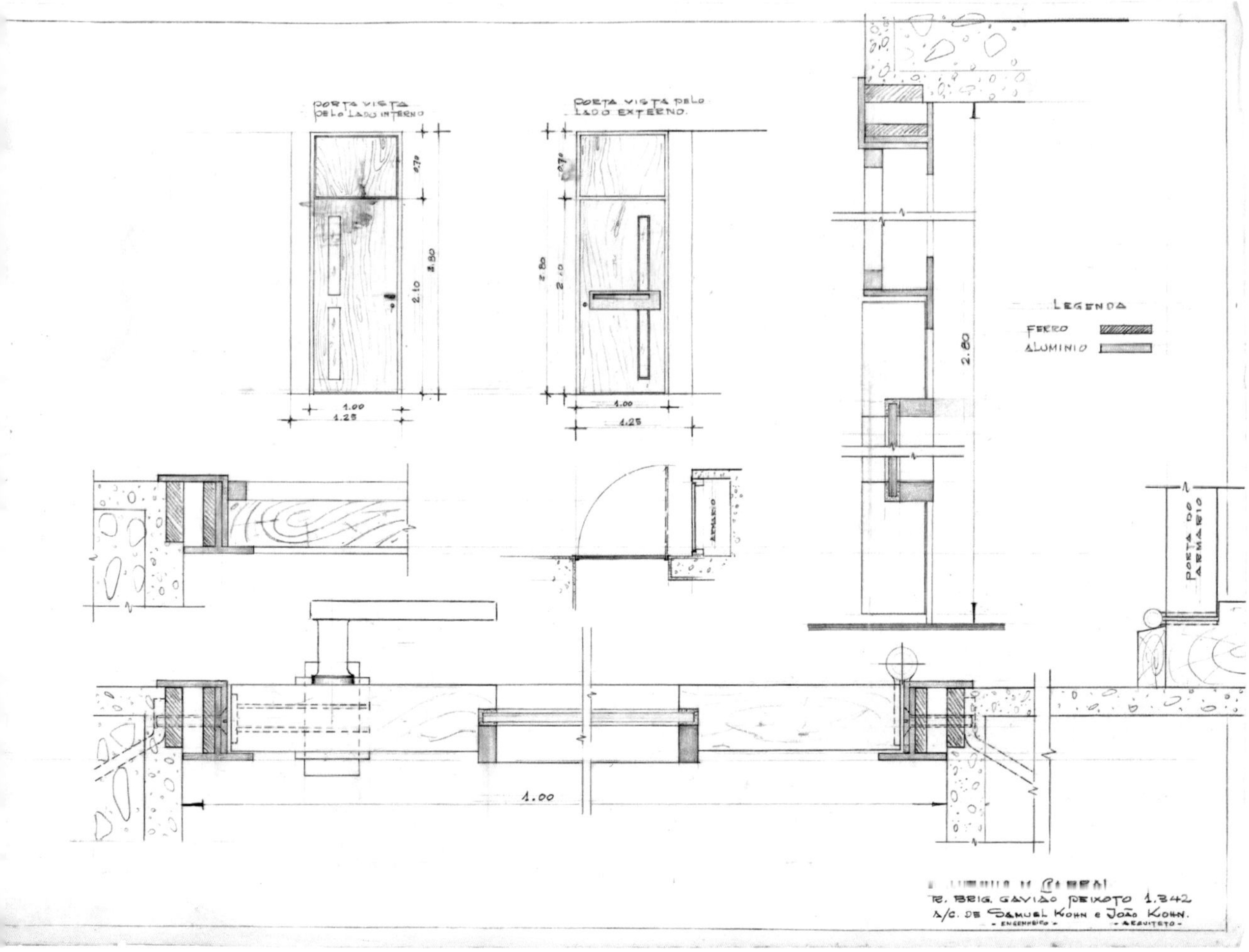
PORTA VISTA PELO LADO INTERNO
PORTA VISTA PELO LADO EXTERNO
1.00
1.25
2.10
2.80
LEGENDA
FERRO
ALUMINIO
ARMÁRIO
PORTA DO ARMÁRIO
1.00
R. BRIG. GAVIÃO PEIXOTO 1.342
A/C. DE SAMUEL KOHN E JOÃO KOHN.
- ENGENHEIRO -
- ARQUITETO -

190

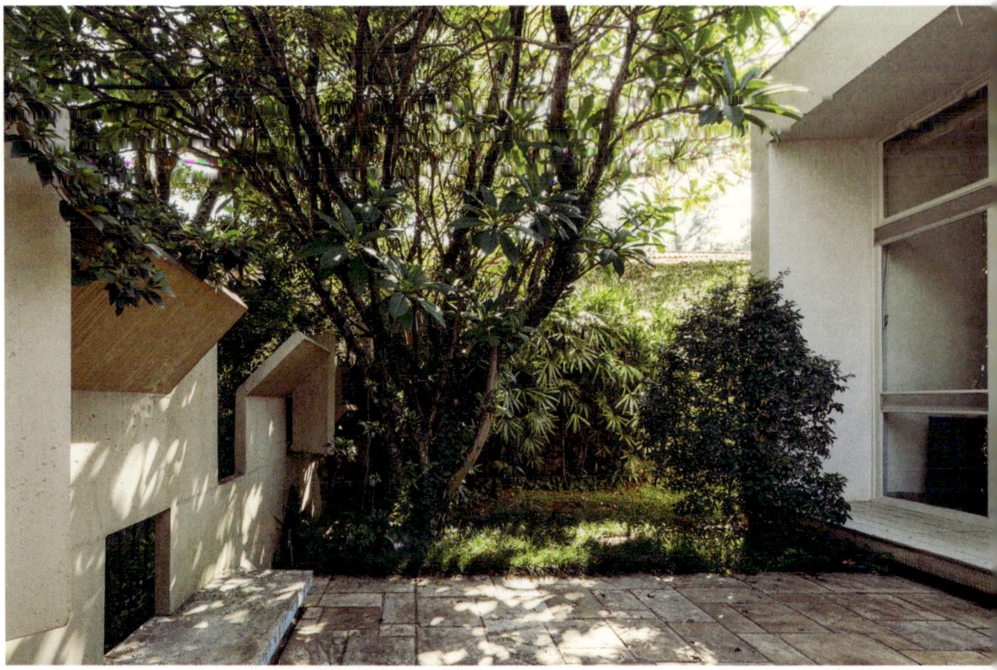

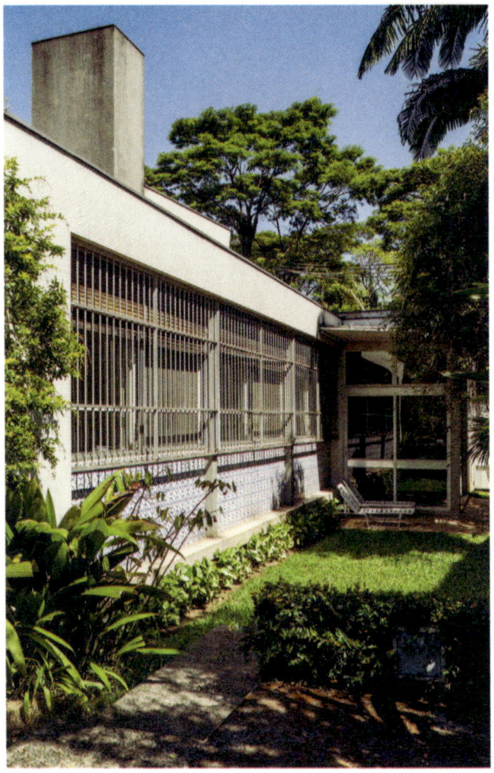

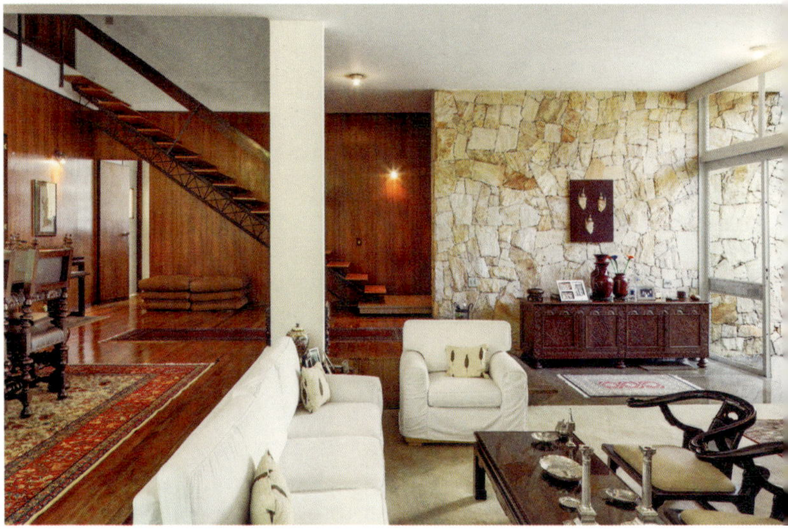

Residência Bernardo Leo Wajchenberg, fotos do jardim, sala de estar e fachada, São Paulo, 1965

A Residência Bernardo Leo Wajchenberg, de 1965, na alameda Gabriel Monteiro da Silva, Jardim América, poderia ser considerada térrea, não fosse um único ambiente para escritório no pavimento superior, acessado por escada dentro de um vazio no centro de sua planta. Também pode ser considerada uma variante do mesmo esquema que ordena todas as suas residências. A pequena edícula no canto posterior esquerdo outra vez explica a orientação do terreno e mostra a planta de sempre. Os três setores de residências implantados no térreo estabelecem zonas próprias, acessadas a partir de um hall com pé-direito duplo, por onde sobe a escada linear. Dois dormitórios e uma suíte abrem para um jardim a leste e compartilham um vestíbulo onde há uma quinta porta para um ambiente versátil no setor familiar. Chama atenção que esse caixilho divida a área aberta de serviços.

Todos podem constatar que o arquiteto autêntico sempre usa a mesma configuração e, assim, sente-se seguro, responsável e respeitado quando estabelece as condições fundamentais dos projetos que, no entanto, vão revelar resultados diversos e, no caso de Kon, admiráveis.

FACHADA - FRENTE

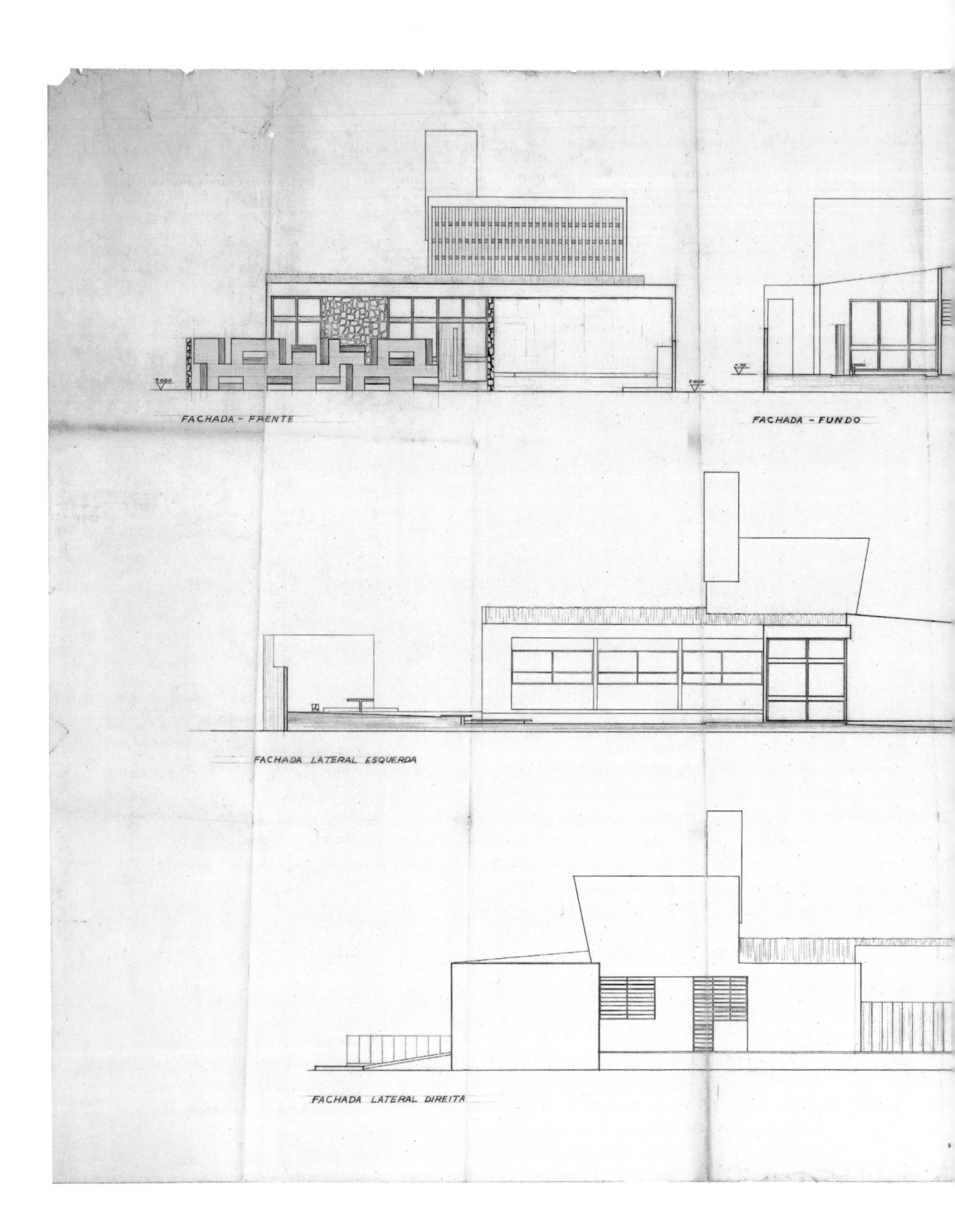

FACHADA - FUNDO

FACHADA LATERAL ESQUERDA

FACHADA LATERAL DIREITA

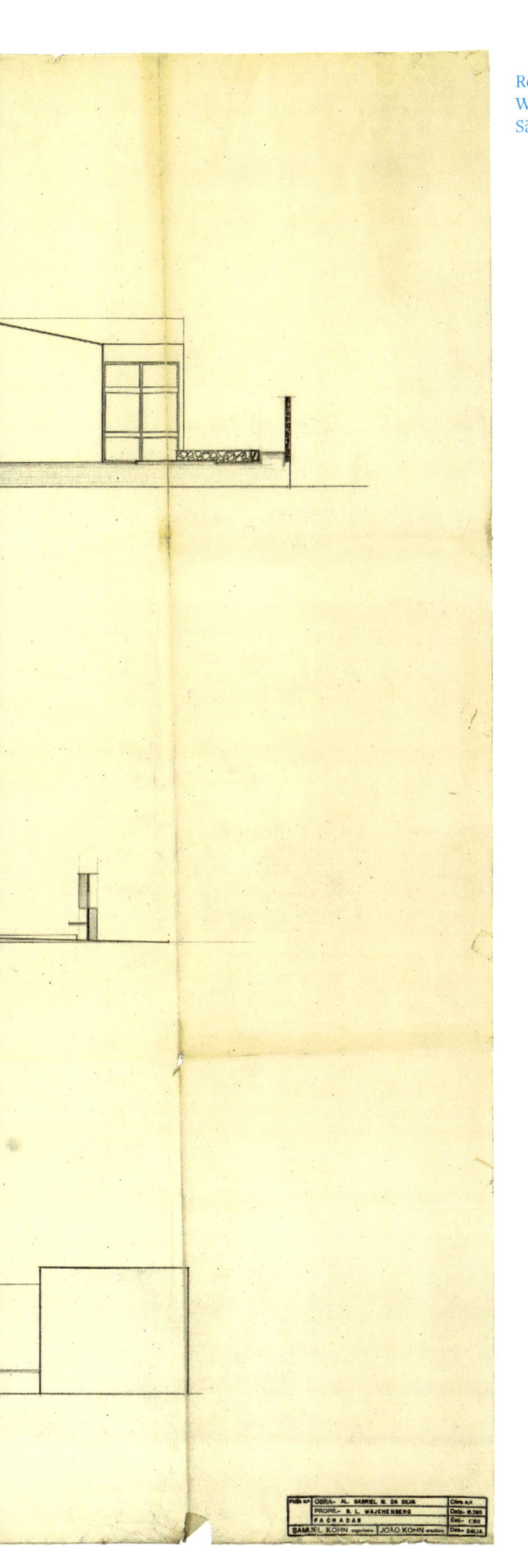

Residência Bernardo Leo Wajchenberg, elevações, São Paulo, 1965

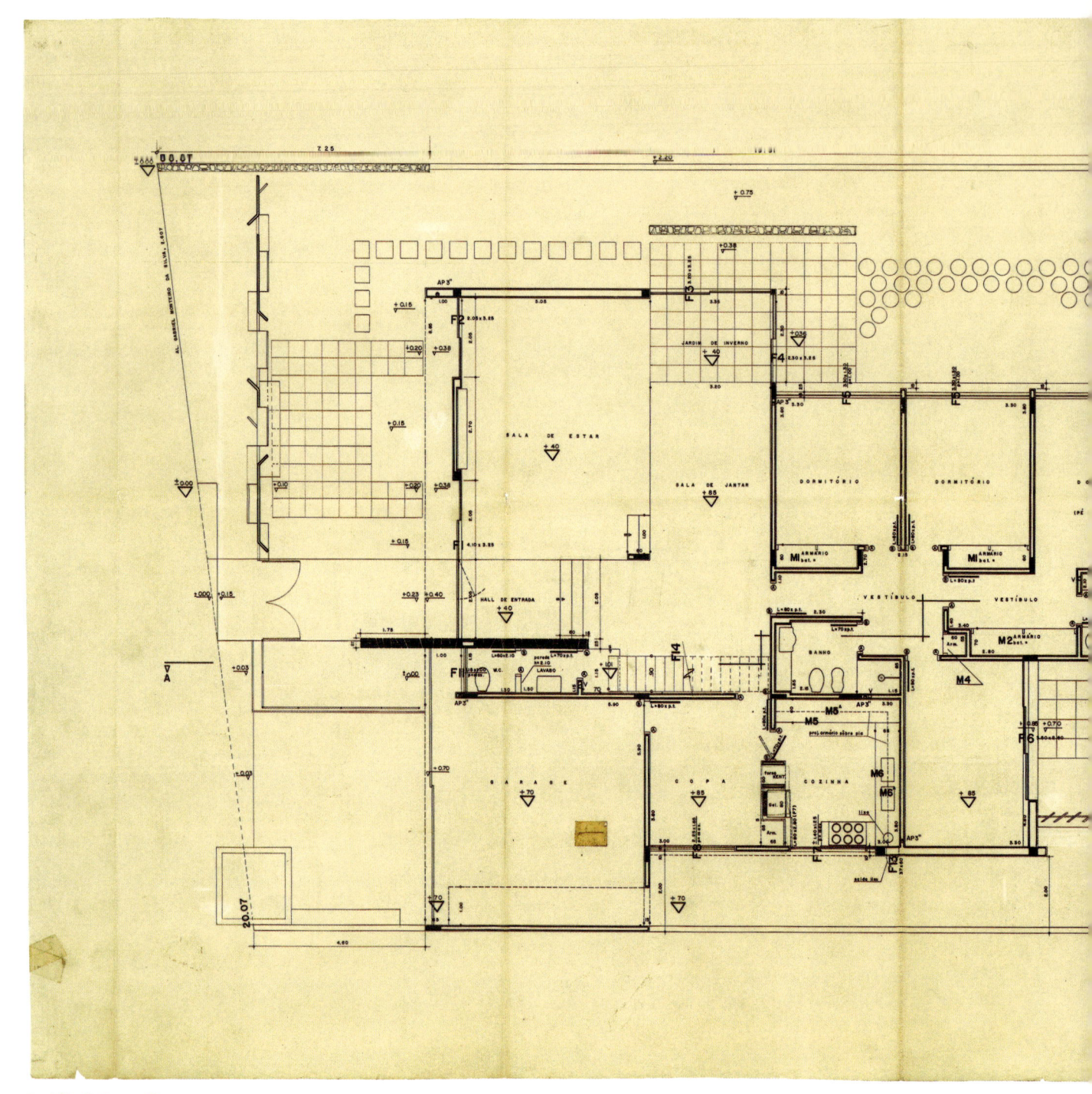

Residência Bernardo Leo Wajchenberg, plantas dos pavimentos térreo e superior, São Paulo, 1965

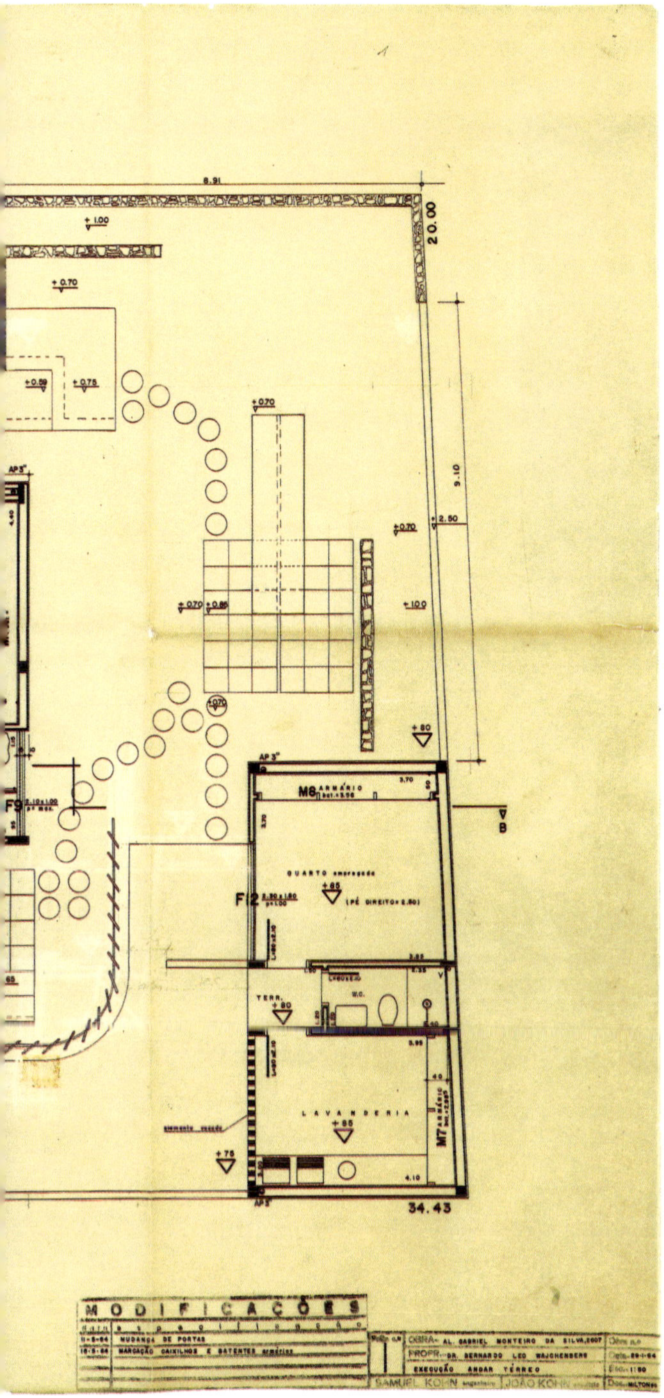
8.91
20.00
9.10
2.50
AP 3"
M8 ARMÁRIO
QUARTO empregada
(PÉ DIREITO= 2,50)
F12
F9
TERR.
W.C.
LAVANDERIA
M7 ARMÁRIO
elemento vazado
34.43
MODIFICAÇÕES
11-5-64 MUDANÇA DE PORTAS
16-5-64 MARCAÇÃO CAIXILHOS E BATENTES armários
OBRA- AL. GABRIEL MONTEIRO DA SILVA, 2007
PROPR. DR. BERNARDO LEO WAJCHENBERG
EXECUÇÃO ANDAR TÉRREO
SAMUEL KOHN engenheiro
JOÃO KOHN arquiteto
Esc. 1:50
Des. MILTON

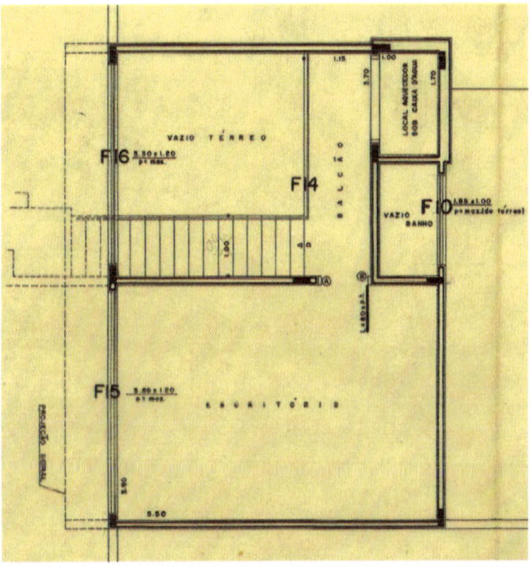
VAZIO TÉRREO
F16
F14
BALCÃO
LOCAL AQUECEDOR SOB CAIXA D'ÁGUA
VAZIO BANHO
F10
F15
ESCRITÓRIO
5.50

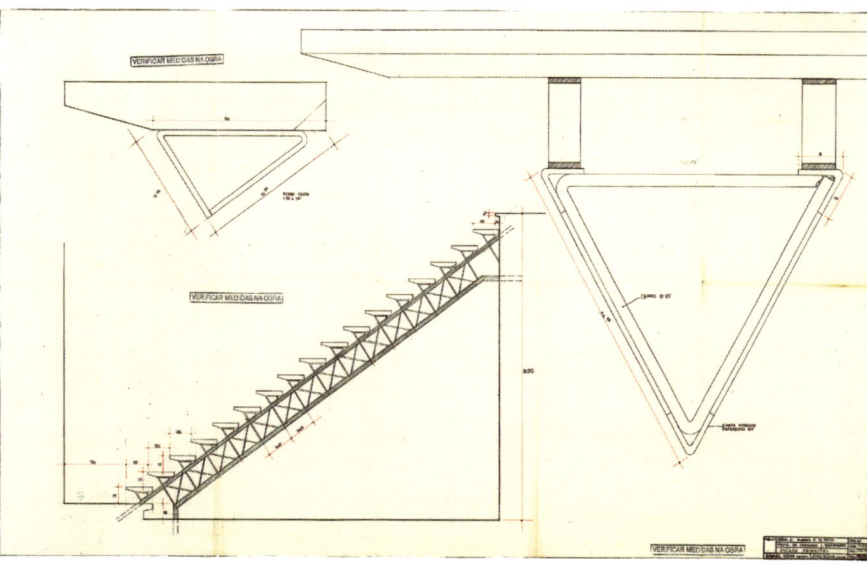

Residência Bernardo
Leo Wajchenberg,
foto e desenho técnico da escada,
prancha com detalhamento
do mobiliário da cozinha,
São Paulo, 1965

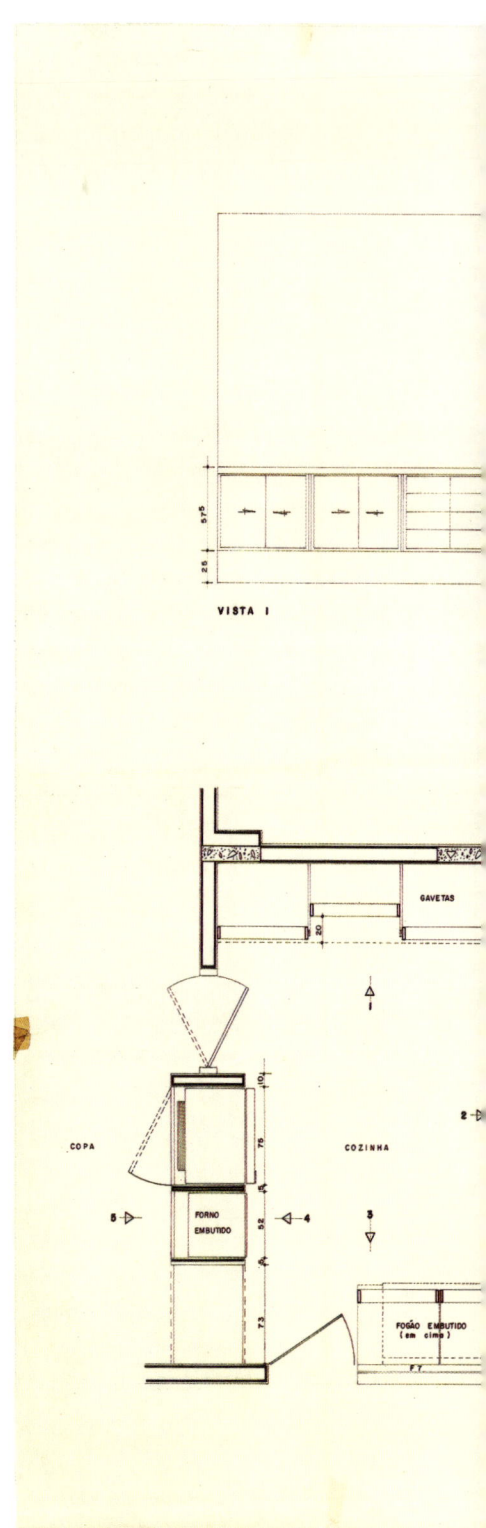

VERIFICAR MEDIDAS NA OBRA

VISTA 2

VISTA 3

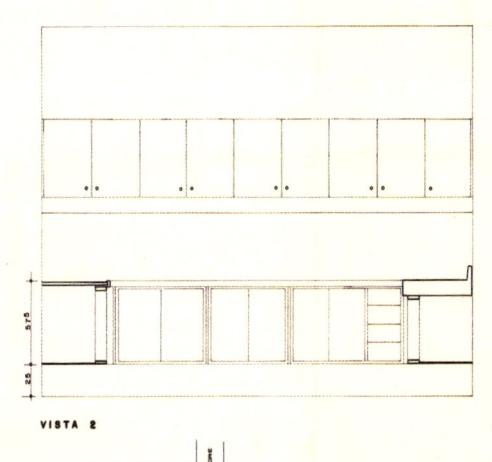

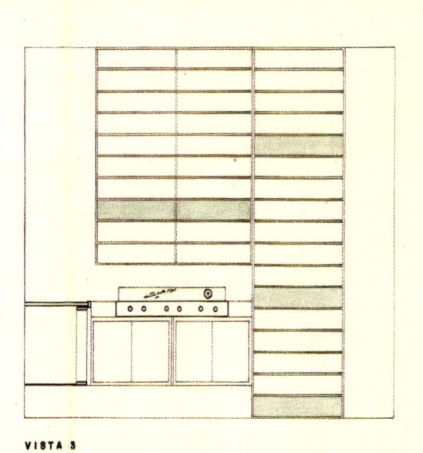

VERIFICAR MEDIDAS NA OBRA

SUPORTE DO MÁRMORE

JACARANDÁ — REVESTIDO COM FÓRMICA

NOTA:
TODAS AS VISTAS EXTERNAS SERÃO DE FÓRMICA, EXCEPTO O DETALHE "X" e TODOS IGUAL À ELE.

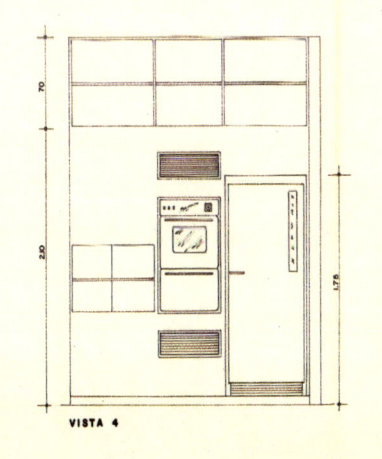

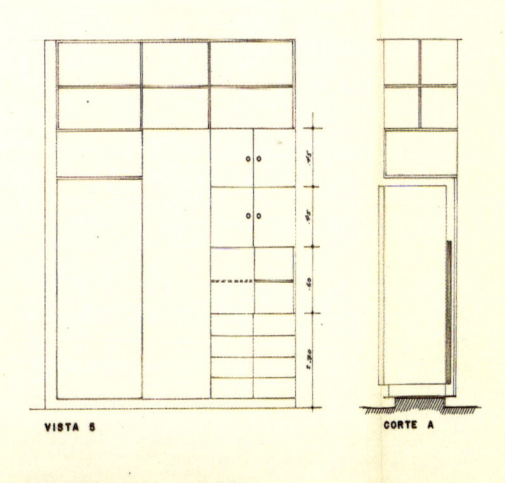

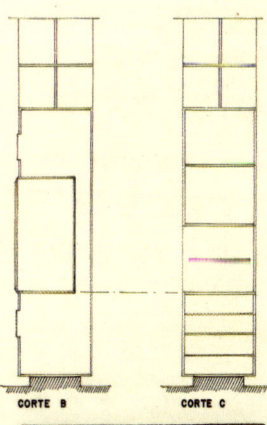

VISTA 4

VISTA 5

CORTE A

CORTE B

CORTE C

VERIFICAR MEDIDAS NA OBRA

VERIFICAR MEDIDAS NA OBRA

OBRA.- AL. GABRIEL M. DA SILVA, 2607		Obra n.º
PROPR.- BERNARDO L. WAJCHENBERG		Data- 22.7.65
DETALHES DA COZINHA		Esc.- 1:20
SAMUEL KOHN engenheiro	JOÃO KOHN arquiteto	Des.ª DALIA

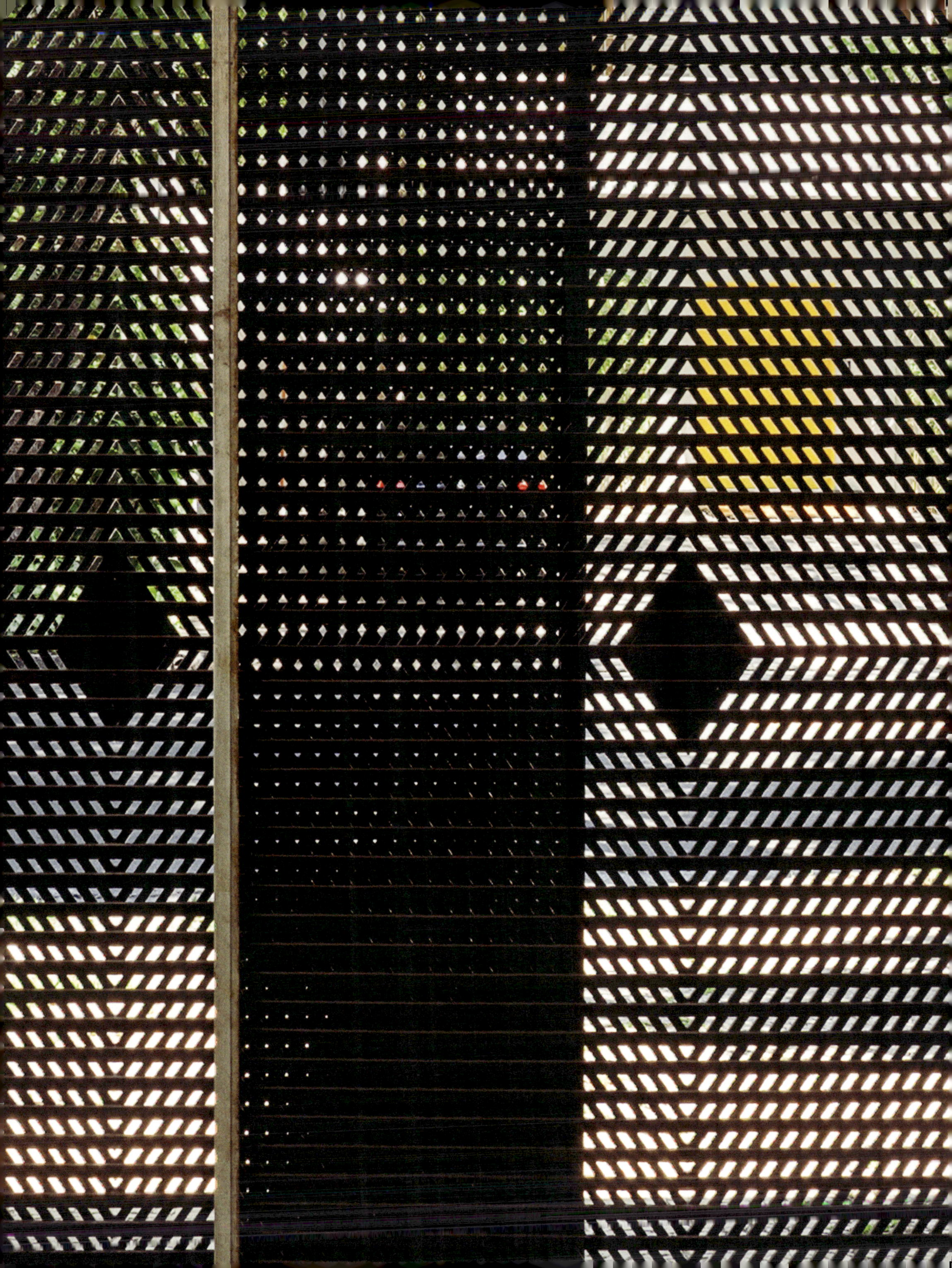

1. LE CORBUSIER. *Por uma arquitetura*. São Paulo, Perspectiva, 1977, p. XVII. A primeira edição de *Vers une architecture* é de 1924, recolhe textos de Le Corbusier publicados na revista *L'Esprit Nouveau* (1920-1924), marca o rompimento com Amédée Ozenfant (1986-1966) e sua saída do movimento purista, da vanguarda artística. Deve ressaltar-se que, para Le Corbusier, a arquitetura deixa de ser privilégio aristocrático para tornar-se uma atividade dedicada ao homem comum, voltada para a cidade, principalmente onde seja mais urgente, no lugar que mais cresce durante a metropolização das capitais europeias, na periferia, em bairros de moradia operária por conceber e construir. Por isso, Le Corbusier prognostica uma arquitetura desapontada com palácios, com pompa e ornamentos, num momento em que critérios, juízo e tarefa exigem outra abordagem, diferente maneira de estabelecer nexos entre a configuração, a finalidade e a razão construtiva.

2. A noção construtivista designada aqui deve ser distinguida da homônima vanguarda construtivista russa, movimento artístico definido em 1919 e já classificado como figurativo por Amédée Ozenfant, como um gênero convencional da pintura que substitui a maçã da natureza-morta pela composição com engrenagens e bielas, que não passa de mera atualização temática em gêneros conhecidos que apenas dão sobrevida à arte tradicional, ao expor uma visão superficial da arte moderna. Ver OZENFANT, Amédée; JEANNERET, Charles Eduard (Le Corbusier). *Depois do cubismo*. Série Fontes da Arquitetura Moderna, volume 01. São Paulo, Cosac Naify, 2005.

3. Amilcar Augusto Pereira de Castro, formado advogado, é conhecido como escultor e desenhista gráfico. Sua educação artística começa na Escola Guignard, 1944-50, em Belo Horizonte, onde estuda desenho com Alberto da Veiga Guignard e escultura figurativa com Franz Weissmann. Transfere-se para o Rio de Janeiro em 1953 e começa a trabalhar como diagramador das revistas *Manchete* e *A Cigarra*. Participa do Grupo Neoconcreto no Rio de Janeiro, entre 1959-61.

4. *Quonset* é um barracão militar provisório, com cobertura em forma abobadada, utilizado pelas forças armadas norte-americanas durante a Segunda Guerra Mundial.

5. Ver KOURY, Ana Paula. *Grupo Arquitetura Nova. Flávio Império, Rodrigo Lefèvre e Sérgio Ferro*. Coleção Olhar Arquitetônico, volume 01. São Paulo, Romano Guerra/Edusp, 2003; e ARANTES, Pedro Fiori. *Arquitetura Nova. Sérgio Ferro, Flávio Império e Rodrigo Lefèvre, de Artigas aos mutirões*. São Paulo, Editora 34, 2002. Em especial: Residência Dino Zamataro, 1970; Residência Pery Campos, 1970 e Residência Carlos Zigelmeyer, 1972.

6. Talvez a denúncia constante do pensamento de esquerda e a condição revolucionária que a arte se impõe para desempenhar sua tarefa propiciem entender a adesão do artista às causas contestatórias. Se for assim, essa aderência não acontece sempre por motivação ideológica clara ou alegada, mas, também, pela natureza atrativa do questionamento e da oposição ao que está estabelecido, pelo engajamento que o protesto empresta ao artista.

7. FURTADO, Capitão. *Hino de Brasília*. "Em meio à terra virgem desbravada/ na mais esplendorosa alvorada/ feliz como um sorriso de criança/ um sonho transformou-se em realidade/ surgiu a mais fantástica cidade/ Brasília, capital da esperança/ Desperta o gigante brasileiro/ desperta e proclama ao mundo inteiro/ num brado de orgulho e confiança:/ nasceu a linda Brasília a capital da esperança/ A fibra dos heroicos bandeirantes/ persiste nos humildes e gigantes/ que provam com ardor sua pujança,/ nesta obra de arrojo que é Brasília./ Nós temos a oitava maravilha/ Brasília, capital da esperança".

8. MANZON, Jean. *As primeiras imagens de Brasília*, 1957. Atlântida Empresa Cinematográfica do Brasil S.A. Disponível em: www.youtube.com/watch?v=o8k-3VXzlzI&feature=related. Fragmentos escolhidos da narração de Luiz Jatobá: "Como a noiva do Brasil, [Brasília] é a árvore da vida nacional plantada no planalto central"; "Brasília, um polo magnético em Goiás"; "Os longos caminhos da nova civilização brasileira. Brasília a irradiar-se para o norte, para o centro e para o sul. Todo um vasto sistema circulatório de um país, cuja imensidão territorial faz com que a construção de estradas vitais seja uma épica aventura"; "A cidade nova estende seus braços às irmãs mais velhas"; "Em Brasília se formará um lago maior que a Baía da Guanabara"; "A visão instintiva do povo faz afluir a Brasília operários, artífices, agricultores, comerciantes. Os pioneiros da grande migração do futuro, e se diga que a história não registra outra marcha de conquista tão bem recebida"; "A primeira metrópole a ser construída na idade da aviação. Rio a Brasília no máximo de três horas"; "Brasília, a cidade do futuro, terá, como certas cidades clássicas da Antiguidade, uma medida de graça arquitetônica; nela, a idade da técnica reencontra a idade da harmonia, virtudes que andaram separadas nestes tempos de eclosão industrial. A cidade está, assim, fadada a ser um modelo para o mundo"; "Os arquitetos Lúcio Costa e Oscar Niemeyer... dois técnicos e artistas, justamente admirados em todo o mundo, compõem, com linhas, volumes, cores e espaços, a sinfonia de Brasília"; e "Brasília já existe! As famílias que para lá se deslocaram, hoje vivendo com simplicidade em um momento histórico, irão constituir amanhã a legião comovidamente lembrada dos pioneiros, os primeiros homens e mulheres que deram ao Brasil os primeiros filhos de uma nova era. A jovem cidade do planalto central é a estrela guia do futuro, a menina dos olhos do Brasil".

9. JOBIM, Antônio C.; MORAES, Vinicius de. *Brasília: sinfonia da alvorada – trabalho e construção*, 1960. Disponível em: http://letras.mus.br/vinicius-de-moraes/87259/.

10. MINDLIN, Henrique. *Modern Architecture in Brazil*. Rio de Janeiro/Amsterdã, Colibris, 1956, parece ser a melhor publicação com que comprovar a boa e coletiva arquitetura moderna e a alteração sofrida na produção posterior a Brasília.

11. ESPALLARGAS GIMENEZ, Luis. Construir e configurar. *Arquitextos*, São Paulo, ano 13, n. 150.00, Vitruvius, nov. 2012. Disponível em: www.vitruvius.com.br/revistas/read/arquitextos/13.150/4508.

12. Segundo Immanuel Kant, a realização de qualquer intenção está ligada a um sentimento de prazer, então, distingue o prazer sensível do prazer estético e quer saber em que ordem se experimenta o prazer estético. Quer saber se o

prazer desencadeia o juízo ou se o juízo dispara o prazer. Kant assevera a segunda possibilidade. No caso da faculdade estética, é o juízo que proporciona o prazer. O prazer estético, diferentemente do prazer sensível, daquele proporcionado pelo gosto, deve ser um produto das faculdades mentais. Quando se julga, entendimento e imaginação unem-se para produzir conhecimento e o consequente sentimento de prazer estético.

13. Aos Edifícios Louveira, dados como última experiência de Artigas com empreendimentos imobiliários, são acrescentadas obras posteriores com empreendimentos de moradia coletiva. Durante muitos anos, não se deu atenção a outros projetos para condomínio habitacional do arquiteto até a nova publicação comemorativa dos cem anos de seu nascimento.
O novo livro apresenta o Edifício Jeanne, de 1953, Santa Cecília, e o Edifício João Moura, de 1958, na Rua João Moura, Pinheiros. Ver ARTIGAS, Rosa. *Vilanova Artigas*. São Paulo, Terceiro Nome, 2015, p. 60-63 e p. 80-83. No primeiro livro monográfico sobre a obra do arquiteto, os mesmos edifícios aparecem na relação de projetos com outros nomes, respectivamente, Edifício Ary Fachada e Edifício Dulce Ferreira de Souza Brasil. Ver FERRAZ, Marcelo Carvalho; PUNTONI, Álvaro; PIRONDI, Ciro; LATORRACA, Giancarlo; ARTIGAS, Rosa (Orgs.). *Vilanova Artigas*. Série Arquitetos Brasileiros, São Paulo, Fundação Vilanova Artigas, Instituto Lina Bo e P.M. Bardi, 1997, p. 209 e 210.

14. ESPALLARGAS GIMENEZ, Luis. Oscar Niemeyer: a arquitetura renegada na cidade de São Paulo. *Cadernos de Arquitetura Ritter dos Reis*, v. VI, 2009, p. 40-50. Os edifícios habitacionais de Niemeyer apenas em São Paulo: Edifício Montreal, 1951-54; Conjunto Copan, 1950-66; e Edifício Eiffel, 1953-56.

15. XAVIER, Alberto; LEMOS, Carlos; CORONA, Eduardo. *Arquitetura moderna paulistana*. São Paulo, Pini, 1983.
Roteiro alinhado com o ideário da arquitetura paulistana lista a produção de 1927 a 1977. Relaciona, sem contar habitação universitária e tampouco conjuntos habitacionais, onze edifícios de habitação coletiva até 1956 e apenas mais seis nos últimos vinte anos. Entre 211 obras de arquitetura oficial, da arquitetura selecionada que se produz segundo critérios elevados, reconhecidos e consensuais, comparecem dezessete projetos, 8% do total, de edificação habitacional, durante os cinquenta anos que coincidem com a maior expansão urbana paulistana. É muito pouco, no caso de os critérios modernos de verificação estarem corretos, ou, ao contrário, desconsidera quantidade de arquitetura moderna invisível à expectativa distorcida pela excepcionalidade estipulada.

16. A seleção de empreendimentos de recente número da revista *Monolito* dedicado à produção da incorporadora de Sílvio Kozuchowicz reitera o valor autoral como vantagem de vendas, como grife favorável à comercialização. Essa estratégia tem sido seguida por outros empresários que identificam os arquitetos notáveis e simpáticos aos consumidores. Os critérios de marketing, a consequente afetação e a sujeição à moda que interfere nas decisões ficam patentes. Edifícios "diferenciados" com apenas dez ou vinte anos expõem o efeito das modas, claros sinais de envelhecimento estilístico, enquanto os projetos em processo parecem estressados para afirmar novidade, chamar a atenção e realimentar a obsolescência figurativa. Ver *Monolito*. "SKR, 30 anos: construindo a paisagem", textos de Fernando Serapião e Héctor Vigliecca, número extra e bilíngue, São Paulo, 2015.

17. *International Style*, nome da exposição de arquitetura moderna no MoMA de Nova York, em 1932, dos curadores Henry-Russell Hitchcock e Philip Johnson, passa, mais tarde, a designar o que seria um subproduto moderno ou toda a arquitetura comercial e corporativa produzida pelo conservadorismo arquitetônico, detratado, ao ser entendido como decadente. Parece que os críticos procuram material mais estimulante, pois não conseguem ver, na discrição e na crescente coerência e serenidade, qualquer atributo de interesse popular e imagético. Precisam de figuras mais ousadas, provocativas, fantásticas e expressivas, que possam despertar a atenção das massas.

18. CALVO DEL OLMO, José Manuel. *El Poblado Dirigido de Caño Roto. Dialéctica entre morfología urbana y tipología edificatoria*. Volumes 1 e 2. Orientadores: José María de Lapuerta Montoya e Carmen Espegel Alonso. Tese de doutorado. Madri, Departamento de Proyectos Arquitetónicos, Escuela Técnica Superior de Arquitectura, Universidad Politécnica de Madrid, 2014.
O renovado interesse por obras modernas desdenhadas pela censura implícita nas incansáveis revisões e teorias de arquitetura pode ser constatado em muitos países. O Poblado Dirigido de Caño Roto é tema de um doutorado recente que, para além do problema ideológico e histórico, investiga problemas de forma e estrutura urbana, da relação entre tipos edificados e constituição de bairros. Depois de anos de relativo ostracismo do conjunto habitacional, o texto reconhece a mais recente avaliação, que considera Caño Roto como uma das mais relevantes obras modernas da Espanha e aprecia a sobrevivência do resultado surpreendente de um projeto executado entre 1957 e 1963, com recursos reduzidos, pelos arquitetos Antonio Vázquez de Castro e José Luis Íñiguez de Onzoño. Um projeto que constrói sua própria textura urbana por intermédio das relações oportunas entre tipologias variadas que definem diferentes valores urbanos, coletivos e públicos. Também o envolvimento com a construção do arquiteto Vázquez de Castro, que vai morar no canteiro, e, depois, numa de suas casas-pátio, quando acrescenta um notável e econômico design de mobiliário para essas moradias. Também o escultor Ángel Ferrant vai produzir seis criativos brinquedos para o parquinho infantil no conjunto; três dessas peças participam da Exposição *Playground*, no Museo Nacional Centro de Arte Reina Sofía, de Madri. Um ciclo completo e invejável de projeto e construção. Ver também FERNÁNDEZ-GALIANO, Luis. *La quimera moderna. Los Poblados Dirigidos de Madrid en la arquitectura de los años 50*. Madri, Herman Blume, 1989, além de outros autores citados na extensa bibliografia da tese.

19. IMBRONITO, Maria Isabel. *Três edifícios de habitação para a Formaespaço: Modulares, Gemini e Protótipo*. Orientador Eduardo de Almeida. Dissertação de mestrado. São Paulo, FAU USP, 2003.

20. Ver FERRONI, Eduardo Rocha. *Aproximações sobre a obra de Salvador Candia*. Orientadora Regina Meyer. Dissertação de mestrado. São Paulo, FAU USP, 2008; CUNHA, Jaime.

O conjunto Metrópole. Orientadora Regina Meyer. Dissertação de mestrado. São Paulo, FAU USP, 2007.

21. Os edifícios do Conjunto em Perdizes são projetados em parceria com os arquitetos Roberto Aflalo e Plínio Croce.

22. FERRO, Sérgio. *O canteiro e o desenho*. 2ª edição. São Paulo, Projeto, 1982.

23. Ver ESPALLARGAS GIMENEZ, Luis. Arquitetura pequena: quando simplicidade e correção substituem a genialidade. *Óculum*, n. 3. Campinas, FAU PUC-Campinas, mar. 1993, p. 72-80. O ensaio chama atenção para a impreterível espetacularidade da arquitetura do final do milênio. Esse fenômeno direciona a ação dos arquitetos, que passam a projetar com obrigação de inventar, de provocar, até extasiar, não mais o observador, mas a multidão desinformada e alienada que, apenas chocada ou submetida ao exagero, reage e admite estímulo. Esse fenômeno também propicia a escolha na história da arquitetura de um catálogo de exemplos que confirme a ideologia e identifique resultados diferenciados, como se defende, devam ser as obras dos arquitetos. Em consequência, o arquiteto despreza o artefato simples, econômico, eficiente e correto, pois não lhe cabe mais acreditar que a concepção concisa e discreta seja oportuna, portadora de atributos estéticos, daí o pouco caso pela arquitetura vista como "pequena". Isso é favorecido pela noção estética precoce, convencional, empática e inacabada com que se avalia a arquitetura moderna, como se faz na história da arte do século 18 ou 19: com as dúvidas e o direito do gosto. Deve ser por esse motivo que a arquitetura da segunda metade do século 20 retorna ao tema do estilo e reproduz equívocos análogos aos do antigo ecletismo artístico, com suas inúmeras "vertentes" acobertadas por essa comemorada "diversidade" do fim do século – *fin de siècle* – 20.

24. Ver ESPALLARGAS GIMENEZ, Luis. A propósito do juízo da arquitetura paulistana. *Arquitextos*, São Paulo, ano 09, n. 105.02, Vitruvius, fev. 2009. Disponível em: www.vitruvius.com.br/revistas/read/arquitextos/09.105/73. O autor produz esse texto para chamar atenção sobre o que considera exemplos de arquitetura meritória na cidade de São Paulo, mas que passam despercebidos para a história e para a crítica, pois não despertam interesse em situação dominada por uma ideologia inflexível, repetitiva e pela soberba artística estipulada para a arquitetura. O critério de seleção dessas obras é visual, procura reconhecer atributos formais na obra e considera a autoria irrelevante para o valor artístico do artefato.

25. Alison e Peter Smithson, ajudados por Christopher Woodward, vão recompilar, entre 1955 e 1956, as imagens reunidas uma década depois, em julho de 1965, na exposição *The Heroic Period of Modern Architecture*, imagens hoje conhecidas por sua reprodução no livro homônimo editado em Londres pela Thames and Hudson, em 1981. Segundo o casal de arquitetos ingleses, foca-se um pequeno período, com início em 1915, ano em que, eles determinam, vão acontecer as obras modernas fundamentais e decisivas e, ainda de acordo com os mesmos arquitetos, segundo uma condição que se desvanece em torno de 1929, data que não impede que o conjunto de obras selecionado avance, sem mais explicações, até o ano 1934.

A exposição tem intenção precisa e aponta seus pressupostos num enxuto manifesto introdutório: recapturar a excitação e a confiança presentes naqueles arquitetos, reunir os edifícios indubitavelmente constituintes do período heroico e certificar-se de que suas imagens disponíveis sejam as mais potentes. Trata-se de uma revisão crítica que omite o produzido nos trinta anos anteriores para reestabelecer o contato com o que presumem ser a verdadeira arquitetura moderna.

26. ESPALLARGAS GIMENEZ, Luis. O recuo brutalista. *Arquitextos*, São Paulo, ano 14, n. 166.01, Vitruvius, abr. 2014. Disponível em: www.vitruvius.com.br/revistas/read/arquitextos/14.166/5041. O texto procura entender como o brutalismo paulistano é legitimado como continuidade da arquitetura moderna e por que isso constitui uma distorção do entendimento da noção moderna.

27. O acesso à lista de obras e aos arquivos de projetos do arquiteto João Kon permite avaliar, com profundidade, um caso de longa atividade de projeto submetida ao mercado imobiliário e aos princípios da arquitetura aprendidos na escola e atualizados ao longo da vida profissional. Conhecer, fotografar, catalogar e julgar as obras do arquiteto inserido no mercado da construção civil constitui uma experiência valorosa para entender a relação da arquitetura e do urbanismo.

28. SERAPIÃO, Fernando. *Silêncio e anonimato*. Projeto Design, São Paulo, n. 311, jan. 2006, p. 94-97. Distantes das páginas das revistas de arquitetura, existem edificações que causam impactos – positivos ou negativos – na paisagem urbana da capital de São Paulo. Estou me referindo aos prédios de apartamentos cujos projetos, desde o início da década de 1960, desapareceram das publicações especializadas. A criação de uma ética da arquitetura paulista, notadamente conferida pelos arquitetos do brutalismo caboclo, excluiu, do âmbito do debate arquitetônico local, os edifícios residenciais da cidade.

29. Foram levantadas 130 caixas-arquivo com cópias e originais dos projetos feitos pelas empresas da família: inicialmente, Samuel Kon Engenharia e Comércio Ltda. e João Kon Projetos; a seguir, com a fusão das duas empresas, surgiu a Kon Engenharia e Arquitetura SA. Os acervos das sucessivas empresas foram reunidos em um único, sob a guarda da Diâmetro Construtora e Incorporadora, que atuou no período de 1966 a 1993.

30. Em número especial de revista dedicado às obras de Samuel e João Kon, os edifícios são publicados juntamente com apenas um desenho de implantação. No entanto, menciona-se o cuidado ao dispô-los: "Embora se trate de 2 prédios independentes, procuramos ao estudá-los, criar um volume homogêneo, de modo a oferecer um aspecto de conjunto. Um edifício contém 15 pavimentos tipos e o outro 12. Ambos com 2 apartamentos por andar, garagem no subsolo e salão de festas no térreo". *Arquitetura e Construções*, em número dedicado a *Samuel Kon Engenharia e Comércio Ltda. João Kon Projetos S/C*, São Paulo, s/d, p. 47-48.

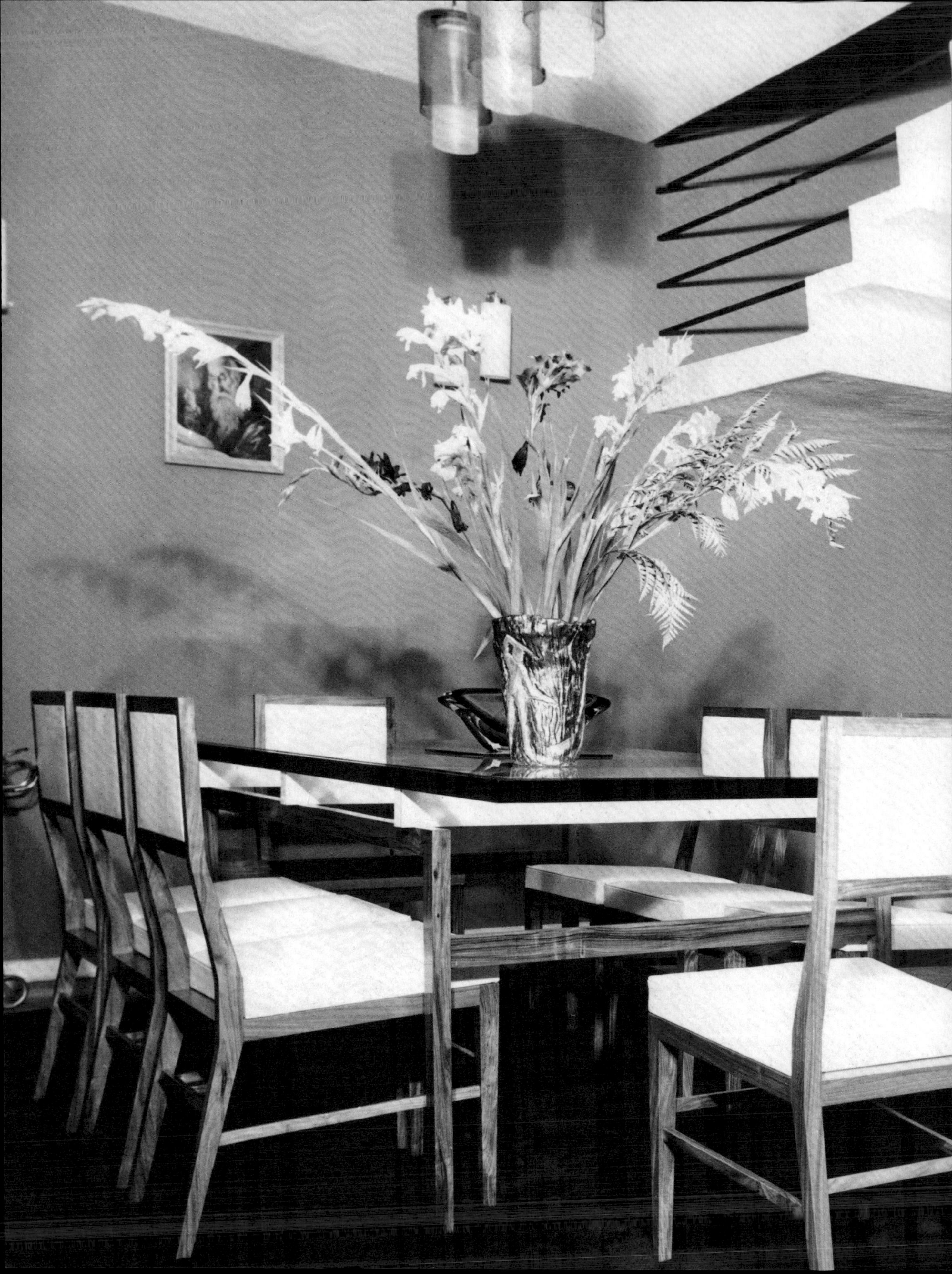

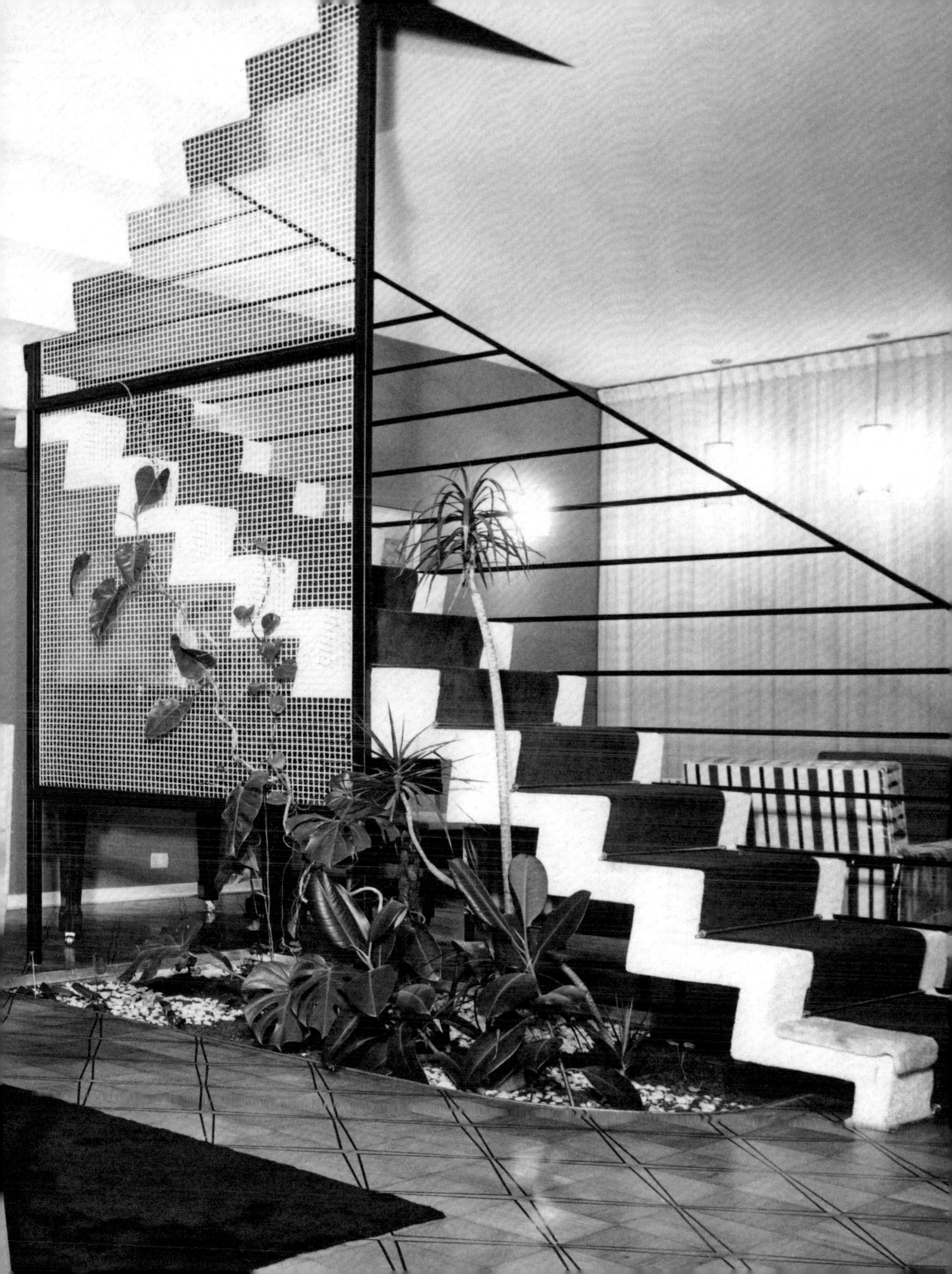

mosaico prêto

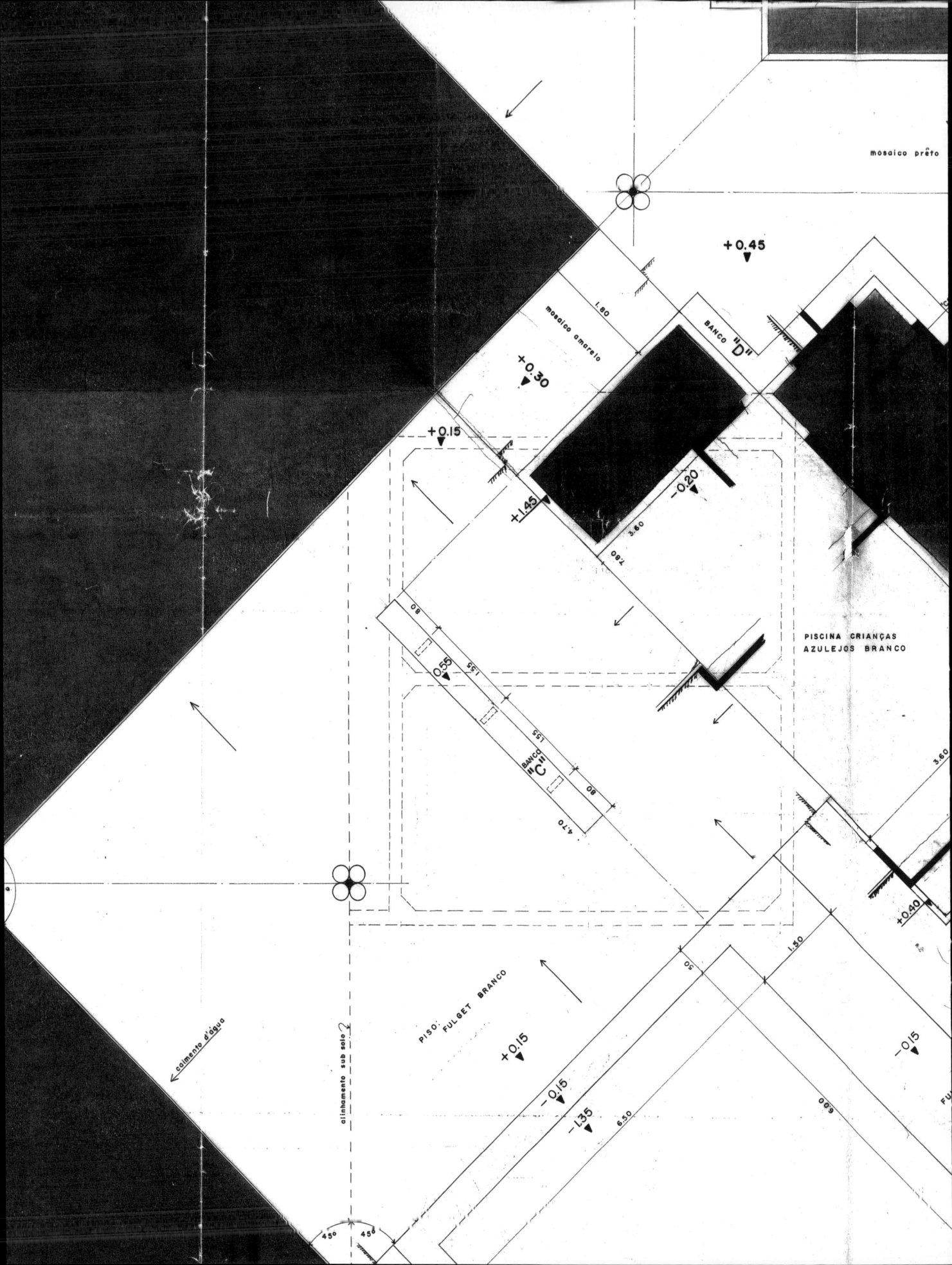

+0.45 ▼

mosaico amarelo

1.80

BANCO "D"

+0.30 ▼

+0.15 ▼

+1.45 ◄

-0.20 ▼

3.60

7.80

0.80

PISCINA CRIANÇAS
AZULEJOS BRANCO

0.55 ▼

1.55

3.60

BANCO "C"

1.55

0.80

4.70

+0.40 ▼

1.50

0.50

calimento d'água

alinhamento sub solo

PISO: FULGET BRANCO

+0.15 ▼

-0.15 ▼

-0.15 ▼

-1.35 ▼

6.50

6.60

45° 45°

mosaico preto

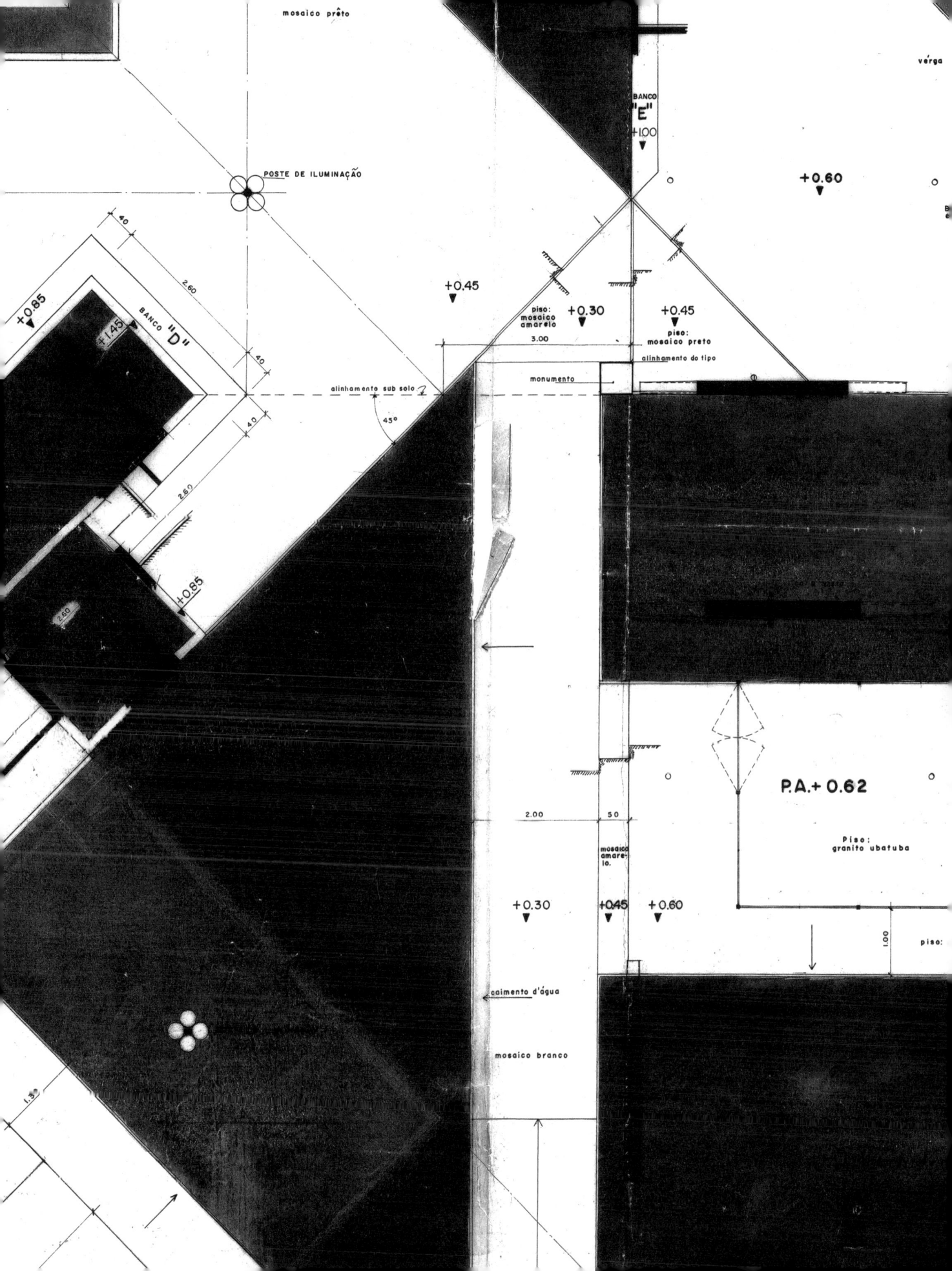

vérga

POSTE DE ILUMINAÇÃO

BANCO "E"
+1.00

+0.60

+0.85
BANCO "D"
+1.45

+0.45

piso: mosaico amarelo
+0.30

+0.45
piso: mosaico preto

3.00

alinhamento sub solo
45°

alinhamento do tipo

monumento

+0.85

P.A.+ 0.62

Piso:
granito ubatuba

2.00   50

mosaico amarelo

+0.30   +0.45   +0.60

piso:

caimento d'água

mosaico branco

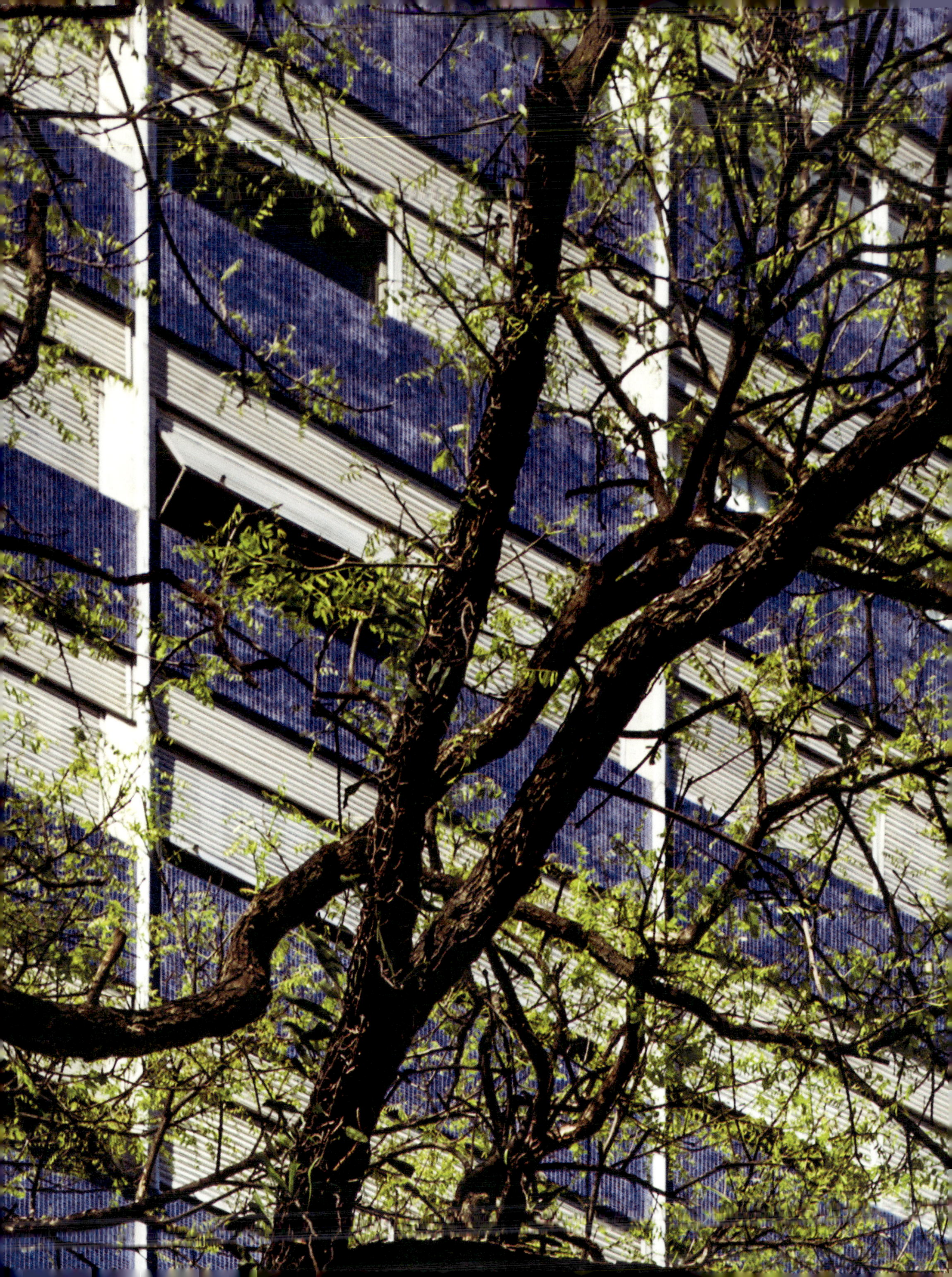

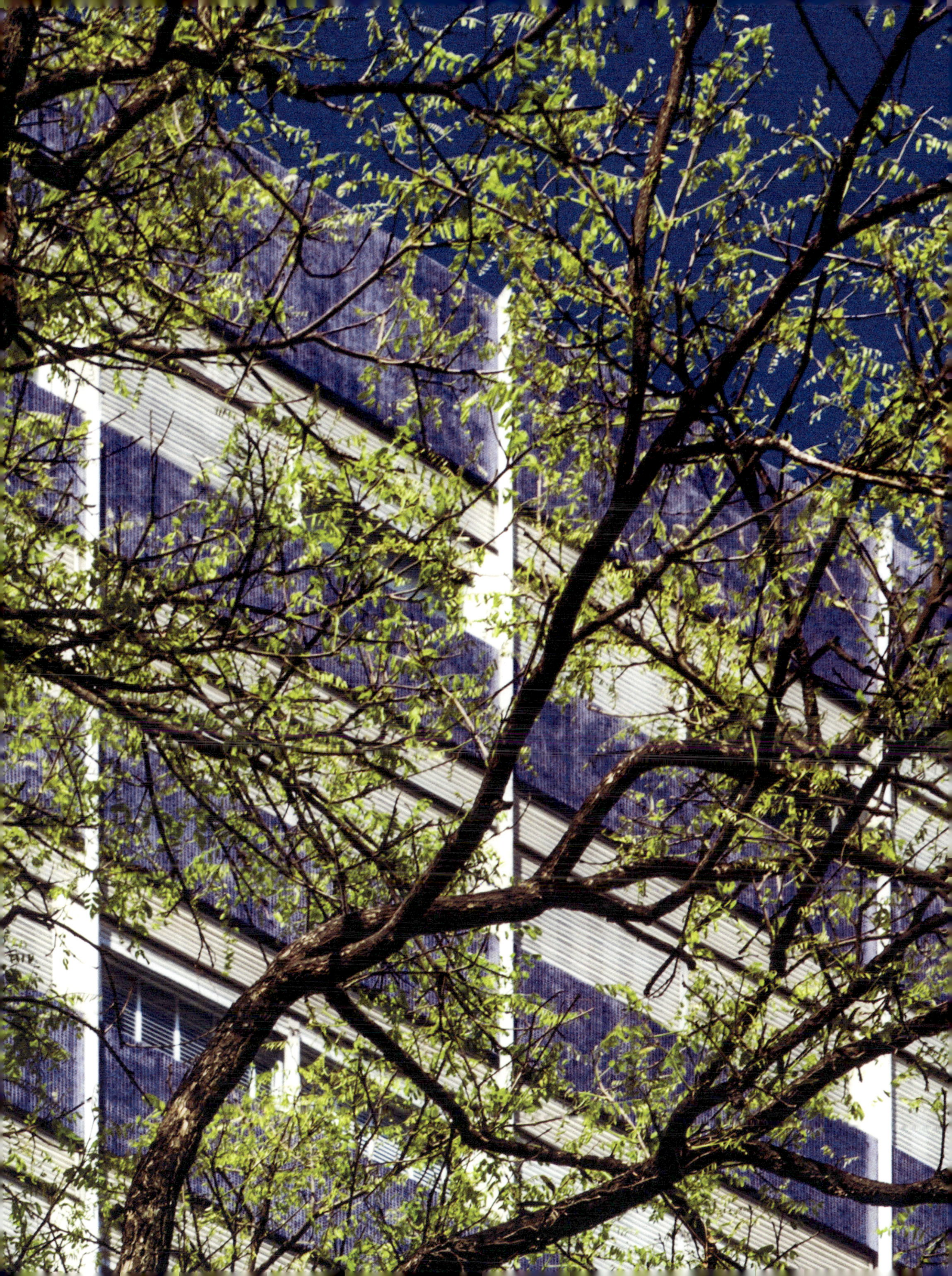

rua Peixoto Gomide, 1526, Jardim Paulista
São Paulo SP

EDIFÍCIO PRIMAVERA, 1954

Residencial com
24 apartamentos,
4.666,00 m²

O edifício tem seis plantas tipo, com 24 apartamentos, quatro por laje, sobre térreo com salão de festas e estacionamento. Seu projeto é de 1954. Apartamentos simples com três dormitórios, sala, terraço, cozinha, lavabo, despensa – provável quarto de empregada –, área de serviço e WC de serviço.

Alinhado na calçada, sem recuo frontal nem recuos laterais, tem os ambientes principais das unidades, salas e dormitórios, abertos para a rua e para os fundos do lote. O núcleo central é mínimo, um hall para oito portas, definido pelos dois elevadores, e uma escada aberta permitem acesso social e para serviços nas quatro unidades. A faixa intermediária definida pelo bloco de circulação vertical estabelece linhas estruturais de pilares que constroem os pátios – poços – de ventilação e iluminação das áreas de serviço das unidades, pátios previstos para ser encerrados com a construção das edificações vizinhas. As unidades têm salas que se abrem para terraços ligeiramente recuados e dividem as fachadas em três porções que sugerem uma composição clássica, até antípoda da forma e da lógica construtiva sugerida pelos painéis das esquadrias pré-fabricadas, tipo Ideal, que fecham os três dormitórios. Diferentemente daquilo que pensam críticos e historiadores, o processo moderno não surge instantaneamente, é de se esperar que o objeto moderno adquira consistência progressivamente, resulte de experiência e tentativas. Parece que, no Edifício Primavera, os esquemas biaxiais típicos dos modelos acadêmicos ainda não constituem contradição com respeito aos procedimentos modernos que os arquitetos começam a ensaiar e afirmar nos projetos, por isso, não parece contraditório indicar diferentes funções e ambientes com planos de caixilharia diversos que estabeleçam texturas e formatos variados na fachada. Não chega a ser um problema explicitar a função e apresentá-la segundo uma discreta ordem hierárquica e simétrica afirmada, ainda, pelo recuo da borda da laje dos terraços das salas ou, talvez, contestada pela depressão, pela inversão de importância, do corpo central. Como na maioria dos edifícios dessa época construídos nos bairros paulistanos e submetidos a uma normativa com edificações contínuas, este edifício expõe singelas contradições e a dúvida de um estudante de arquitetura que uma nova sensibilidade formal pressupõe.

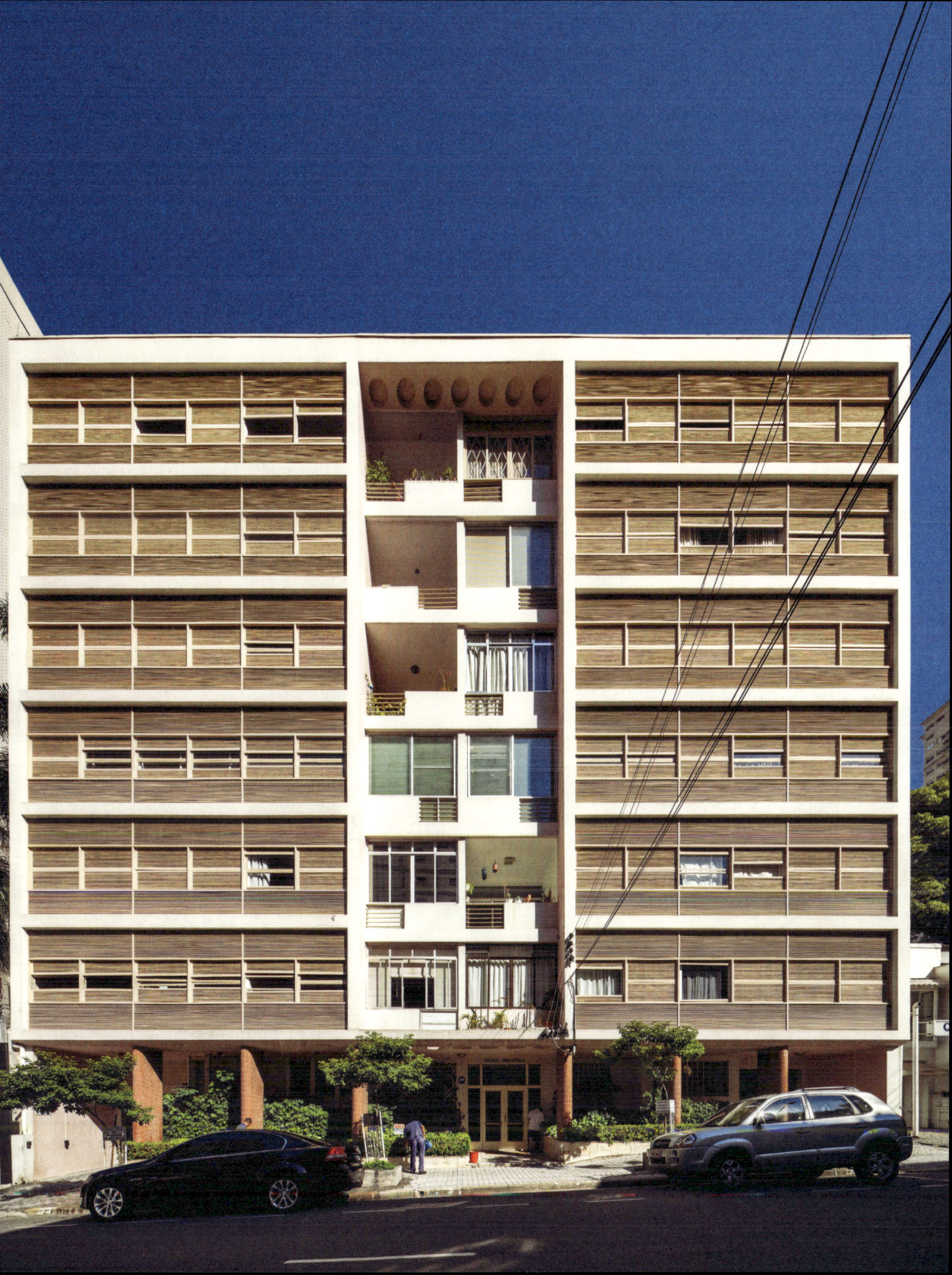

Só mais tarde, com a abolição dos pátios, as fachadas tornam-se homogêneas, perfeitamente adequadas à ordem moderna, inclusive, porque, nas plantas das unidades, os usos e a orientação solar controlam a sequência dos ambientes nas fachadas e permitem especificar fechamentos contínuos.

A modulação e a apresentação da fachada antecipam as possibilidades animadoras que as vedações com painéis industrializados e montados a seco – *cladding* – podem trazer para os objetos de arquitetura e a inquestionável aderência ao sentido e à sensibilidade moderna. A apresentação com planos e elementos construtivos, em detrimento da aparência volumétrica com janelas, além da elementaridade e da sequência construtiva identificadas nas guilhotinas de folhas contrapesadas de madeira, alcança irrecusável consenso entre os jovens arquitetos da cidade na década de 1950.

A planta indica critérios modernos de compartimentação, com áreas mínimas, modulação e zoneamento. No térreo, o terreno tem mais da metade de sua área dedicada ao uso de garagem de veículos, em um momento em que os jardins e espaços de uso coletivo ainda não fazem parte dos programas de habitação coletiva.

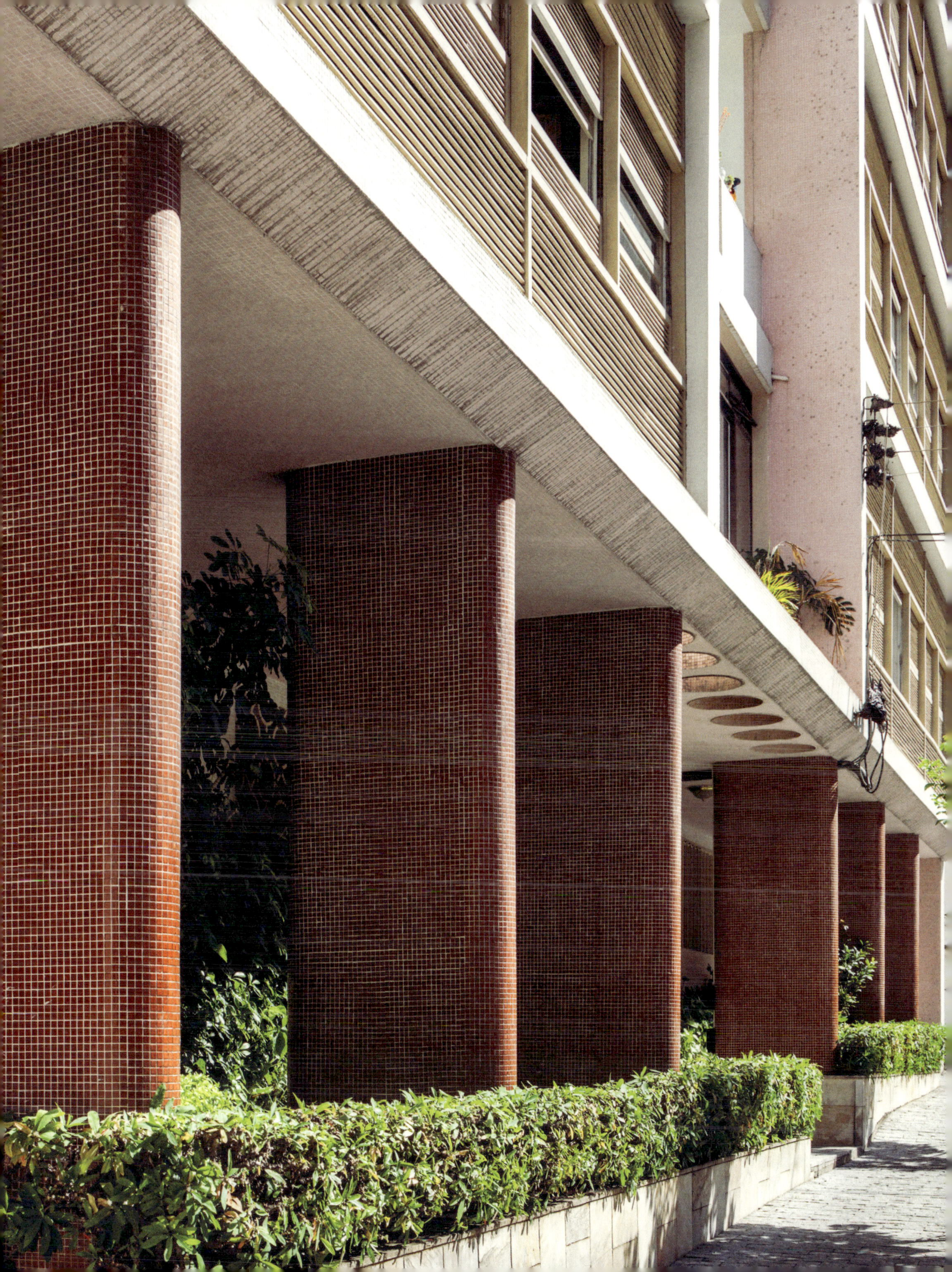

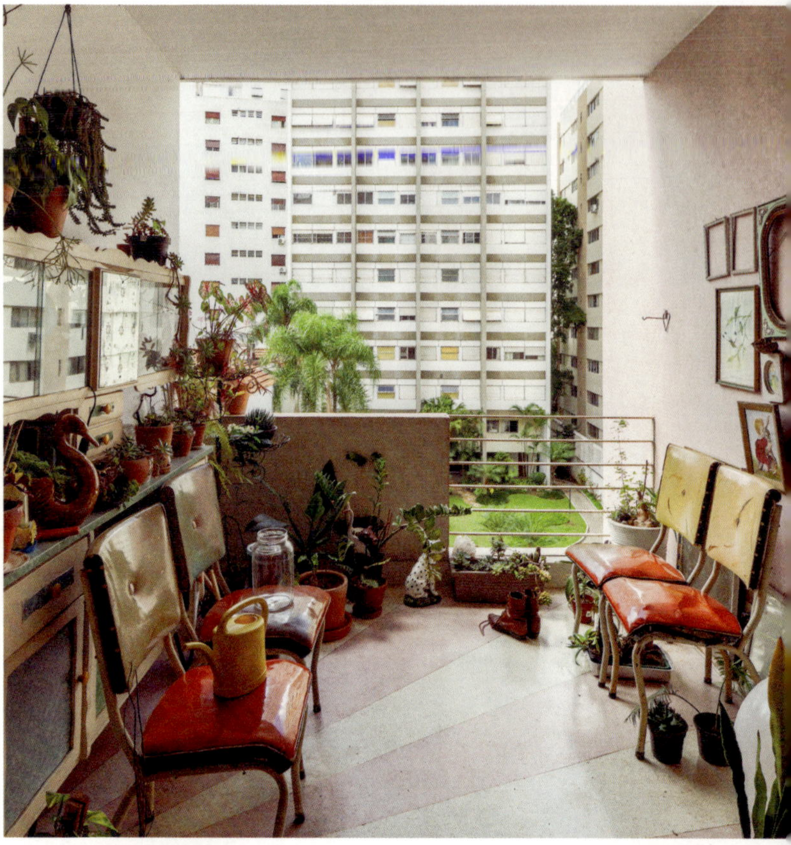

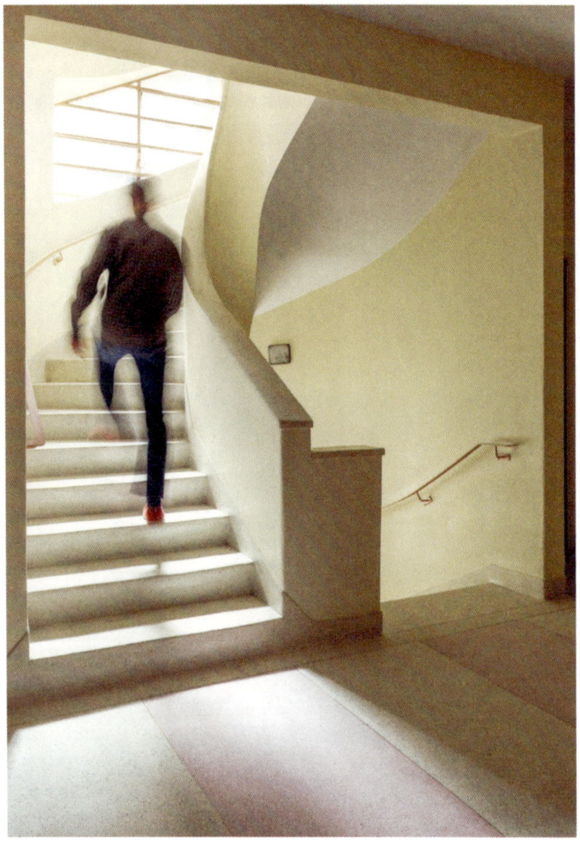

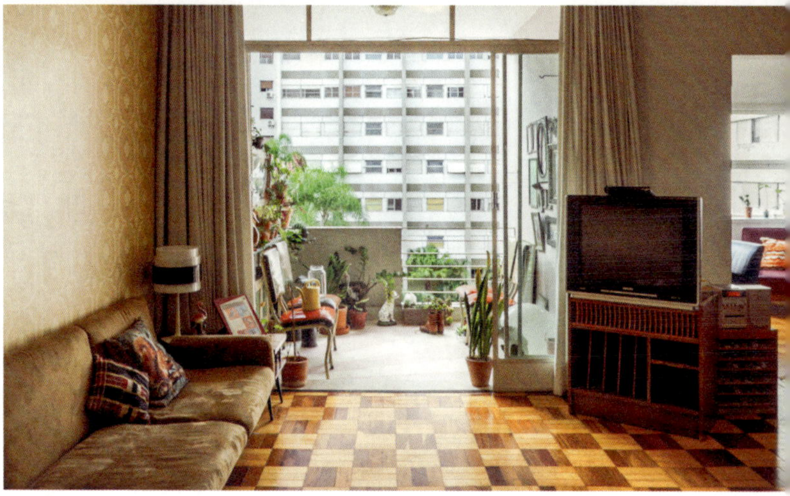

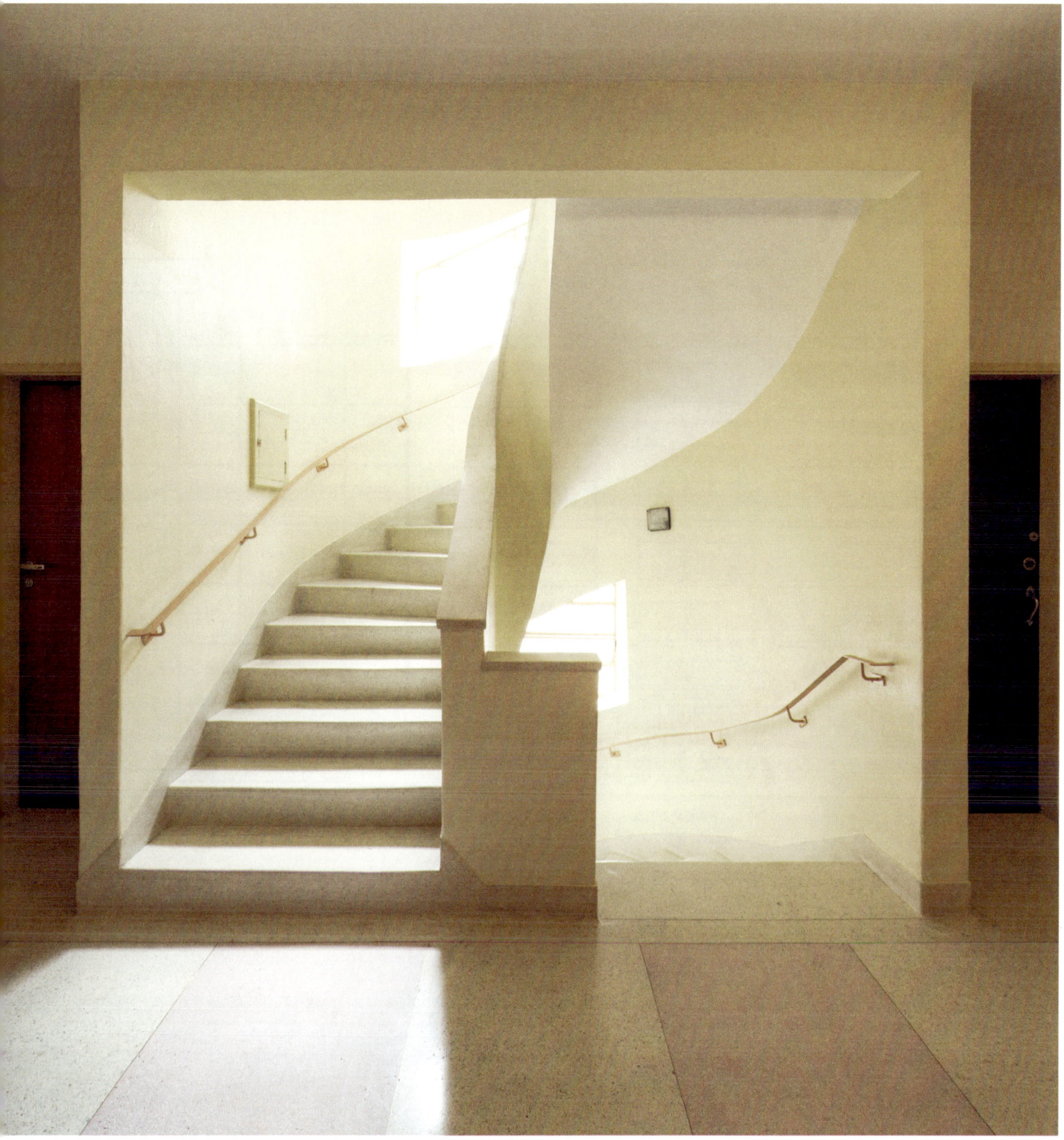

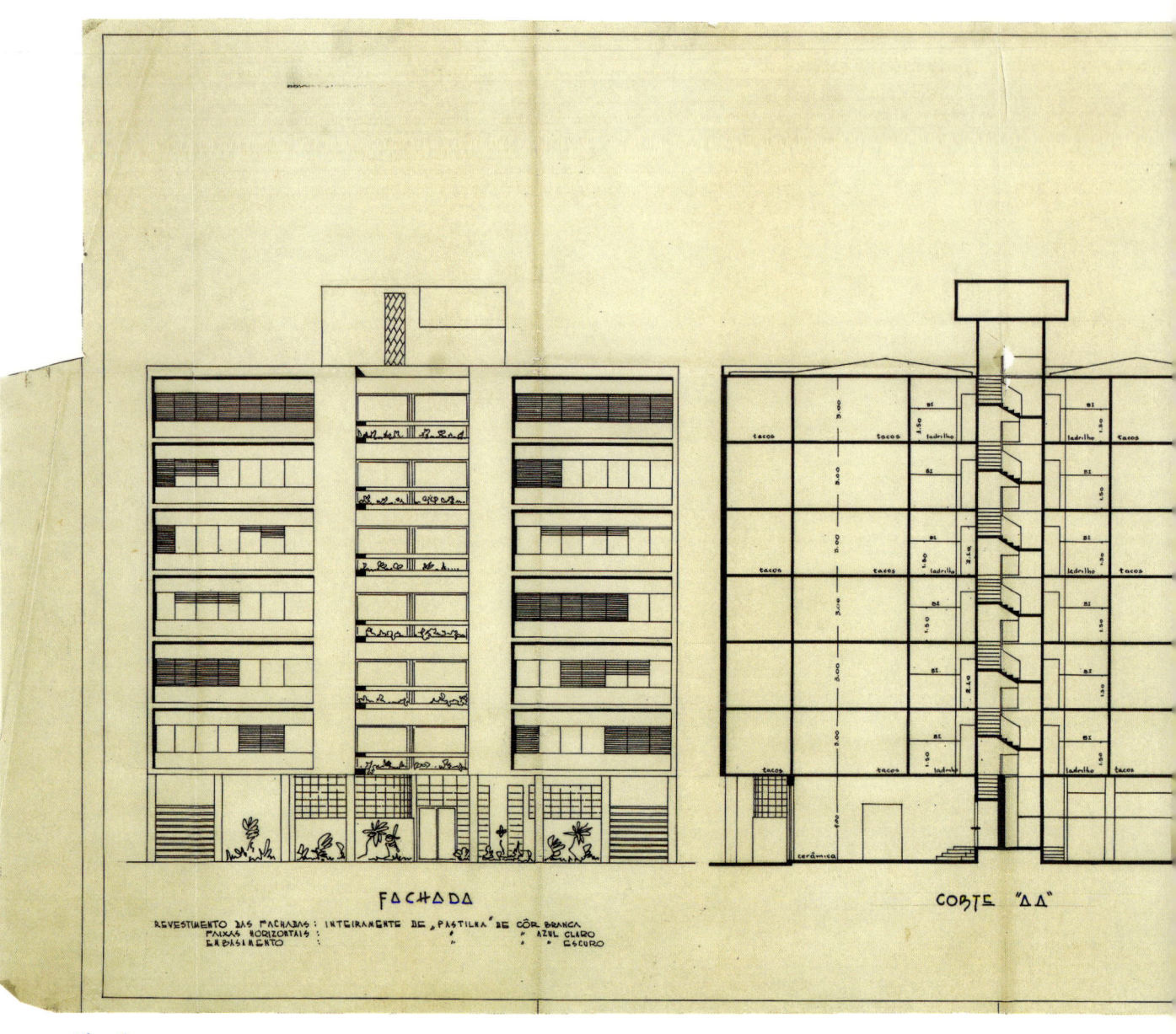

Elevação

Planta do pavimento tipo

B.1.
3.00
2.00
cimentado

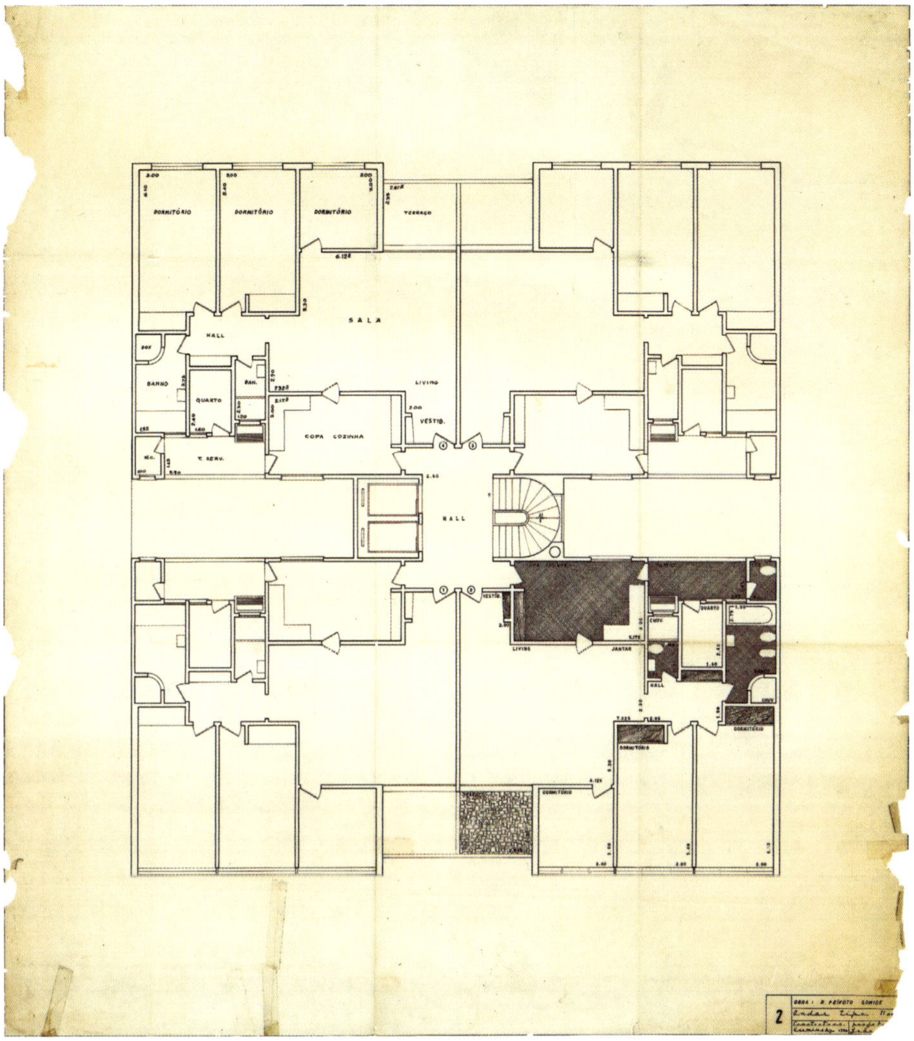
DORMITÓRIO
DORMITÓRIO
DORMITÓRIO
TERRAÇO
SALA
HALL
LIVING
VESTIB.
BANHO
QUARTO
COPA COZINHA
T. SERV.
W.C.
HALL
LIVING
JANTAR
QUARTO
DORMITÓRIO
2
OBRA: R. PEIXOTO GOMIDE
Andar Tipo

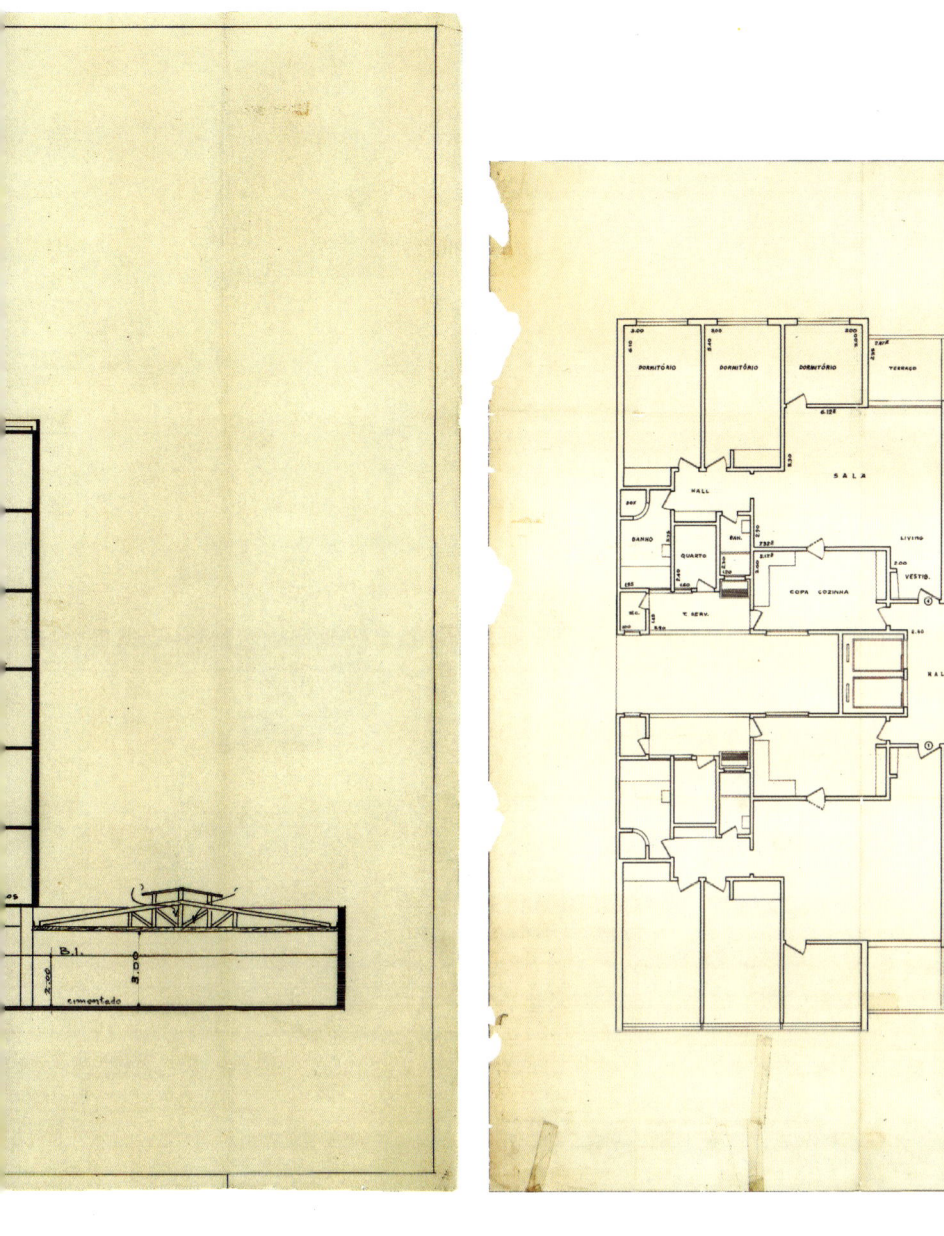

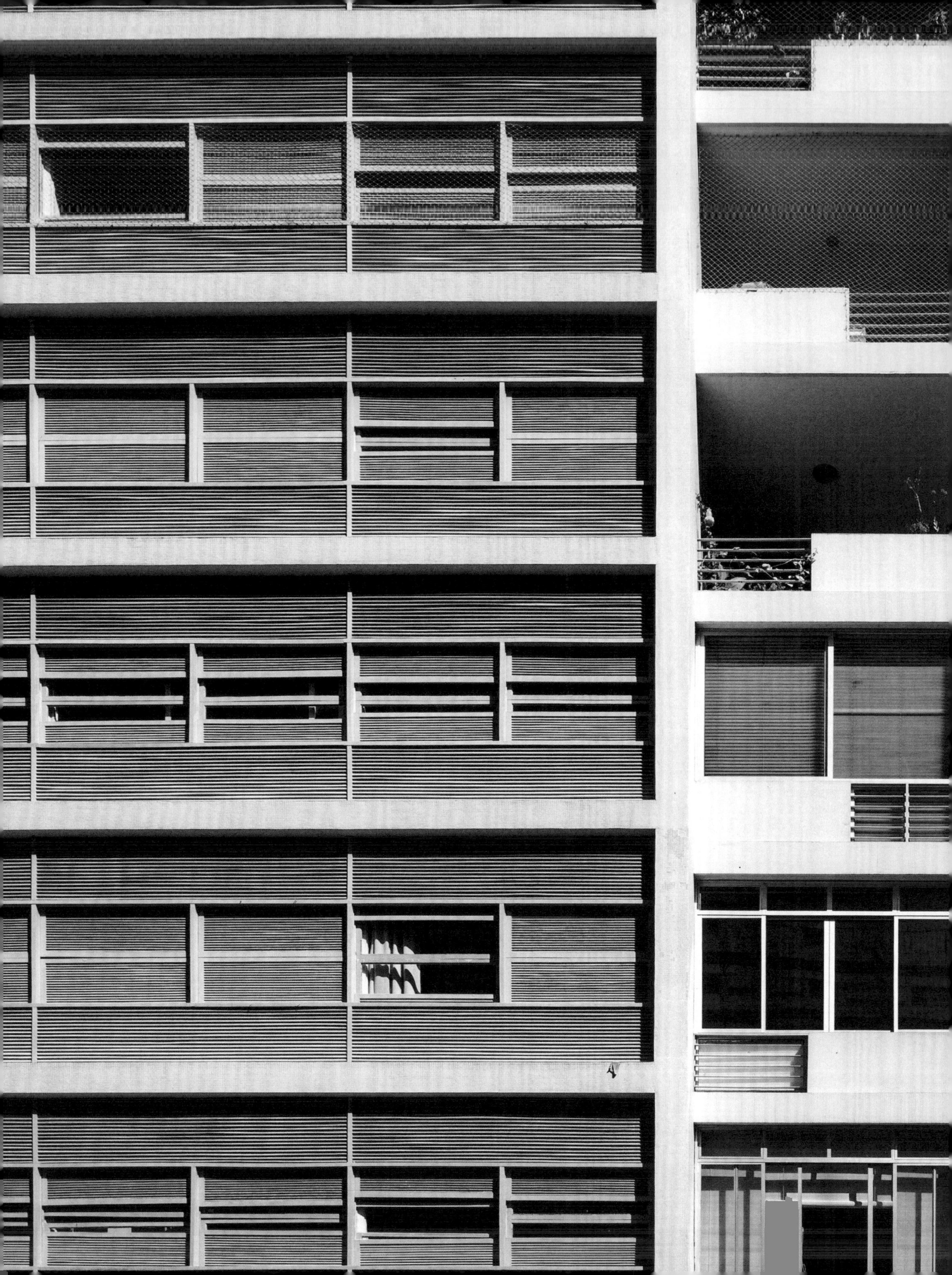

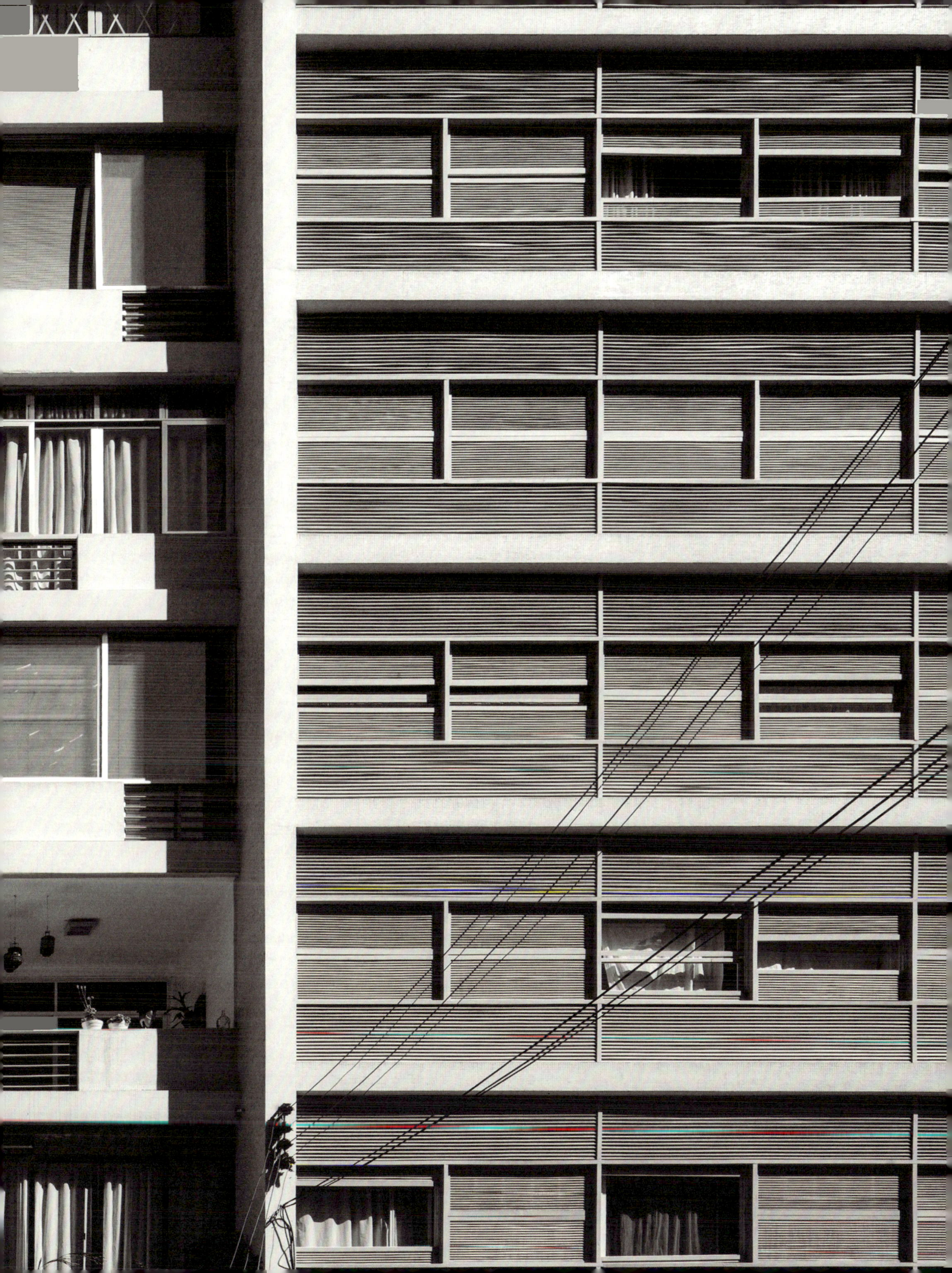

alameda Lorena, 1057, Jardim Paulista
São Paulo SP

EDIFÍCIO LORENA, 1960

Residencial com
34 apartamentos e
garagens,
7.778,40 m²

O edifício com dois apartamentos por laje soma 34 apartamentos sobre térreo com hall de entrada, salão de festas, apartamento de zelador e estacionamento no subsolo. O programa dos apartamentos, ordenado segundo a importância dos ambientes e a orientação das fachadas, tem sala de estar e jantar, vestíbulo, terraço, copa, cozinha, área de serviço, quarto de empregada, sanitário de serviço, lavabo, banho social e três dormitórios. O núcleo de circulação vertical tem dois elevadores invertidos e uma escada aberta. Todo o programa está inserido numa planta retangular implantada, ajustada na forma do terreno, com importante recuo frontal e com um espaço posterior formado por um dente no fundo do terreno, aproveitado como playground no projeto paisagístico. O projeto da planta tipo tem seu desenho executivo indicado em 26 de outubro de 1960.

A planta tipo está ordenada a partir do maior alinhamento possível entre paredes, para esconder vigas, e os esquemas de circulação, nesse caso, muito independentes, preveem a utilização das salas como passagem entre os demais setores do apartamento. Uma circulação clara e única de serviços conecta e estende o corredor da escada, um hall íntimo congrega e isola os dormitórios, e a copa serve de anteparo da cozinha.

A estrutura vertical na garagem e térreo é regular, sem chegar a ser homogênea, e tem dezoito pilares mais a estrutura do núcleo vertical. Na laje de cobertura do térreo, a estrutura apresenta transições para adequar os pilares regulares da base aos formatos dos ambientes nas plantas e aos alinhamentos das paredes em que estão embutidos. A parede que separa a copa do lavabo e a cozinha da área de serviço, as paredes intermediárias dos dormitórios e os fechamentos laterais do edifício correspondem às linhas desencontradas e de transição dos pilares.

A construção da fachada principal atinge um resultado apreciável com a combinação típica das soluções de esquadria piso-teto de vidro para as salas e de janelas Ideal para os dormitórios, num arranjo simétrico. Pilares recuados elevam o prisma branco decomposto em placas de espessura constante. Os quatro vazios apresentados estão fechados por esquadrias perfeitamente ajustadas. Nos dois dormitórios frontais, as janelas são apresentadas com a simulação de um painel contínuo dividido em

EDIFICIO LORENA

cinco módulos, com divisões horizontais que perpassam toda a fachada e a integram. As espessuras das lajes e dos planos transversais definem o valor mais importante da primeira estrutura, e as esquadrias constituem o arcabouço secundário, ao preencher vazios e sugerir fechamentos autônomos e industriais. A constituição material obedece a perfeita estrutura formal e, apesar da simetria e da hierarquia aguçadas pelos balcões, a divisão par dos vãos e a pauta geométrica íntegra restituem o caráter abstrato da fachada e dos caixilhos. Uma aula de bom desenho.

O generoso recuo com grande jardim frontal faz menção ao refinamento urbanístico de sempre. Edifícios muito altos afastam-se muito da via pública para não assombrá-la, para estabelecer a medida favorável com o gabarito, uma preocupação que já não existe, pois a disparidade entre espaços públicos e gabaritos já não ofende ninguém. Em oposição à crítica precipitada, um empreendimento imobiliário admite sensibilidade e escrúpulo nas decisões de impacto urbano.

Nesse projeto, a moradia do zelador, girada a 45°, parece representar a rebeldia, ou a criação artística, a inscrição da exceção sobre a regra, sobre a ortogonalidade da construção e do lugar. Como se fosse um sintoma da pressão que o meio arquitetônico impõe e, em contrapartida, um efeito da apatia exposta para apreciar tantos aspectos oportunos de projeto. Como se fosse um empréstimo do encontro das artes, em que os modos artísticos compartilham aspectos formais específicos.

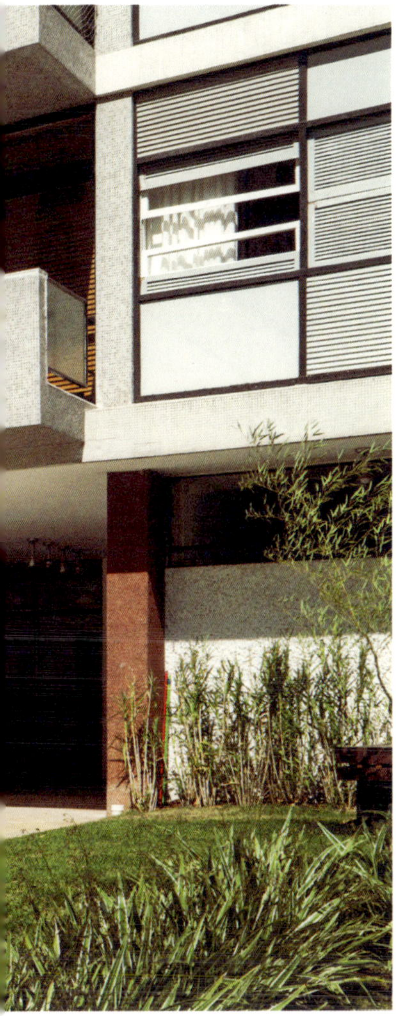

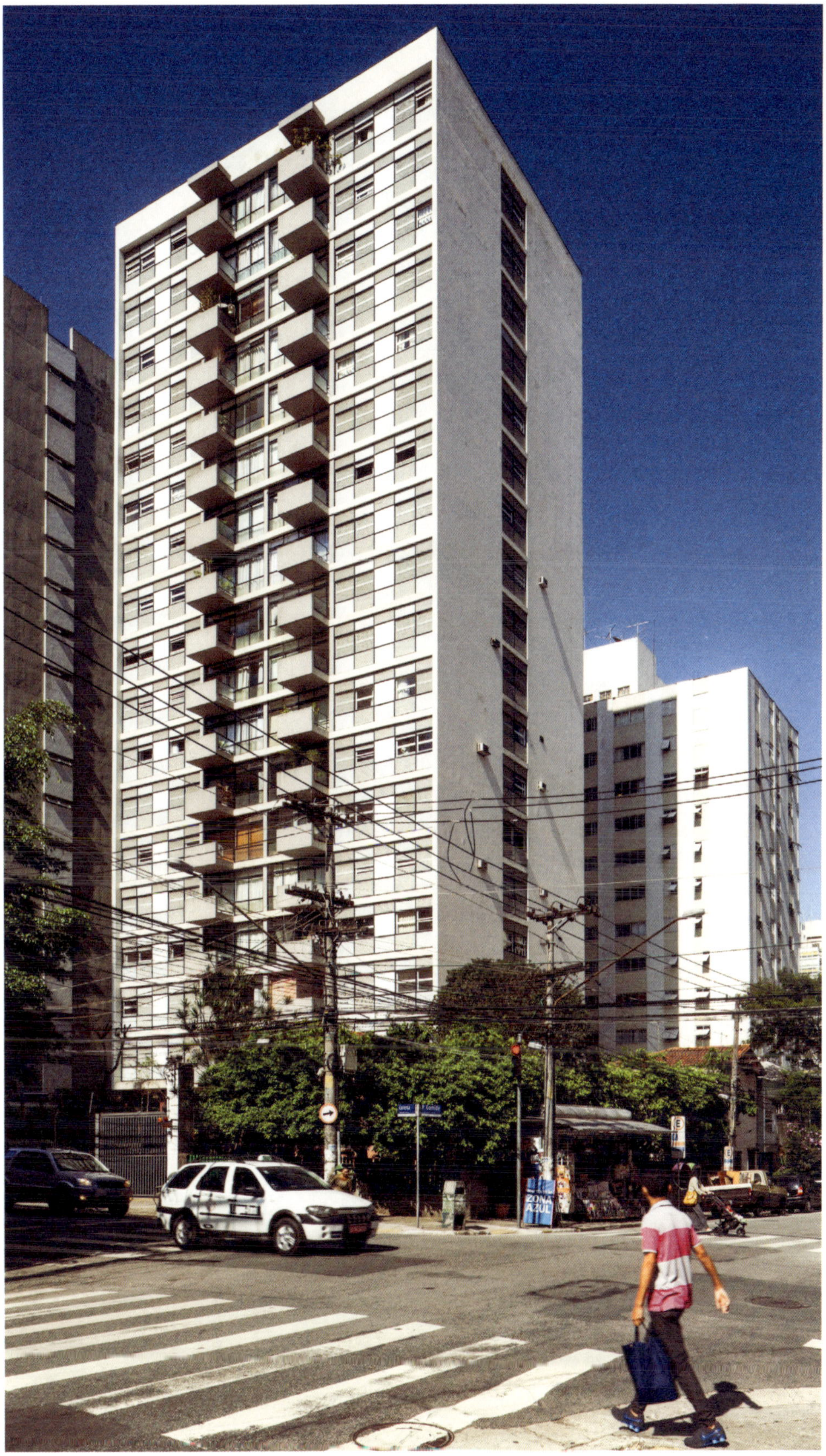
ZONA
AZUL

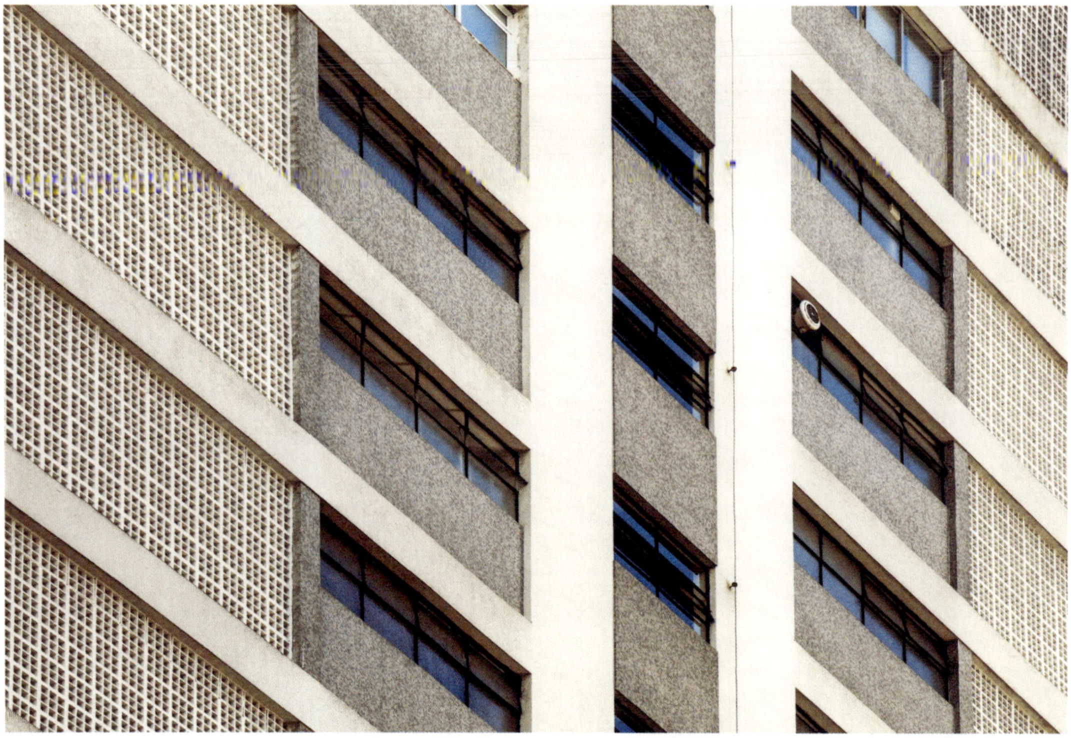
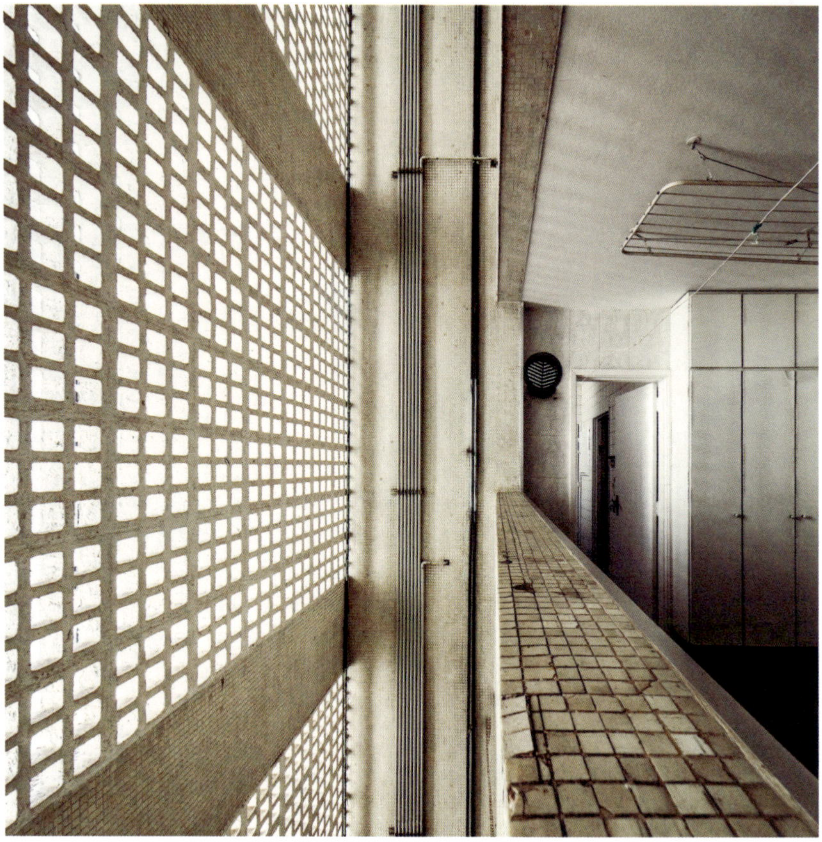
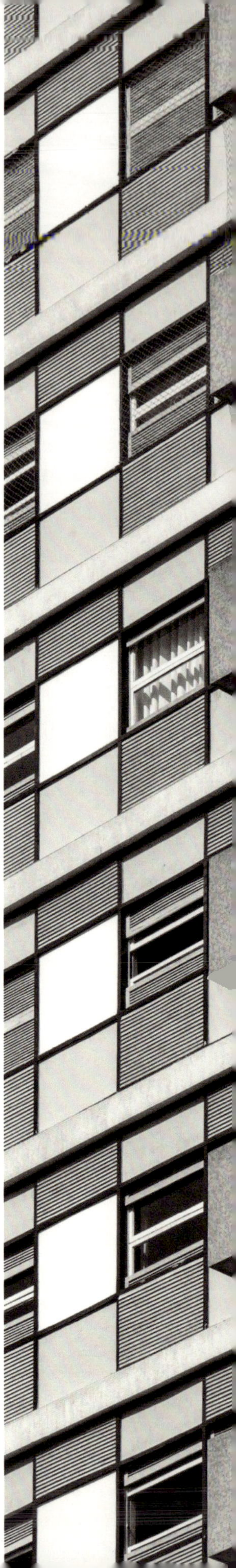

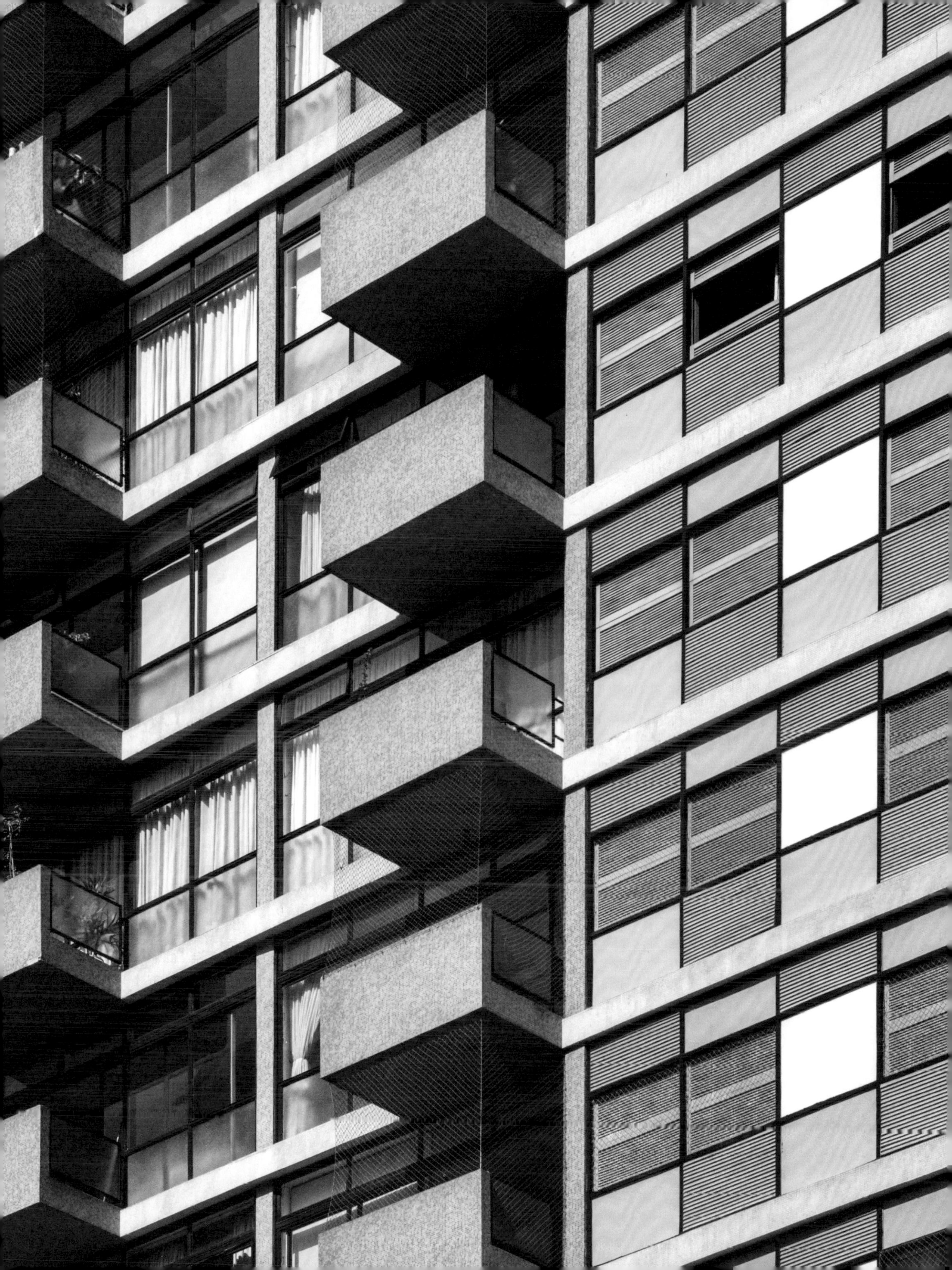

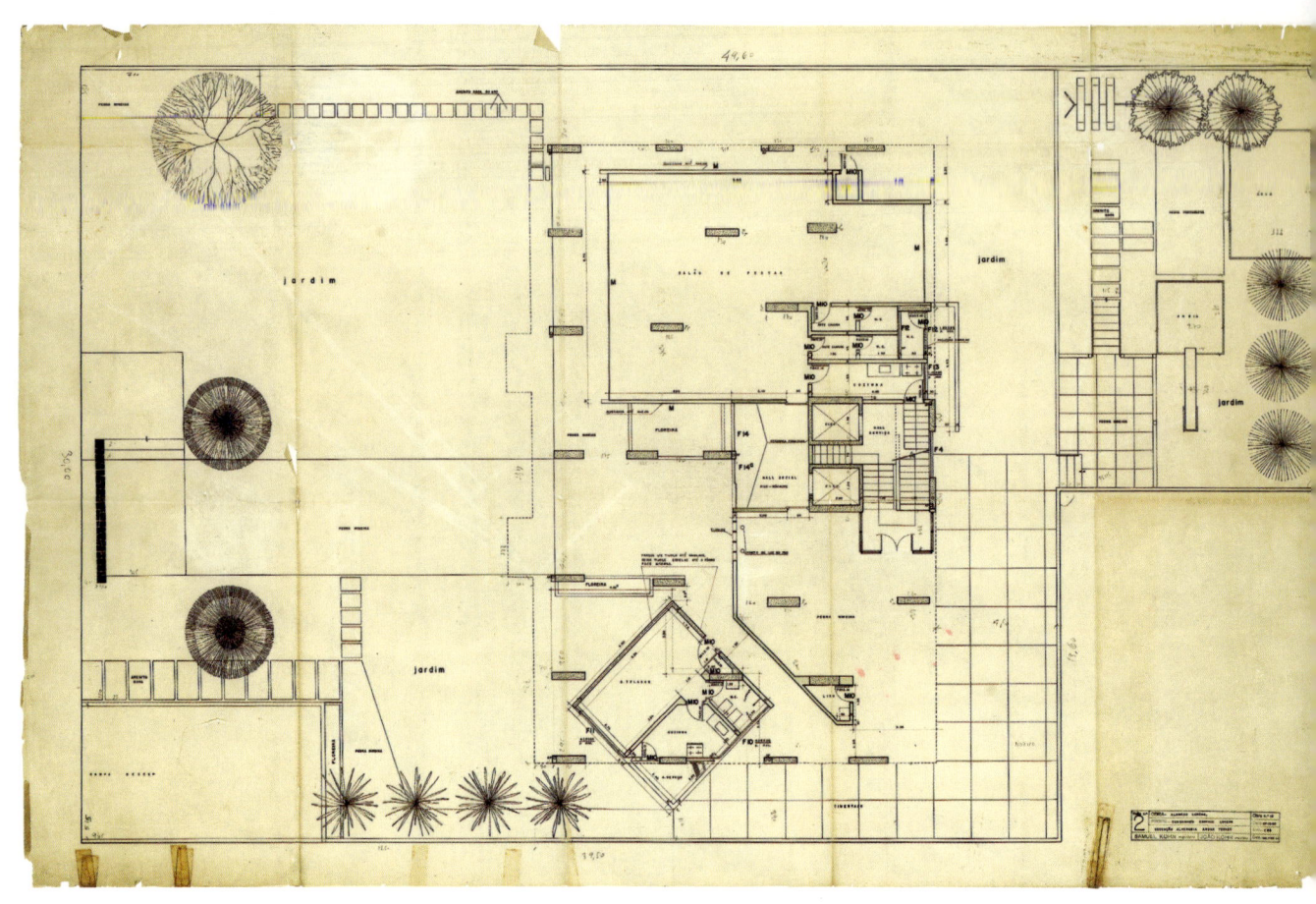

à esquerda

Implantação

Planta do pavimento tipo

à direita

Detalhes da cozinha da unidade

Elevações

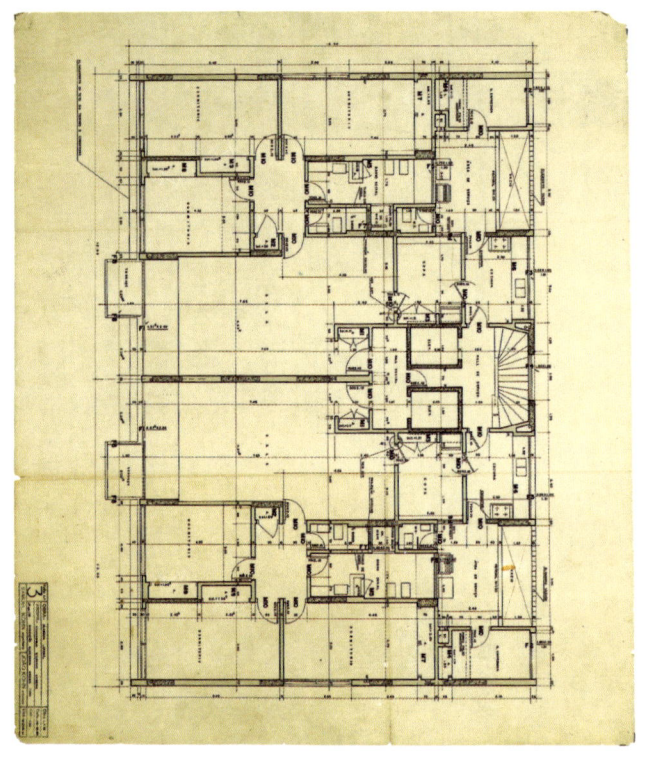

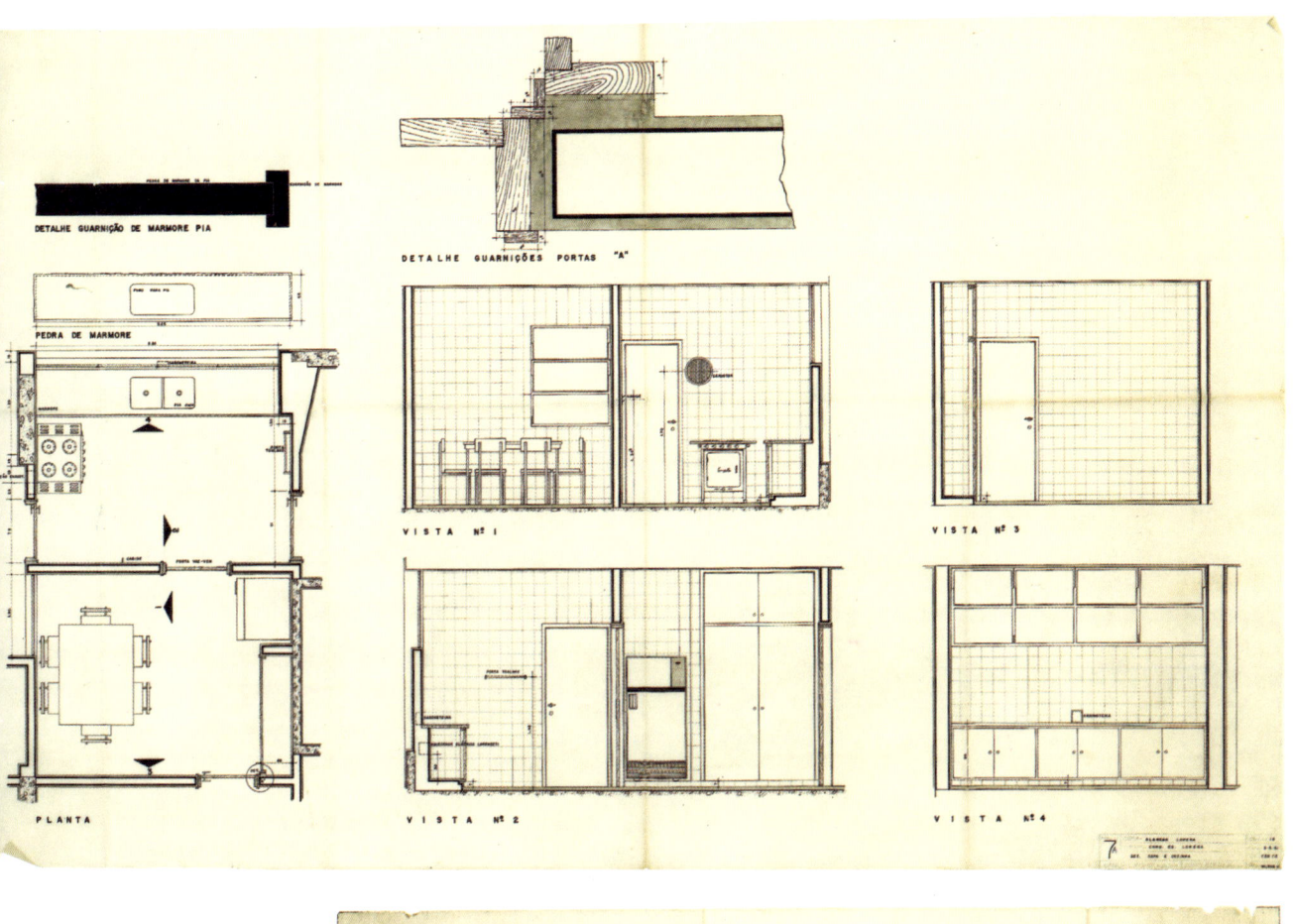

DETALHE GUARNIÇÃO DE MARMORE PIA

DETALHE GUARNIÇÕES PORTAS "A"

PEDRA DE MARMORE

PLANTA

VISTA Nº 1

VISTA Nº 3

VISTA Nº 2

VISTA Nº 4

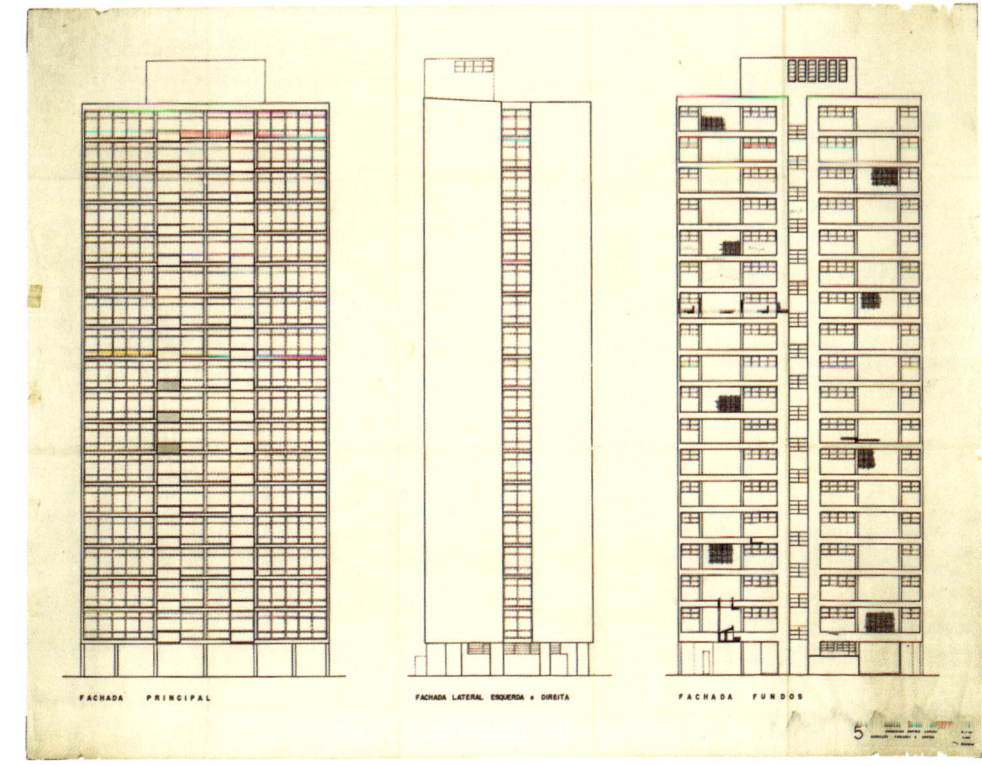

FACHADA PRINCIPAL

FACHADA LATERAL ESQUERDA e DIREITA

FACHADA FUNDOS

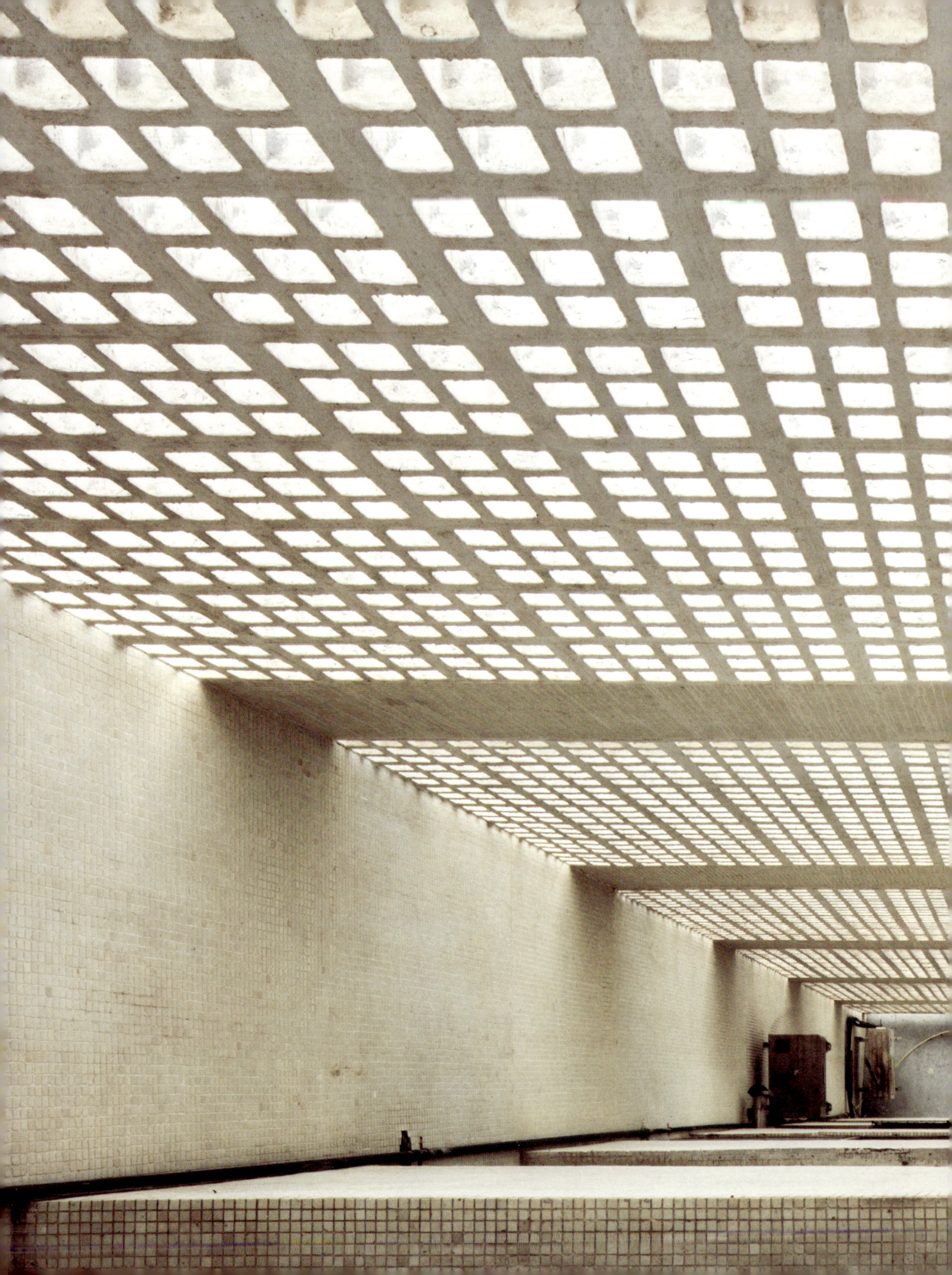

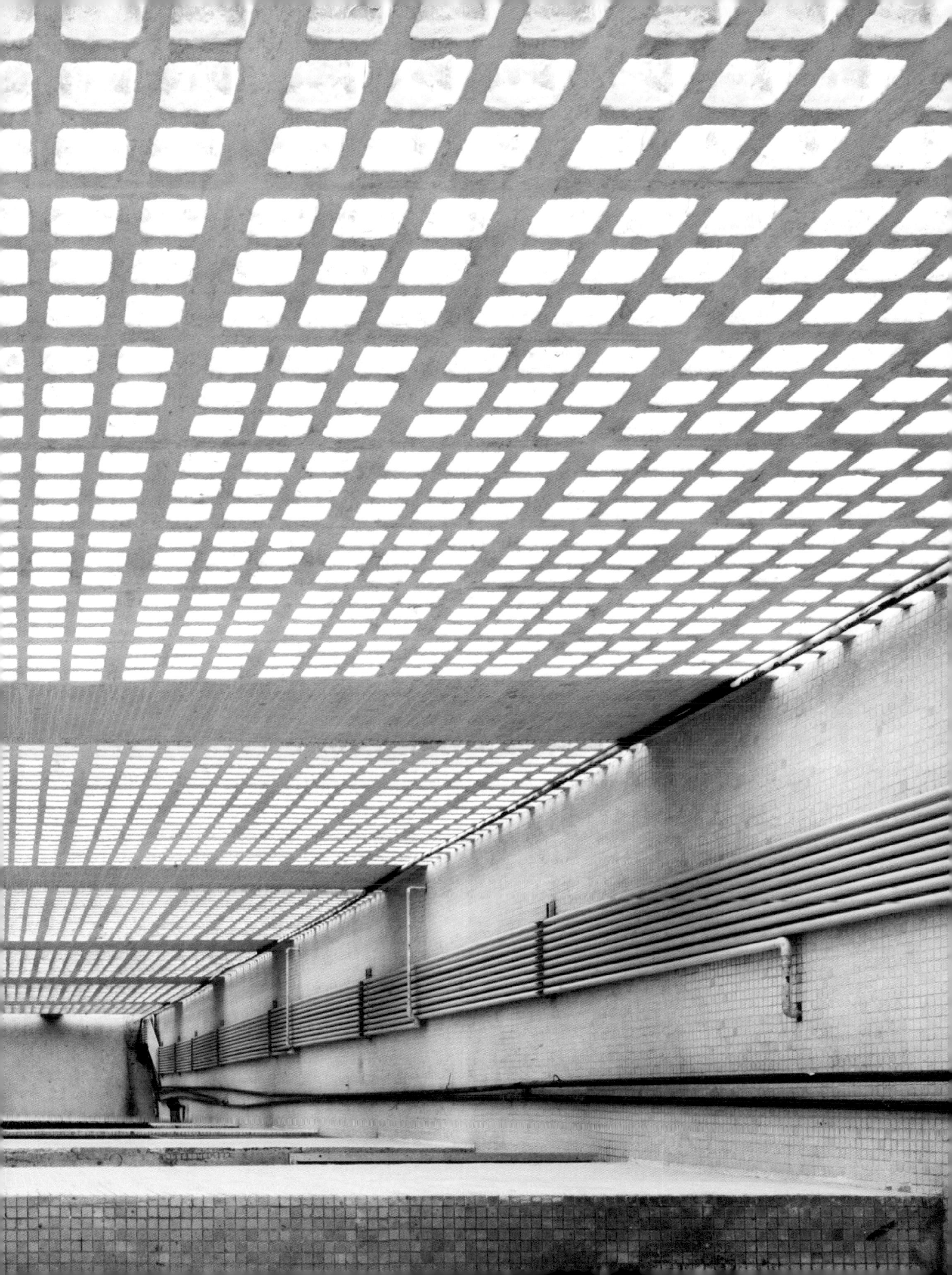

rua General Jardim, 766, Higienópolis
São Paulo SP

EDIFÍCIO ALBATROZ, 1960

Residencial com
36 apartamentos e
garagens,
8.596,31 m²

Na rua General Jardim esquina com a rua Dona Veridiana, o edifício é composto por dois blocos geminados, com escadas coletivas e elevadores em nove plantas tipo com dois apartamentos por hall, quatro por laje, para totalizar 36 unidades idênticas sobre térreo com salão de festas, apartamento de zelador, além de subsolo para estacionamento de carros. Cada apartamento é composto por sala, terraço, três dormitórios, cozinha, dois sanitários, quarto de empregada, área e WC de serviço.

Com desenhos executivos de novembro de 1960, o projeto corresponde a um período em que as decisões mostram crescente consistência e, por esse motivo, a solução do programa na planta alcança notável concisão formal e controle construtivo. Áreas de serviço e circulação vertical, junto com o terceiro dormitório, estão alinhadas e voltadas para a fachada posterior, a partir de uma parede extensa e intermediária que determina a exata posição da faixa de circulação longitudinal, e ordena o lado oposto e principal – frontal – com sala, terraço e dois dormitórios, as plantas e, em consequência, as fachadas, para alcançar um resultado surpreendente. As escadas salientes com elevadores asseguram um acesso compacto e adequado, estão relacionadas com a pauta geral da estrutura de concreto e, juntamente com os quatro terraços, constituem as exceções do prisma retangular.

Embora a estrutura vertical de pilares esteja submetida às diferentes medidas dos ambientes, ela adquire regularidade, ao definir vigas e pilares por intermédio da combinação e soma das medidas complementares desses ambientes. Elementos estruturais, sempre embutidos na alvenaria, quando apresentados na fachada, iludem a verdadeira distribuição dos pilares, ao recuar e omitir os que são intermediários e mais esbeltos, e ao expor apenas os que se apresentam nos eixos a cada 6,25 metros. Dessa maneira, a estrutura, na fachada, aparece, ao observador, como pauta regular, moderna e homogênea, contraposta à tendência tripartite e ao concomitante destaque que os caixilhos transparentes e a projeção dos terraços da sala reivindicam. A descontinuidade entre os formatos e a desejável série construtiva valem-se de artifício para dar importância à forma. Um problema típico da arte que poucos arquitetos reconhecem e superam. Uma habilidade profissional a prestigiar.

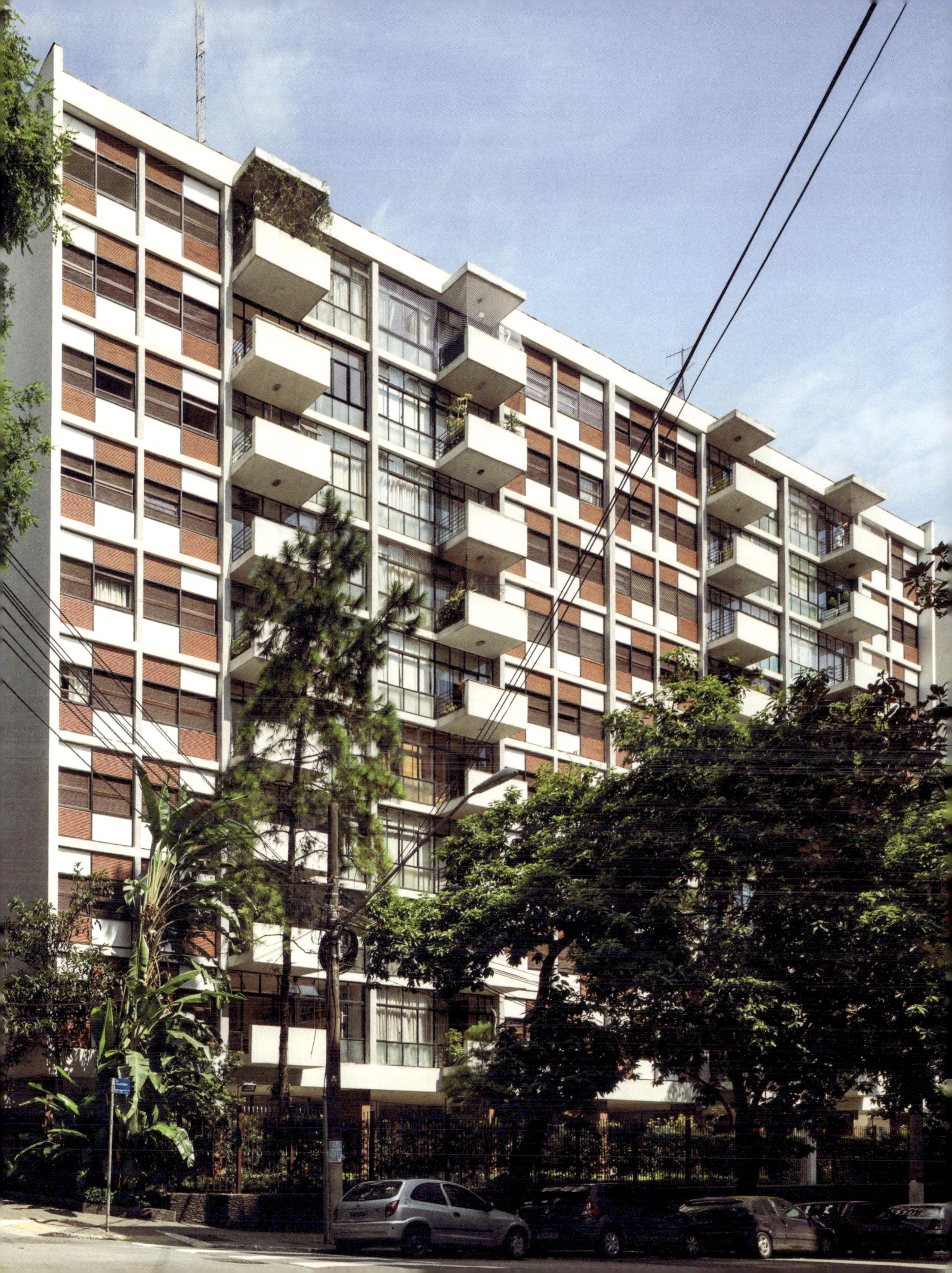

Os vazios frontais dos dormitórios são fechados com as mesmas esquadrias contrapesadas, tipo guilhotina com folhas de vidro e veneziana, peças pré-fabricadas em painéis de madeira ajustados à estrutura dos pilares e das lajes. Sua divisão em metades, quartos e oitavos é perfeitamente identificada e aprovada visualmente, mais ainda quando recebe um tratamento alternado do material e da cor que parece tornar as janelas ainda mais abstratas e menos associadas à realidade funcional. A esquadria da sala, um caixilho piso-teto em vidro, é modulada e tem sua continuidade inabalada pelo terraço. O mesmo caixilho e a adesão geométrica do terraço com as lajes, com a construção, estabelecem reciprocidade formal e identidade entre todos os elementos da fachada. Não há dúvida de que o projeto corresponde a um notável exemplo de maturidade da arquitetura moderna.

Para entregar o edifício ao solo, um singelo recuo dos pilares no térreo e um acabamento em cor escura com muita transparência vítrea, oposta ao brilho da pastilha branca e cinza de revestimento, suspendem seu corpo e causam a agradável sensação de leveza.

Tudo muito simples e preciso, apenas o necessário para conduzir o olhar atento e convencê-lo das decisões formais, e de sua adequação e adesão a sua construção material.

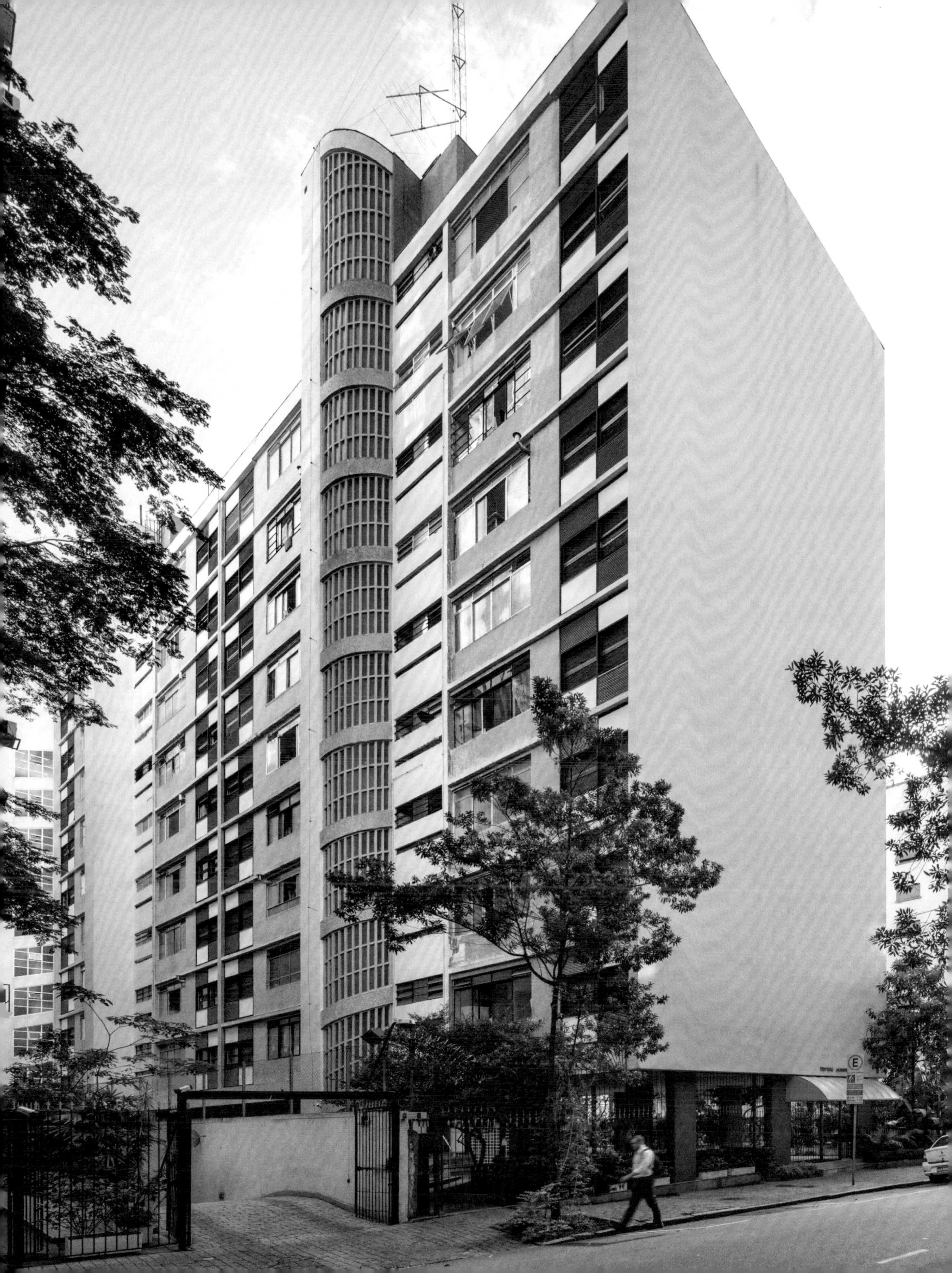
E

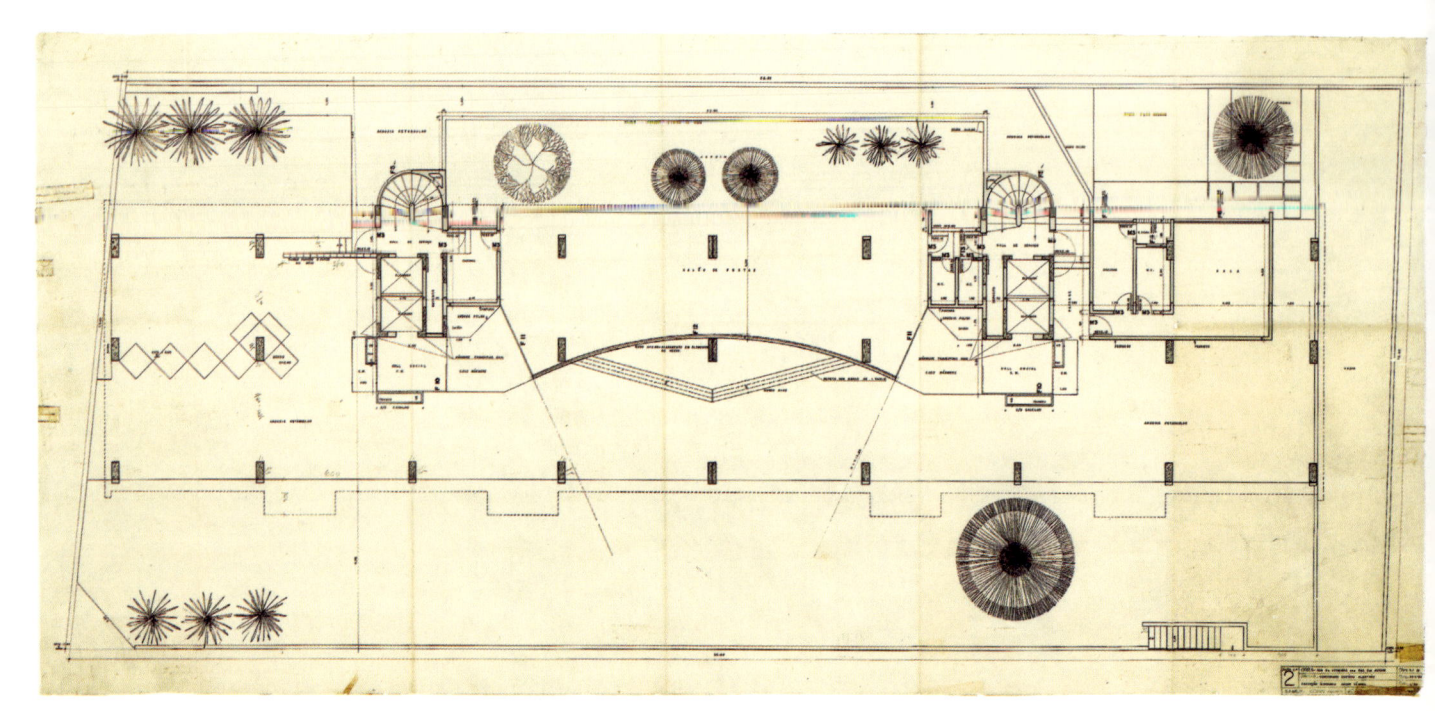

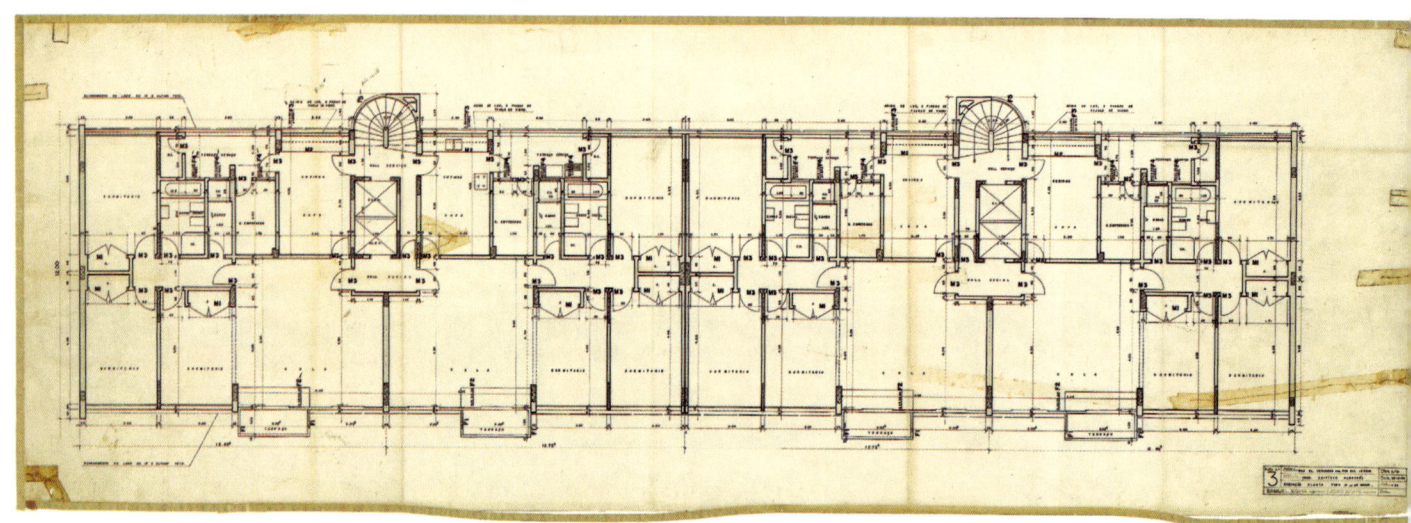

à esquerda

Implantação

Planta do pavimento tipo

à direita

Planta de estrutura

Escada de entrada secundária

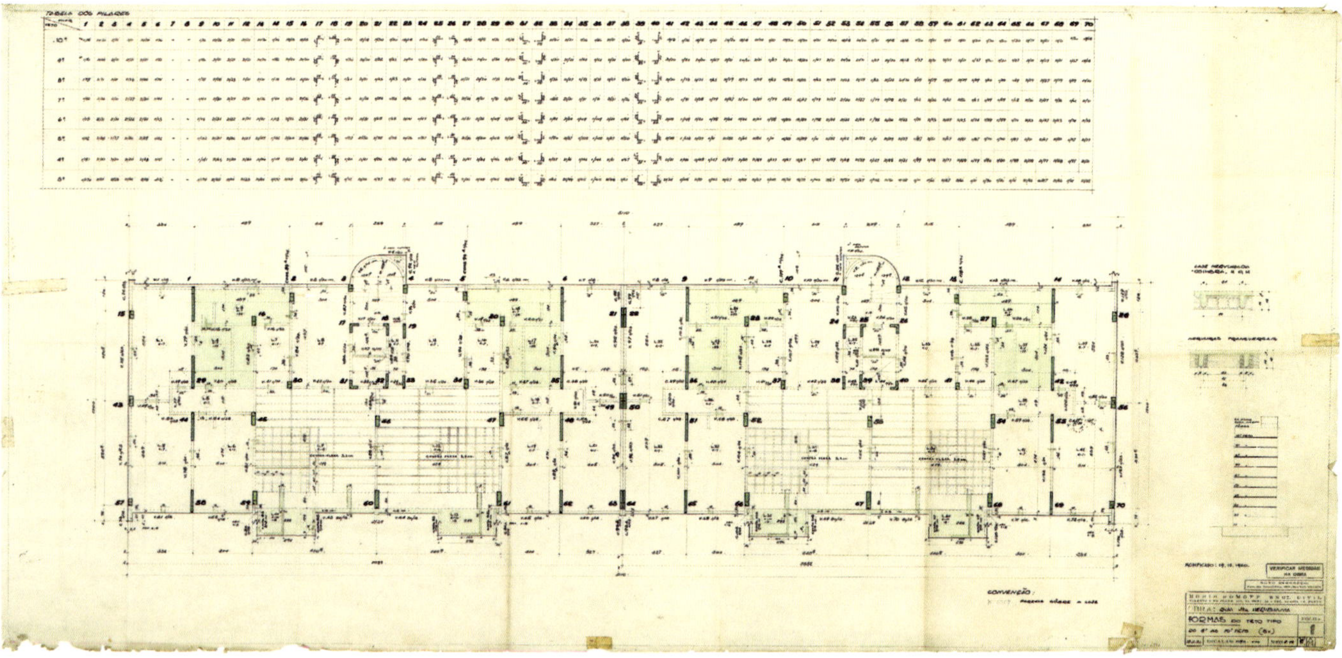
VERIFICAR MEDIDAS NA OBRA
FORMAS DO TETO TIPO

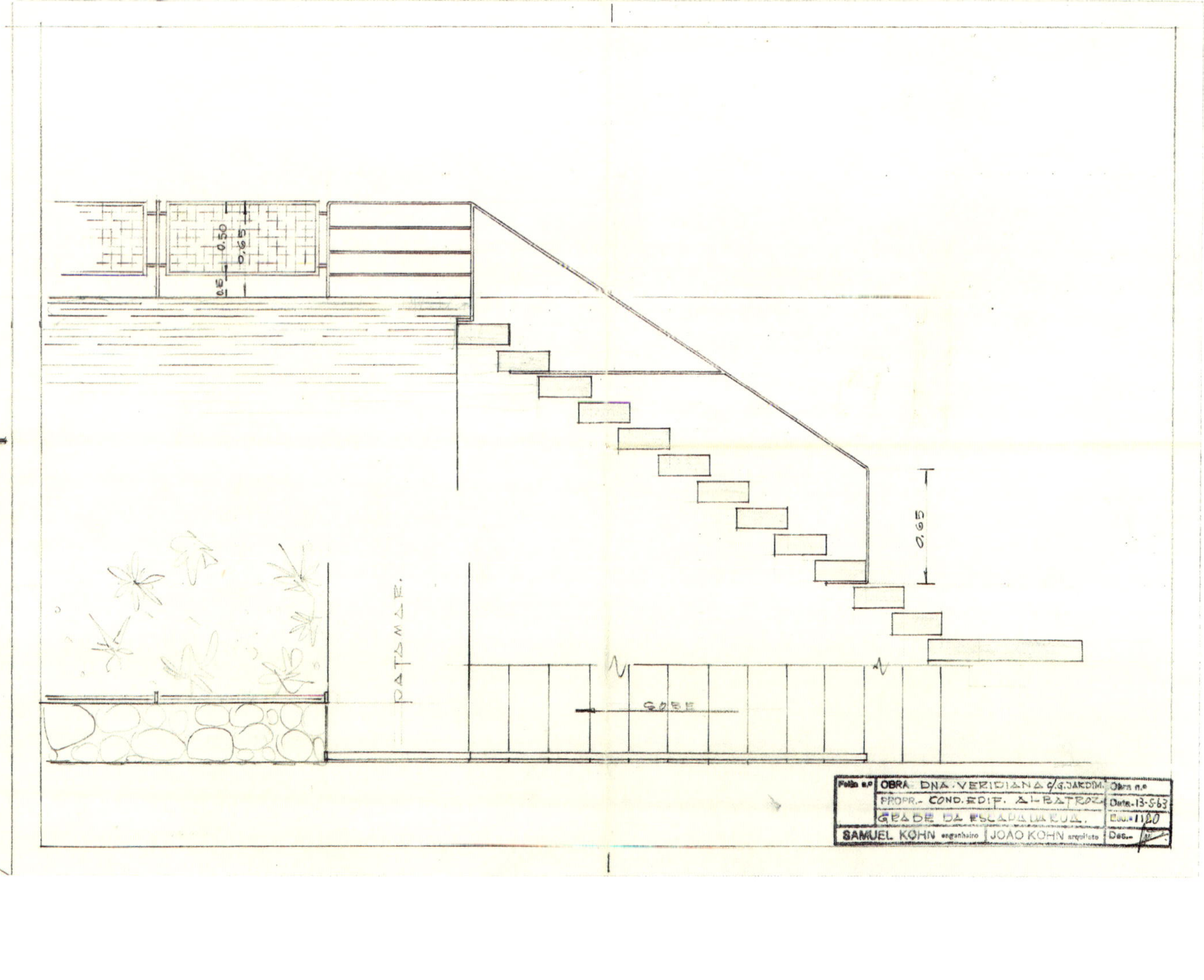
0,50
0,65
0,65
PATAMAR
SOBE
Folha n.º
OBRA DNA. VERIDIANA c/ G. JARDIM.
PROPR.- COND. EDIF. ALBATROZ.
Obra n.º
Data.-13-5-63
Esc.-1:20
SAMUEL KOHN engenheiro
JOAO KOHN arquiteto
Des.-

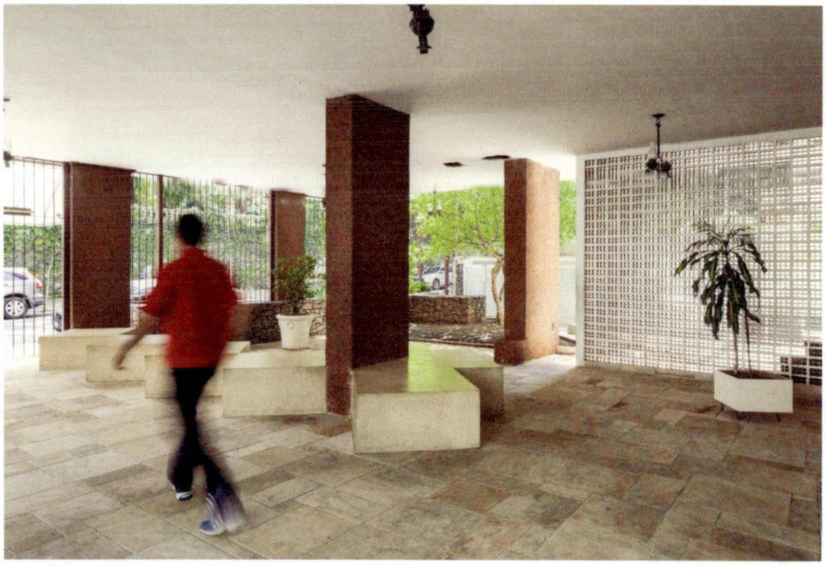

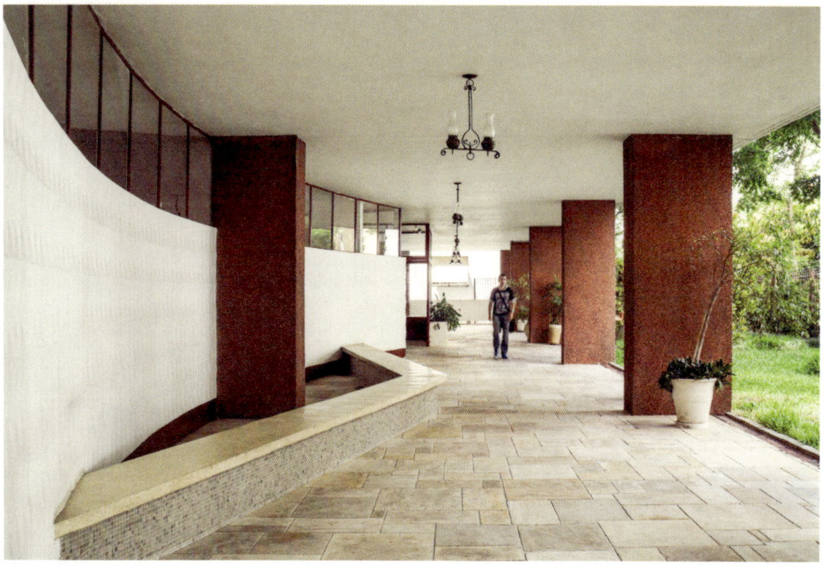

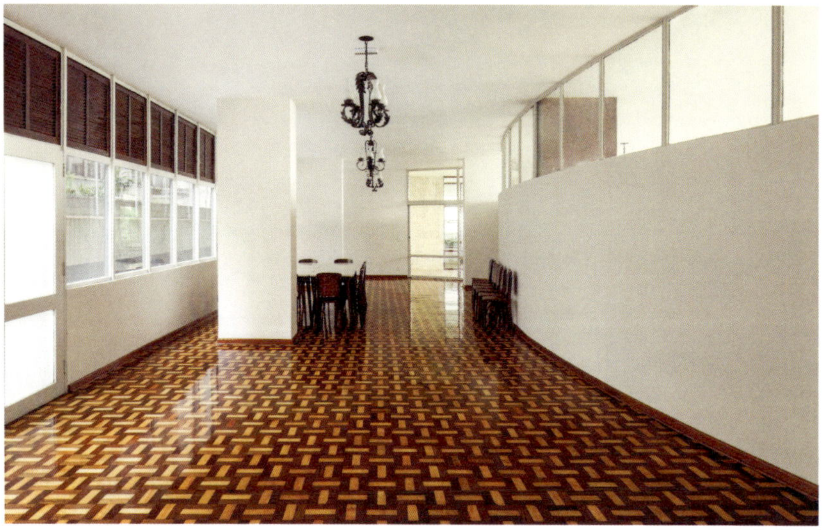

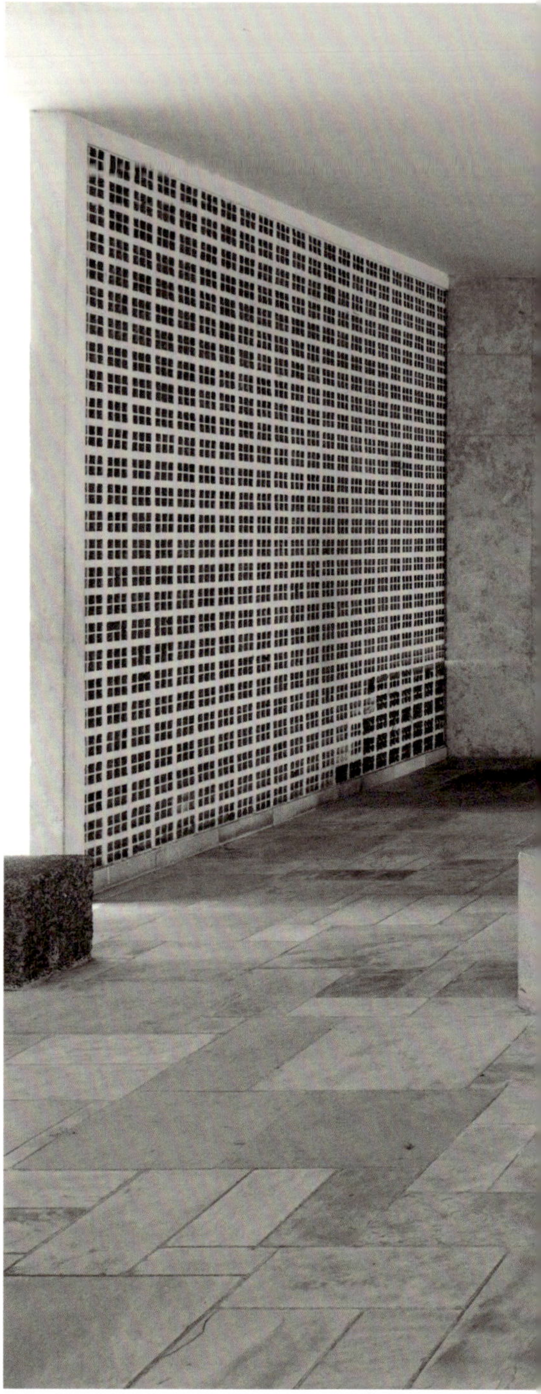

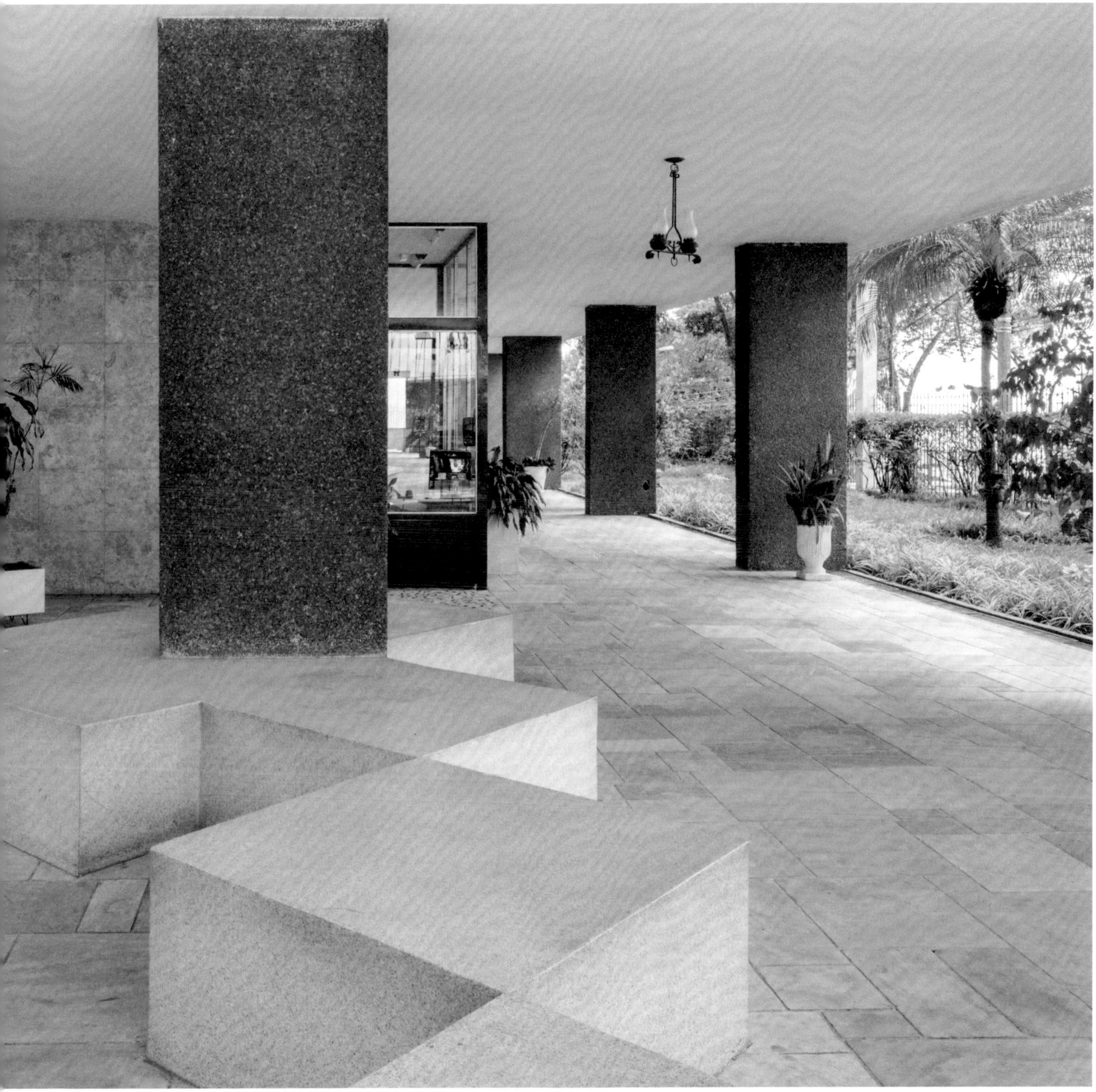

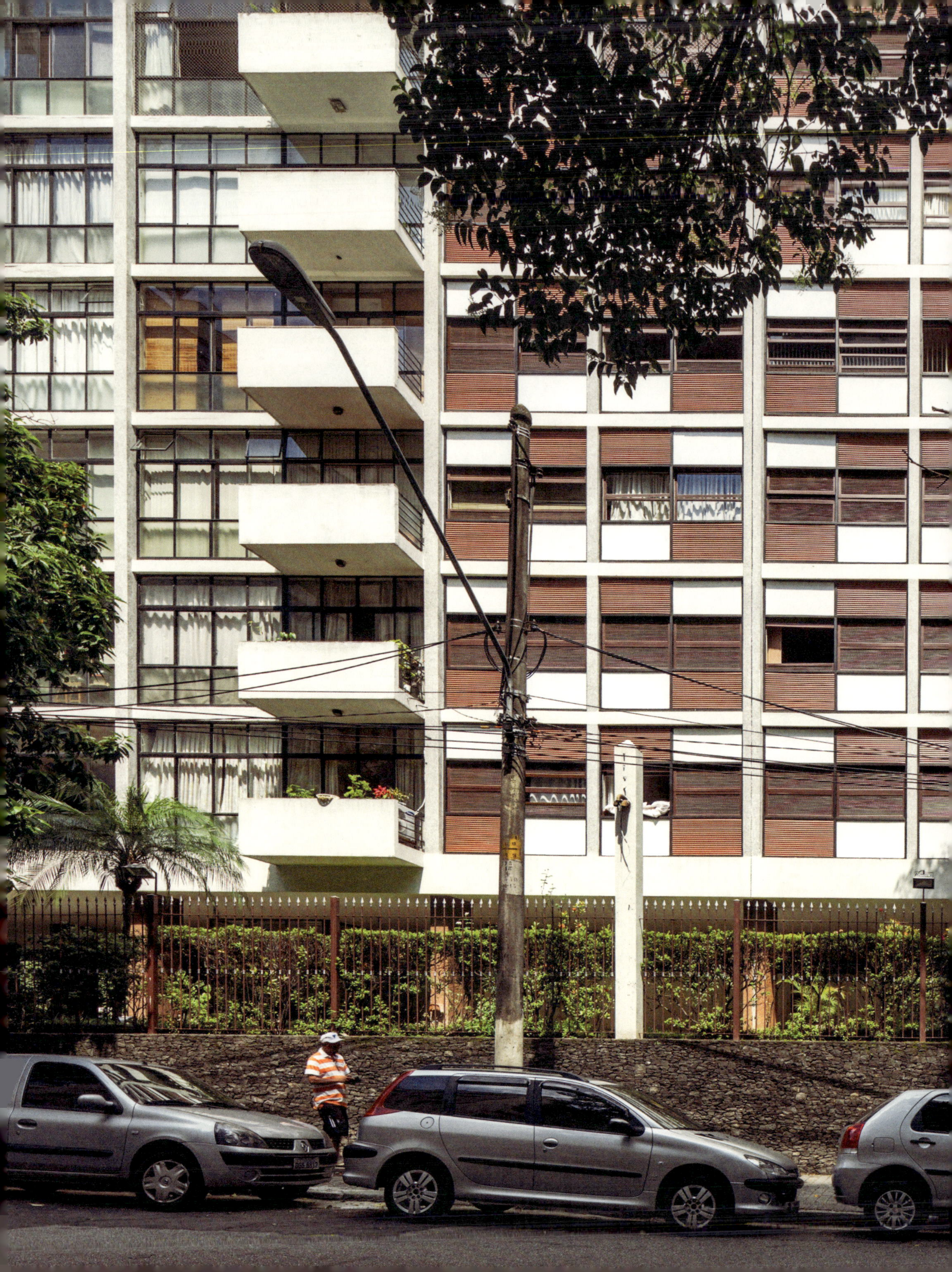

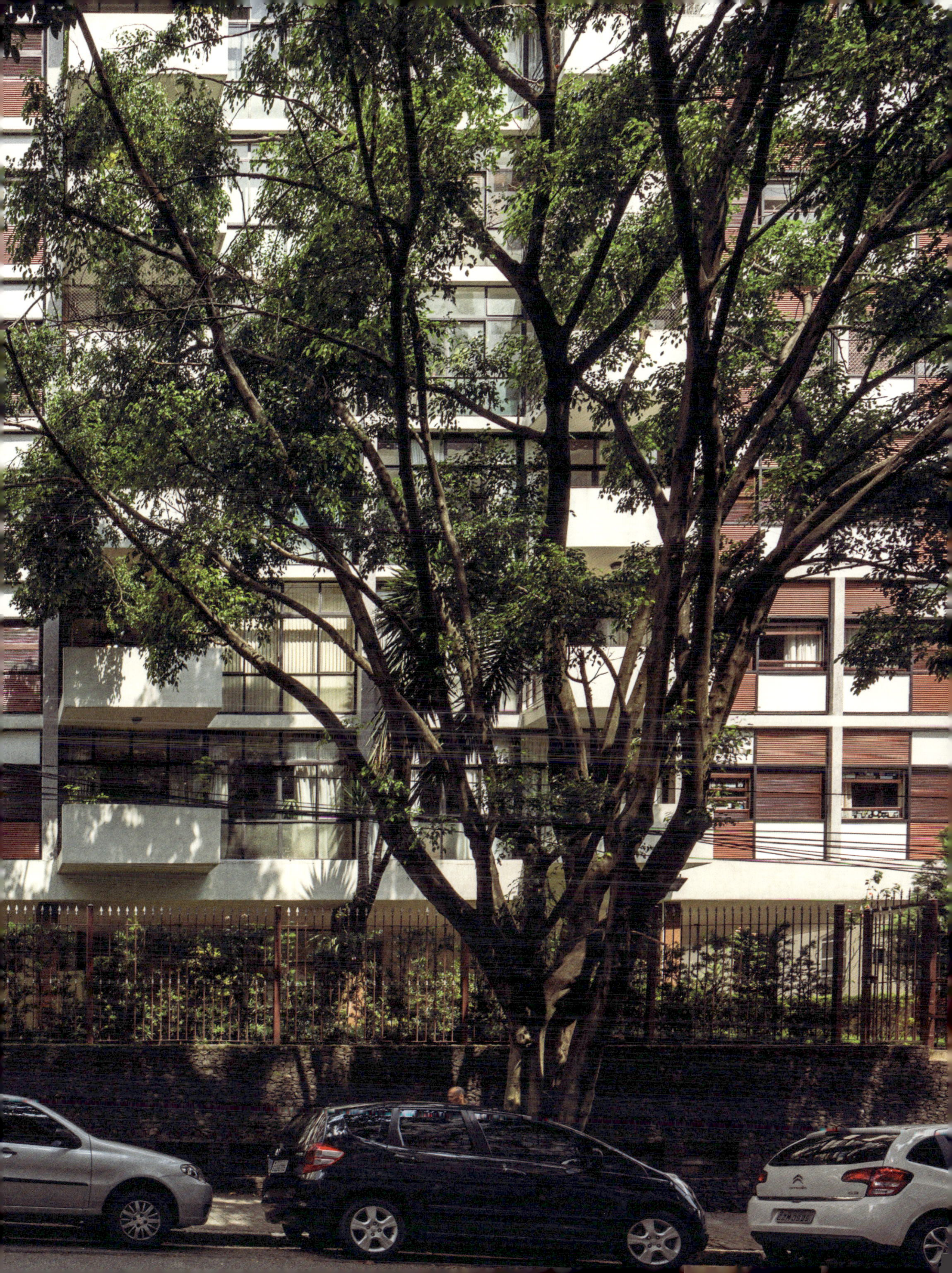

rua Martinico Prado, 90, Vila Buarque
São Paulo SP

EDIFÍCIO JURITI, 1961

Residencial com
60 apartamentos,
12.516,00 m²

O edifício é composto de dois blocos idênticos e geminados, com quinze plantas tipo, dois apartamentos por escada coletiva, ou quatro por laje, para totalizar sessenta unidades semelhantes sobre um térreo com salão de festas e jogos, apartamento de zelador, além de subsolo para estacionamento de carros. Cada apartamento é composto por sala, terraço, cozinha, quarto de empregada, área e WC de serviço, e, na área familiar, as duas unidades centrais dispõem de dois dormitórios e suíte, enquanto as duas unidades extremas apresentam três dormitórios com dois sanitários sociais. Ao inserir a caixa de circulação vertical dentro das lajes de dois dos apartamentos extremos, elimina-se a torre vertical e saliente na fachada, porém, diminui-se a área útil dessas unidades. Dois quartos de empregada ocupam o retângulo dessa caixa e obrigam a projetar dois arranjos diversos para os apartamentos, que implicam salas com área e formato diferentes.

Com desenhos executivos de novembro de 1961, o projeto está em sintonia com a experiência do arquiteto. Um terreno largo e muito profundo permite seriar e implantar, com excentricidade, dois conjuntos com caixa de circulação vertical e grande afastamento no recuo das salas voltadas para este, onde se aproveita a forma trapezoidal do terreno com um importante jardim e equipamentos coletivos bem ensolarados.

Neste caso, a estrutura já apresenta um ritmo autônomo e constante com dois pórticos múltiplos a cada 3,20 metros de distância média. Das três séries de pilares no sentido longitudinal, duas estão alinhadas nas faces maiores opostas, enquanto a terceira se posiciona na região central das lajes, coincidindo, dentro dos apartamentos, com a parede longitudinal que divide os ambientes principais dos de serviço, compartilhados com o terceiro dormitório, de tal maneira que todos os vãos e medidas dos ambientes do programa sejam compatíveis com os eixos estruturais.

A planta tem a mesma estrutura ordenadora que já aparece nos projetos de habitação coletiva anteriores, os usos são classificados pela sua importância, por zonas, em função da boa orientação solar e paisagem. As áreas molhadas, o núcleo de circulação vertical e o terceiro dormitório recebem a orientação oeste. Todavia, nas diferentes salas, um dos pórticos é dividido e conforma um par de pilares entre as salas aparentemente

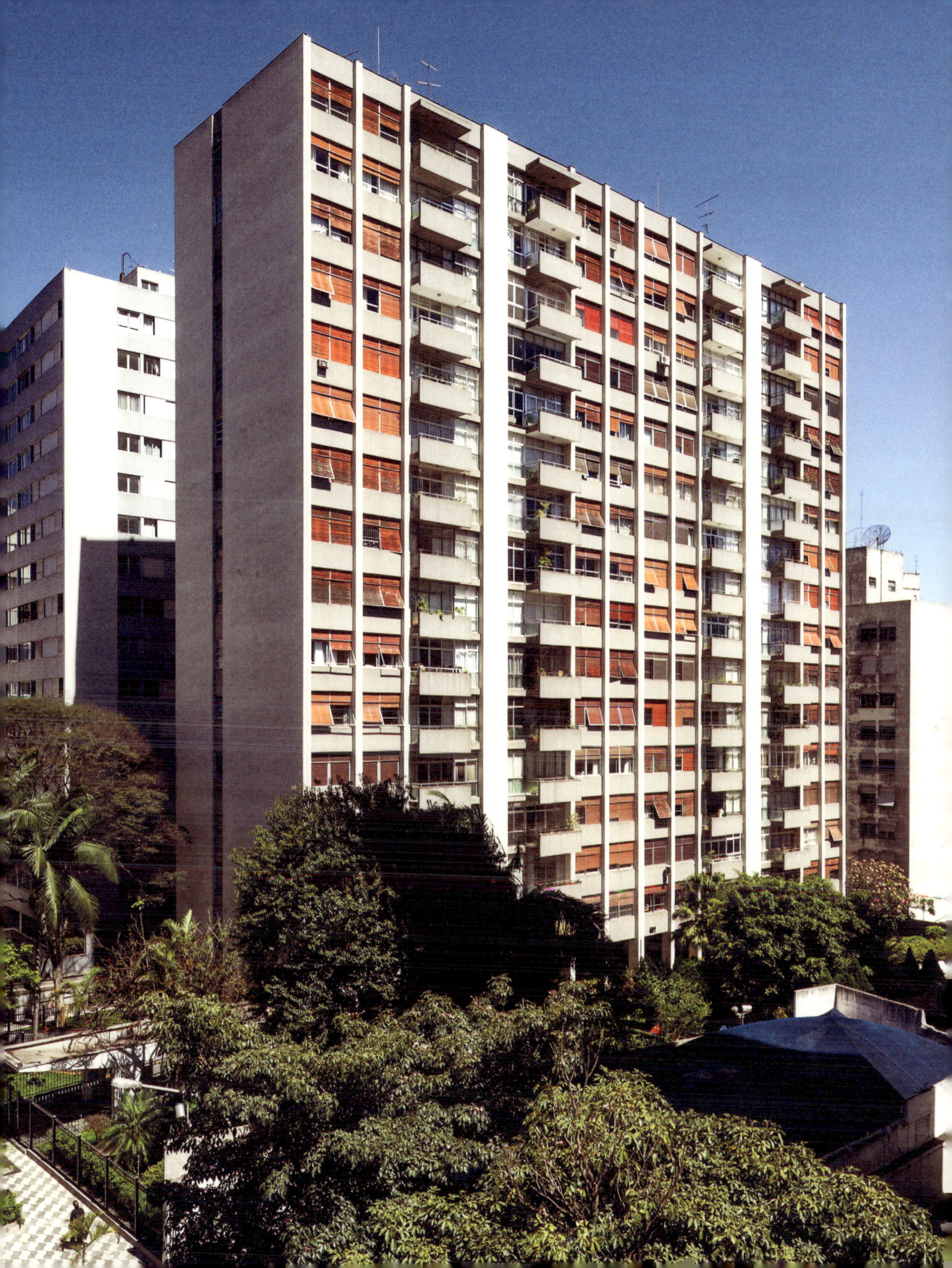

espelhadas pelos balcões, que se apresenta como duas placas verticais e ressaltadas na fachada lateral mais importante. É curioso que o arquiteto tenha optado por interromper a distribuição simples e homogênea dos pilares, o ritmo estrutural, para expor duas exceções planas na cor branca dos pilares que, se por um lado, resolvem o problema da produção de esquadrias idênticas em todas as salas, por outro, vai tripartir a fachada. Se as soluções estruturais anteriores obedecem às alvenarias e se submetem ao formato dos ambientes, neste caso, chega-se muito perto de uma estrutura regular e aparente que expõe ritmo e alternância.

A distribuição da planta continua a ser o princípio ordenador, a separar longitudinalmente as áreas servidas das áreas de serviço, a partir do critério de orientação e com diverso valor nos recuos laterais. É notável a habilidade de relacionar e compartilhar ambientes maiores e menores, e de se obter um resultado íntegro e ordenado.

Neste edifício, aparecem peitoris de alvenaria revestida nos dormitórios, pois o painel industrializado é substituído por janelas mais simples, com persianas perfeitamente ajustadas ao vazio. A esquadria contínua e única das salas acata a solução de máxima transparência, com porta de correr para acesso ao prolongamento do terraço apresentado como um peitoril deslocado, como uma porção opaca que se opõe ao esforço de transparência da caixilharia.

A arrojada marquise sobre o acesso à portaria do edifício é a exceção, o reconhecimento da outra maneira de conceber arquitetura, do papel provocador da arquitetura, aquela com muito recurso e liberdade criativa, em que se expõe a engenhosidade estrutural em formato triangular, aerodinâmico e lapidado. Deixa evidente que coexistem diversas maneiras de conceber, e que o arquiteto, quando pode, deseja expressar ousadia, pois sabe que esse é o recurso prestigiado no meio.

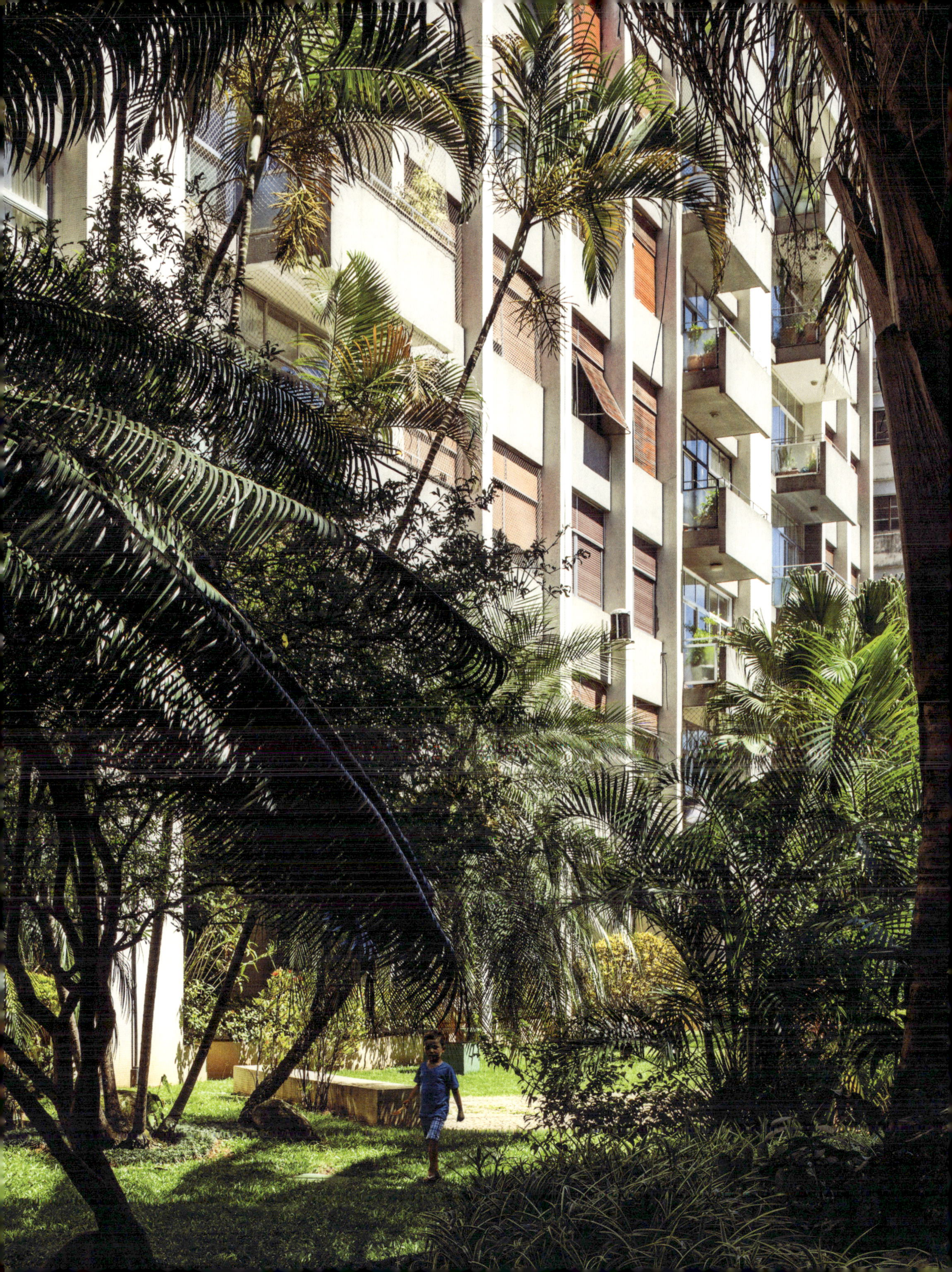

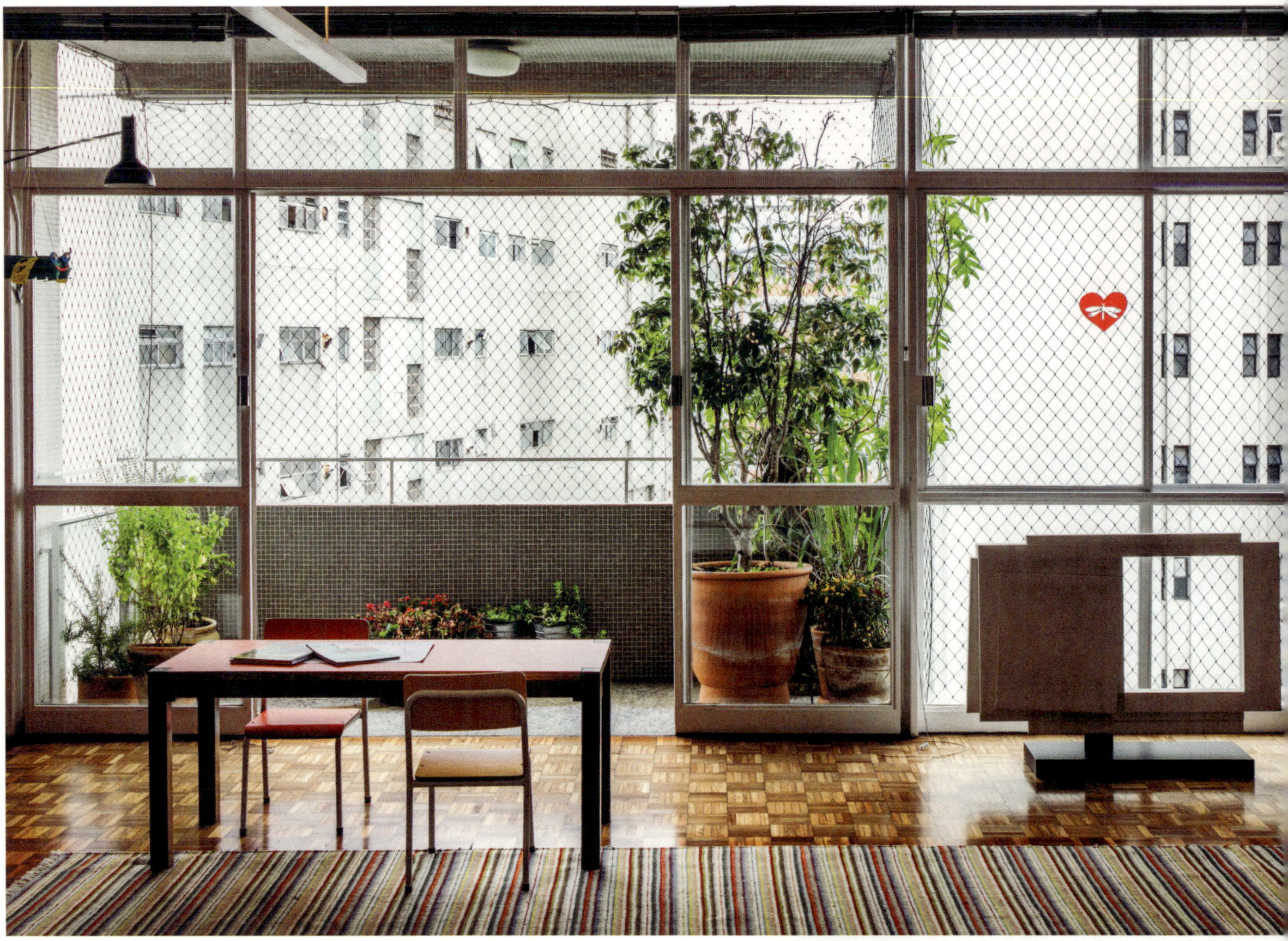

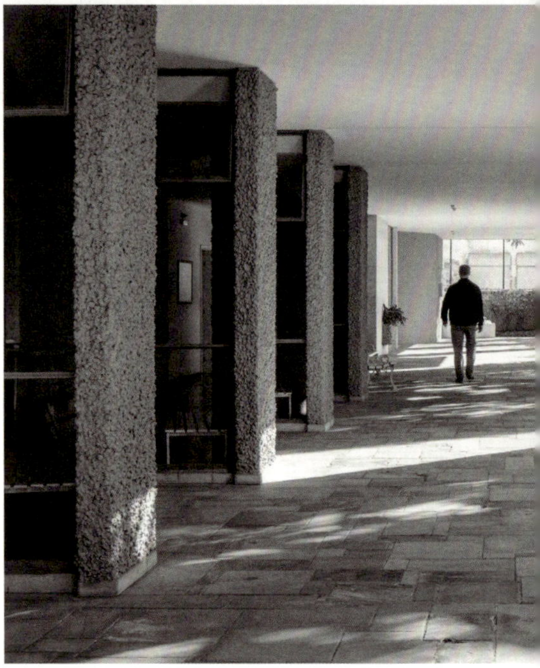

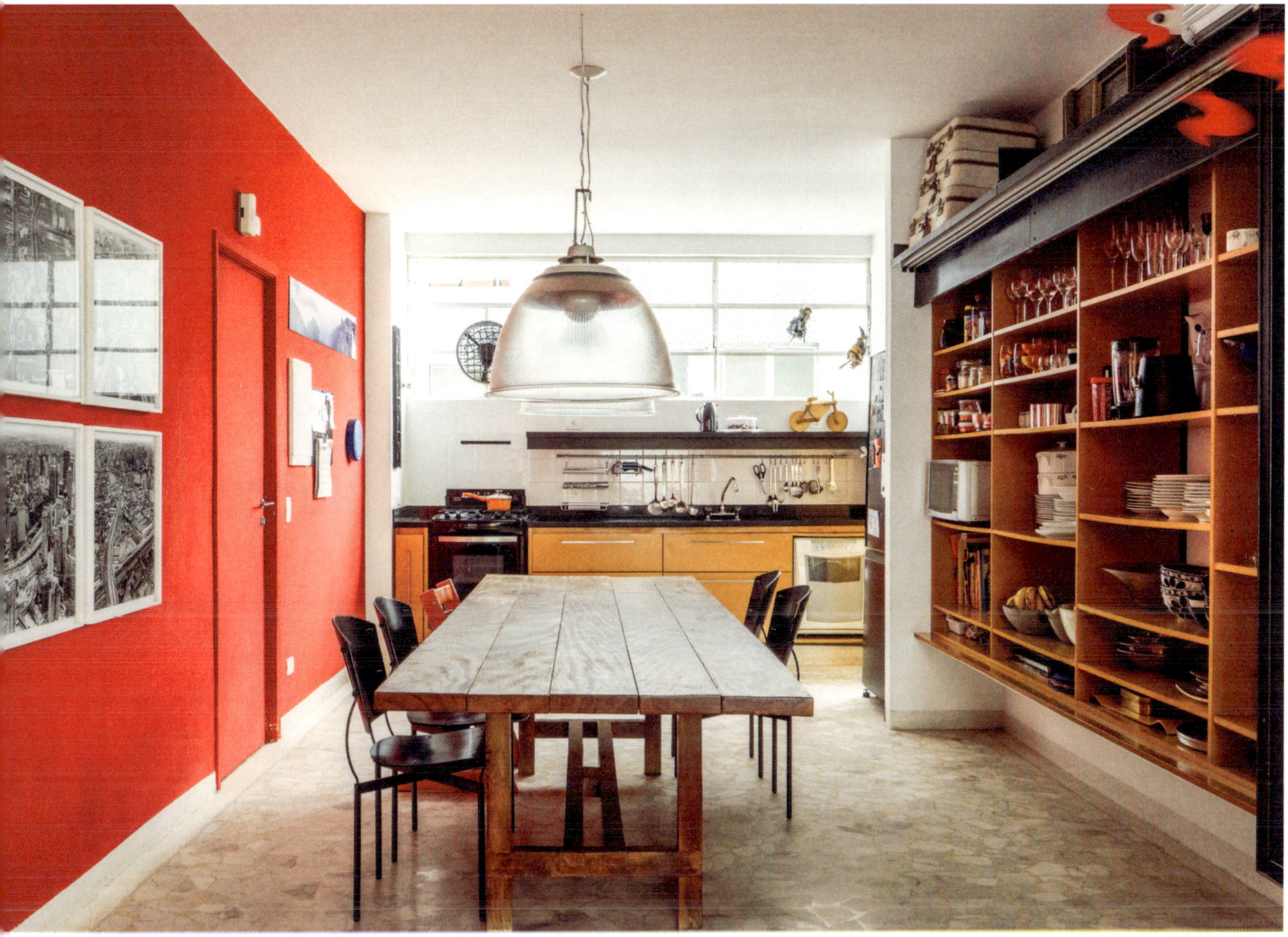

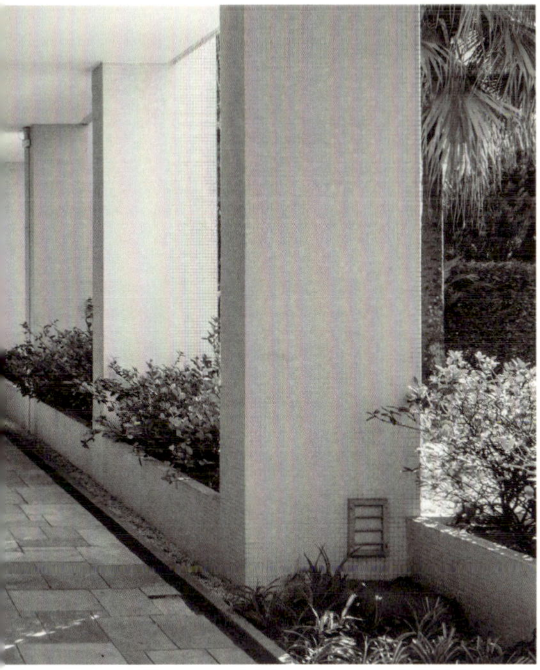

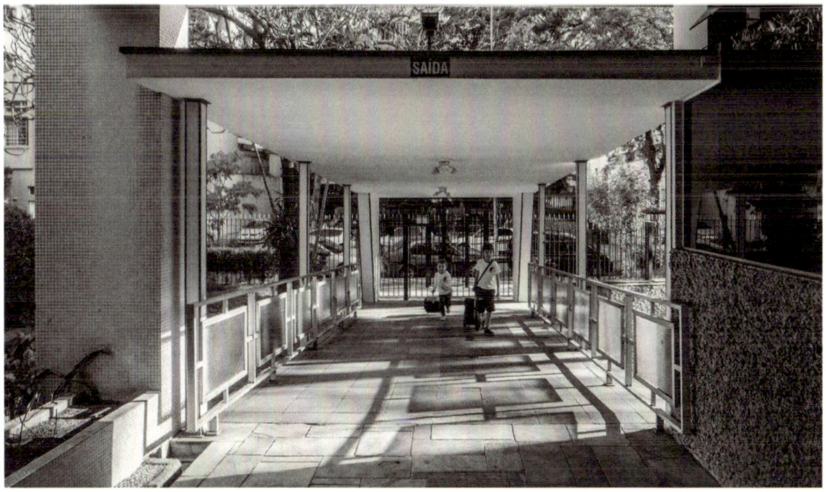
SAÍDA

Implantação

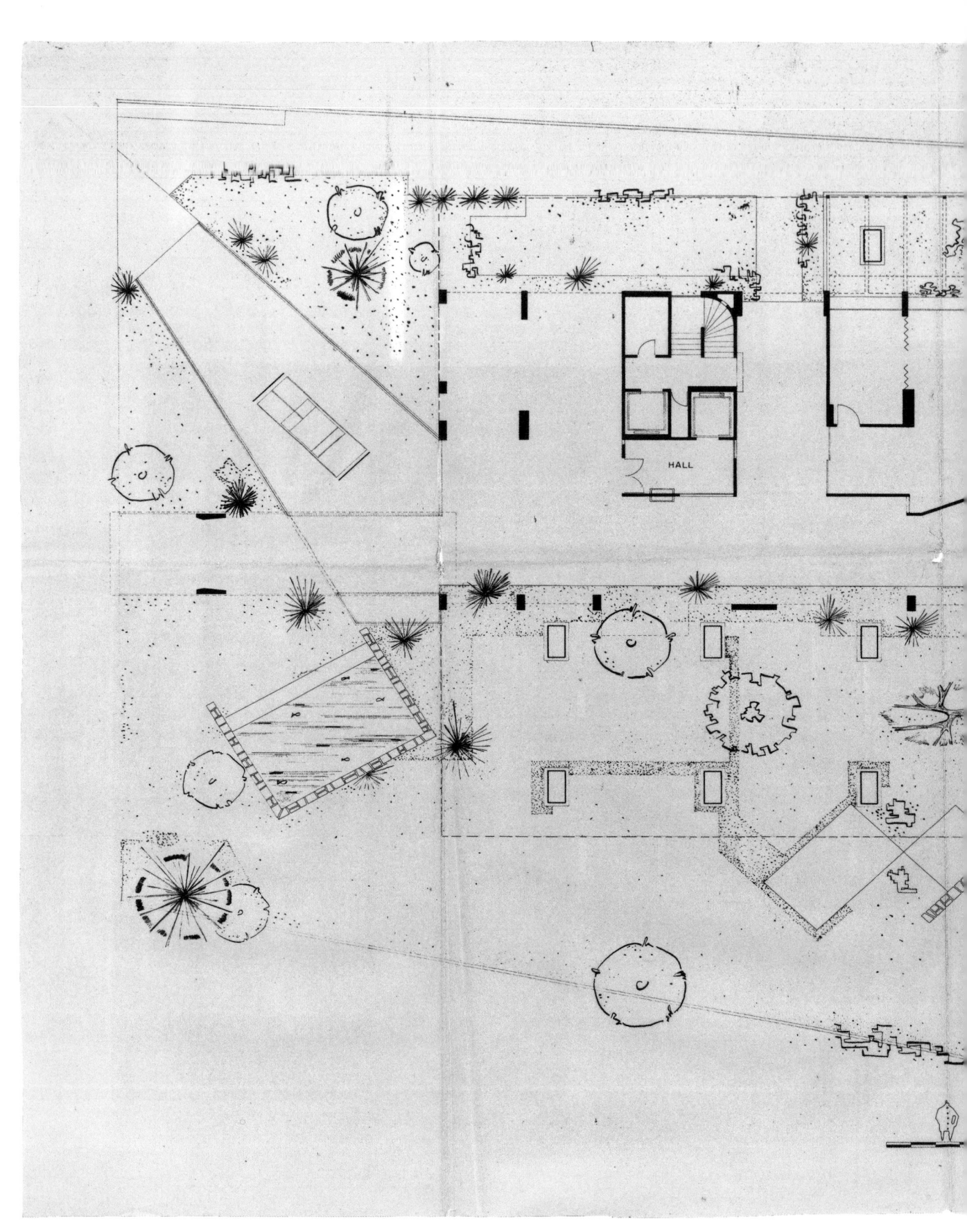

FESTAS ZELADOR HALL

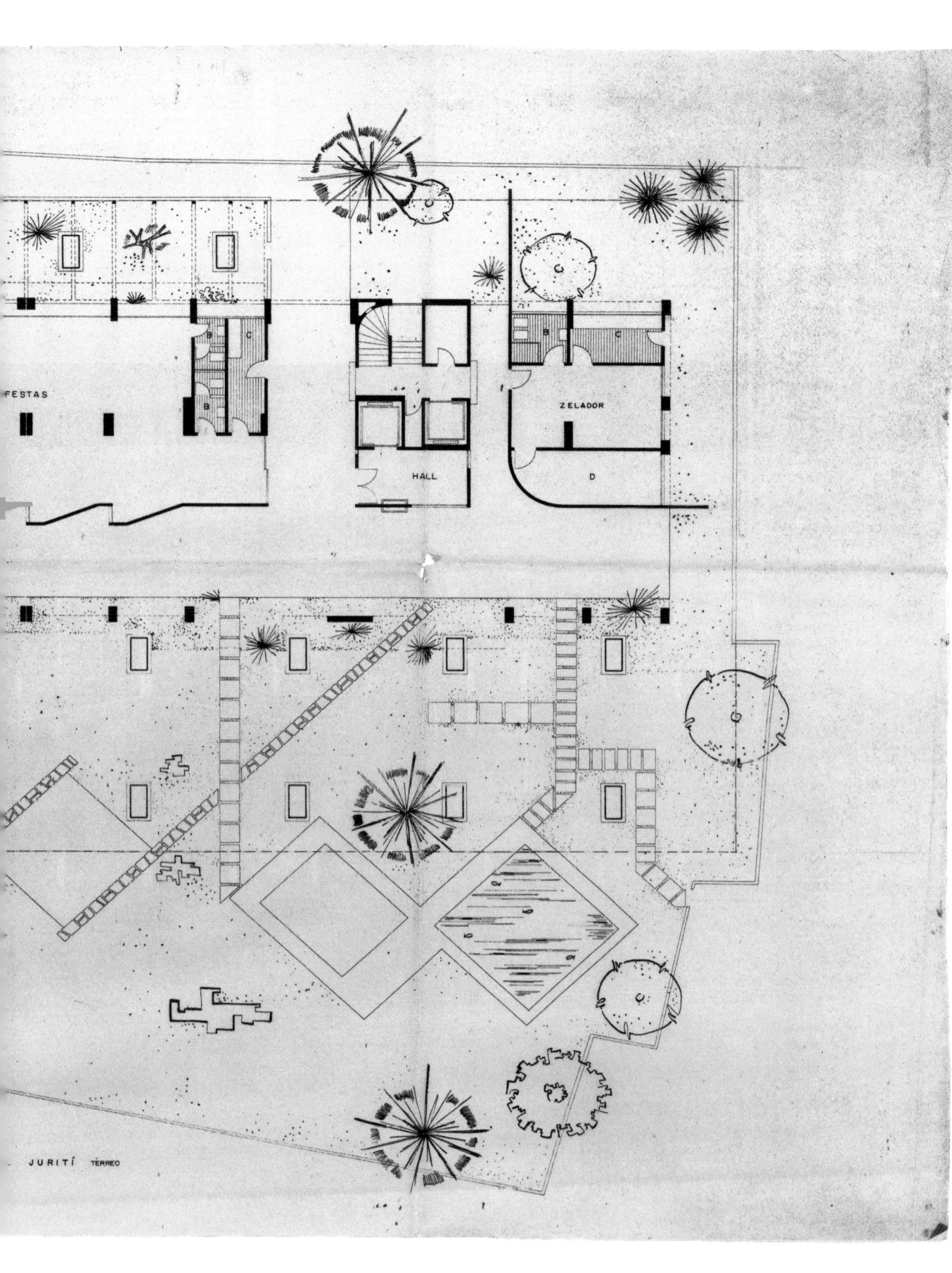

JURITÍ TÉRREO

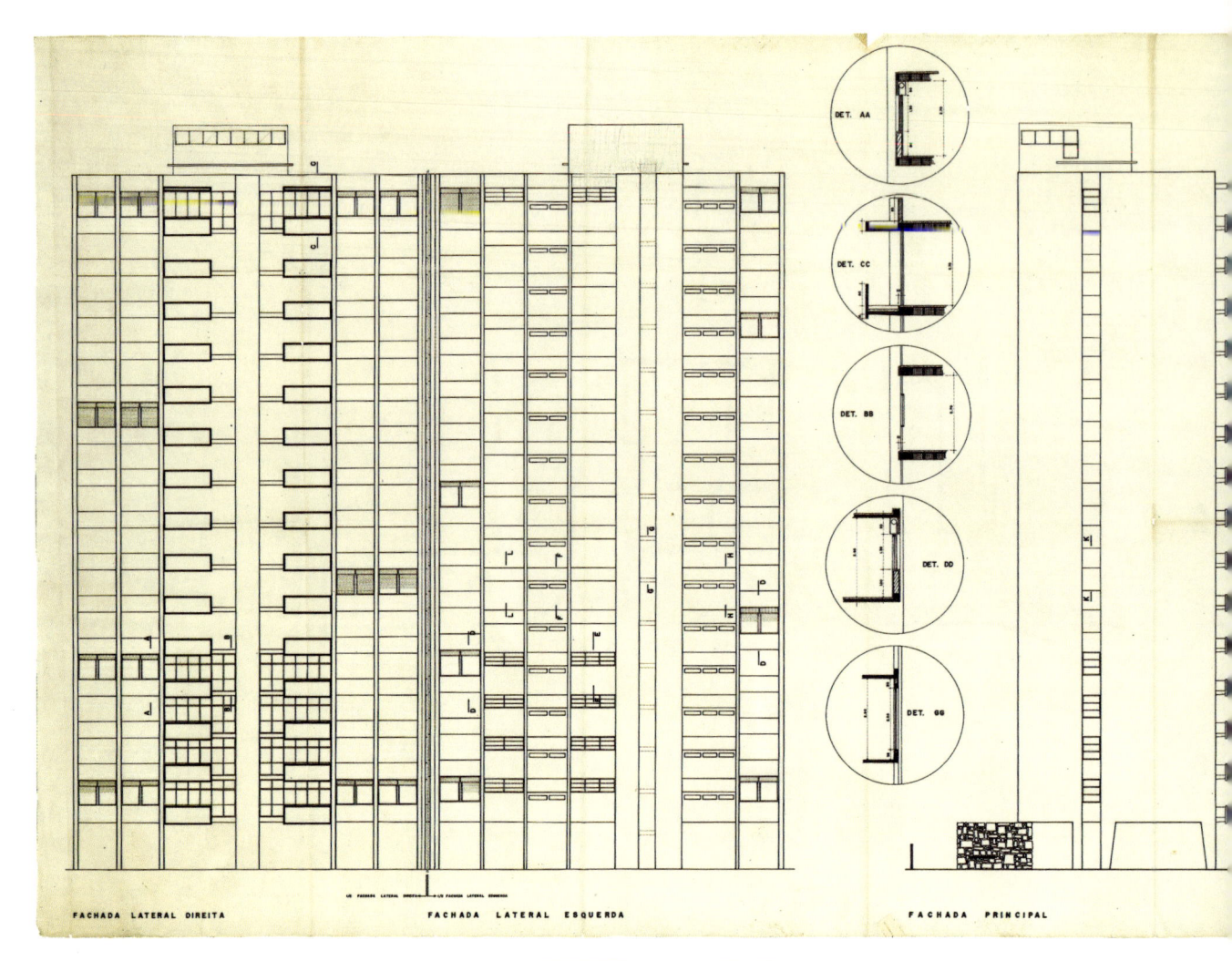

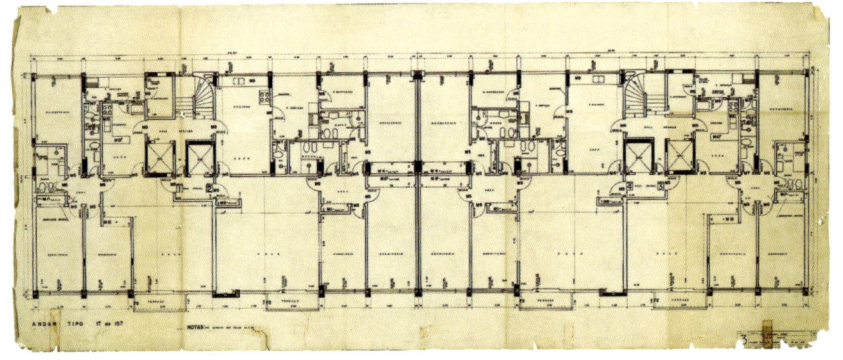

à esquerda

Elevação e cortes das aberturas

Planta do pavimento tipo

à direita

Planta de uma unidade habitacional

Detalhes de esquadrias com persianas

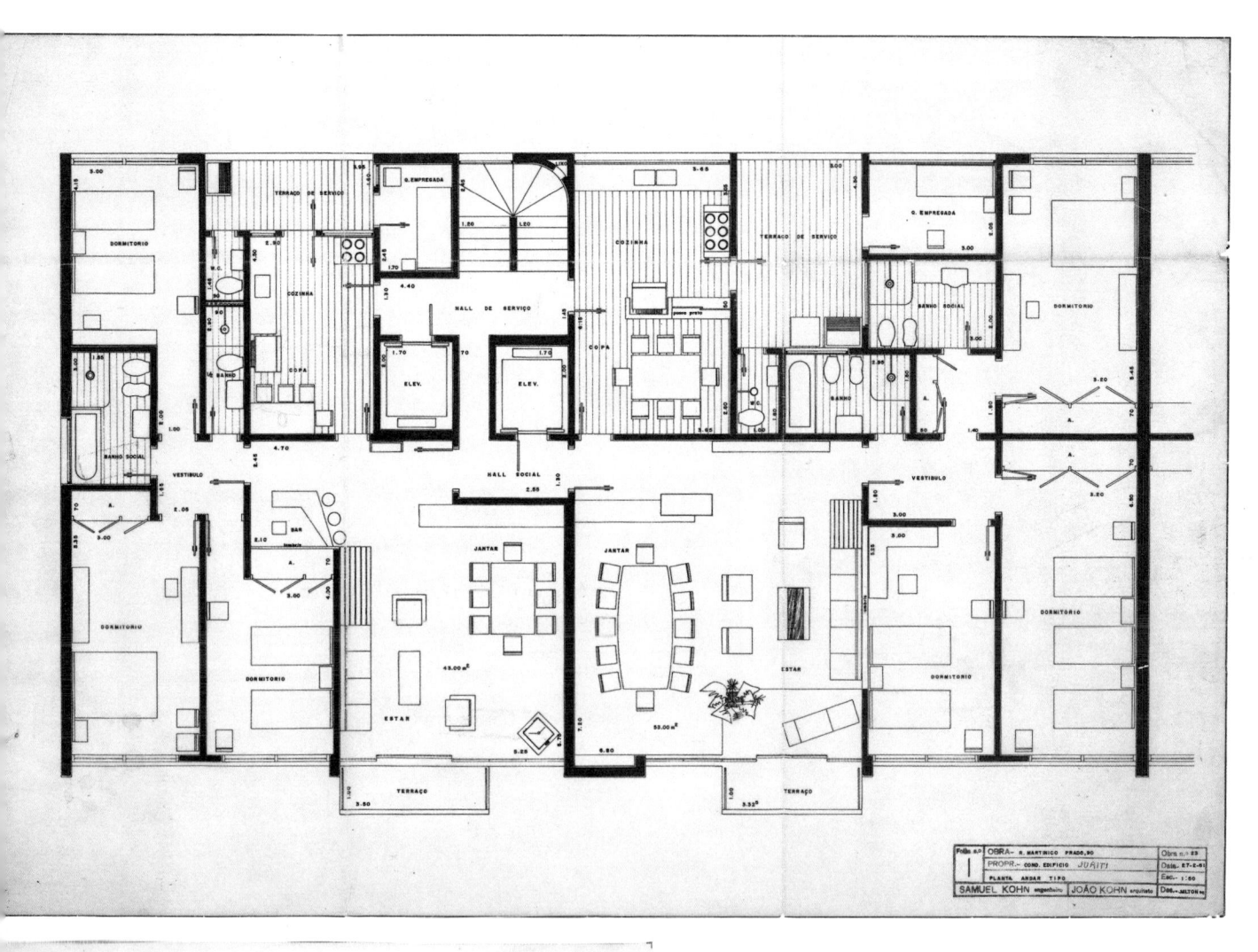

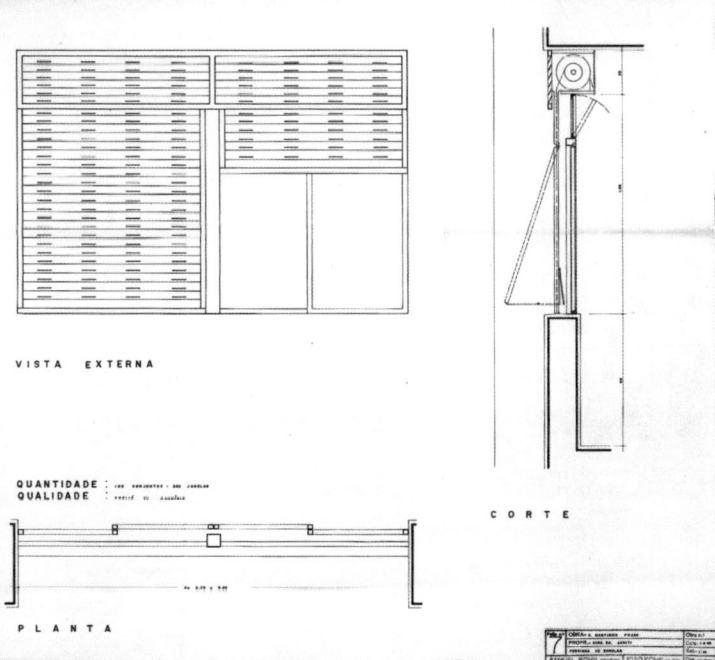

VISTA EXTERNA

QUANTIDADE
QUALIDADE

CORTE

PLANTA

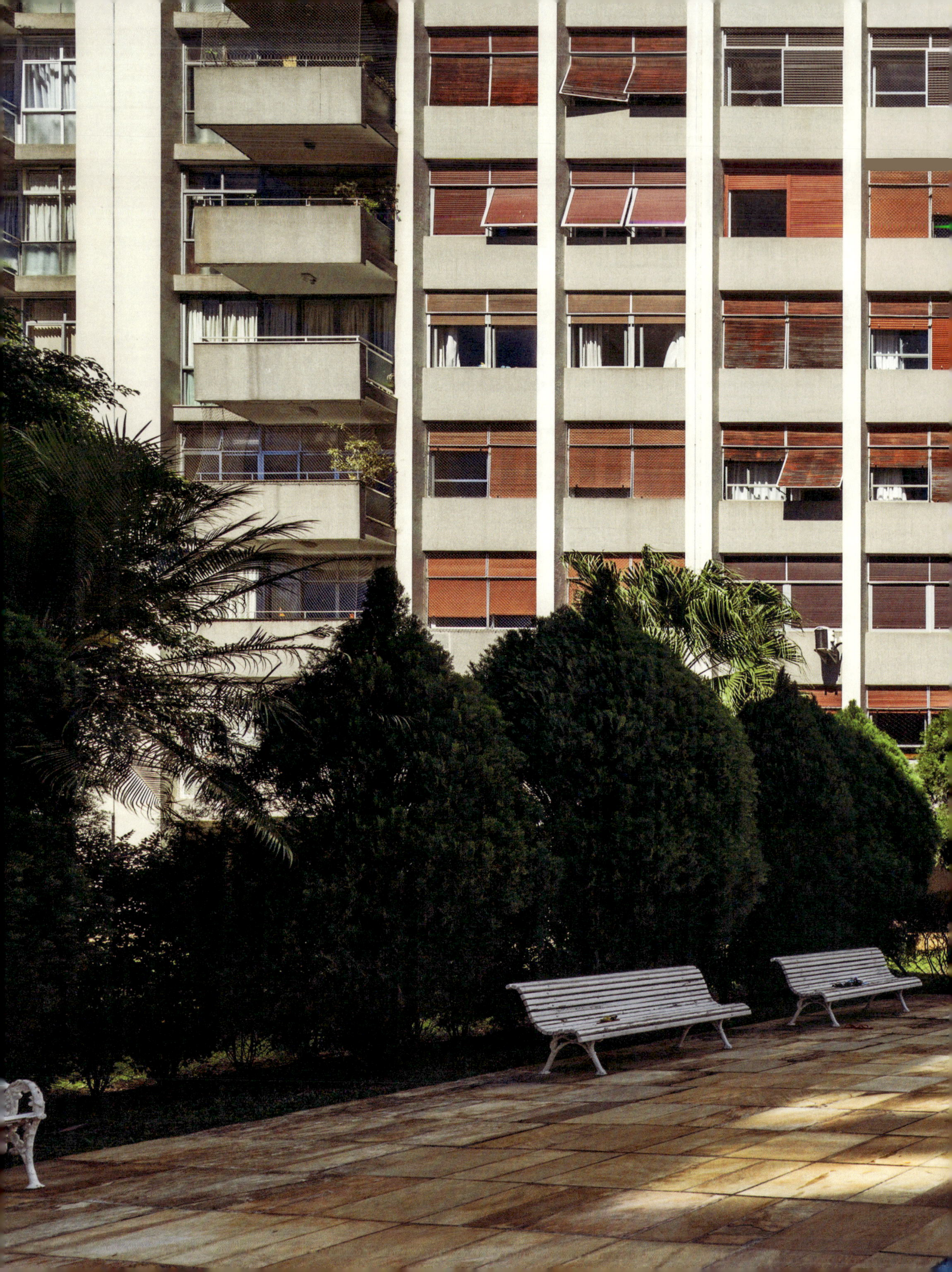

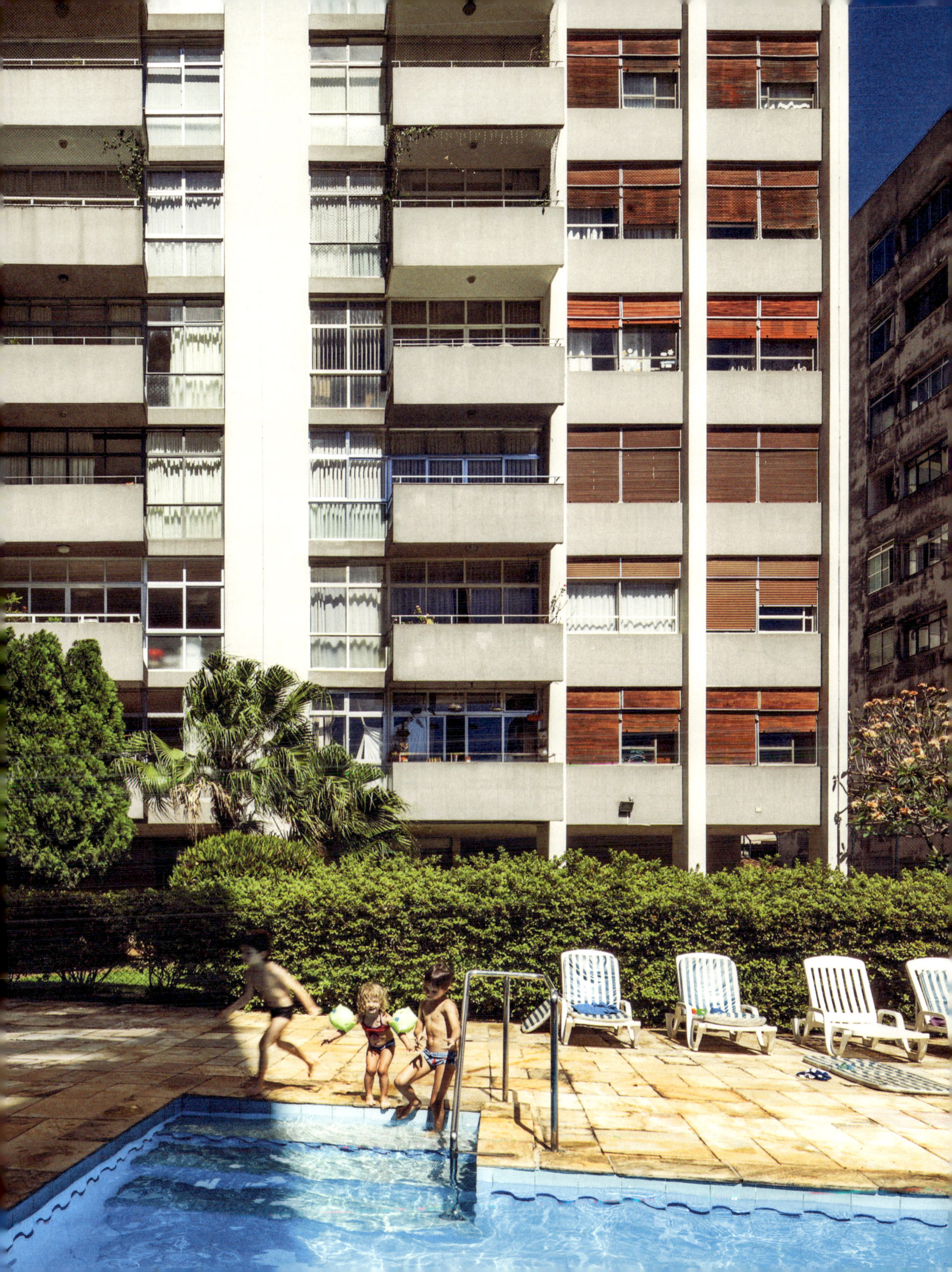

rua José Maria Lisboa, 1011, Jardim Paulista
São Paulo SP

EDIFÍCIO ANAMBÉ, 1967

Residencial com
58 apartamentos e
garagens,
10.858,00 m²

A solução com dois edifícios implantados em ângulo reto num lote retangular aparece, pela primeira vez, no Edifício Iraúna, na rua São Vicente de Paula, 416, com projeto indicado entre 1965 e 1968. Corresponde a um conjunto composto por dois blocos justapostos. O primeiro bloco, com apartamentos espelhados no eixo do núcleo, e o segundo em ângulo reto, simétrico pela diagonal a 45°, respectivamente, com vinte apartamentos, sobre dez lajes tipo acessados por um elevador social, um elevador de serviço e escada coletiva, mais 38 apartamentos, sobre dezenove lajes tipo, atendidos por dois elevadores sociais independentes, elevador de serviço e escada coletiva. No Edifício Anambé, de 1967, repete-se idêntica configuração, o mesmo arranjo e o mesmo número de unidades habitacionais. Num terreno cuja proporção da testada é um pouco mais larga, mas insuficiente para implantar duas lâminas paralelas, com a profundidade de terreno também insuficiente para uma implantação em série, sugere virar o corpo do edifício no fundo do lote. Como no caso do Edifício Iraúna, também os blocos estão justapostos com larguras e gabaritos diferentes. Corpo frontal e cantoneira traseira somam os mesmos 58 apartamentos. Esse esquema repete o tipo com duas unidades por núcleo de escada e elevadores. Só mais tarde as lâminas vão dar lugar a configurações com quatro apartamentos por núcleo central, orientados para fachadas opostas.

    Os apartamentos maiores do bloco frontal têm sala, dois dormitórios, sanitário social, suíte, lavabo, cozinha, lavanderia, quarto de empregada e sanitário de serviço, enquanto os apartamentos menores no bloco posterior e dobrado têm sala, três dormitórios, dois sanitários sociais, cozinha, lavanderia, quarto de empregada e sanitário de serviço. Ambos os blocos dispõem de térreo sobre pilotis com hall para elevadores, acesso de escadas coletivas, salão de festas e apartamento para zelador.

    Com os mesmos critérios de implantação, aproveita-se um terreno com muita área, mas com proporção peculiar, com medidas que restringem a solução simples ou evidente. Medidas que sugerem ordenar programas praticamente idênticos com diversos critérios distributivos, na porção obscura da planta em "L", estão posicionados o elevador de serviço e a escada coletiva, que devem formar a bissetriz de simetria que

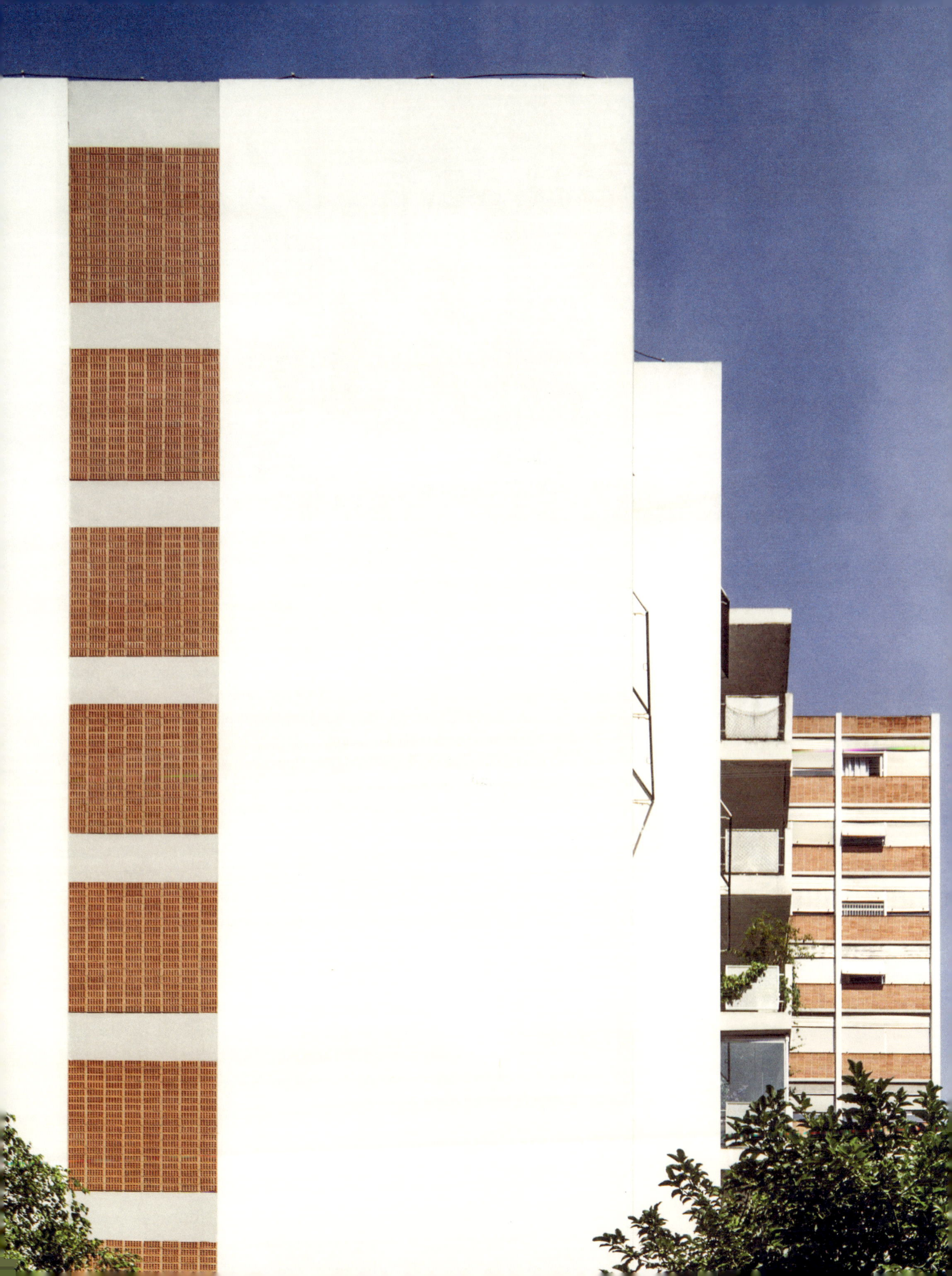

constrói as unidades. Todas as salas e a maioria dos dormitórios abrem para norte, ou nordeste, e um amplo jardim lateral com piscina é obtido com o deslocamento dos blocos até o recuo lateral esquerdo. Essa configuração e sua disposição abrem o maior espaço possível para o qual voltar os ambientes principais, ao mesmo tempo em que oferece uma vista comum, ampla e agradável para os moradores.

A acentuada diferença de gabarito entre os blocos deve ser atribuída ao escrúpulo com o impacto urbano do projeto. Ao corpo mais alto cabe o afastamento maior da rua, um recurso que favorece a apreensão perspectiva do edifício e evita os efeitos da verticalização em ruas tradicionais da cidade.

A planta do Edifício Iraúna apresenta maior rigor formal, sua malha de pilares está distribuída segundo os panos de laje, com medidas médias de 3,50 x 6,00 metros, com exceção das lajes das salas, em que é duplicado o vão de pilares e acatada a modulação para caixilharia ininterrupta com abertura para o terraço. Nessas medidas estão ajustados todos os ambientes das unidades habitacionais. A compartimentação dá continuidade à experiência acumulada, trata de manter o rigor e está empenhada em obter o máximo de concisão construtiva. No elevador social fica explícita a preocupação com a eficiência dos aspectos funcionais, sua posição e seu vestíbulo encontram a única posição da planta em que a área social, a área de serviços e a área familiar de dormitórios se encontram.

Essa configuração em terrenos largos permite propor edificações alternadas com amplos jardins laterais desfrutados pelos moradores, um resultado espacial superior ao apresentado quando há estrita obediência aos recuos mínimos. Uma solução que, repetida na rua, apresentaria uma paisagem construída por edifícios afastados, com gabarito frontal reduzido, e paisagismo compartilhado no logradouro e apreciado em perspectivas mais amáveis.

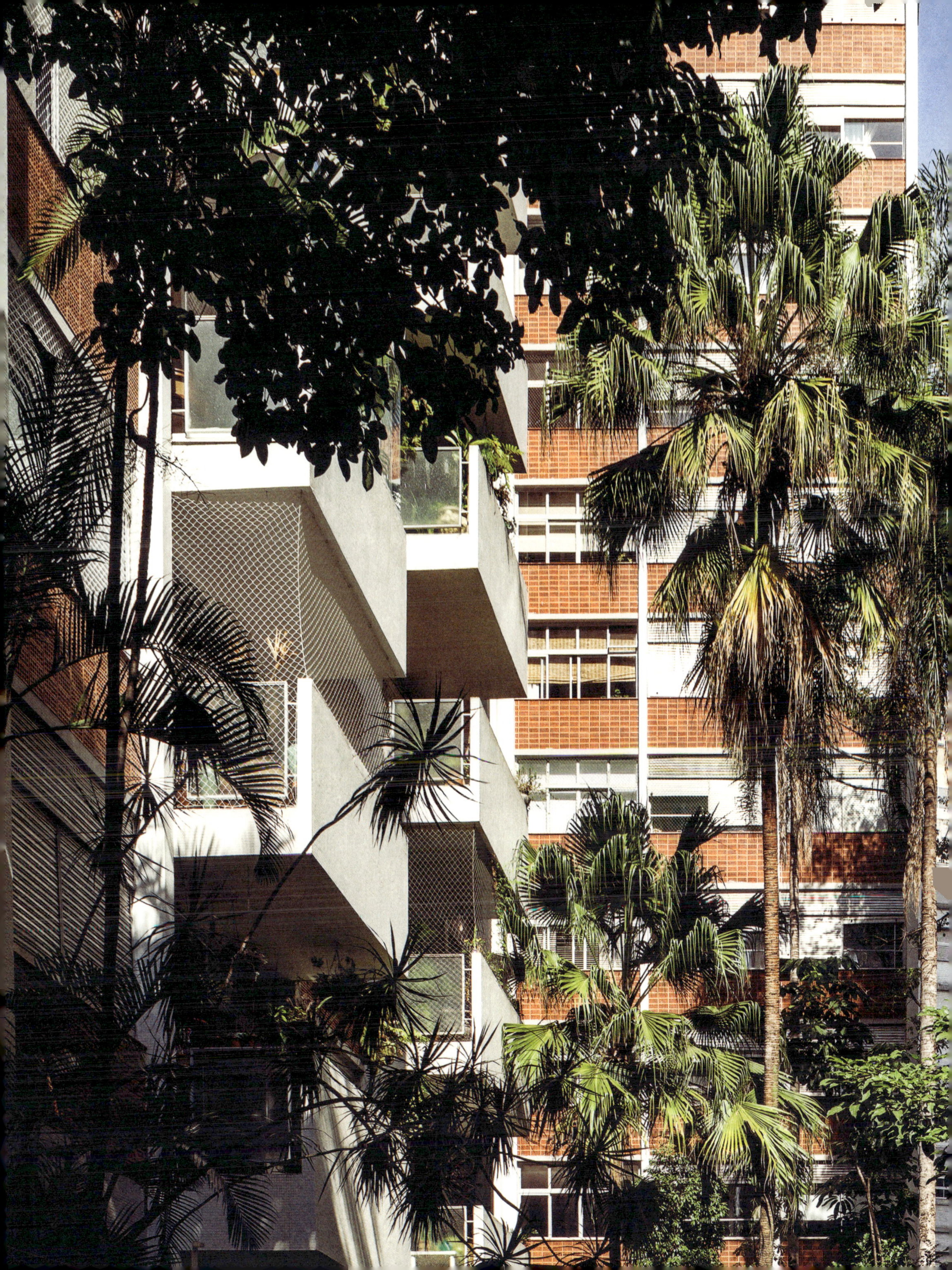

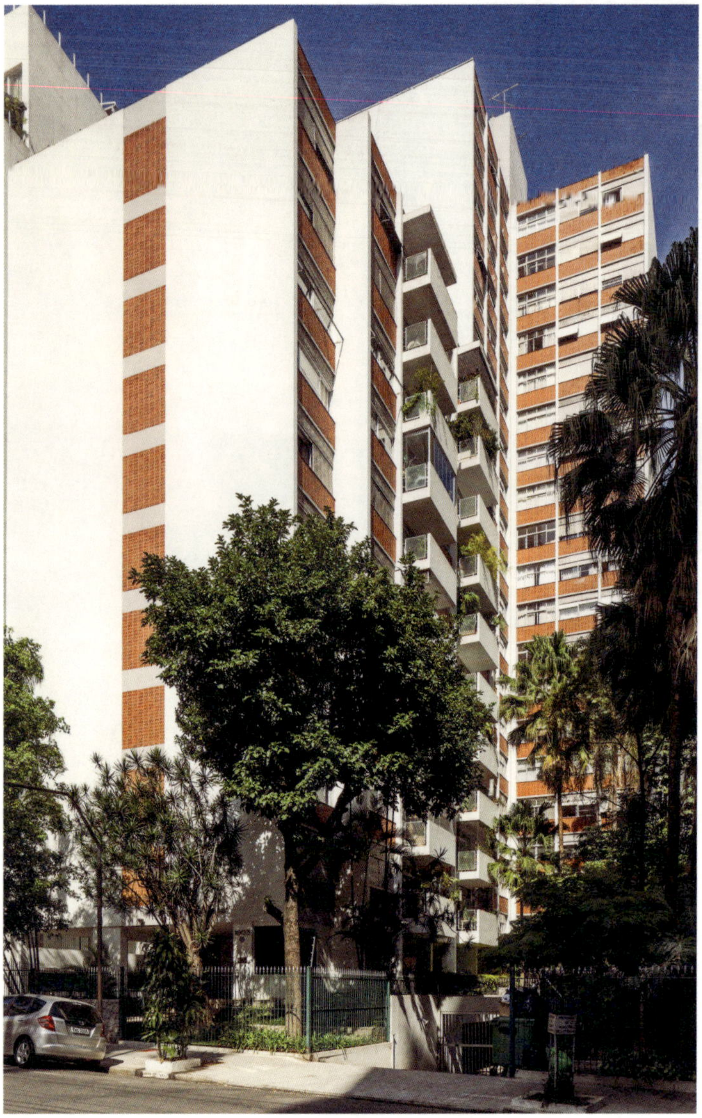
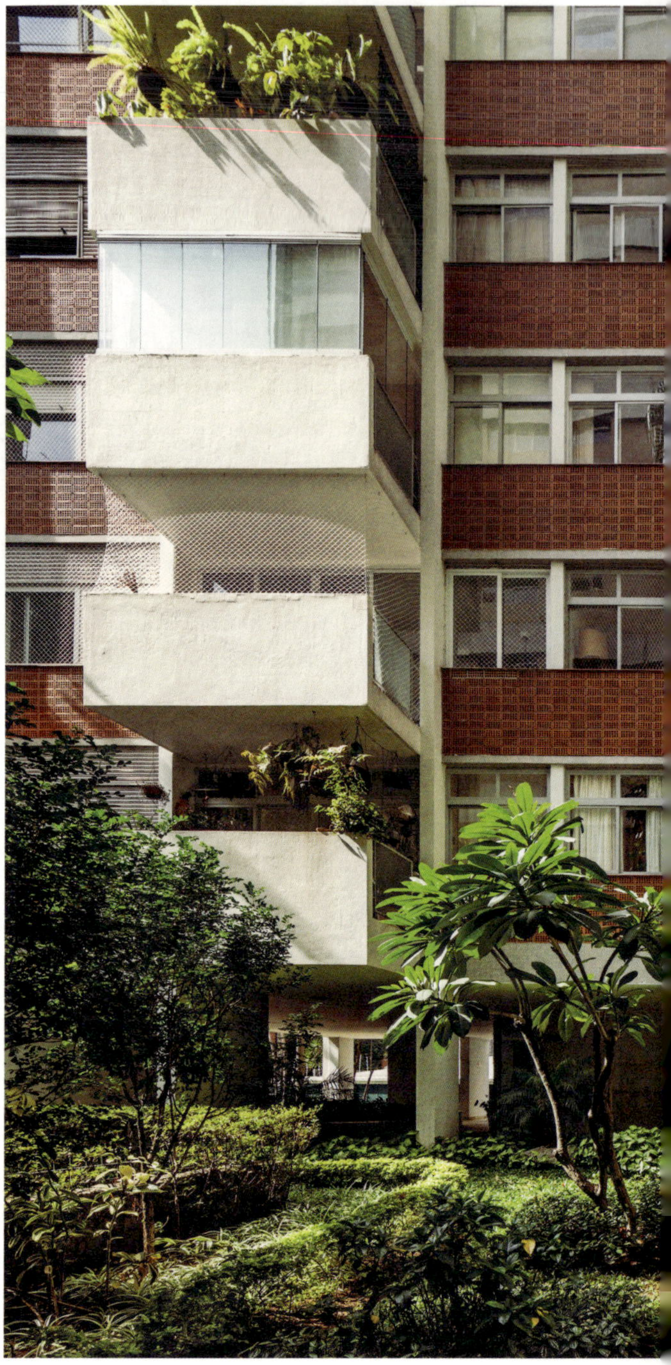

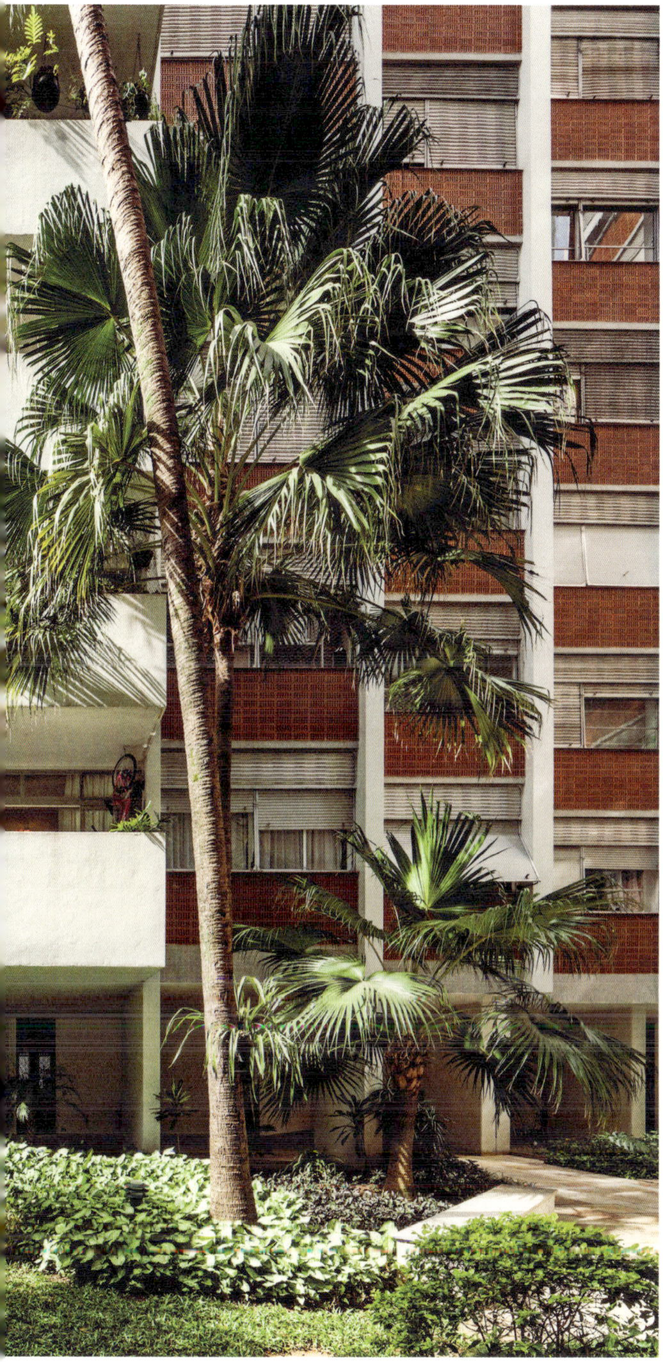

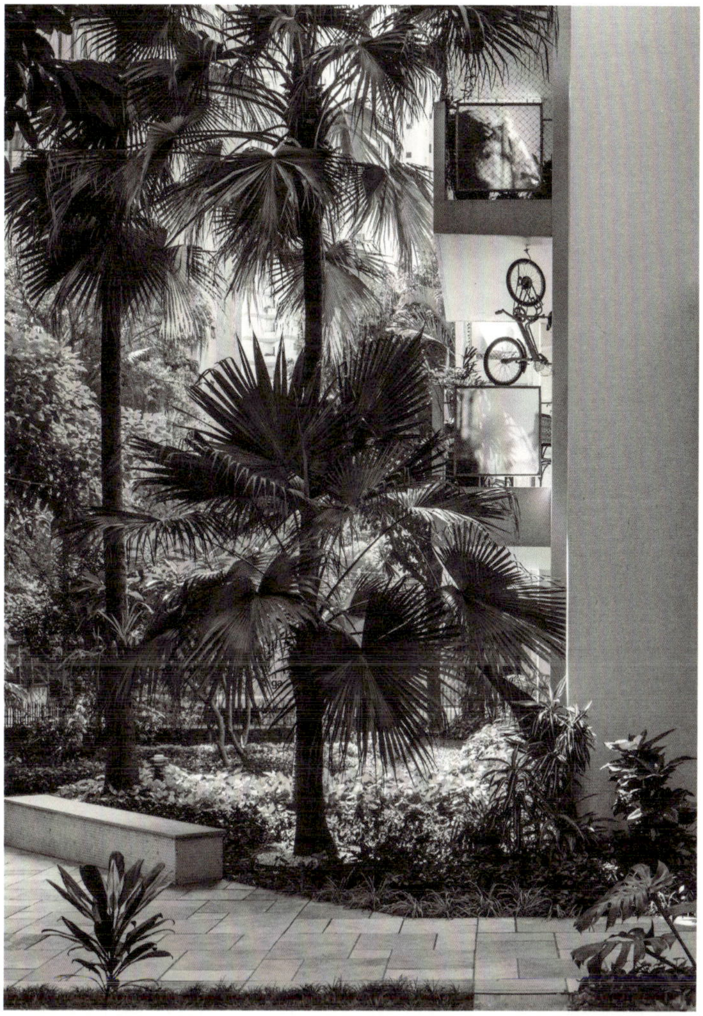

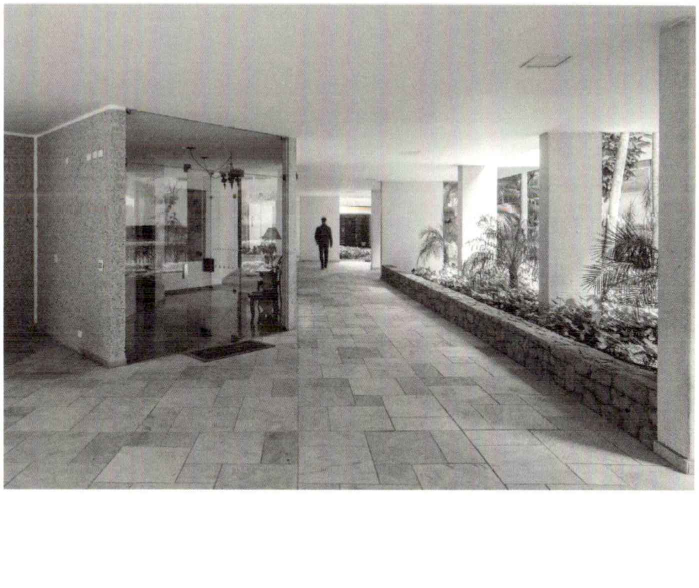

PLANTA ANDAR TÉRREO

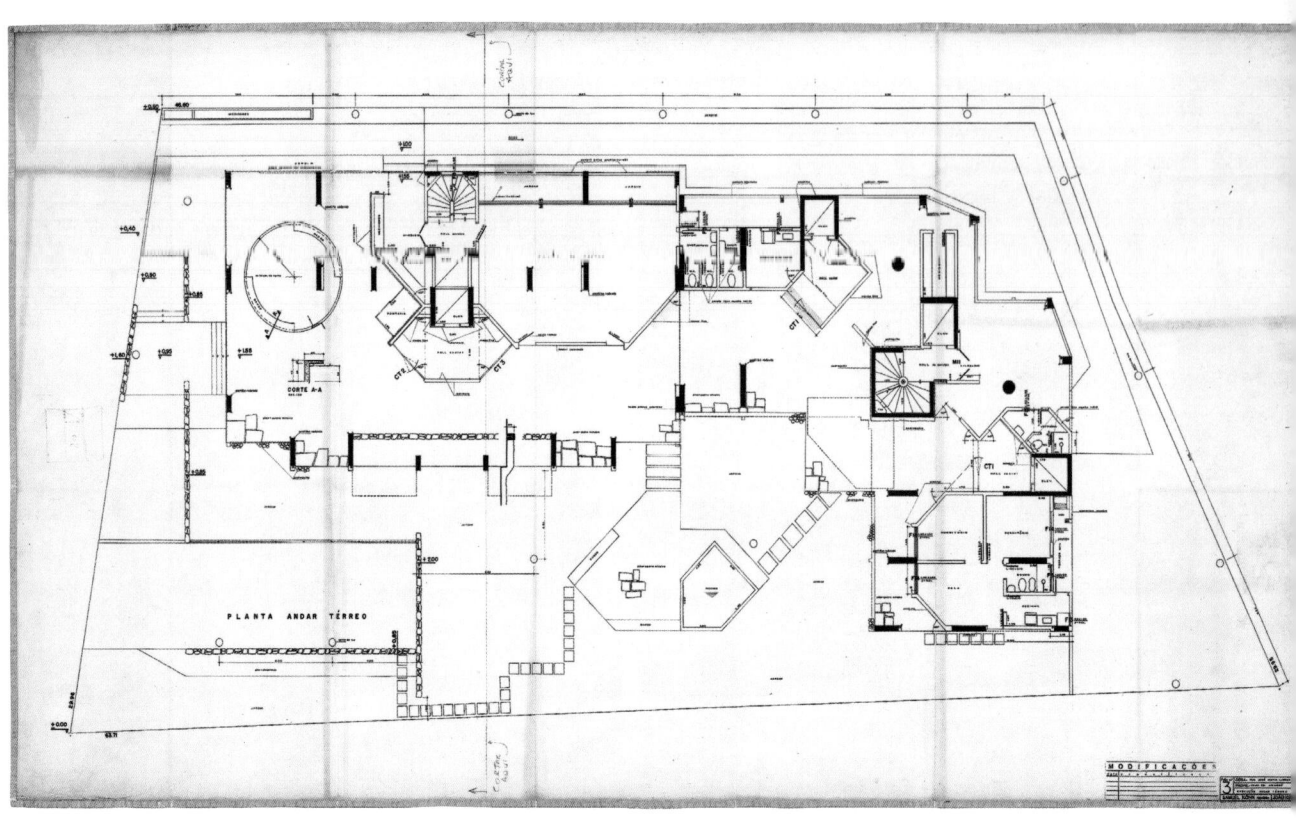

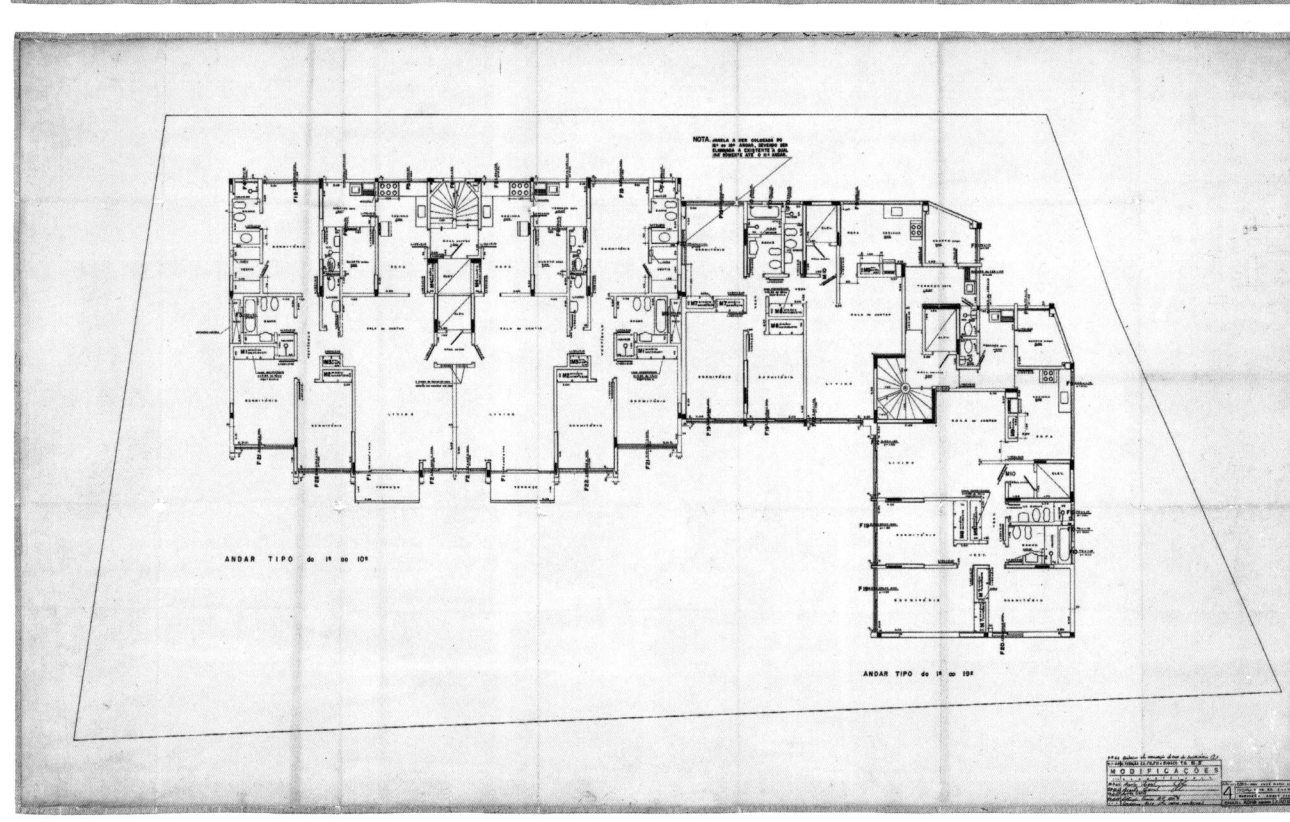

ANDAR TIPO do 1º ao 10º

ANDAR TIPO do 1º ao 10º

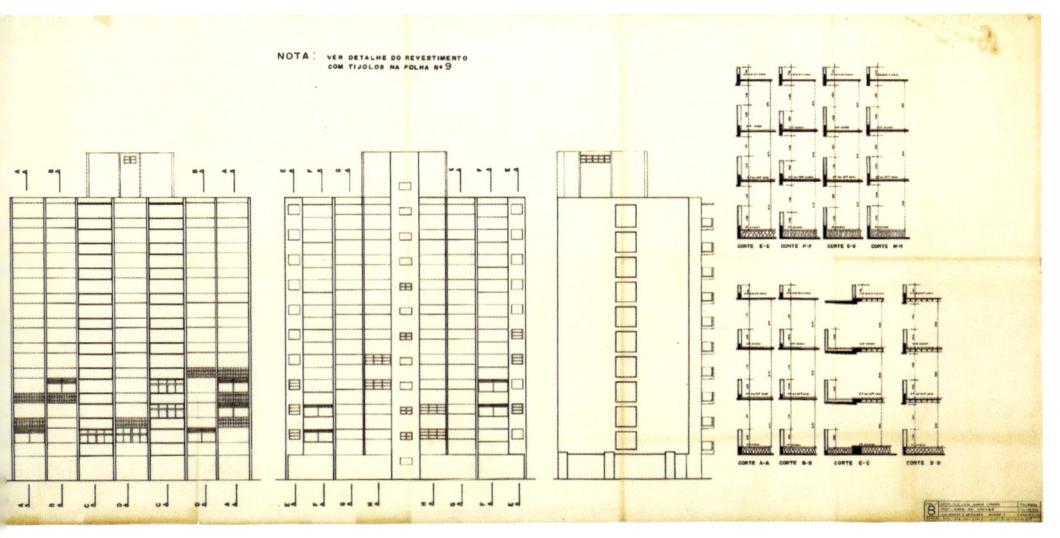

à esquerda

Implantação

Planta do pavimento tipo

à direita

Elevações e cortes de estrutura e aberturas

Detalhes dos caixilhos de ferro

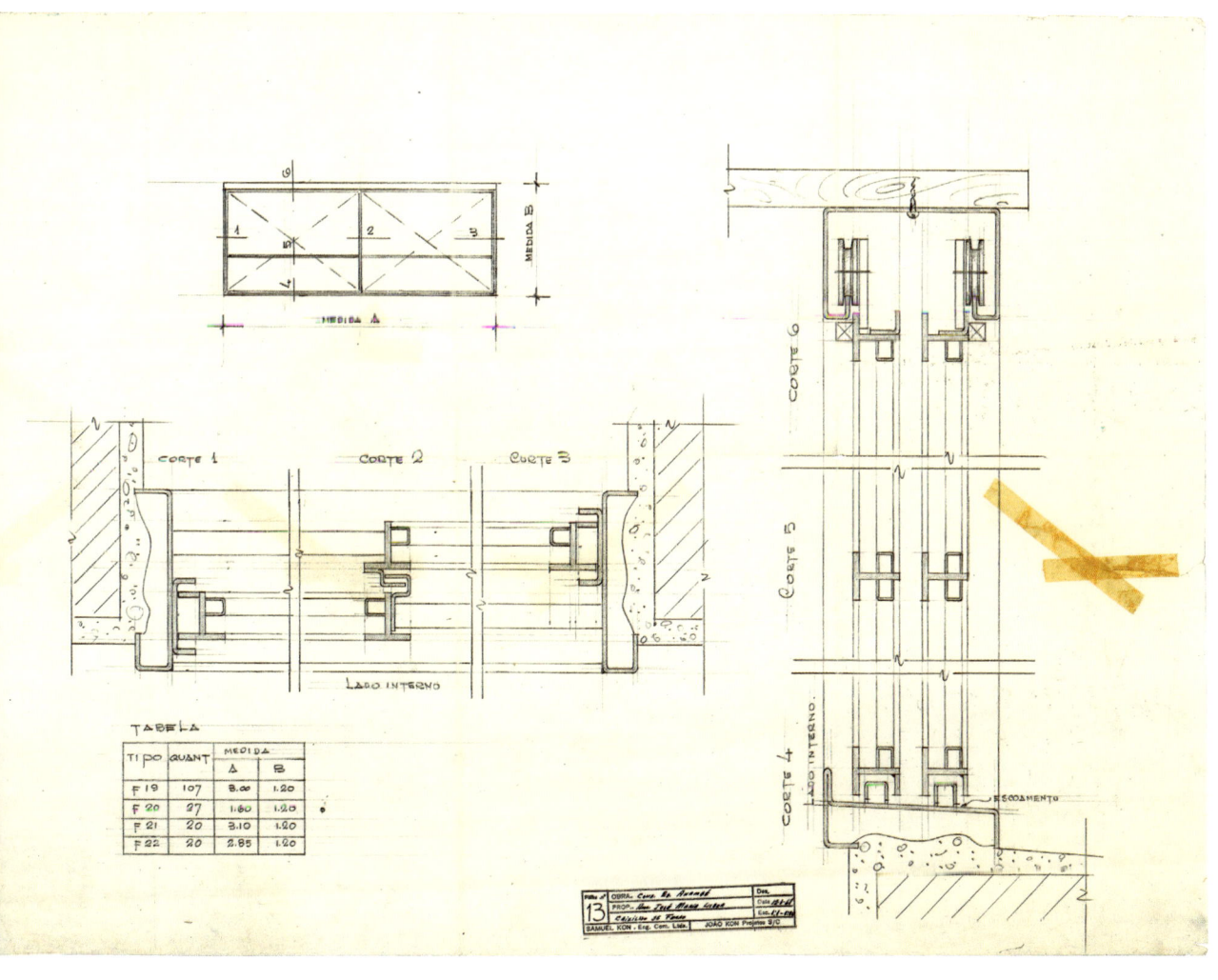

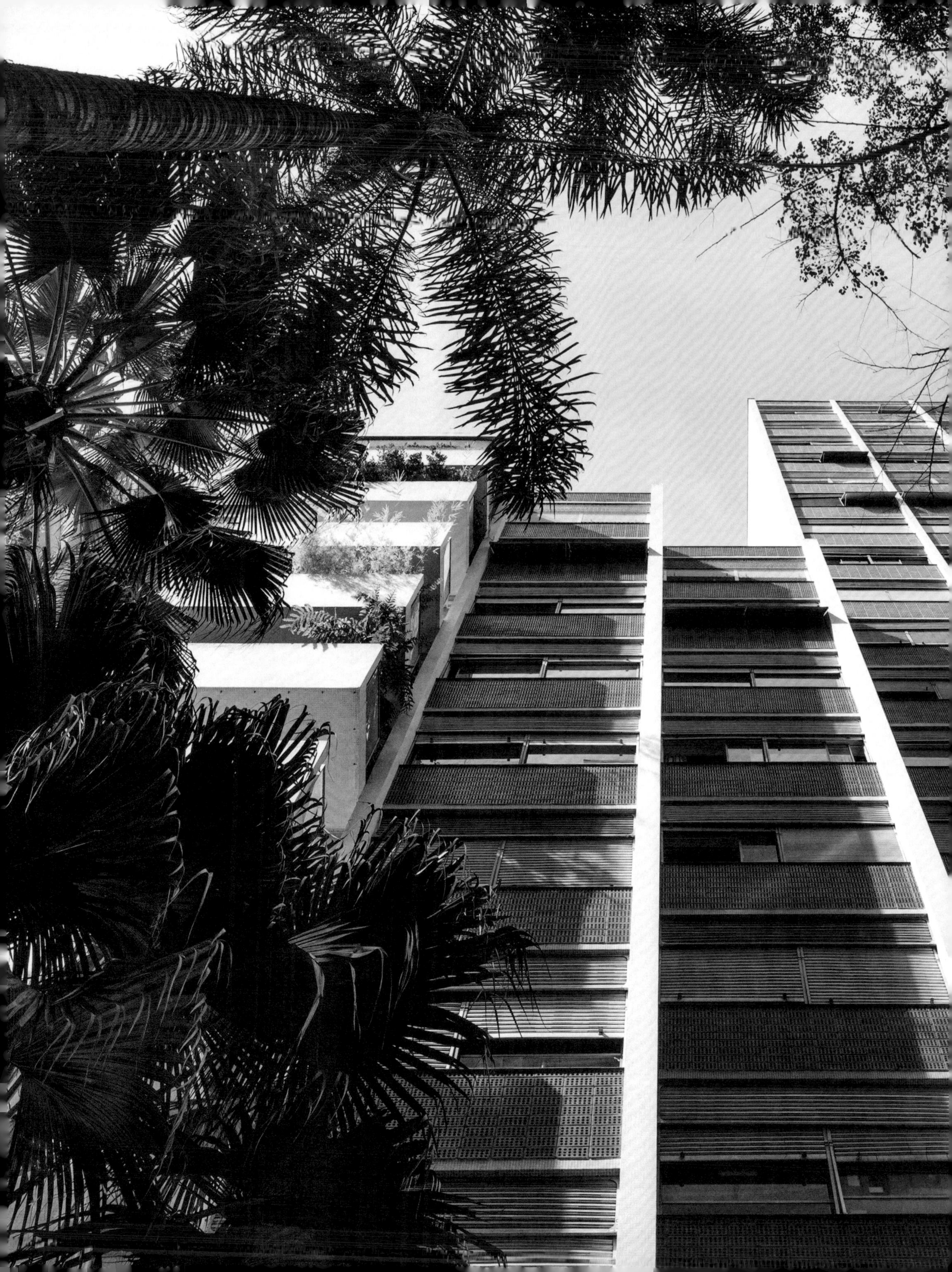

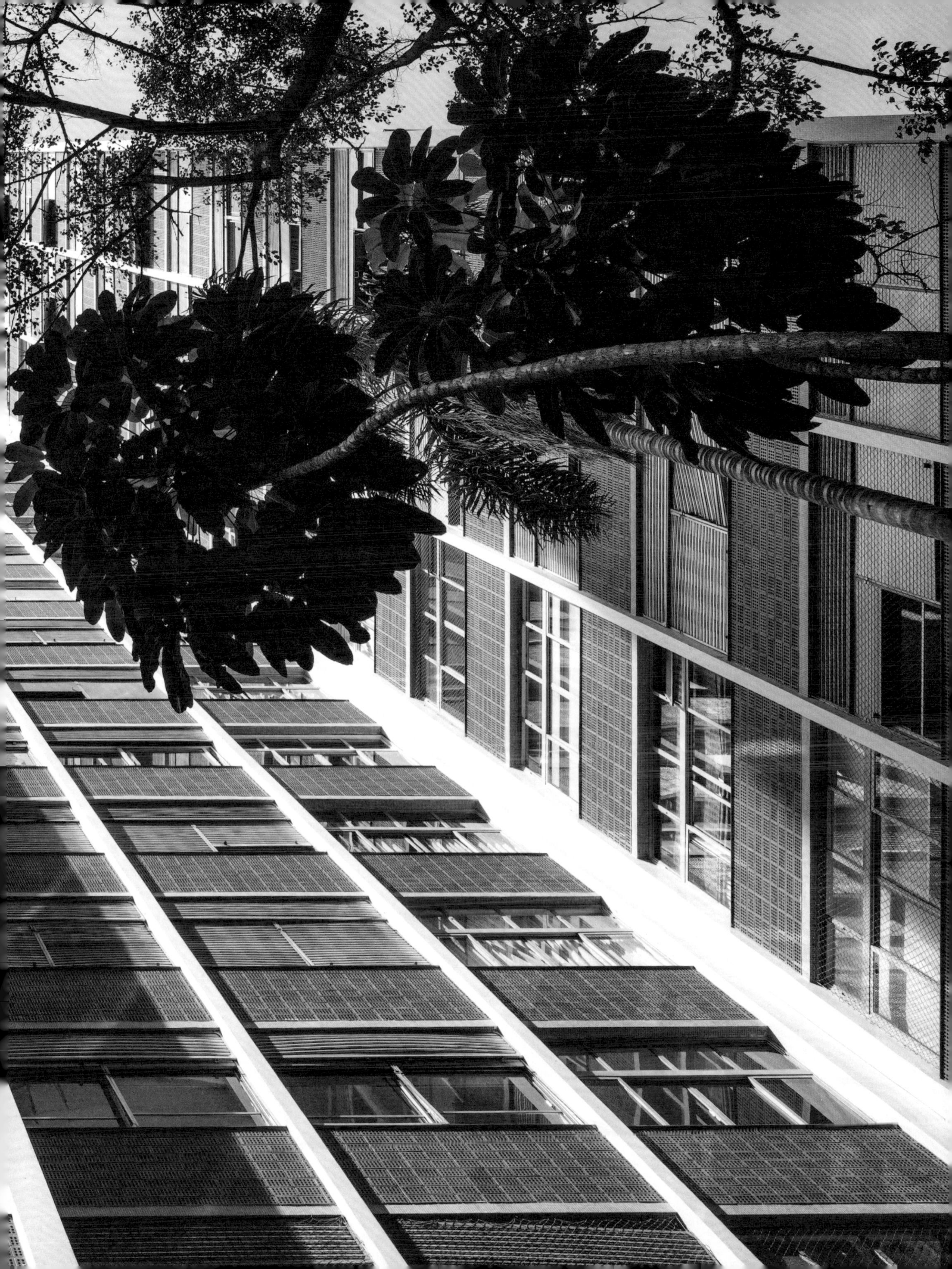

rua Sergipe, 600, Consolação
São Paulo SP

EDIFÍCIO JABORANDI, 1973

Residencial com
38 apartamentos e
garagens,
10.306,00 m²

O edifício com dezenove plantas tipo sobre o térreo e laje de subsolo para estacionamento, com 38 apartamentos, tem desenhos para aprovação de março de 1970. O condomínio apresenta uma solução notável para o aproveitamento de terrenos com muita profundidade. A lâmina é desenvolvida em onze pórticos múltiplos, com dez lajes praticamente iguais e três pontos de circulação vertical. O núcleo para circulação de serviço com escada coletiva e elevador está deslocado e inserido no sexto intervalo da estrutura, dessa maneira, dois apartamentos por andar ficam definidos numa estrutura transversa que sistematiza a solução das plantas com a posição ou a ausência dos planos internos normais e define unidades com programas semelhantes, porém, com área construída substancialmente diferente. Este condomínio pode ser associado à solução estrutural de edifícios com fachadas longilíneas de outros projetos do arquiteto, como, por exemplo, os Condomínios Juriti e Albatroz, em que a estrutura periférica exerce a pauta que estabelece o ritmo das plantas e de suas paredes. Na verdade, os requisitos diversos da construção em arquitetura alcançam, aqui, surpreendente aderência entre estrutura, programa e fachada, favorecida pela certeira ordem da arquitetura moderna. Os ambientes estão orientados conforme importância e insolação; salas e dormitórios são predominantemente voltados para o Nascente. No entanto, em que pesem o rigor da estrutura e a orientação única dos ambientes principais, o projeto ainda reconhece valores formais e específicos nas extremidades do terreno e, por isso, parece voltar a prumada das salas frontais para o amplo recuo, ao girar seus balcões e propor esquadrias na fachada frontal. Tal operação não compromete a condição formativa dos apartamentos desenhados com esquemas de distribuição idênticos que, junto com a estrutura, propiciam homogeneidade em função da prevalência dos critérios formais nas plantas das duas unidades. É possível resolver a demanda imobiliária que vai defender a tradição e exigir o prestígio da fachada principal, sem comprometer o formalismo moderno, a identidade do desenho, a configuração única que todos reconhecem. Uma planta com apartamentos acoplados em série que boicota a simetria imediata com que se costuma resolver

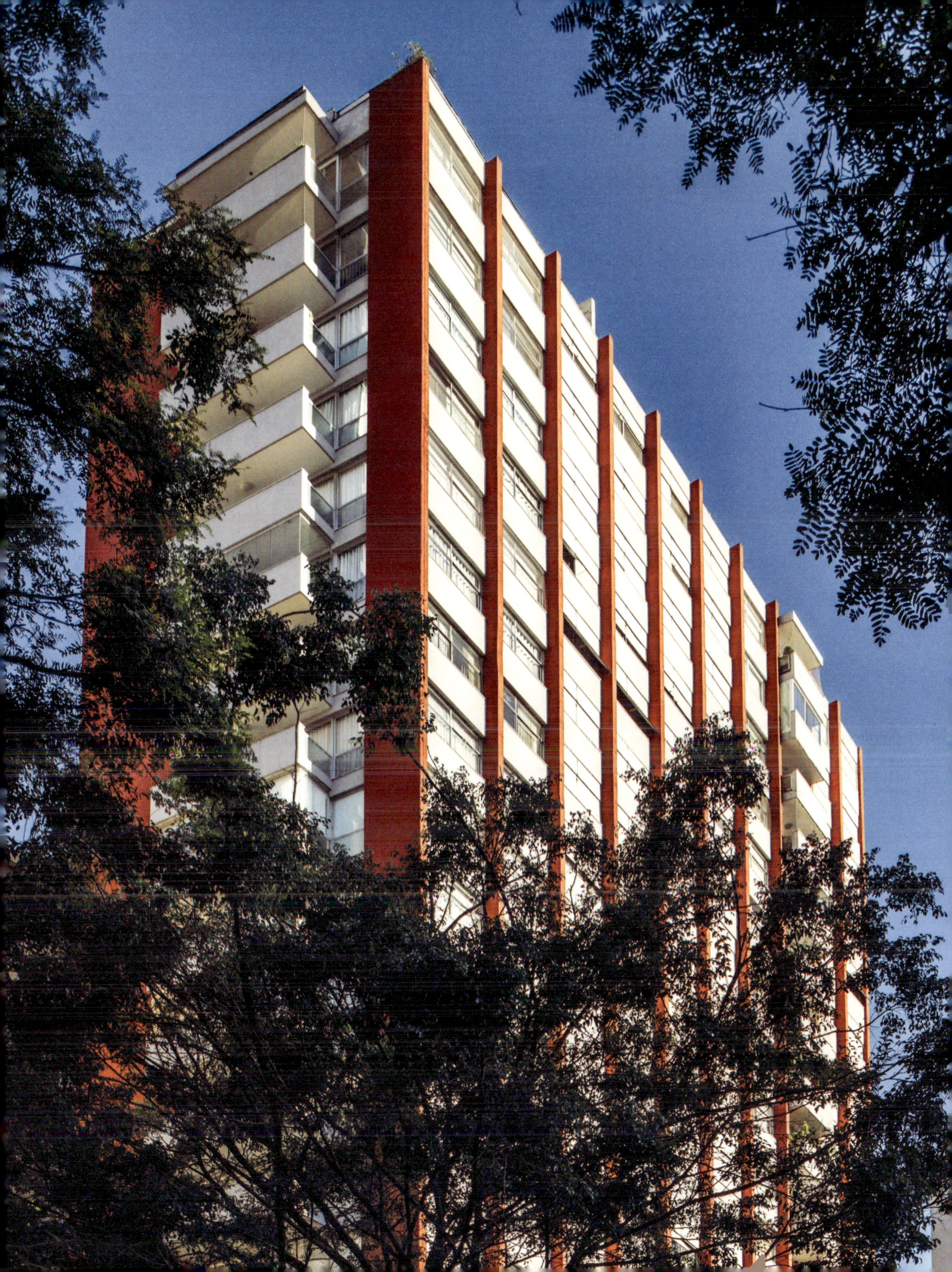

essas situações e, além disso, obtém sentido e resultado admiráveis, mesmo iniciada com as salas frontais e finalizada com os dormitórios. Tudo perfeitamente composto numa fachada que expressa os aspectos horizontais com as camadas de peitoris contínuos e que conta com o ritmo vertical necessário para a construção visual do objeto, a partir dos pilares aparentes que olhos inteligentes identificam como construção. Às salas, correspondem duas lajes, e os quartos ajustam-se às lajes econômicas com 3,15 metros, ou 3,25 metros, de largura. O apartamento frontal tem três dormitórios e uma suíte, com sala de jantar definida e compartilhada com uma copa de 15 m², enquanto os apartamentos do fundo possuem dois dormitórios e uma suíte, com sala de 44 m². Apontadas essas diferenças, o resto do programa das unidades é idêntico, apenas mais compacto no caso dos apartamentos traseiros. A implantação impressiona pelo recuo frontal generoso e ajardinado, conectado com o térreo de pilotis ampliado visualmente pela importante medida longitudinal e transparente. Um procedimento recorrente na obra do arquiteto: recuar muito os edifícios, para construir um paisagismo vigoroso que conforma espaços importantes junto aos edifícios vizinhos, que se atêm ao recuo mínimo.

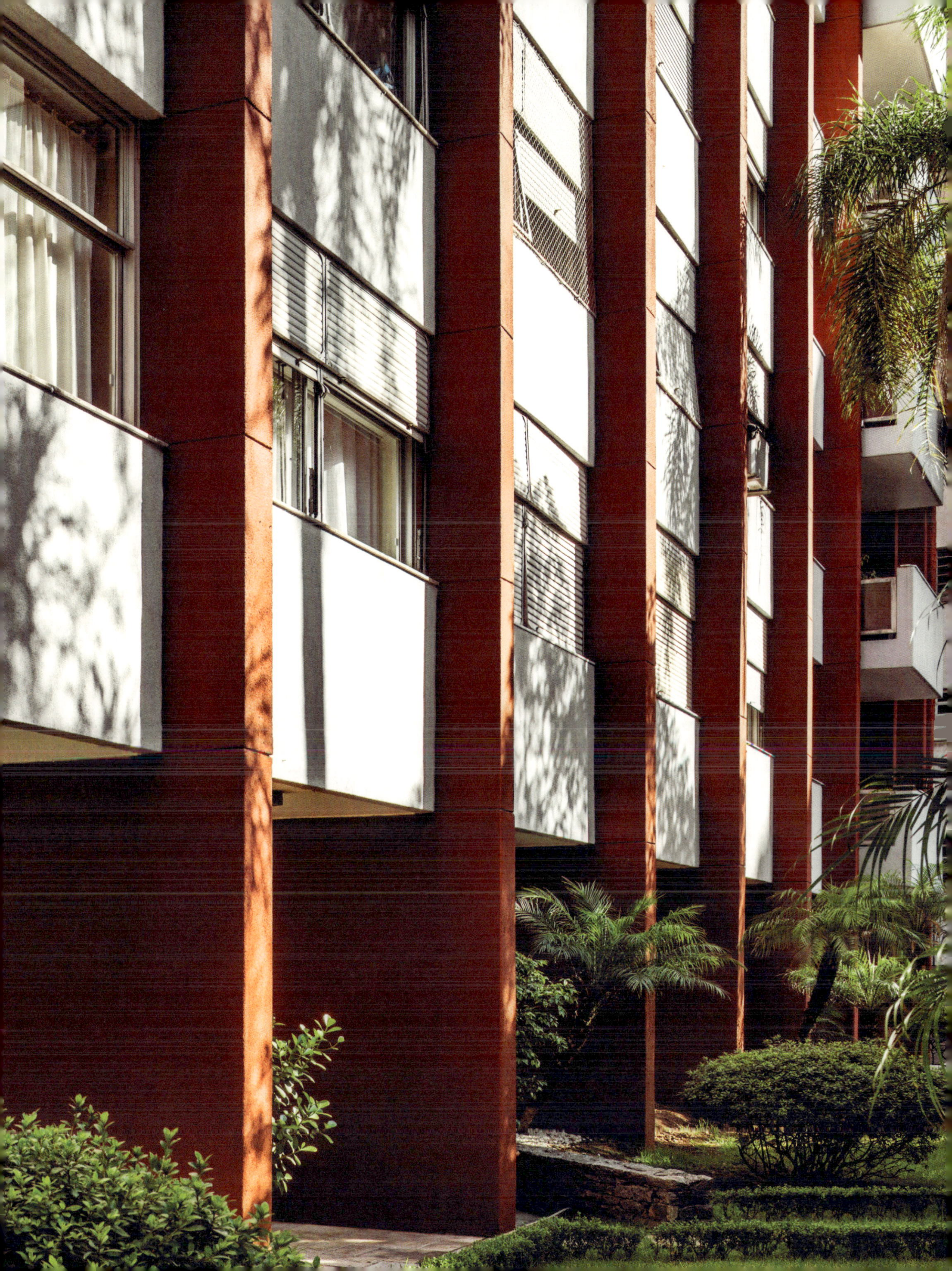

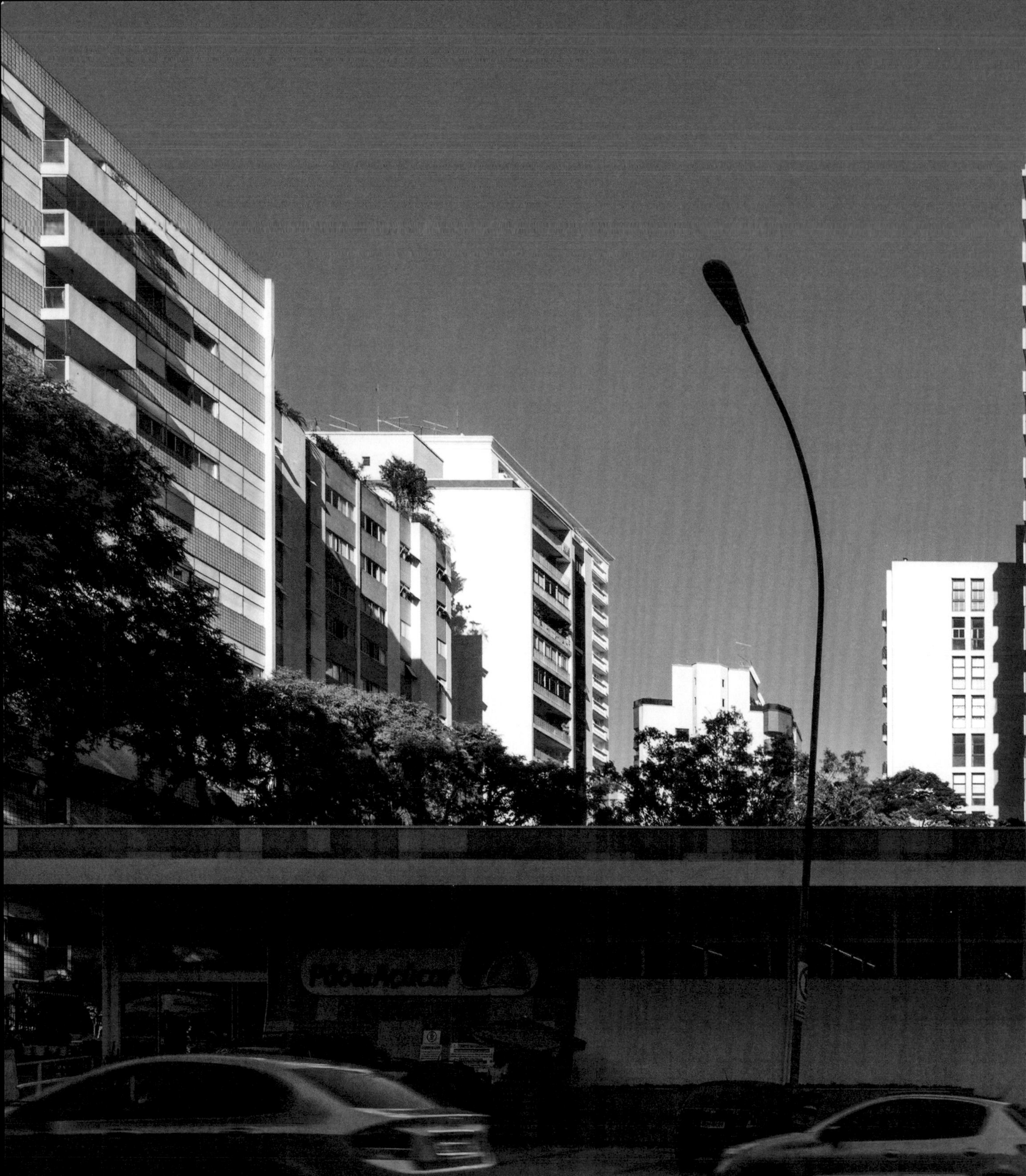

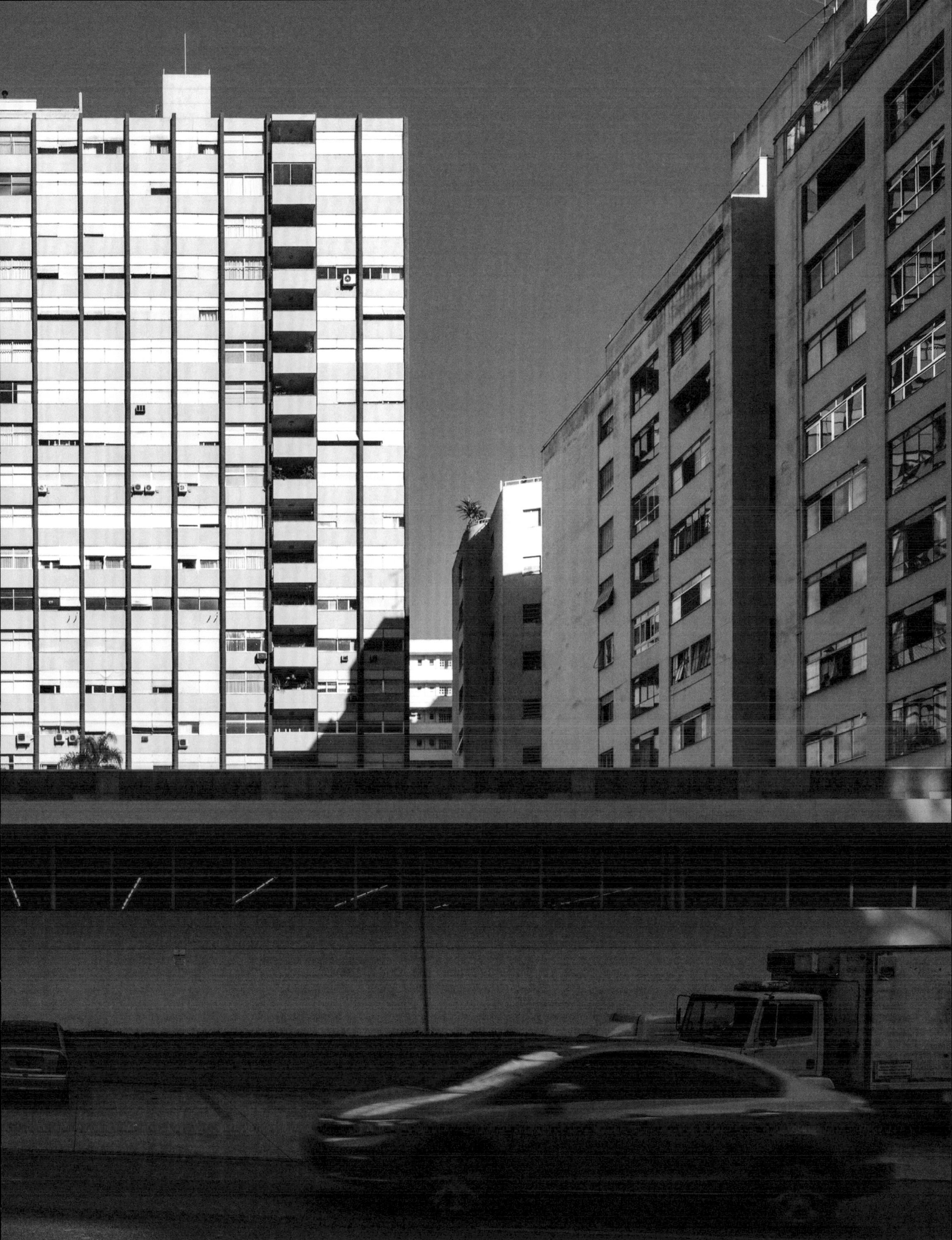

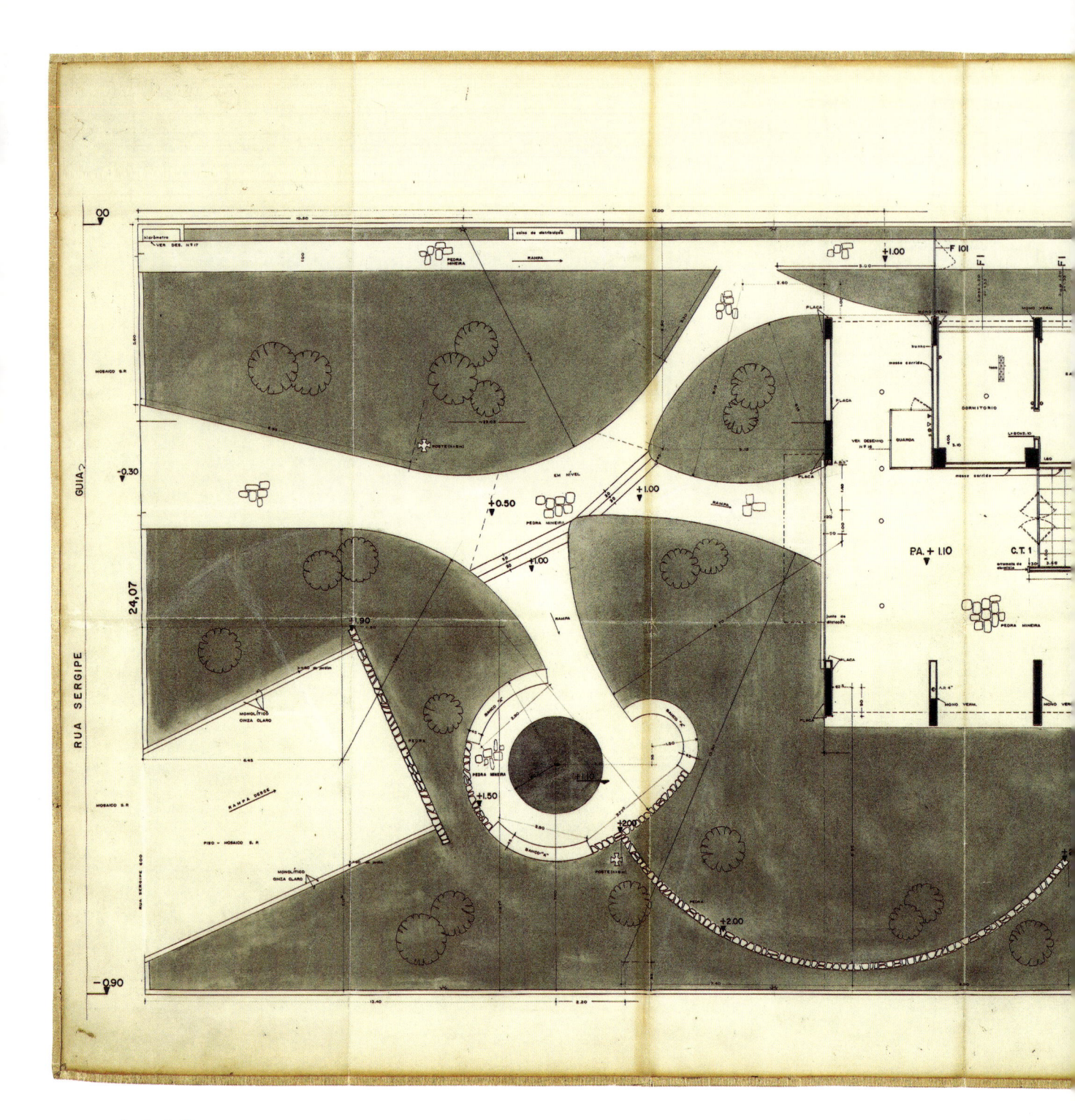

Implantação

DET. PISCINA esc. 1:10

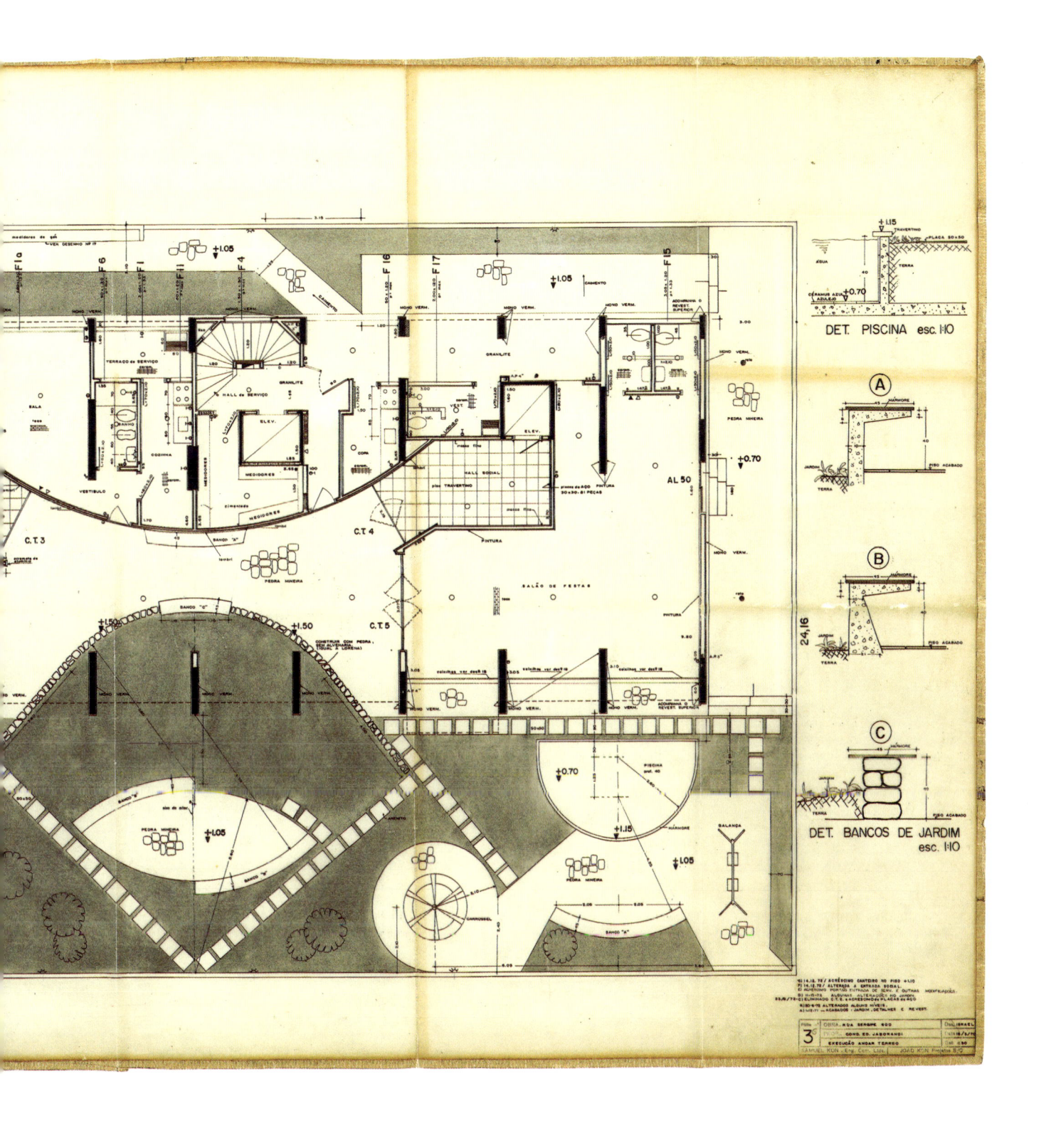

DET. BANCOS DE JARDIM esc. 1:10

à esquerda

Detalhe da escada da cobertura duplex

Elevações e cortes da estrutura

à direita

Plantas das unidades

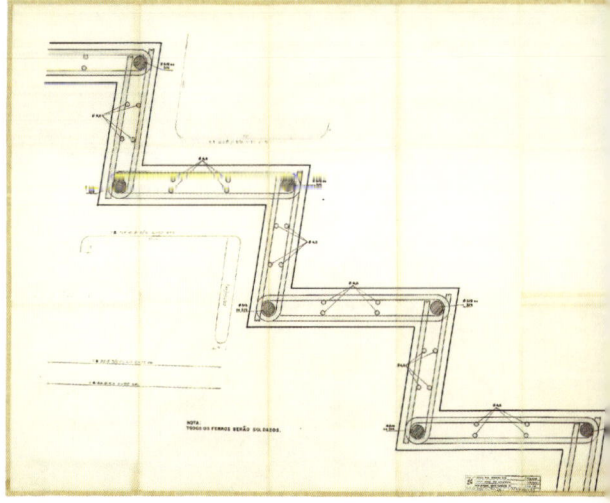

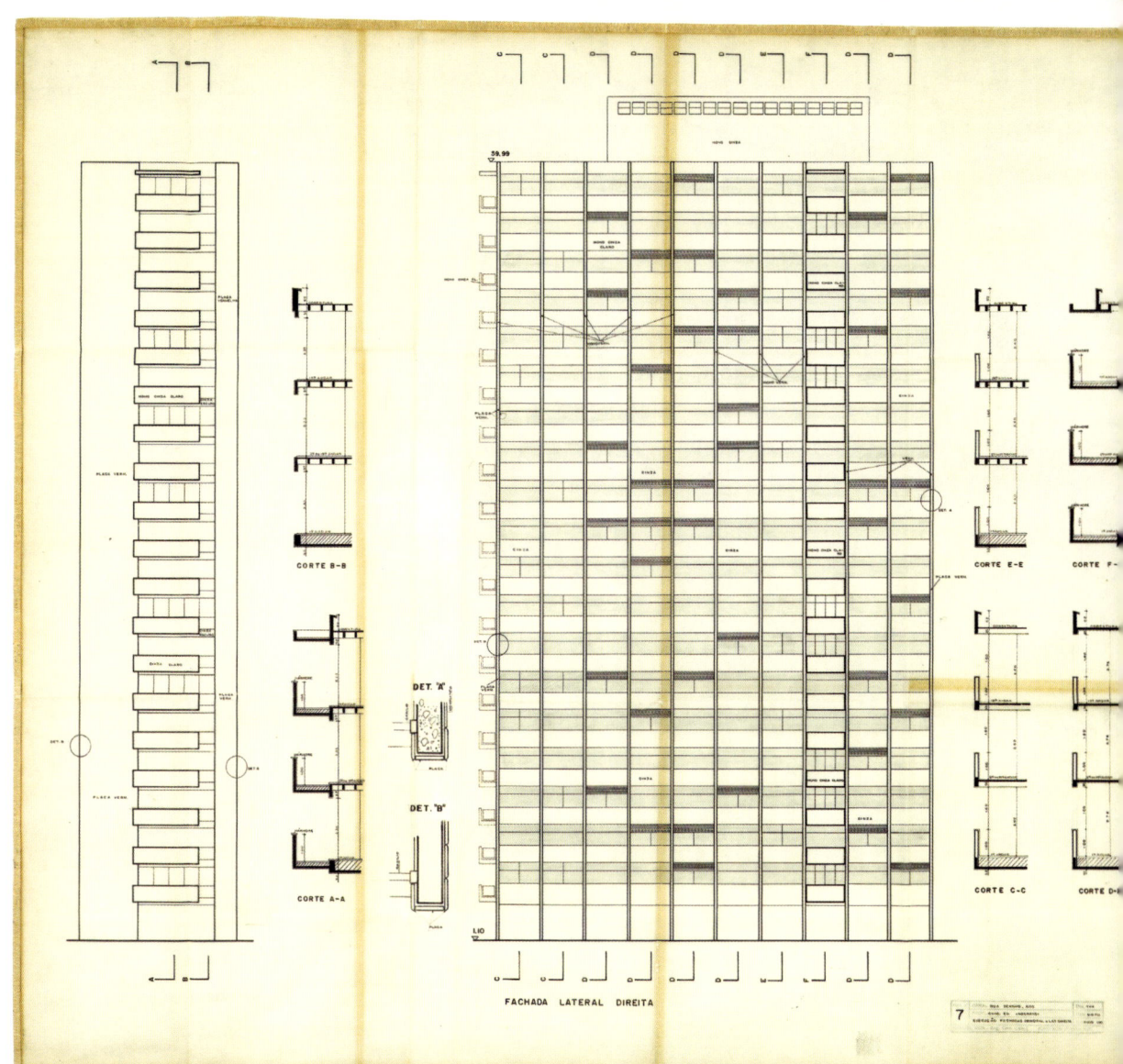

PLANTA SUJEITA A ALTERAÇÃO

APARTAMENTOS FINAL 1
RUA SERGIPE 600

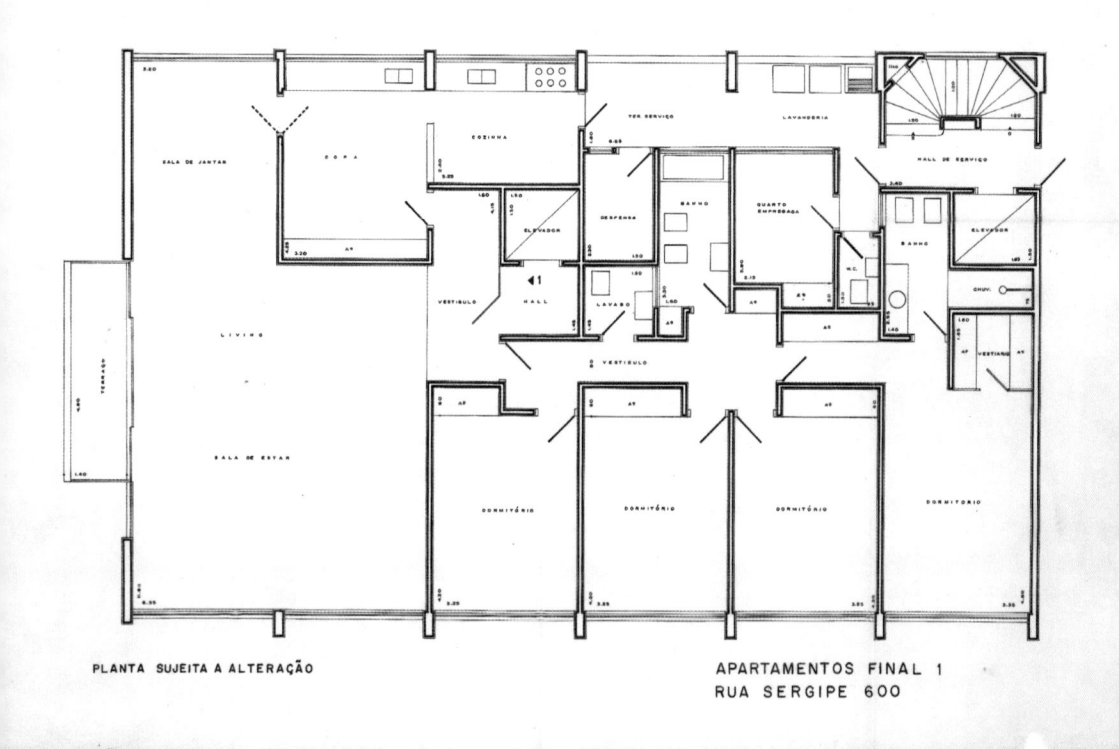

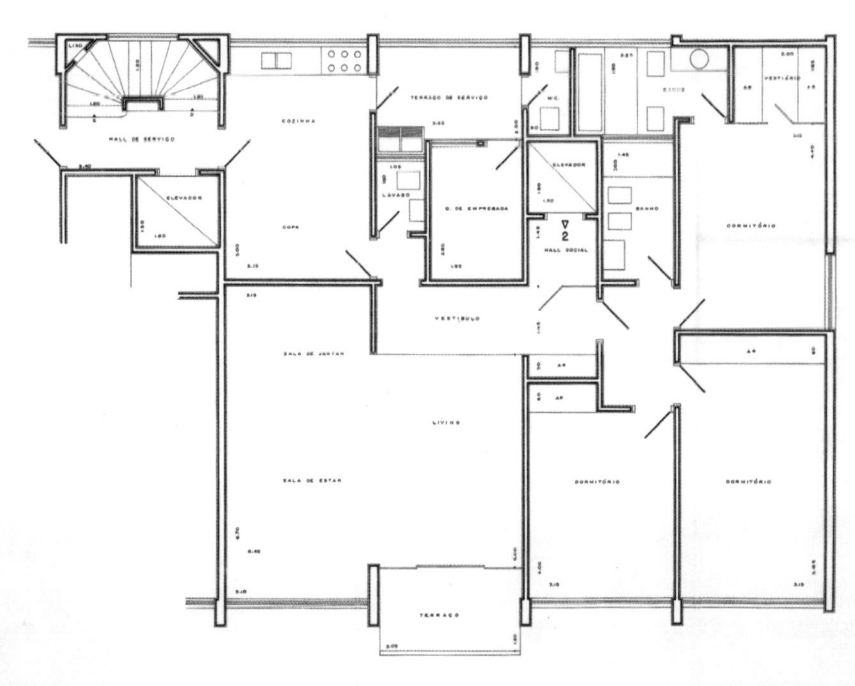

PLANTA SUJEITA A ALTERAÇÃO

APARTAMENTO FINAL 2
RUA SERGIPE 600

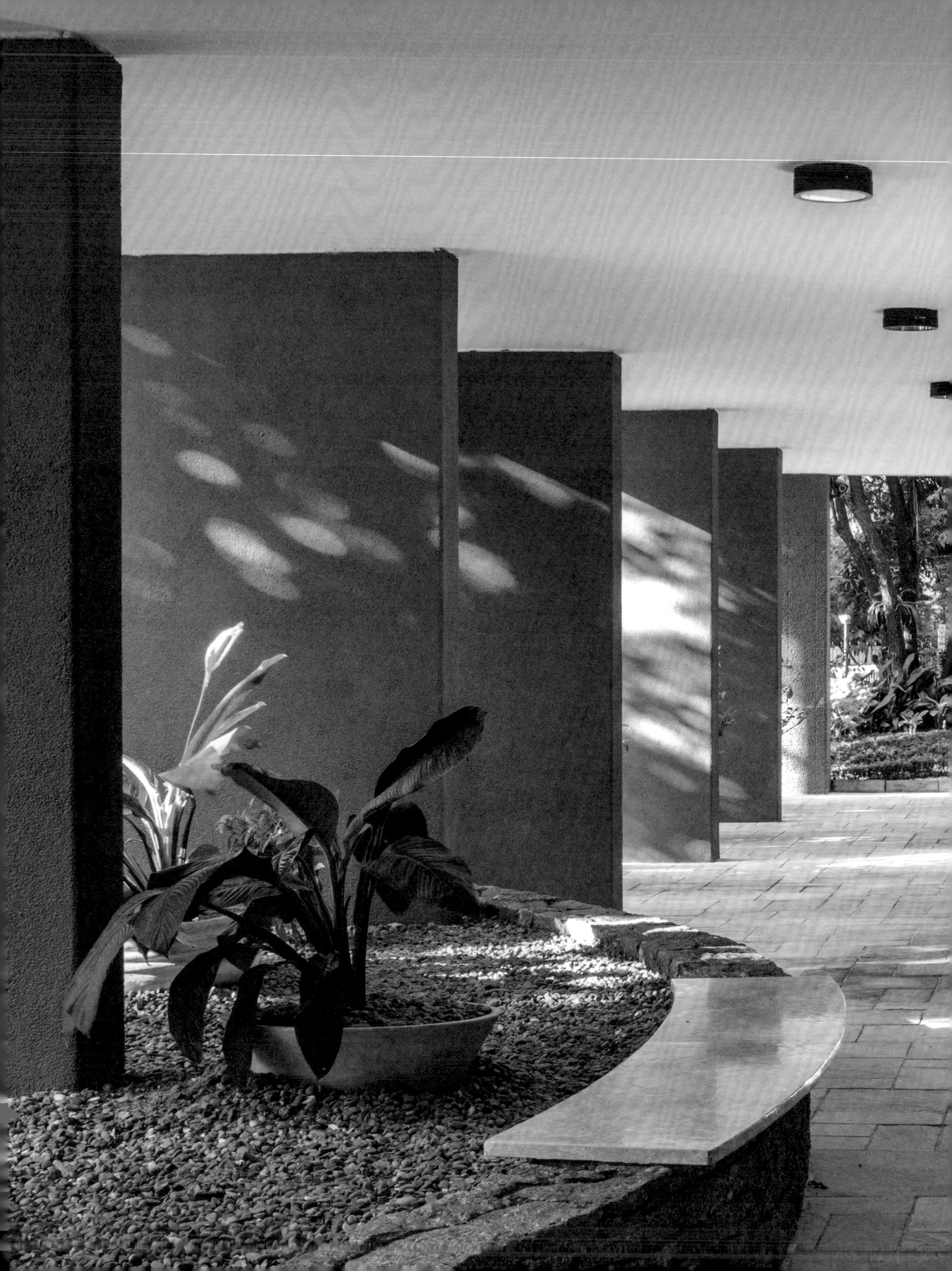

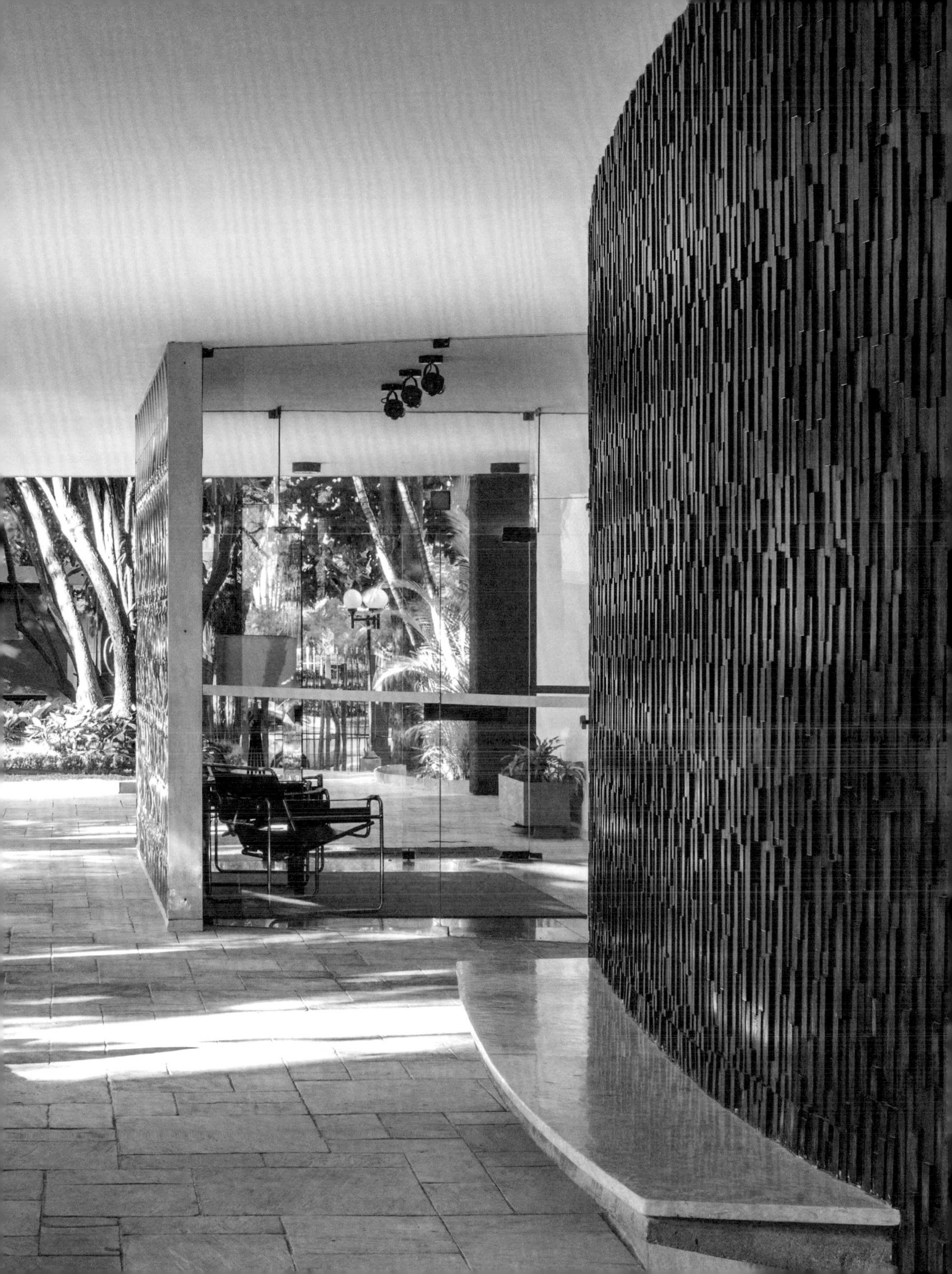

rua Pará, 269, Higienópolis
São Paulo SP

EDIFÍCIO PLACE DE L'ETOILE, 1973

Residencial com 32 apartamentos e garagens, 7.860,50 m²

O edifício Place de l'Etoile retoma o notável tipo proposto no Edifício Garça Real na alameda Tietê, 621, de 1966. Simplificado, o novo empreendimento na rua Pará, 269, perde um dos elevadores sociais e mostra pequenas modificações na distribuição dos sanitários dos dormitórios e na posição do quarto de empregados para ajustar o tipo às medidas do terreno. Os seis anos que separam os dois edifícios são suficientes para acusar as constantes mudanças na preferência do arquiteto. A entrega no térreo dos andares de plantas tipo no modelo original se faz com uma série de elegantes pilares recuados nos seis vãos homogêneos dos dormitórios. Essa solução é revista e, no novo edifício, se faz com uma distribuição mais rarefeita de pilares, com clara intenção de diminuir apoios e construir estruturas mais robustas. As importantes seções de pilares mais carregados são aliviadas com o estreitamento de suas testas em formatos lapidados e enfrentados com as colunas nas arestas frontais do volume.

No amplo recuo com o logradouro, um generoso jardim característico das implantações do arquiteto antecede o corpo edificado. Este, com núcleo central de circulação vertical para duas unidades por andar em dezesseis lajes, conta com trinta e dois apartamentos de alto padrão.

Os apartamentos espelhados e idênticos são compostos de dois dormitórios e suíte, sala de estar, sala de jantar, lavabo, sanitário social, cozinha, lavanderia, quarto de empregada e sanitário de serviço. O núcleo vertical dispõe de elevador social e elevador de serviço com escada coletiva.

A planta do edifício organiza os ambientes conforme usos e, dessa maneira, estabelece a característica das fachadas. De forma diversa das plantas, que apresentam salas e quartos numa mesma face para compor uma fachada com esquadrias diferentes, neste caso, aos dormitórios fica reservada toda a elevação principal, voltada para nordeste e composta de doze caixilhos justapostos com folhas de vidro e persianas de enrolar projetáveis. A modulação da fachada é perfeita, e a moldura que a envolve corresponde à largura dos pilares e dos armários embutidos nos dormitórios principais. Réguas metálicas verticais sobrepostas aos peitoris de alvenaria com revestimento de pastilha azul-escuro traçam uma retícula única e homogênea.

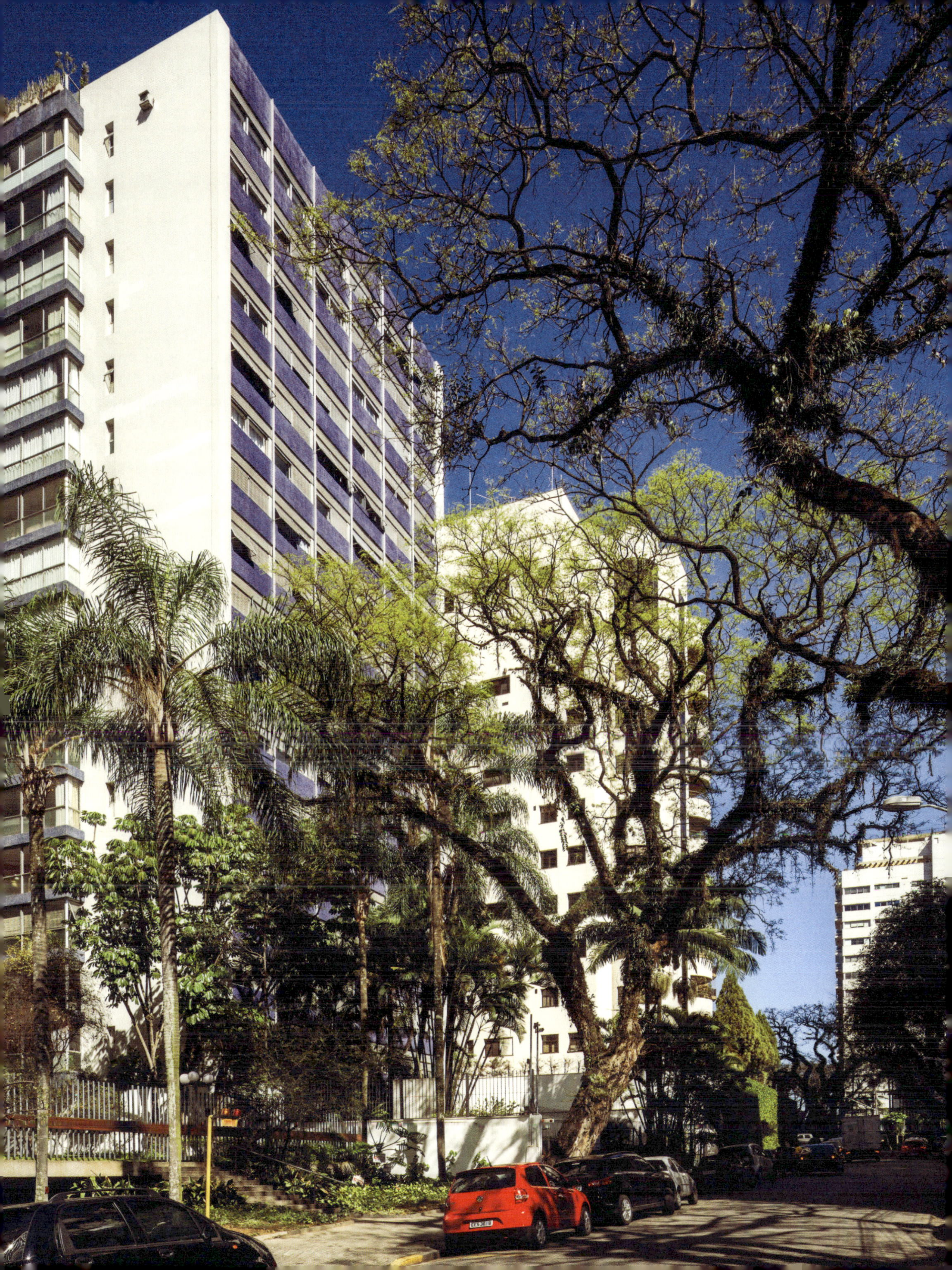

Como se houvesse uma vedação montada a seco – *cladding* –, o fechamento com janelas e peitoril edificado insinua a solução estandardizada, porque prevalecem os longos perfis verticais como parte e continuidade das esquadrias. O resultado obtido parece um pano de esquadria industrializado, que provoca uma ilusão bem recebida pelo olho e que admite que a arquitetura entendida como arte não tenha motivo para ser honesta ou verdadeira. Instruir o olhar com aquilo que se pretende aparentar, com buscar repercussão estética, sempre que não haja conflito, sem que haja inconformidade construtiva. Nesse caso, o artifício formal, compartilhado por arquitetos nos anos 1960 parece resistir à irrefletida perfuração das paredes com caixilhos e ao retrocesso que significa abandonar painéis pré-fabricados para fechamento dos vazios e substituí-los com uma distribuição de caixilhos isolados na alvenaria com aparência e formato funcionais.

A planta das unidades é irretocável. As mesmas faixas que dividem, nos edifícios lineares, são, no caso da torre, combinadas em duas direções para estabelecer os setores e as relações dos ambientes. Os sanitários alinhados separam dormitórios da sala, definem vestíbulos e circulações precisas; as fachadas são sempre abertas, com os caixilhos típicos para o uso que lhes é atribuído. Nos dormitórios, os vãos são praticamente constantes, enquanto na área molhada dos serviços, assume-se outra configuração de pilares. O lote urbano na quadra convence a todos daquilo que é principal e daquilo que é secundário e, por isso, há discrepância no tratamento das fachadas, como há em todos os edifícios habitacionais dos bairros nobres da cidade.

A circulação entre os ambientes é sempre um ponto admirável das plantas. Os esquemas de circulação do arquiteto são sempre muito precisos e eficientes. Neste caso, como em quase todos, admite-se que o acesso ao apartamento se faça pela sala, e que ela seja a passagem da área de serviço para o setor familiar da unidade. É admirável a maneira como a circulação paralela com a parede dos elevadores liga a cozinha ao vestíbulo dos dormitórios, como as direções da circulação se dobram quando os ambientes estão orientados para outra fachada. Os aspectos funcionais surpreendem, porque há uma oportuna estrutura formal por trás da organização dos ambientes.

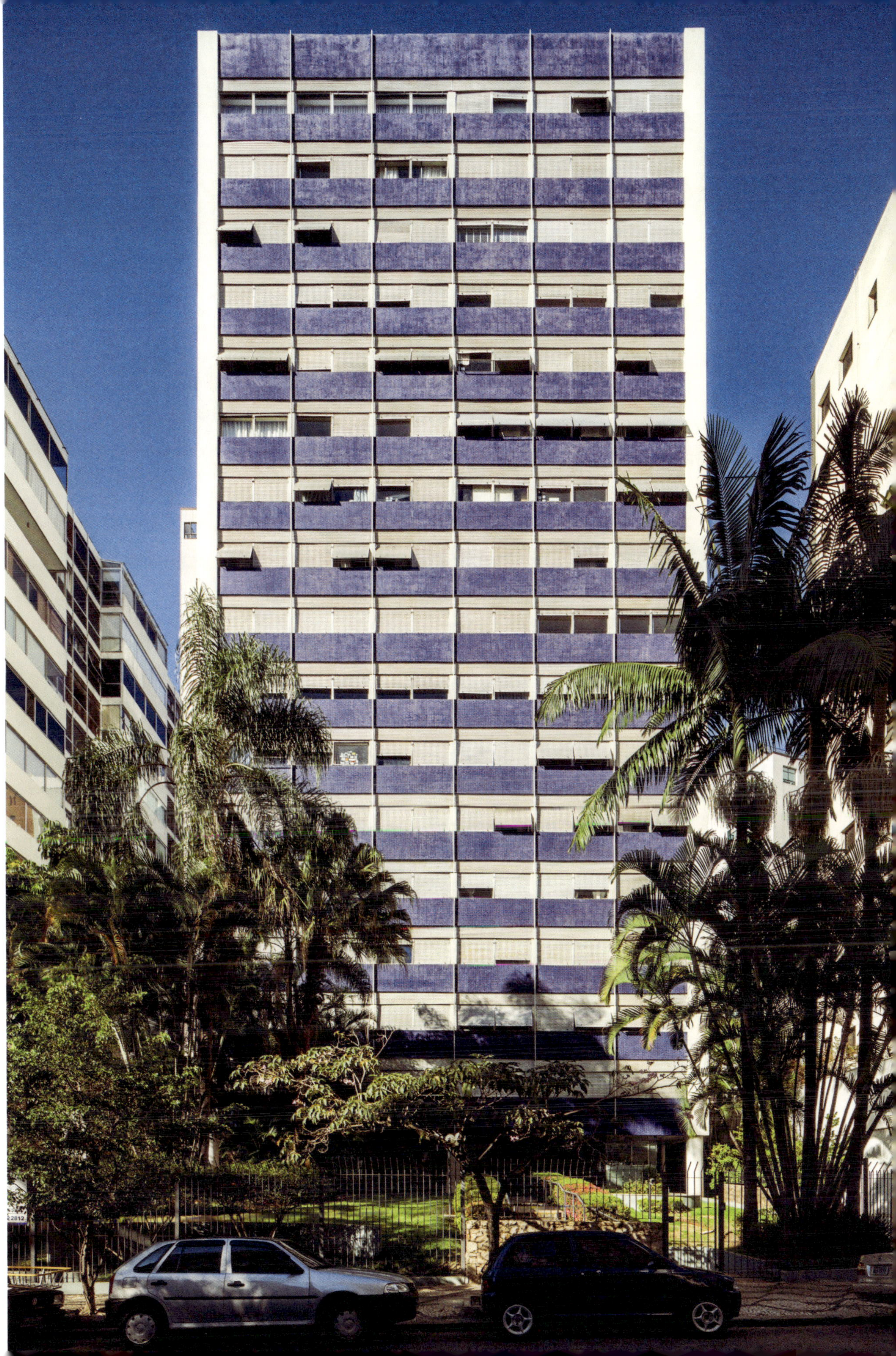

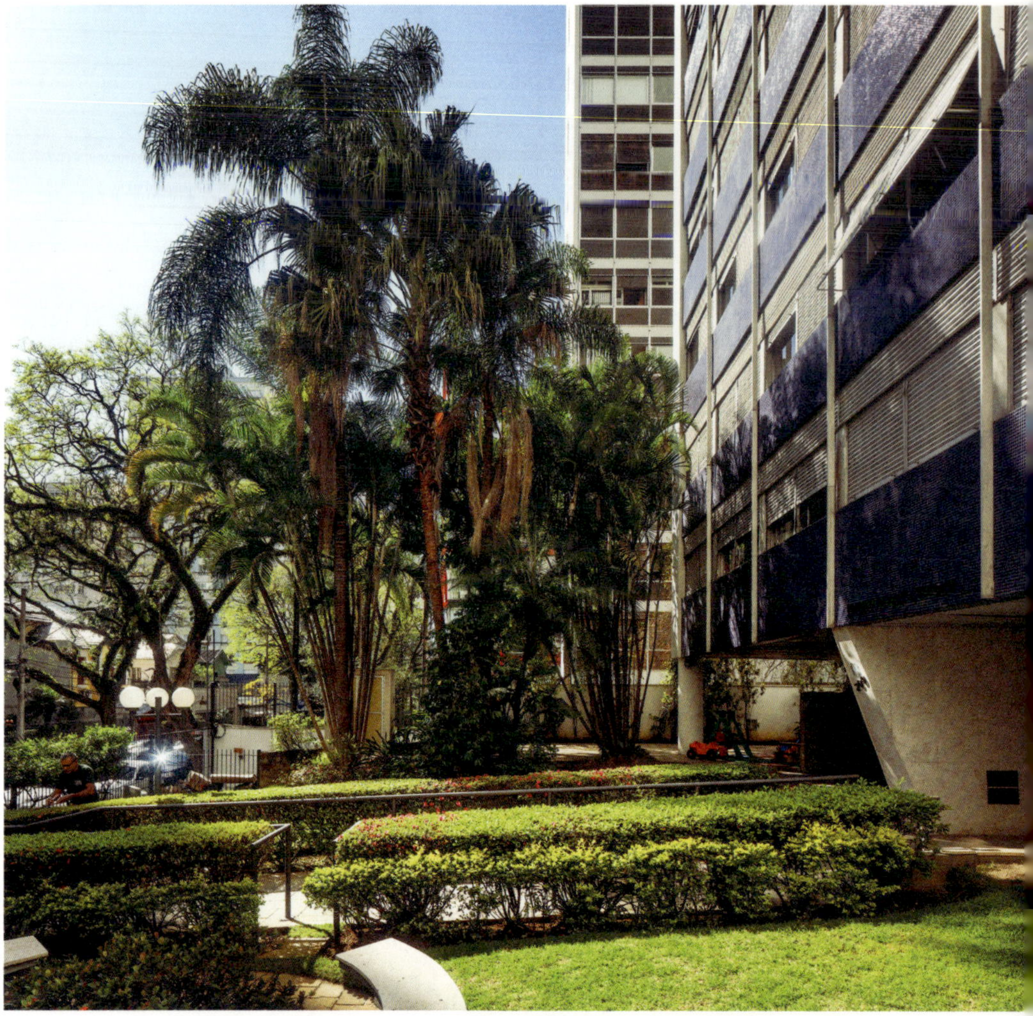
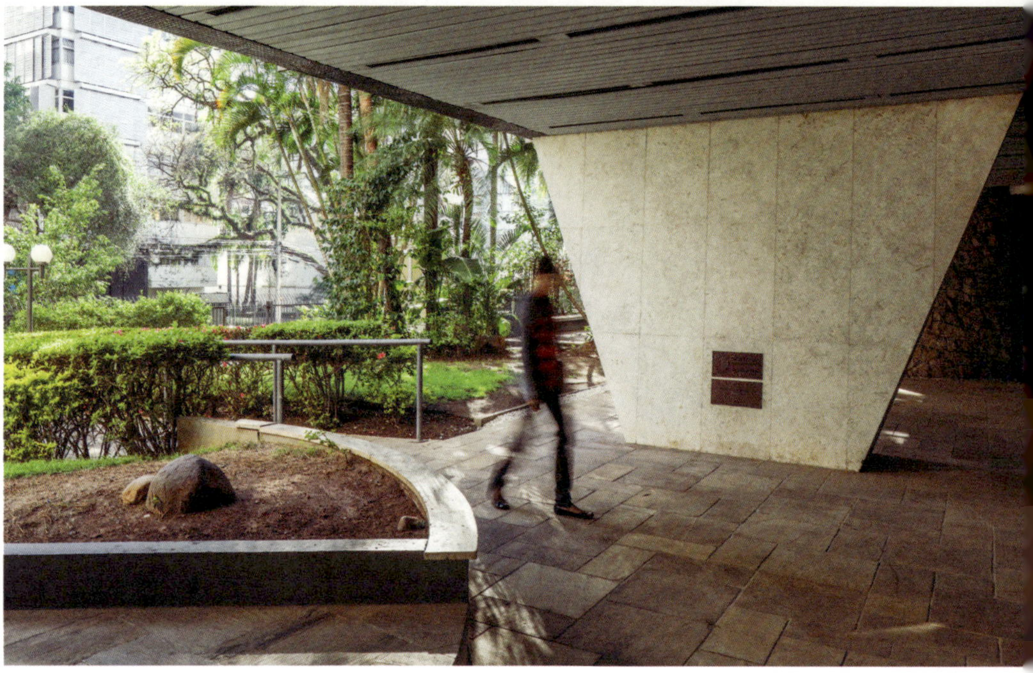

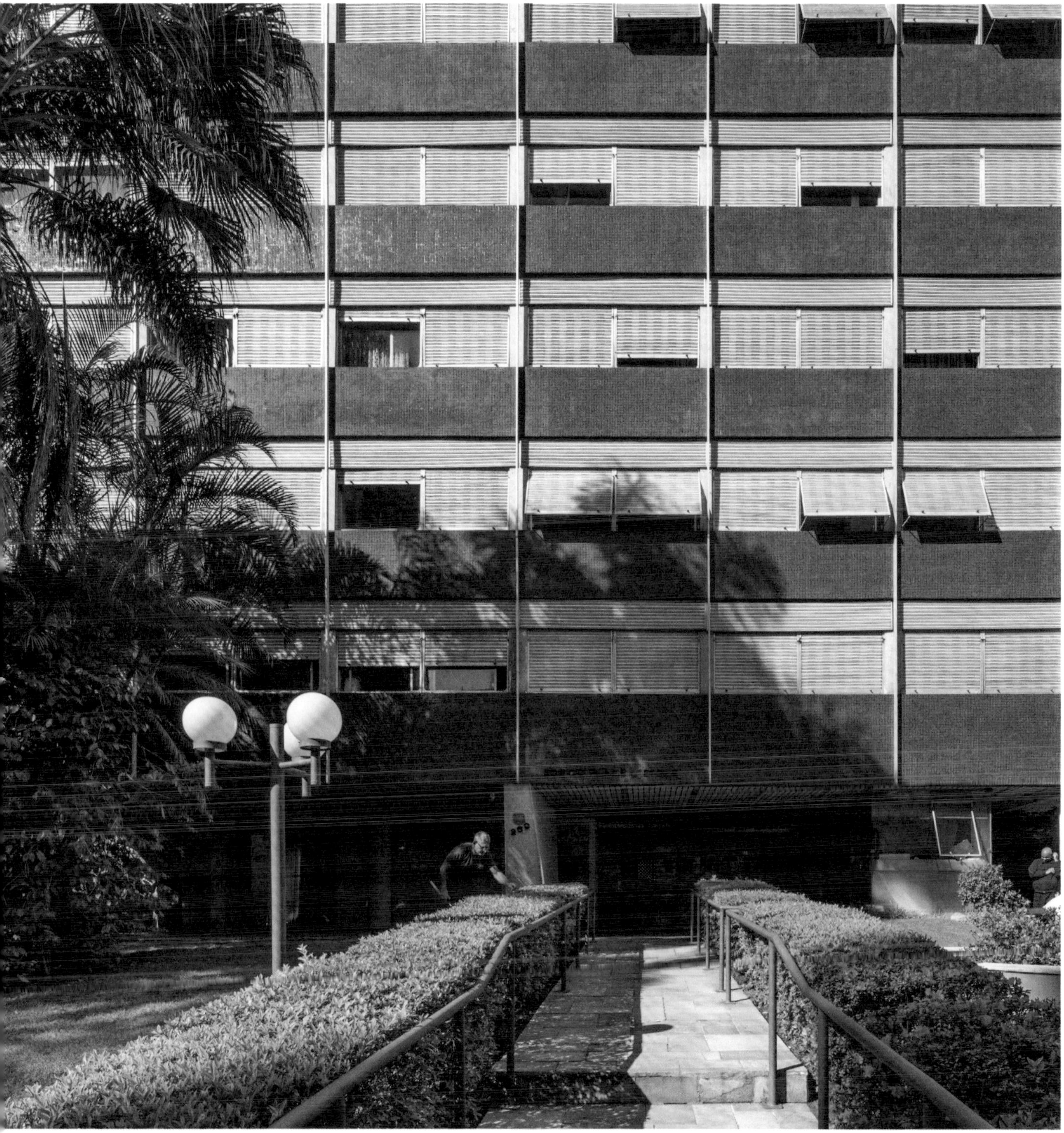

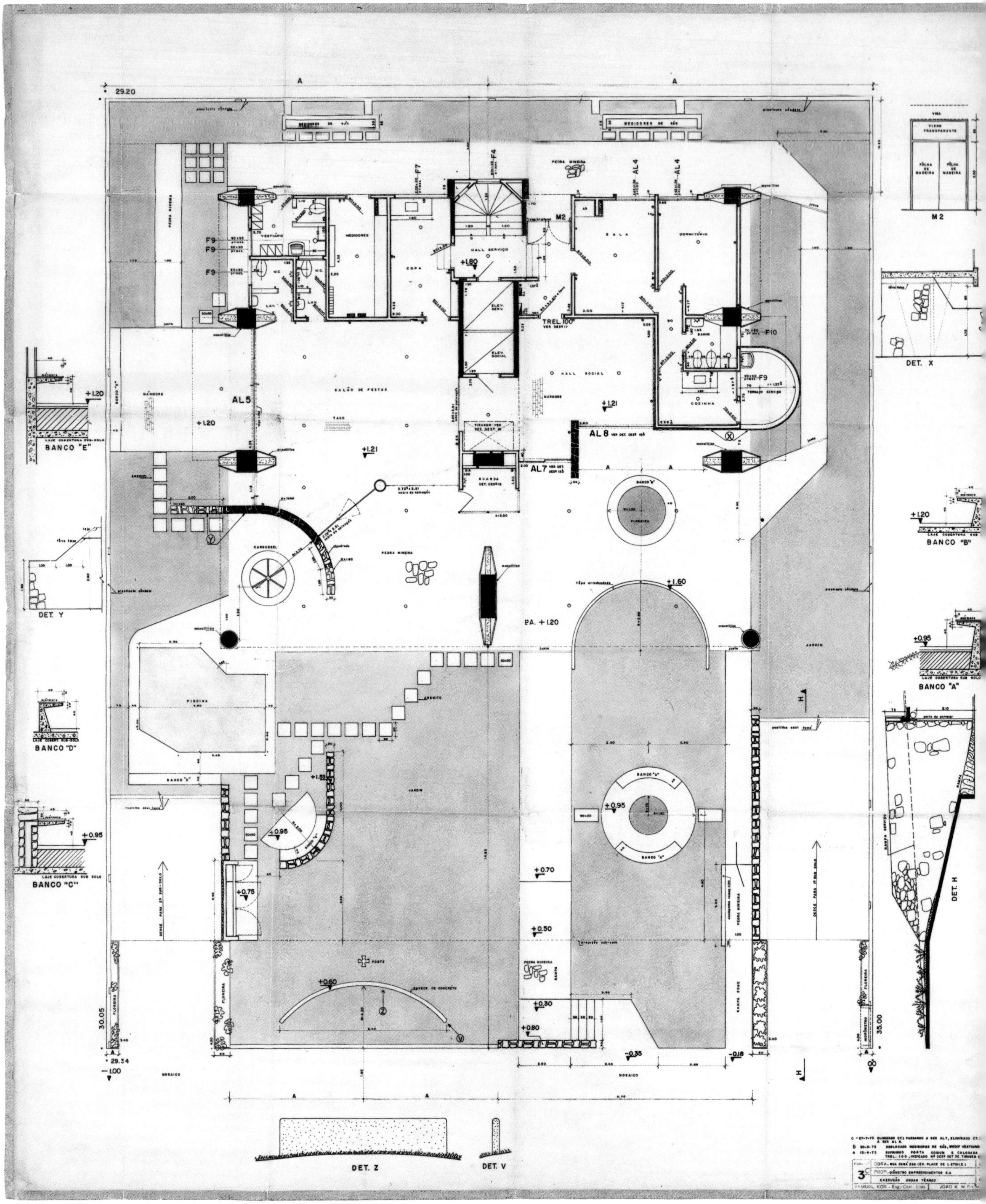

HALL SERVIÇO
COPA
MEDIDORES
VESTIÁRIO
SALA
DORMITÓRIO
COZINHA
HALL SOCIAL
SALÃO DE FESTAS
ELEV. SERV.
ELEV. SOCIAL
AL5
AL 8
AL7
TREL. 100
M2
F4
F7
F9
F10
AL 4
+1.80
+1.20
+1.21
+1.60
+1.55
+0.95
+0.75
+0.70
+0.50
+0.60
+0.30
+0.80
-0.35
-0.18
-1.00
29.20
30.05
35.00
CARROSSEL
PEDRA MINEIRA
PISCINA
JARDIM
BANCO "A"
BANCO "B"
BANCO "C"
BANCO "D"
BANCO "E"
MOSAICO
POSTE
BA. +1.20
DET. X
DET. Y
DET. Z
DET. V
DET. H
c - 27-7-73 ELIMINADO CT.1 PASSANDO A SER AL7, ELIMINADO CT. A SER AL 8.
b 30-5-73 DESLOCADO MEDIDORES DE GÁS, MODIF VESTIÁRIO
A 13-4-73 SUPRIMIDO PORTA COMUM E COLOCADA TREL. 100, INDICADO Nº DESº DET DE TIRAGEM
OBRA - RUA PARÁ 269 (ED. PLACE DE L'ETOILE)
3C
PROP. - DIÂMETRO EMPREENDIMENTOS S.A
EXECUÇÃO ANDAR TÉRREO
SAMUEL KON - Eng. Com. Ltda.

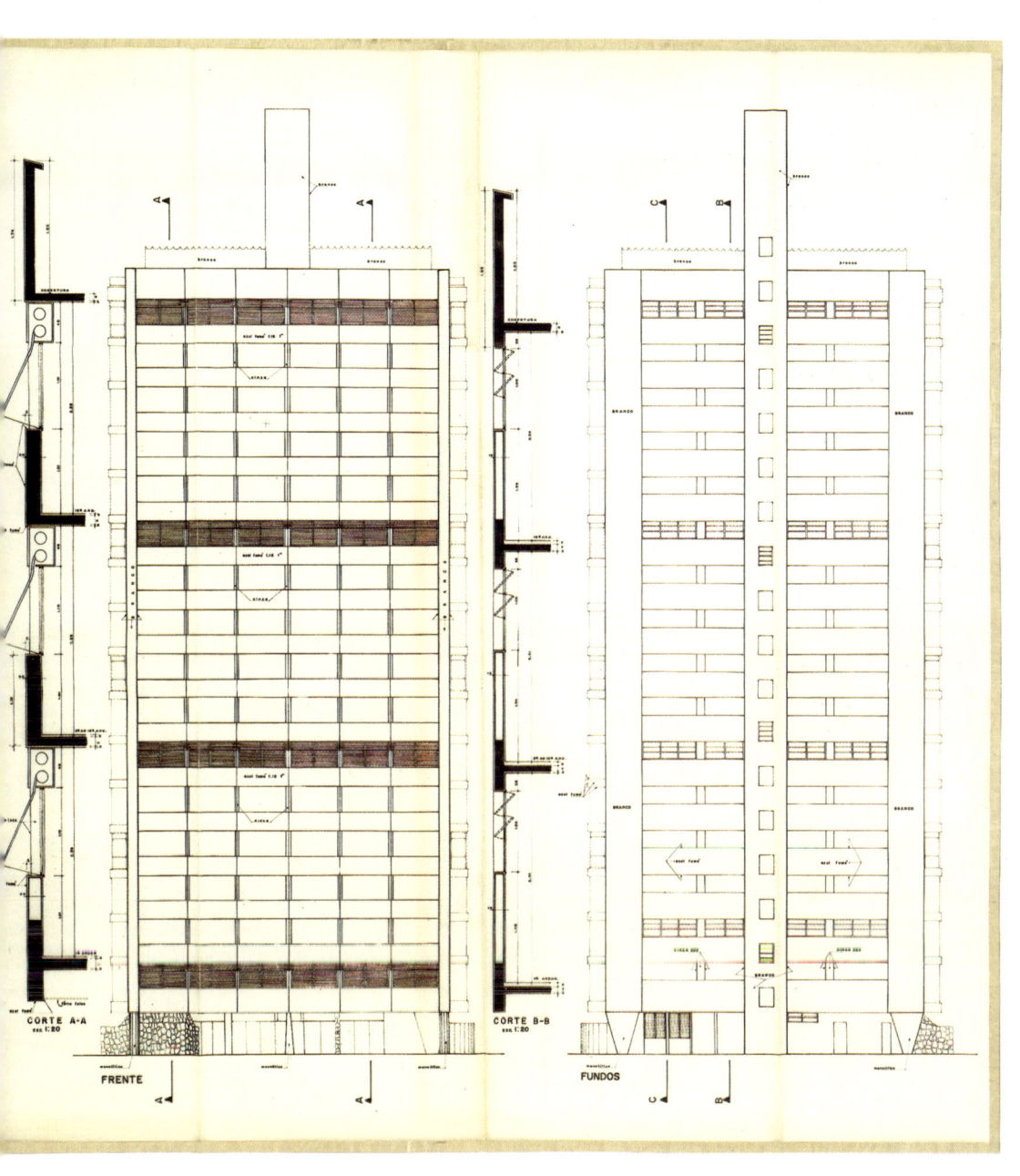

Implantação

Elevações e cortes da estrutura e esquadrias

Planta do pavimento tipo

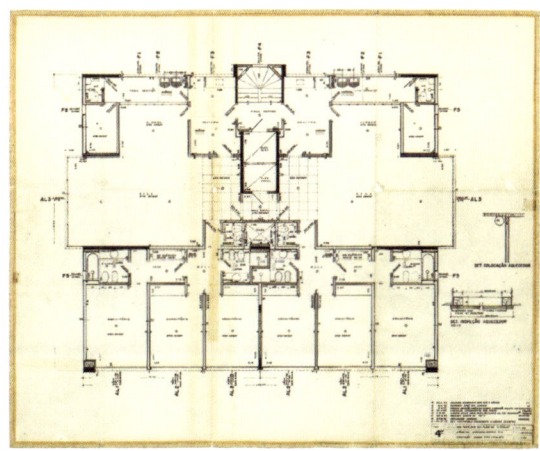

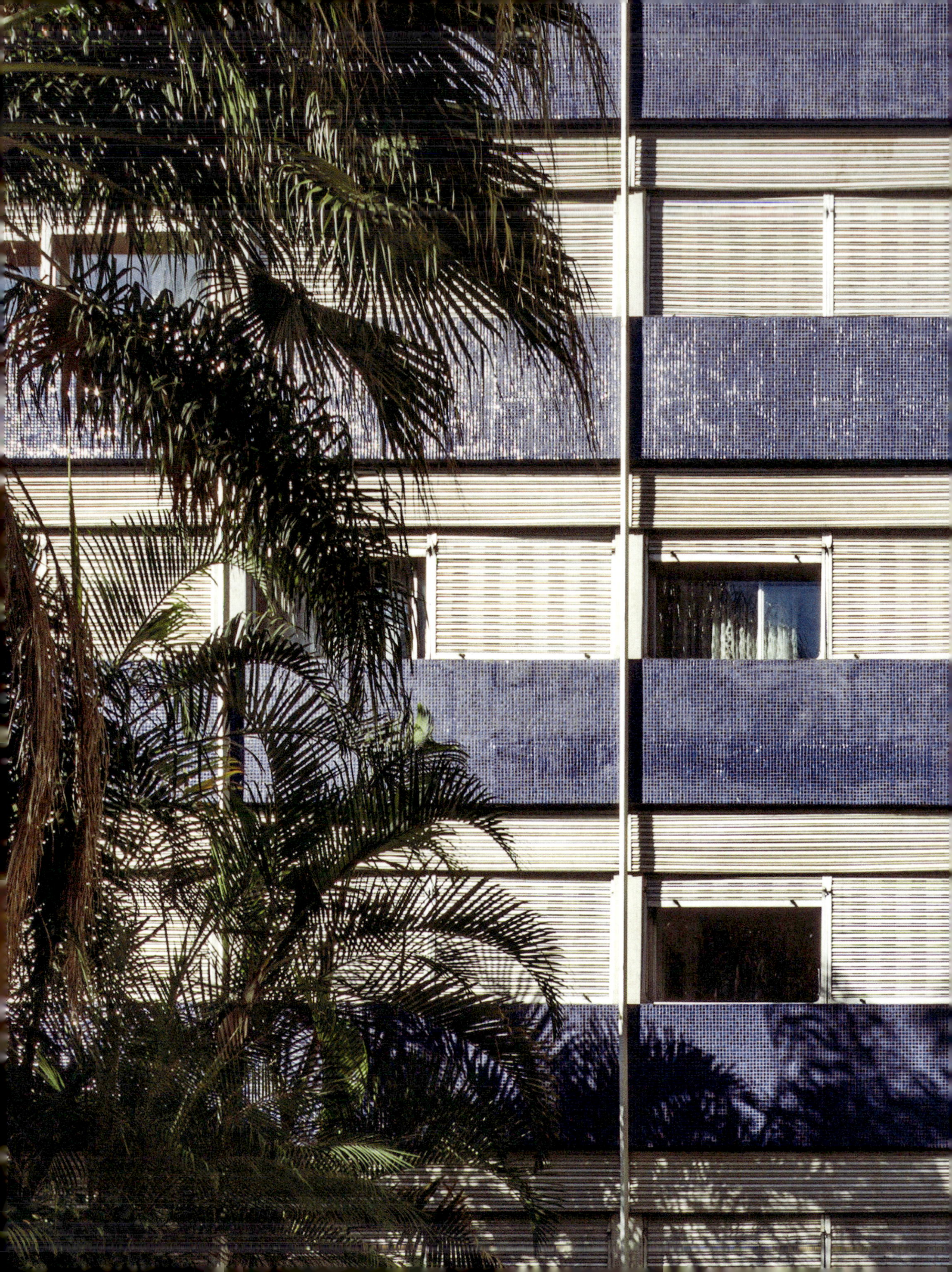

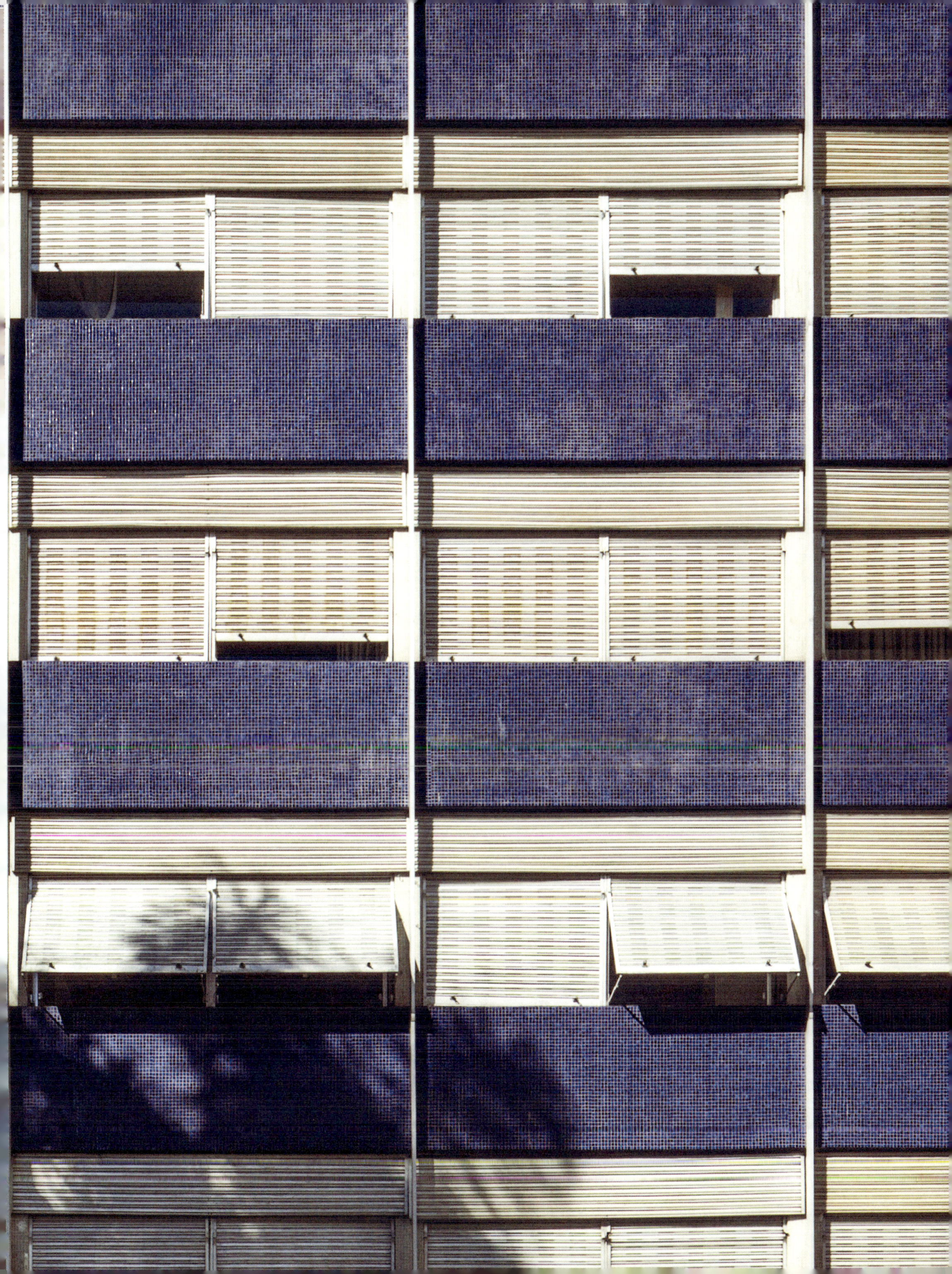

avenida Rouxinol, 346, Moema
São Paulo SP

EDIFÍCIO LEBLON, 1975

Residencial com 40 apartamentos e garagens, 8.383,20 m²

Edifício na avenida Rouxinol, esquina com a rua Tuim, tem vinte lajes tipo e quarenta apartamentos sobre um térreo com mezanino, salão de festas e apartamento para zelador, sobre estacionamento no subsolo, com desenhos executivos de 1974. Esse edifício constitui um tipo específico, desenvolvido e reproduzido pelo arquiteto, idêntico ao Edifício Camboriú, de 52 apartamentos, na rua Albuquerque Lins, 915, com projeto no mesmo ano, mas inaugurado em 1976.

A característica principal desses edifícios explicita uma verticalização acima da média, e a consequente liberação de terreno com implantação recuada e o recurso a pilares de seção variável com a aparência de contrafortes.

A laje tem uma estrutura vertical modulada, já que o aumento da seção do pilar é explorado como tema plástico, e o ritmo dos gigantes deve ser único. Não se deve descartar que esse recurso expressivo seja de época, que venha a reboque do discurso da moralidade técnica, o mesmo que vai dar lugar ao concreto armado aparente e a estruturas exageradas certamente dinâmicas e inclinadas para chamar atenção e tornar preponderante a estrutura material, em detrimento da estrutura abstrata e suficiente para ordenar a arquitetura. Uma geometria triangular para obter uma estrutura vigorosa, musculada, mais expressiva, que se distinga e abrace o corpo edificado, sustentando-o com facilidade. São as obrigações da época. As plantas são muito precisas, com dois elevadores invertidos e uma escada aberta em leque, definem-se os acessos centrais e duas circulações longas e paralelas: a de serviço e a dos dormitórios, que divide a sala em estar e jantar. O programa prevê salas, três dormitórios, suíte, lavabo, sanitário social, cozinha, quarto de empregada, área e sanitário de serviço.

A importante altura do edifício e, principalmente, os pilares monumentais no térreo do edifício recomendam um pé-direito mais alto no térreo, o que faz prever um mezanino com programas de uso coletivo com pouca largura, estreito, para que a sombra do térreo adquira a proporção desejada.

As vigas periféricas marcam uma verga contínua, 30 centímetros abaixo da laje, e o que falta para atingir sua altura está invertido sem alcançar, ainda, o peitoril das janelas.

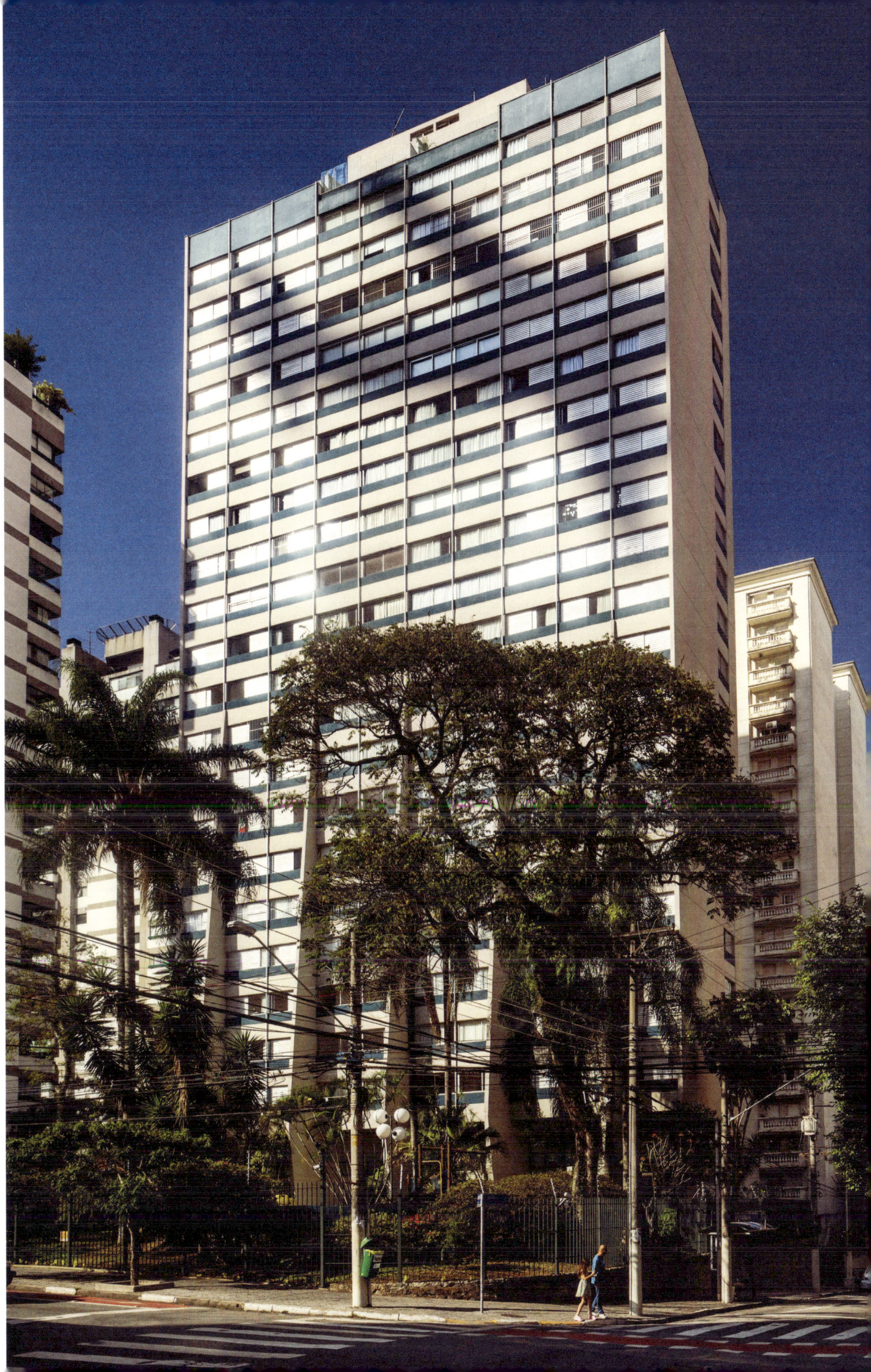

Dessa maneira, a fachada é apresentada com faixa horizontal de concreto aparente e faixa complementar de alvenaria revestida e acabada com pintura. Com três faixas horizontais, compõe-se o plano da fachada.

A implantação é certeira, empurra o edifício para o fundo do terreno e orienta os ambientes dos apartamentos segundo o nexo dos espaços e da orientação solar, neste caso, sudoeste, menos favorável.

O espaço do jardim frontal e o domínio sobre ele estão entre os pontos altos do projeto. No paisagismo, ou nas obras secundárias, o arquiteto isento da obrigação e do sentido construtivo sistemático quer exercer uma arte livre e inspirada, e age segundo o entendimento mais difundido da ação paisagística, como se o terreno livre do edifício pertencesse a uma tarefa diversa, a outro tipo de projeto, ao encanto natural, figurativo e aprazível. Então, é possível identificar duas ações paisagísticas em Kon: uma, sensível e ornamental, provavelmente facultada e legalizada pela integração das artes que tanto o anima, e, outra, do paisagismo entendido como construção da paisagem – natural e urbana –, como a retificação da geografia e como a continuidade à aplicação da concepção de arquitetura.

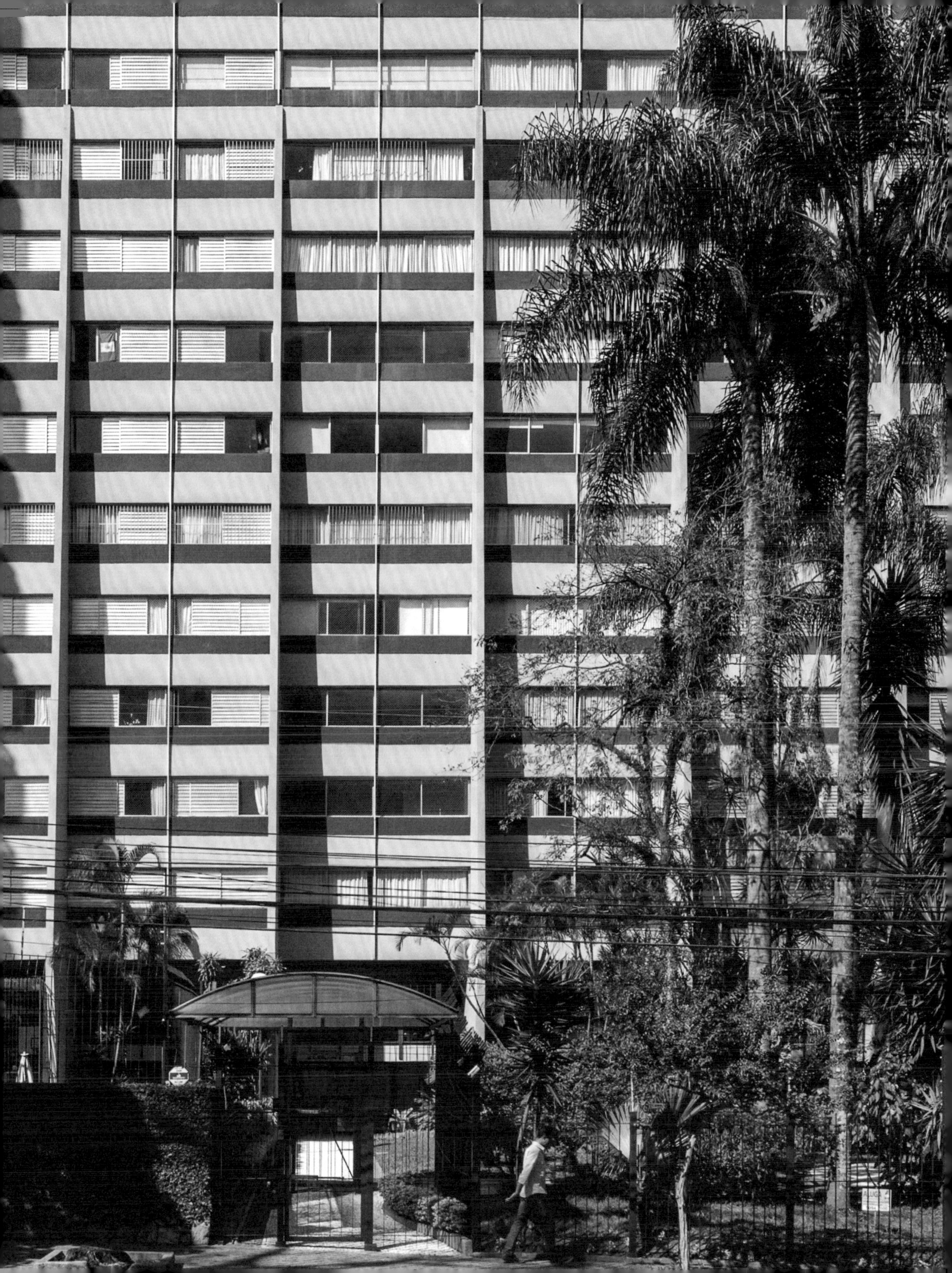

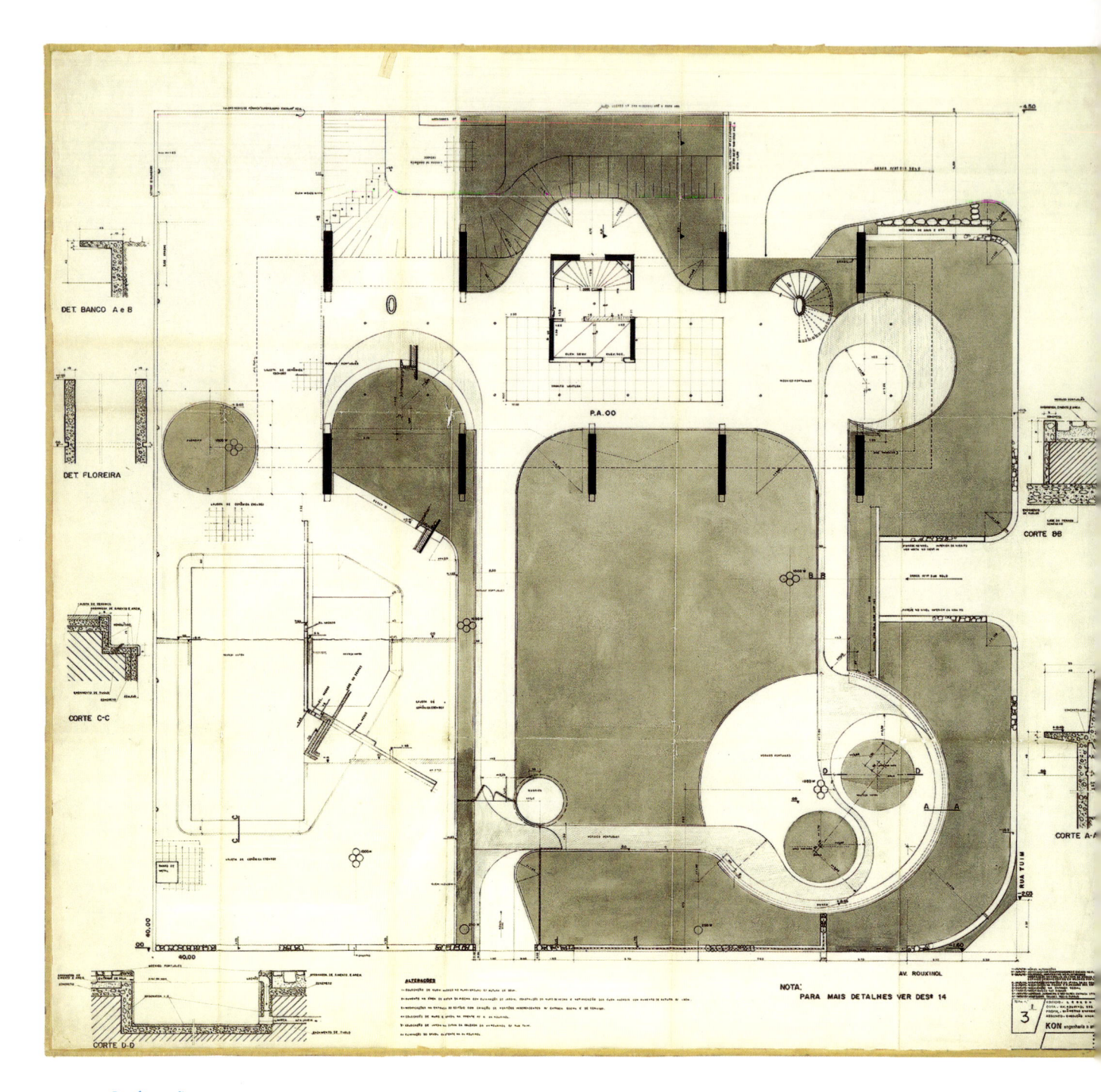

Implantação

Detalhe dos muros para a avenida Rouxinol e rua Tuim

Detalhe da escada helicoidal

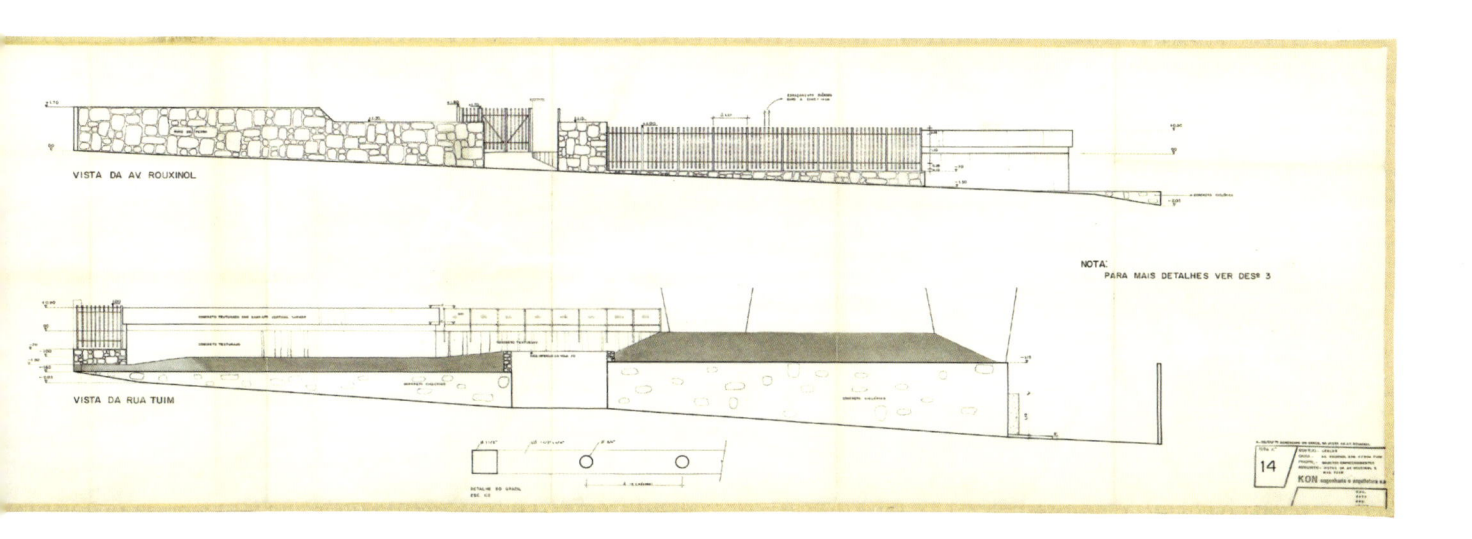

VISTA DA AV. ROUXINOL

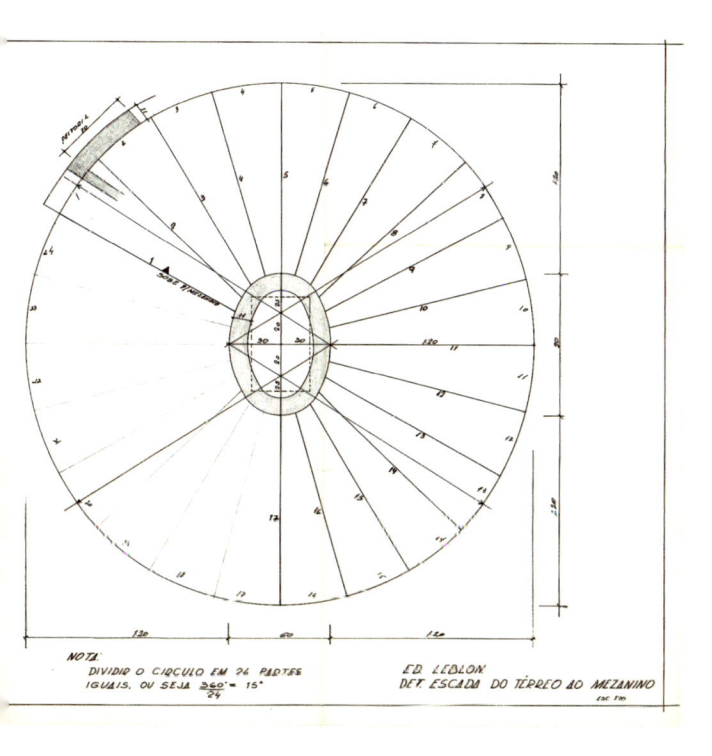

VISTA DA RUA TUIM

NOTA: PARA MAIS DETALHES VER DES° 3

NOTA:
DIVIDIR O CIRCULO EM 24 PARTES
IGUAIS, OU SEJA $\frac{360°}{24} = 15°$

ED. LEBLON
DET. ESCADA DO TÉRREO AO MEZANINO

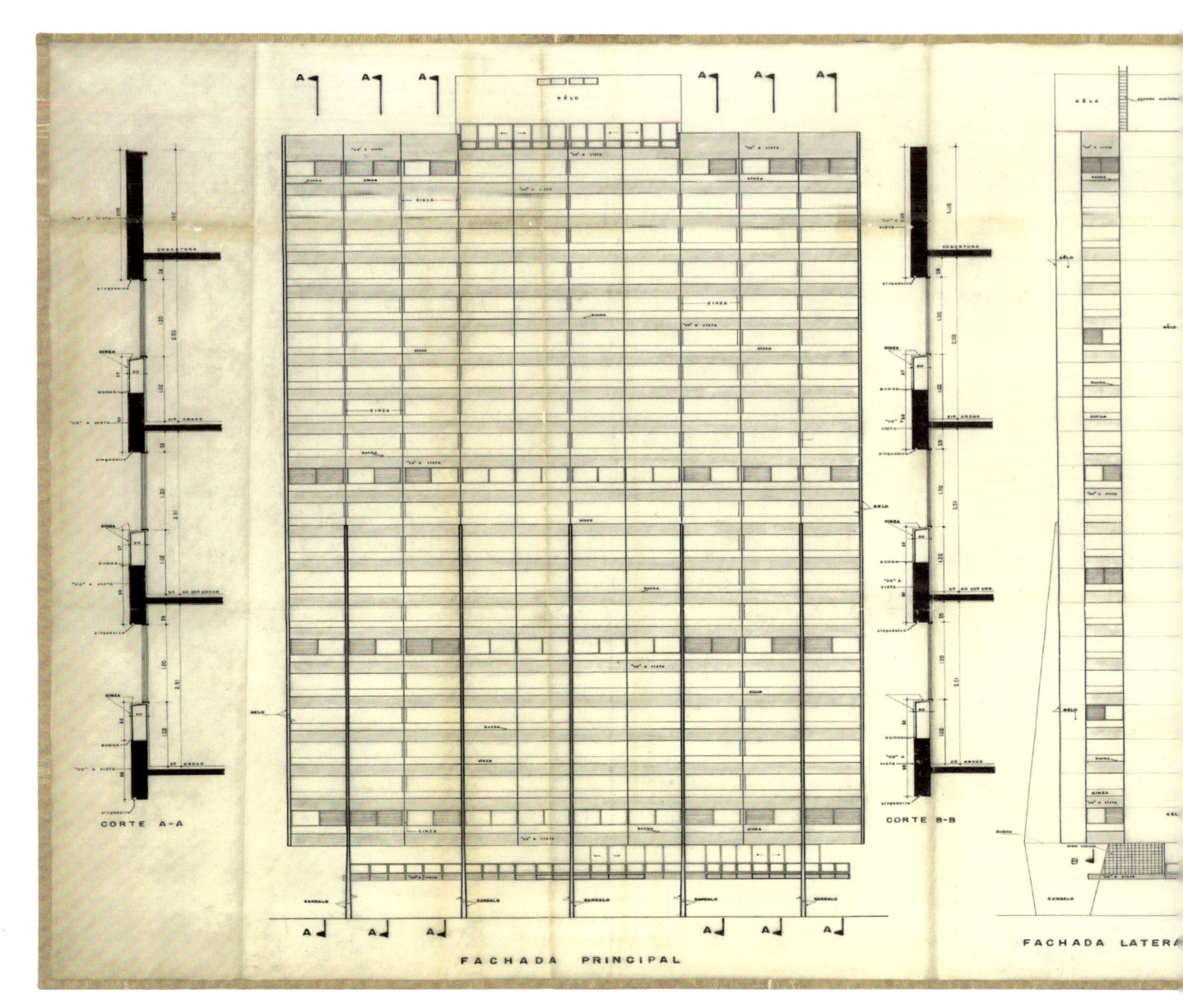

CORTE A-A

FACHADA PRINCIPAL

CORTE B-B

FACHADA LATERAL

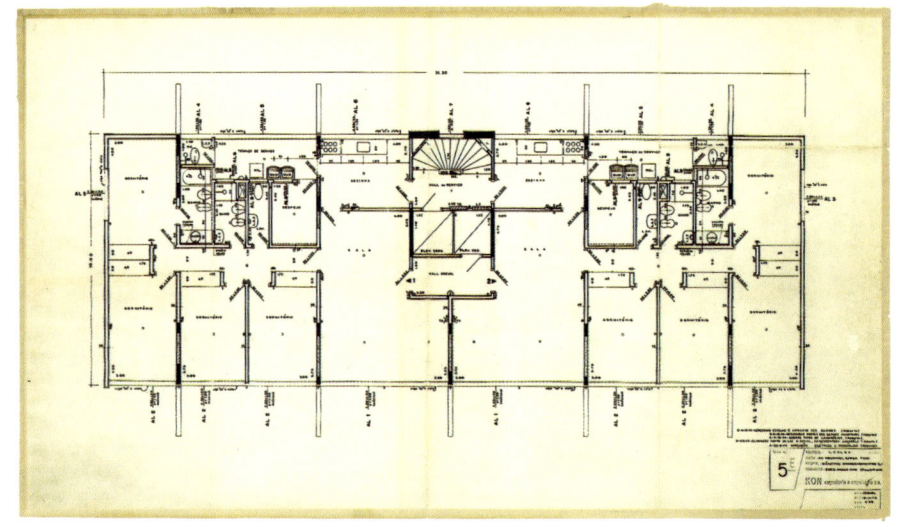

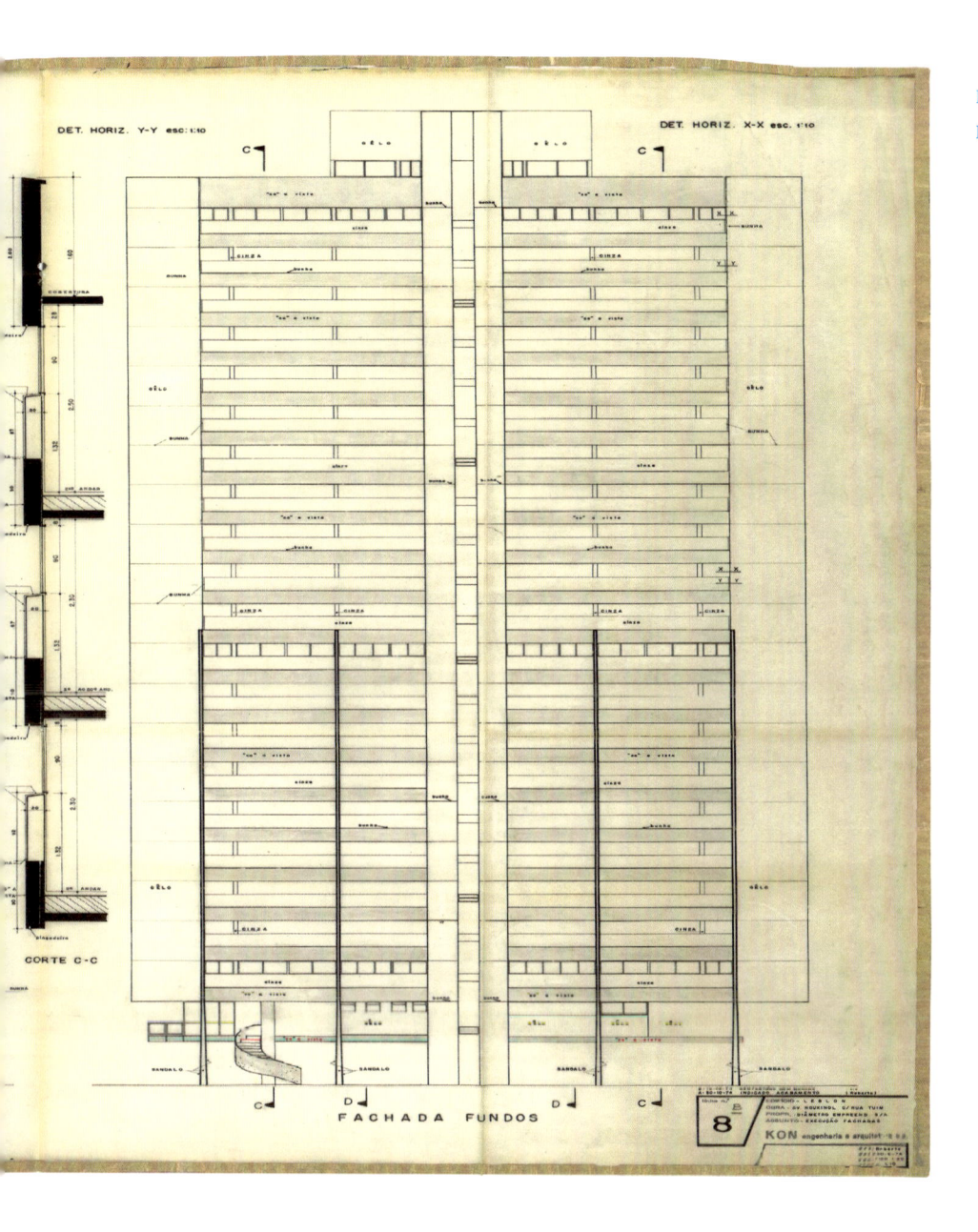

Elevações e cortes da estrutura
Planta do pavimento tipo

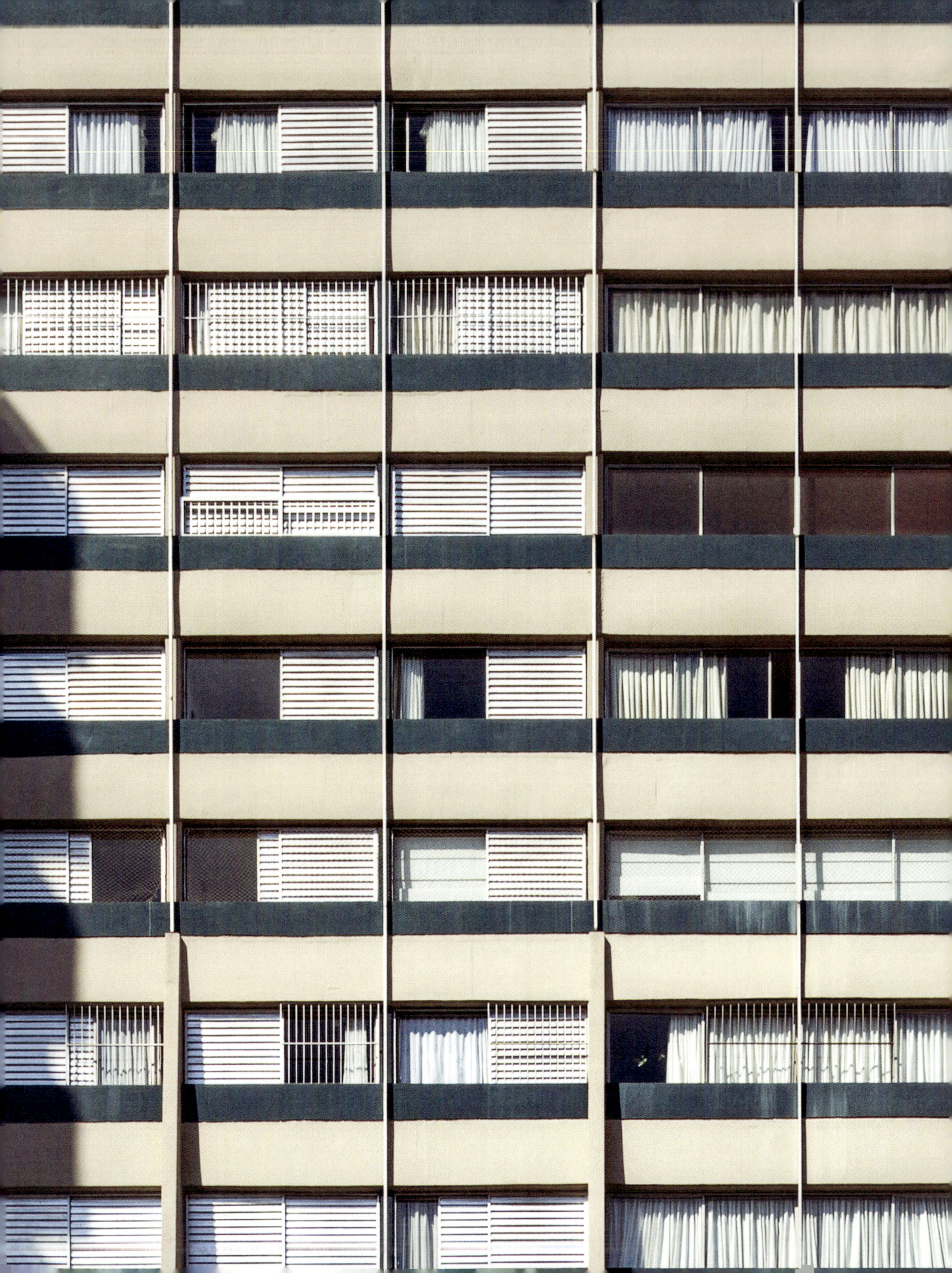

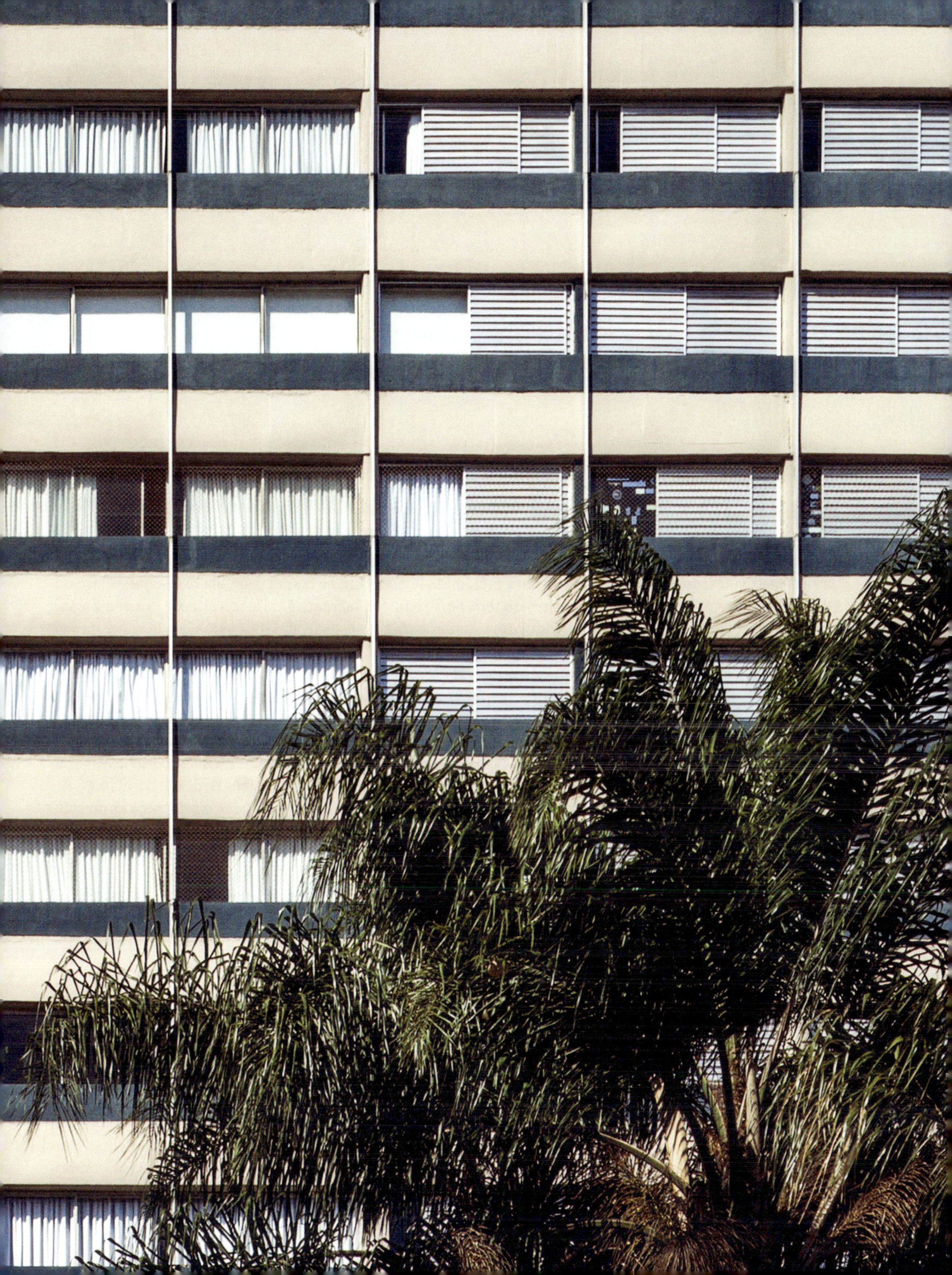

rua Ministro Godói, 683, Perdizes
São Paulo SP

EDIFÍCIO LEME, 1976

Duas torres residenciais com 60 apartamentos e garagens,
13.216,10 m²

Dois edifícios com sessenta apartamentos desencontrados desobstruem todas as suas vistas, evitam proximidade no terreno e conformam um excelente espaço coletivo no centro do terreno. O edifício da frente é transversal, com dezesseis andares, e o segundo, uma lâmina ao fundo, com 26 andares, paralela e distante da rua. Nos térreos, sob pilotis e sobre estacionamentos em subsolo, encontram-se o hall de elevadores e o acesso às escadas coletivas. O mezanino da lâmina traseira abriga o salão de festas e o apartamento de zelador. Os desenhos do projeto executivo são de fevereiro de 1974.

O conjunto incorpora experiências anteriores do arquiteto: o conjunto do Edifício Araguaí com o Edifício Perdiz, 1963, na rua Cardoso de Almeida esquina com a rua Paraguaçu, e o conjunto do edifício Aura e Edifício Azulão, 1968, na rua Haddock Lobo, 180.

No edifício frontal, com um apartamento amplo por andar, o programa, ordenado segundo tipo de ambientes e orientação, tem sala de estar e jantar, vestíbulo, terraço, despensa, cozinha, área de serviço, quarto de empregada, sanitário de serviço, lavabo, banho social, três dormitórios e suíte. O núcleo de circulação vertical tem um elevador social remoto e outro de serviço junto à escada coletiva de segurança. O edifício traseiro tem dois apartamentos espelhados na laje e o mesmo programa habitacional, mais compacto, além de dois elevadores de costas e uma escada de segurança externa. Em ambos os edifícios, o programa está inserido numa planta retangular com os prismas agregados das escadas.

A implantação dos dois edifícios define três áreas abertas e íntegras, em duas faixas de domínio no terreno: uma lateral e frontal, para acesso, e jardins ornamentais e contemplativos, alinhada com outra, para a quadra de basquete, além da terceira e maior área, para uso coletivo, definida, no plano vertical, pelo edifício do fundo. Essa estruturação constitui o aspecto mais importante do conjunto. Nas fachadas voltadas para nordeste e noroeste, abrem-se os caixilhos das salas e dormitórios para o generoso espaço com jardins e piscinas, numa condição generosa de conforto e urbanidade. Diferentemente da relação espacial da maioria dos condomínios, comprimidos entre recuos mínimos, segundo a insensibilidade a que todos se acostumam,

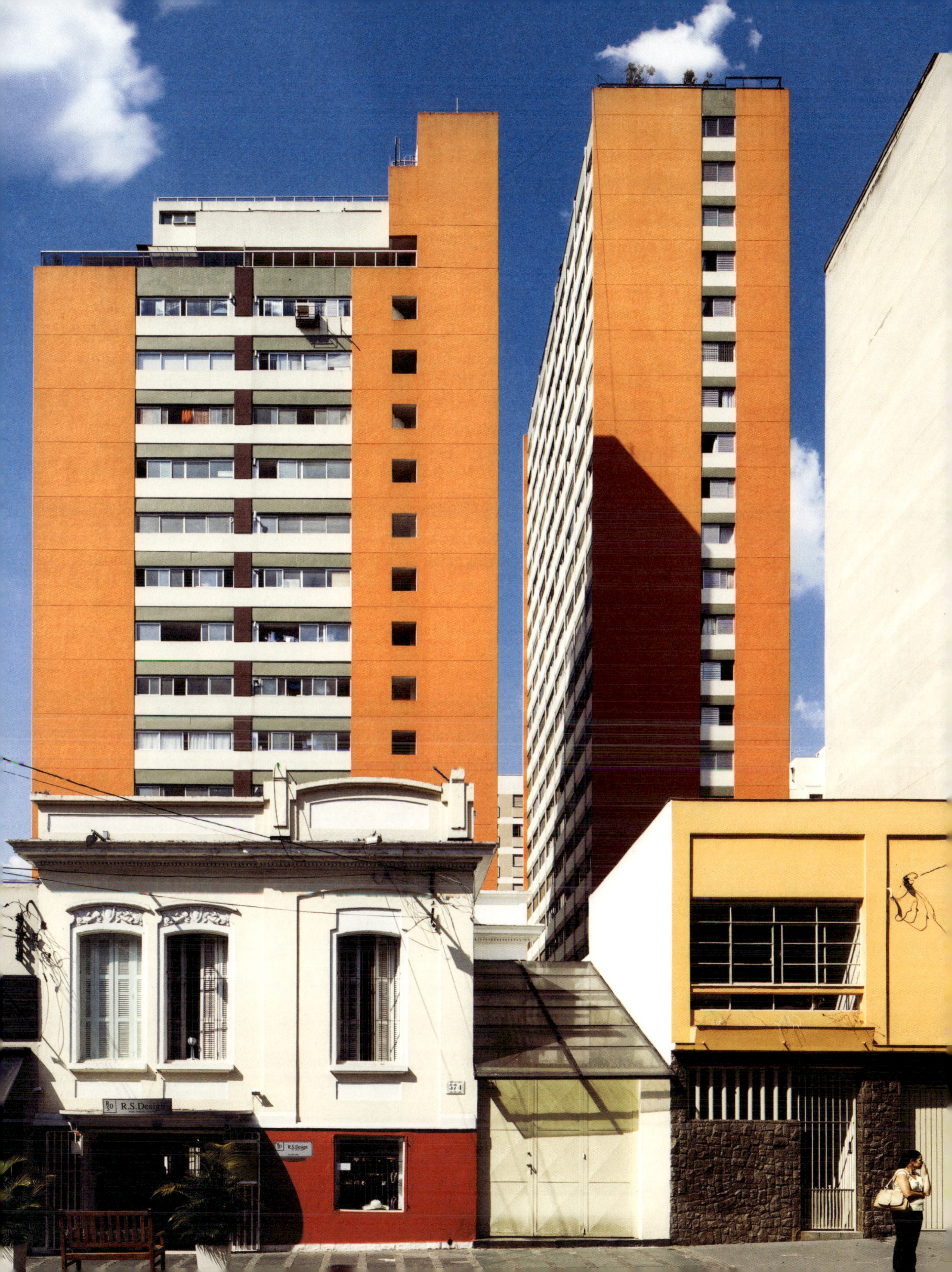
R.S.Design
574
R.S.Design

este projeto propõe uma cidade melhor, com seu primeiro edifício perpendicular alternando construção e espaços abertos voltados para o logradouro, e seu edifício mais alto retirado, no fundo da quadra, onde o interesse público é desprezível e onde o impacto dos gabaritos mais altos é minimizado pelo afastamento. É possível construir a cidade com a soma de lotes edificados, desde que as edificações isoladas sejam controladas por critérios formais eficientes. O projeto evidencia a vantagem da disposição oportuna, sensível e ordenada na relação edificada da cidade. Acima de tudo, é a demonstração de que, numa cidade, não se pode confiar em planos diretores, porcentagens, coeficientes e barganhas; ela precisa do sentido que a forma pode proporcionar por meio de configurações bem intuídas pelos arquitetos.

As plantas tipo estão ordenadas por uma estrutura disciplinada de pilares, com paredes e vigas coincidentes, porém, não é mais possível identificar o arcabouço formal e estruturador da circulação e, consequentemente, das plantas: agora a circulação está dissolvida em âmbitos independentes, no uso da sala como ambiente distribuidor. A forma moderna perde progressivamente o papel ordenador para outras organizações que a substituem. A planta do apartamento maior comprova essa mudança: a ligação das áreas de serviço deixa de ter uma conexão própria, eficiente, com a área íntima, que exige longo percurso pela sala e cozinha.

Por outro lado, as esquadrias mostram a solução constante de fachadas em que prevalece a horizontalidade das vigas cinza e dos peitoris claros com venezianas brancas. É provável que a concorrência e a consequente restrição econômica tenham abolido a diferença de formato entre as esquadrias das salas e as dos dormitórios. Apenas a espessura das alvenarias, ou dos pilares, apresenta-se discreta e recuada para ditar o ritmo quase constante de caixilhos cada vez mais autônomos.

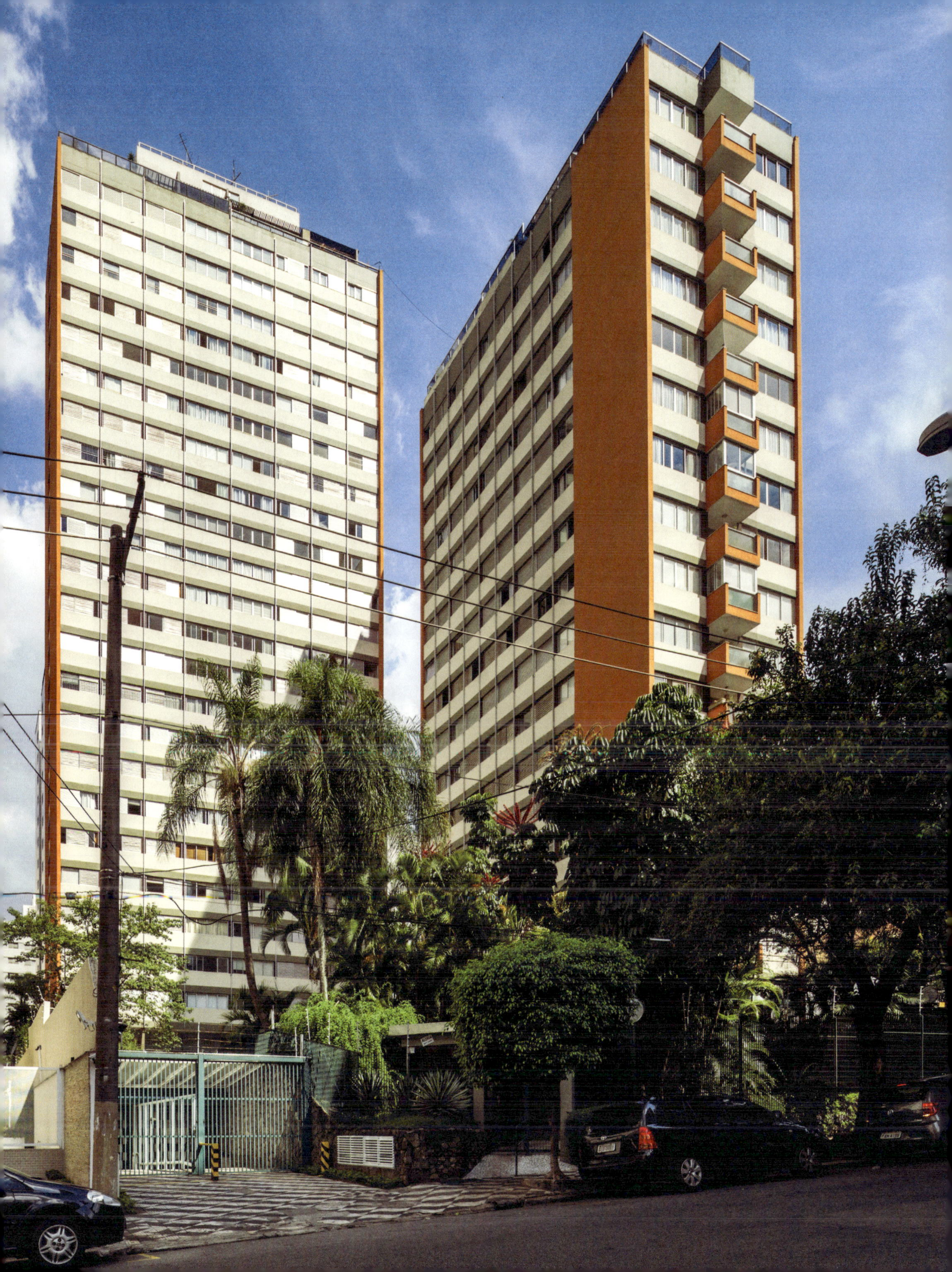

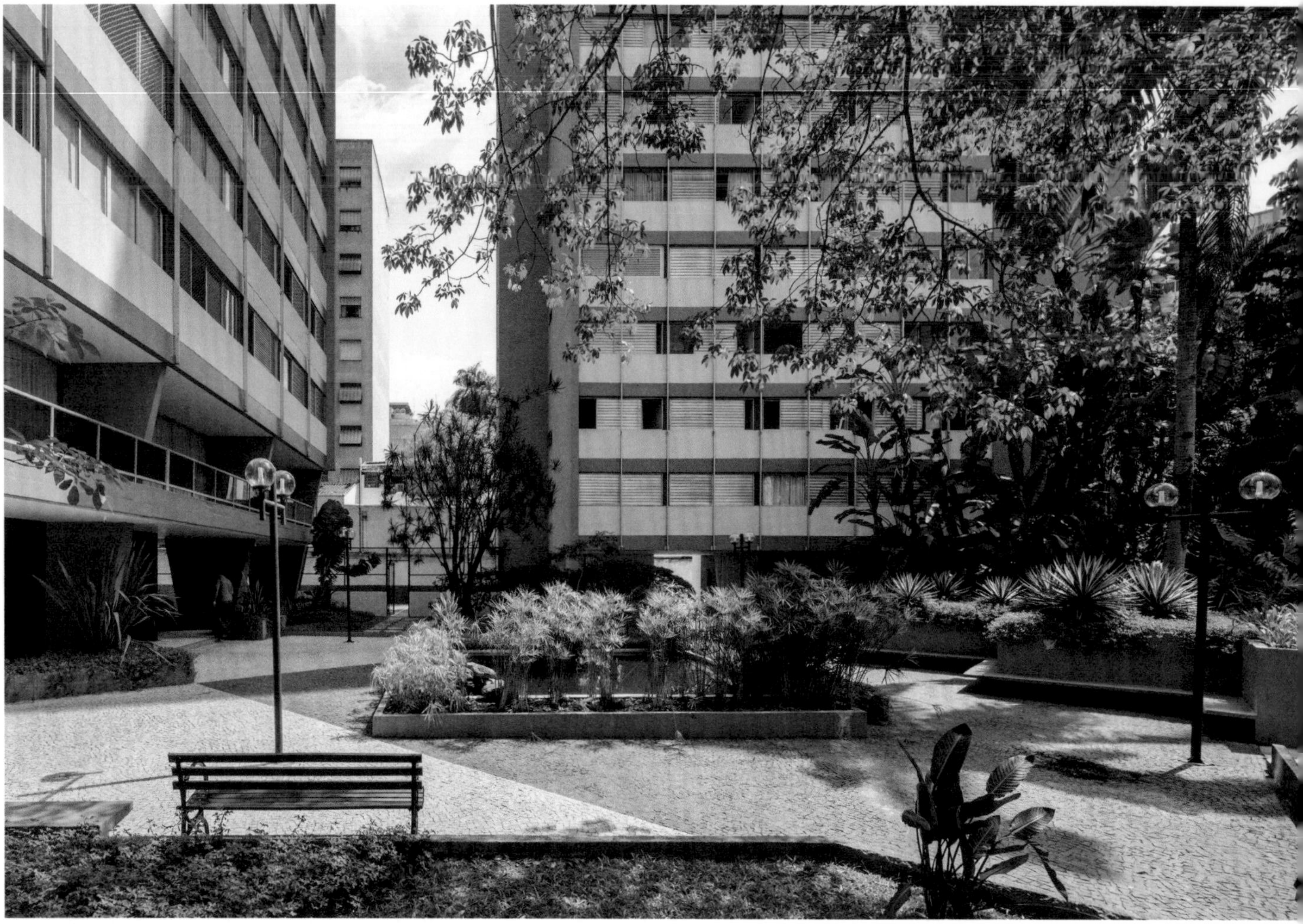

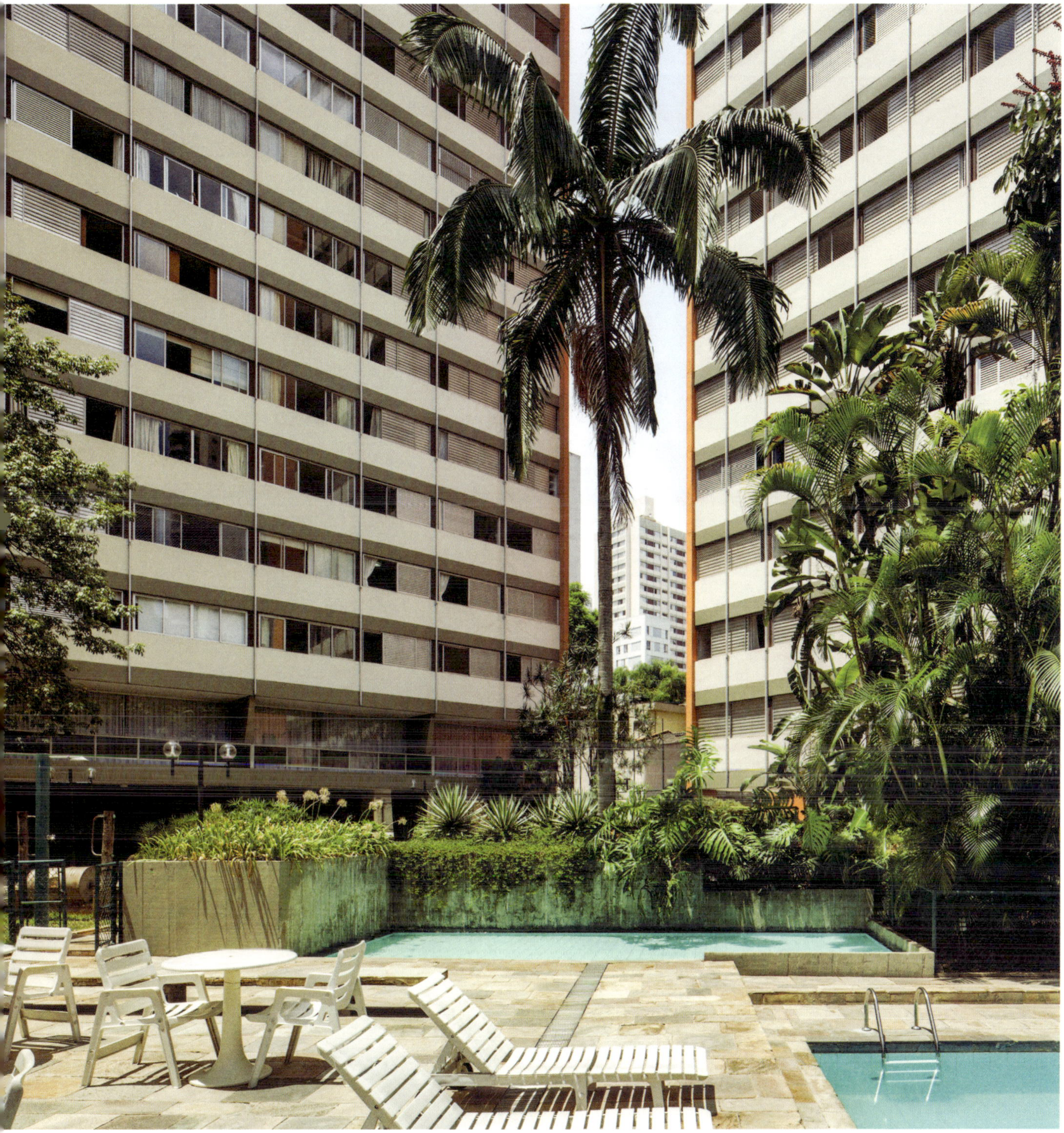

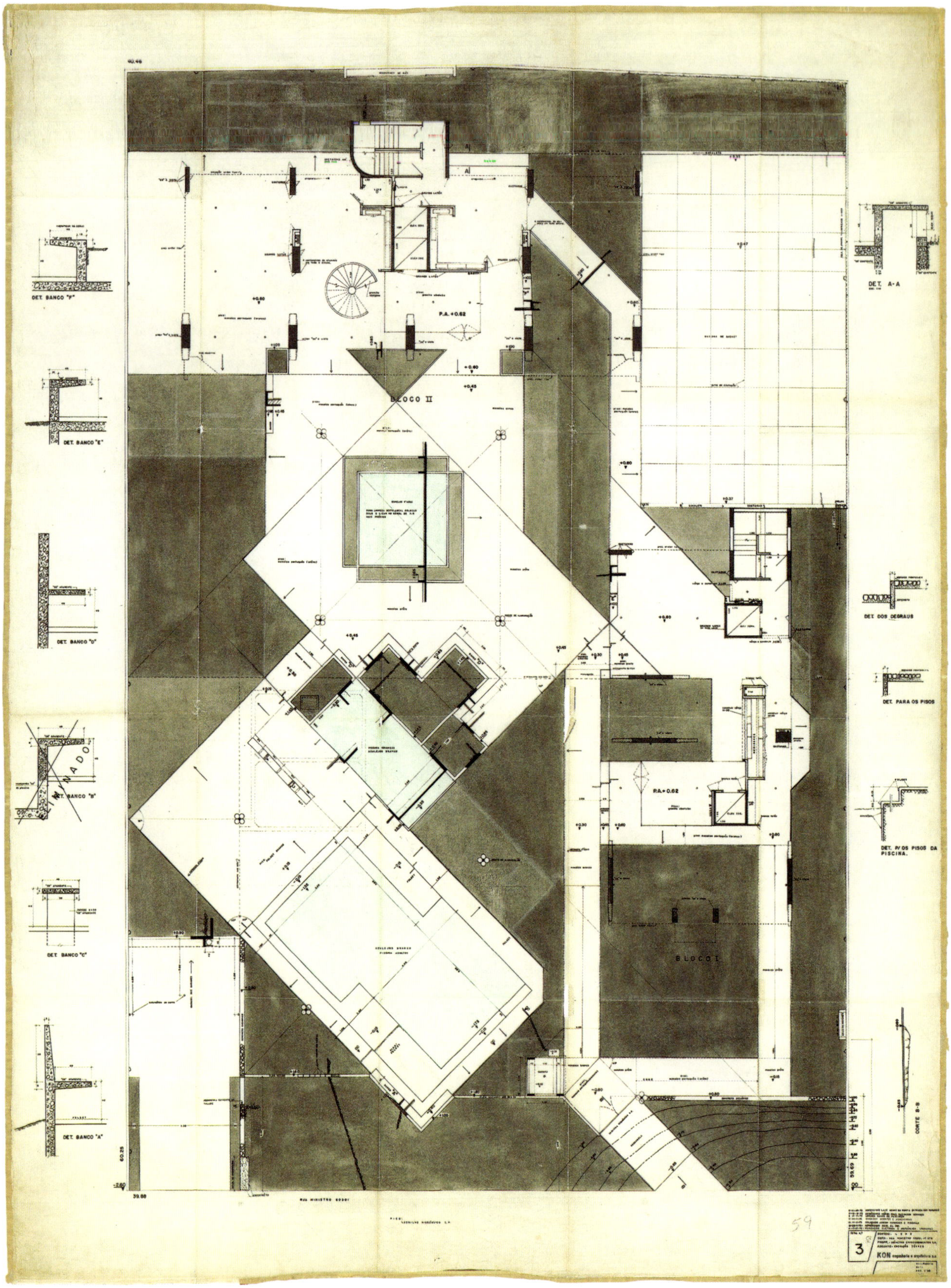
DET. BANCO "F"
DET. BANCO "E"
DET. BANCO "D"
ELIMINADO
DET. BANCO "B"
DET. BANCO "C"
DET. BANCO "A"
P.A.+0.62
BLOCO II
RA.+0.62
BLOCO I
DET. A-A
DET. DOS DEGRAUS
DET. PARA OS PISOS
DET. P/ OS PISOS DA PISCINA.
CORTE B-B
RUA MINISTRO GODOI
3
KON engenharia e arquitetura s.a.

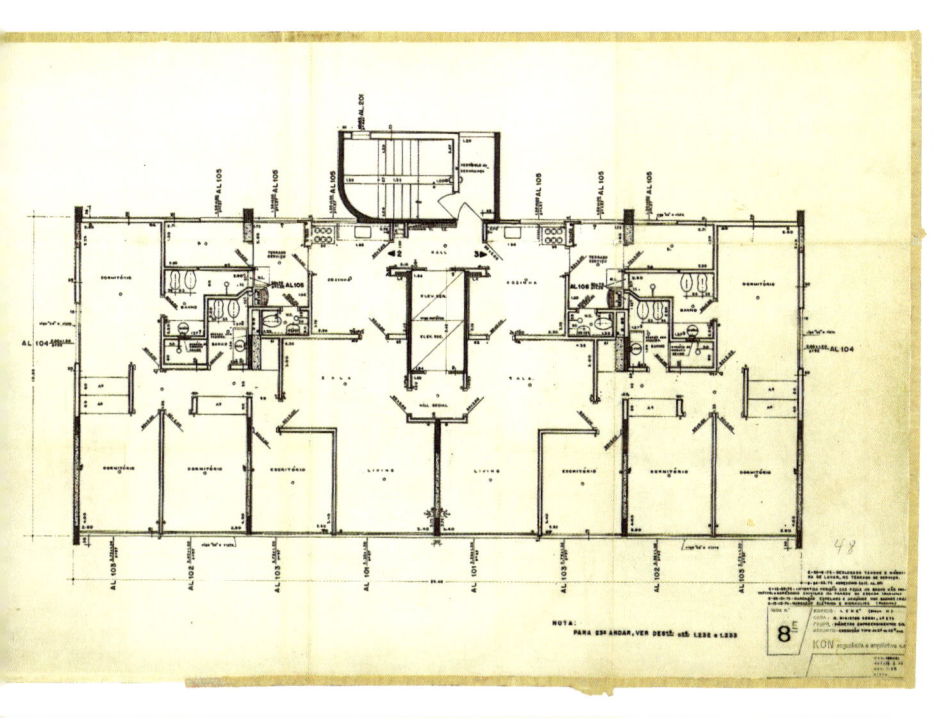

Implantação

Plantas dos pavimentos tipo dos blocos

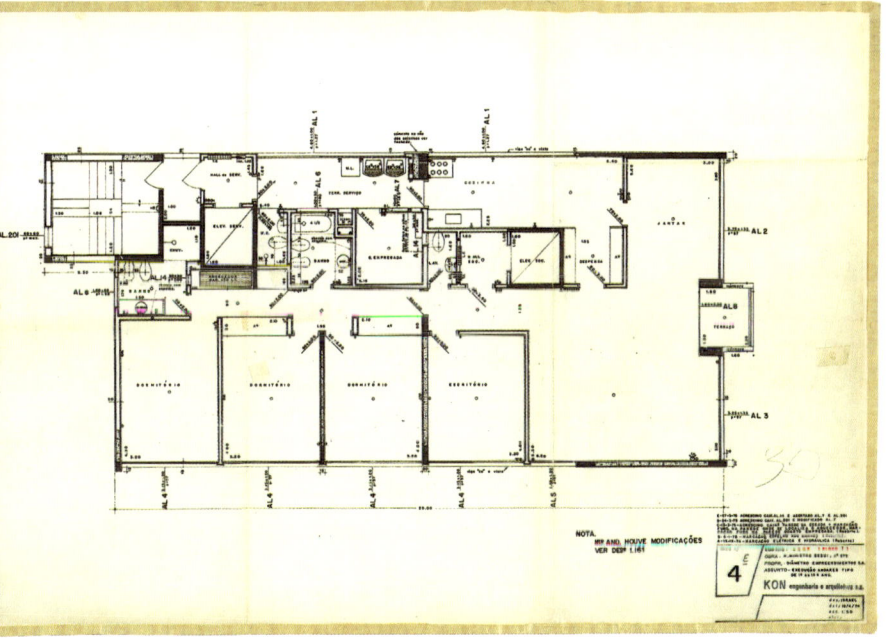

CORTE A-A

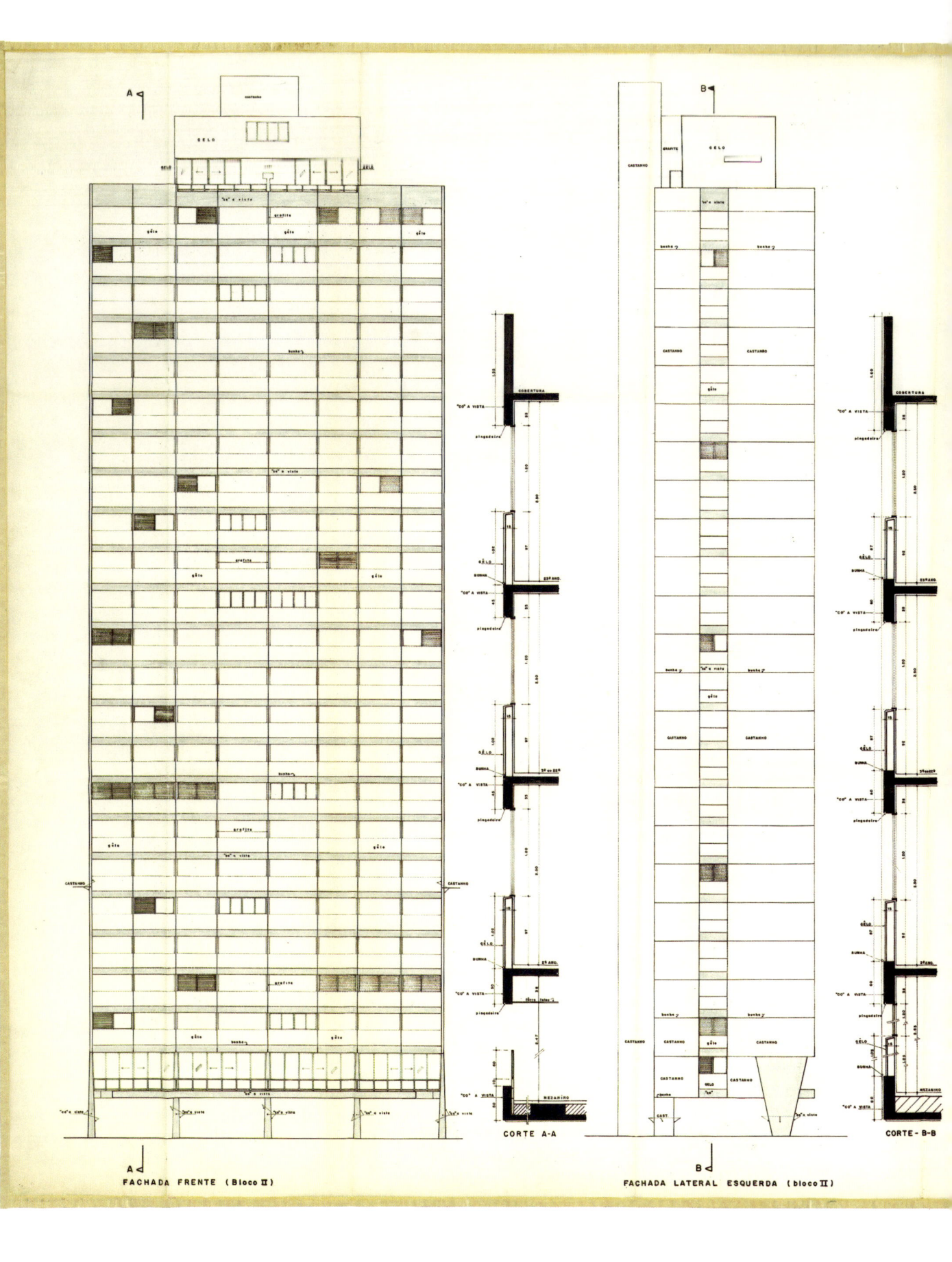

CORTE B-B

A
FACHADA FRENTE (Bloco II)

B
FACHADA LATERAL ESQUERDA (bloco II)

Elevações e cortes da estrutura do bloco II

FACHADA LATERAL DIREITA (bloco II)

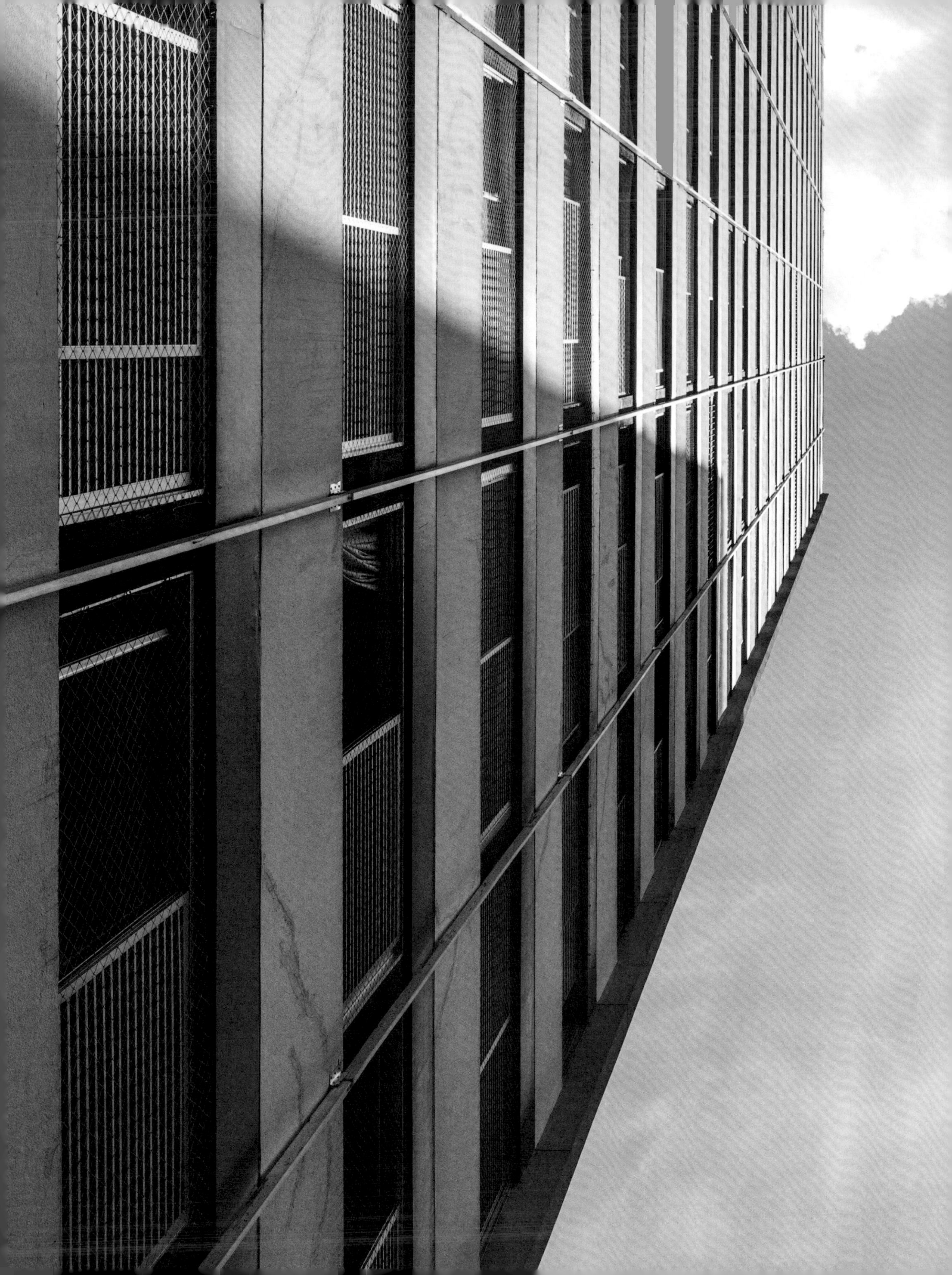

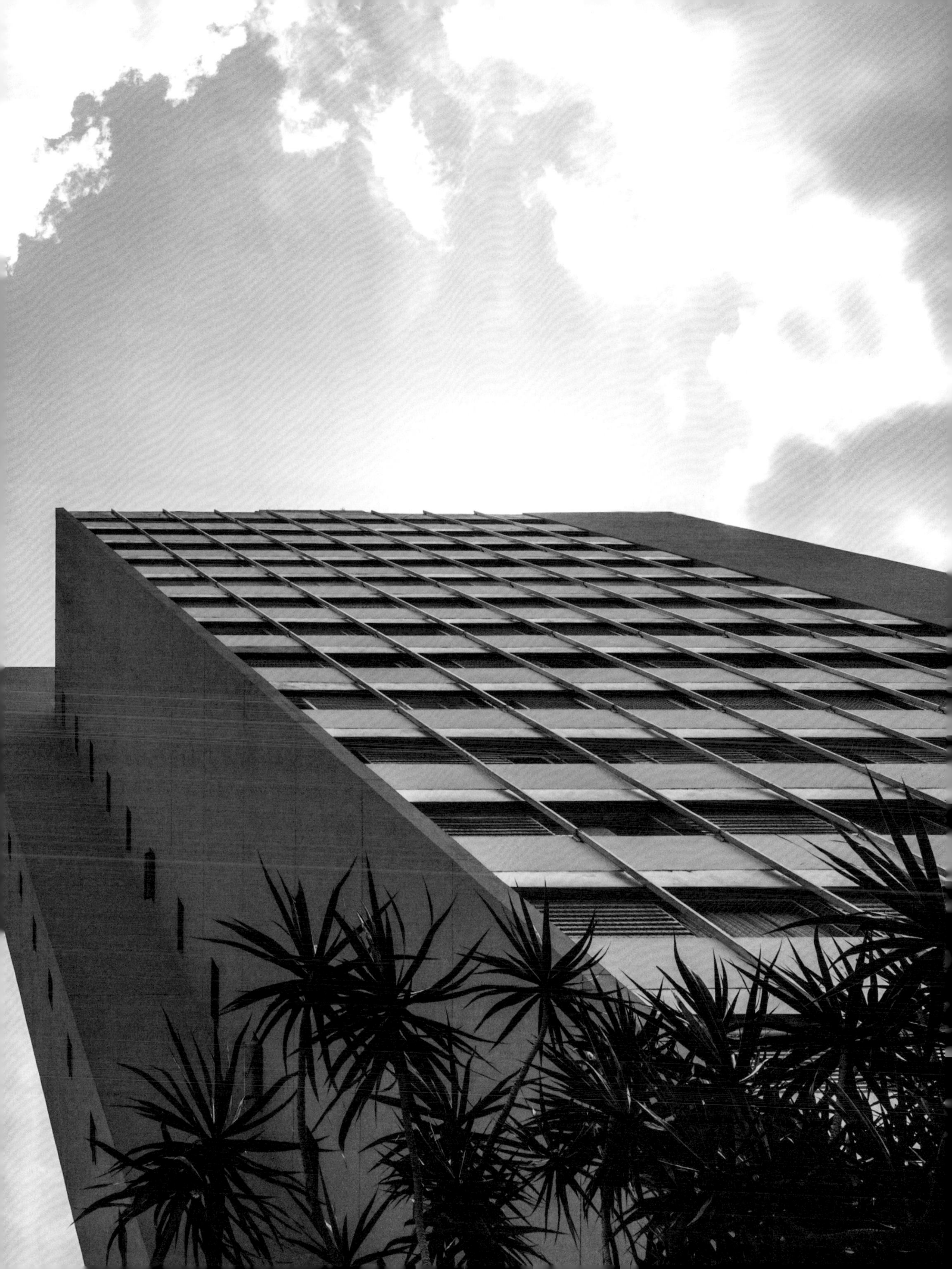

rua Doutor James Ferraz Alvim 330, Morumbi
São Paulo SP

EDIFÍCIO ITAPOAMA, 1979

Duas torres residenciais com 30 apartamentos e garagens,
12.942,00 m²

Dois edifícios peculiares, com perfil exclusivo e excludente com quinze lajes tipo, somam trinta apartamentos. Sua forma arredondada gera uma implantação arbitrária no terreno. Tudo leva a crer que plantas triangulares sofrem efeitos diferentes com respeito à orientação solar e que essas torres, com diferente rotação, estão espelhadas a partir da linha norte-sul, para minimizar o enfrentamento visual desde suas caixilharias e controlar a insolação. Às salas, corresponde a orientação leste; nos dormitórios, prevalece o oeste; e as fachadas de serviço são predominantemente voltadas para o sul. Os desenhos do projeto executivo são de 17 de maio de 1976.

Num terreno de grandes dimensões, sem restrições urbanas, é provável que a típica divisão do programa habitacional em três porções (social, serviço e familiar) tenha sugerido uma planta triangular, ao prever uma fachada para cada uma dessas partes do programa. É provável que o formato circular, ainda geométrico, tenha alguma relação com a construção da superelipse difundida por Piet Hein (1905-1996), com as figuras propostas no campo da arquitetura, design e tipografia no século 20, porque os ângulos internos de 60° do triângulo equilátero comprometem a utilização na área nos vértices e porque essa geometria circular, de aparente complexidade, tem construção simples e permite definir medidas precisas de arquitetura, detalhes sistemáticos, recorrer a layouts com estrutura ortogonal e, ainda, apresentar alguma vantagem aerodinâmica para uma reação mais equilibrada aos diferentes ventos sobre suas fachadas.

É a própria construção geométrica que define a apresentação das fachadas, as superfícies opacas de concreto e as superfícies industriais com esquadrias, quando o raio maior não restringe a montagem de perfis fabricados. O núcleo, como não poderia deixar de ser, é triangular. Cada uma das três fachadas, se assim podem ser chamadas, ilumina um dos três setores do programa habitacional: no primeiro, salas e lavabo com o balcão aposto e perpendicular ao lado do triângulo pelo centro do círculo; no segundo, quatro suítes com série de janelas do tipo camarão; e, no terceiro, a área de serviço completa com acessos independentes para os demais setores.

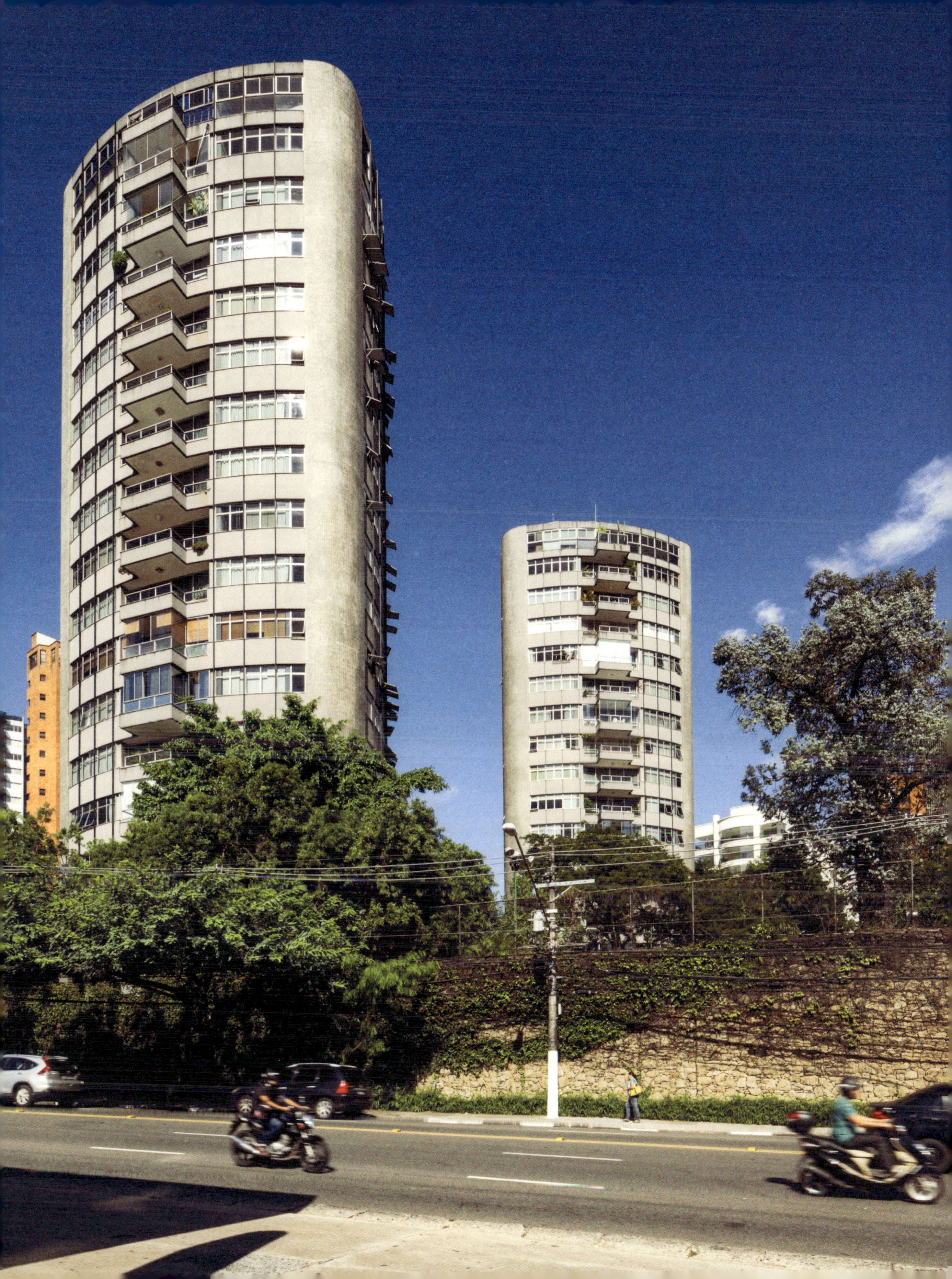

A caixilharia dos setores cilíndricos, com réguas verticais contínuas, retoma a imagem do moderno sistema *cladding* para fechamentos montados a seco, e faz confundir as vigas curvadas dos peitoris contínuos com as partes de um painel industrial. O arquiteto reitera sua inapetência por paredes perfuradas com janelas isoladas e rememora os bons tempos das janelas Ideal. Se a estrutura é simétrica segundo as mediatrizes do triângulo, ela não é, todavia, regular segundo as faces em que ficam escondidos pilares intermediários para omitir intervalos irregulares, para apresentar uma construção uniforme e, certamente, para atender critérios visuais, para dar a impressão de que as arestas, aparentes gigantes ou simples lâminas de concreto curvadas, estão encarregadas do imenso esforço sustentante.

A curvatura dos lados e arestas do sólido remete a outra arquitetura, onde os elementos estruturais continuam a existir, mas sem se apresentar como gramática moderna de pilares e vigas, como hierarquias e sombras que matizam e escalonam os valores das diferentes partes e componentes de uma edificação. Agora, o edifício é também um maciço, a extrusão de um perfil triangular, curvilíneo e inflado. Trata-se de um projeto experimental e único na obra do arquiteto, com suficiente recurso para sustentar integridade e consistência.

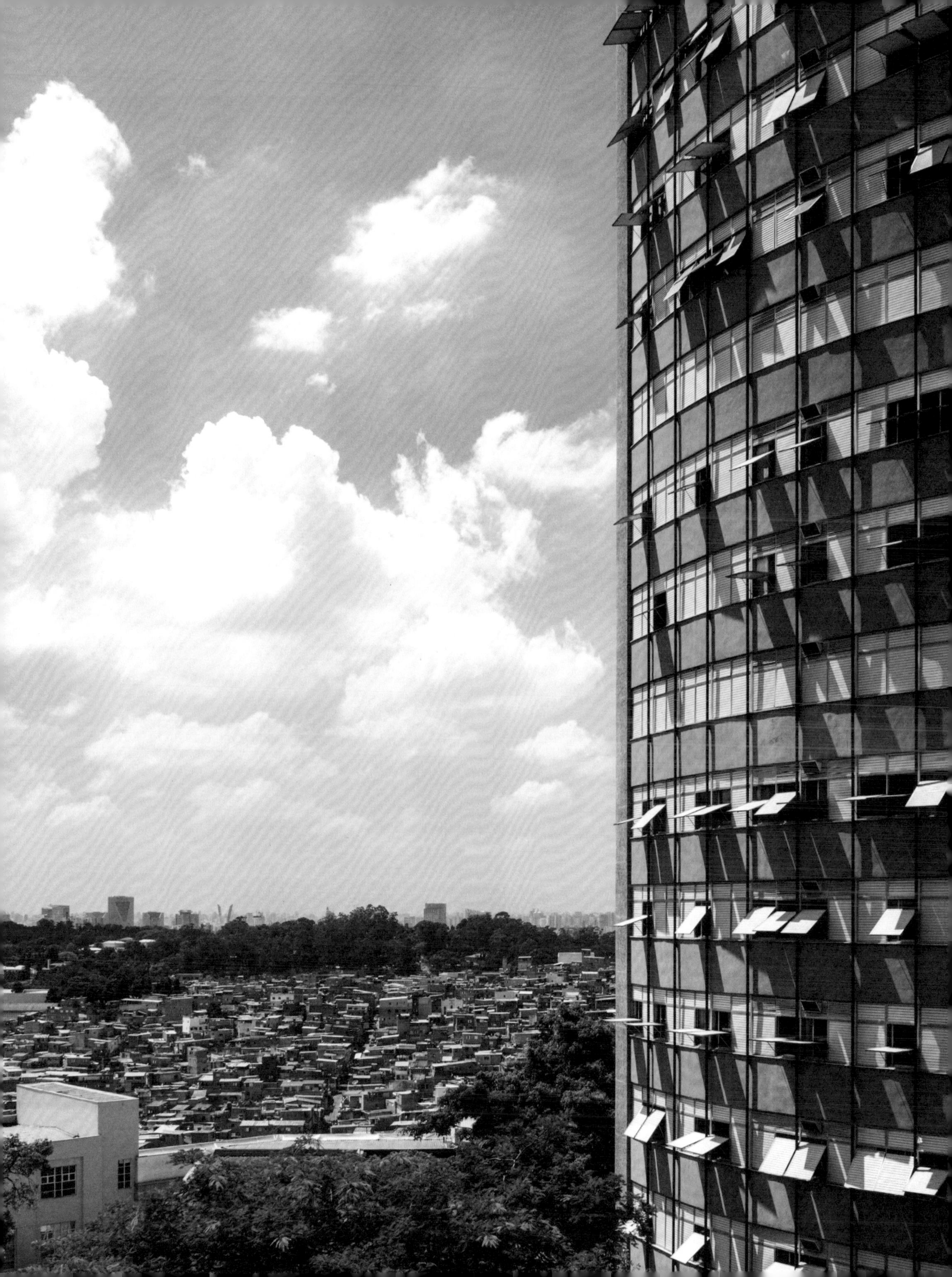

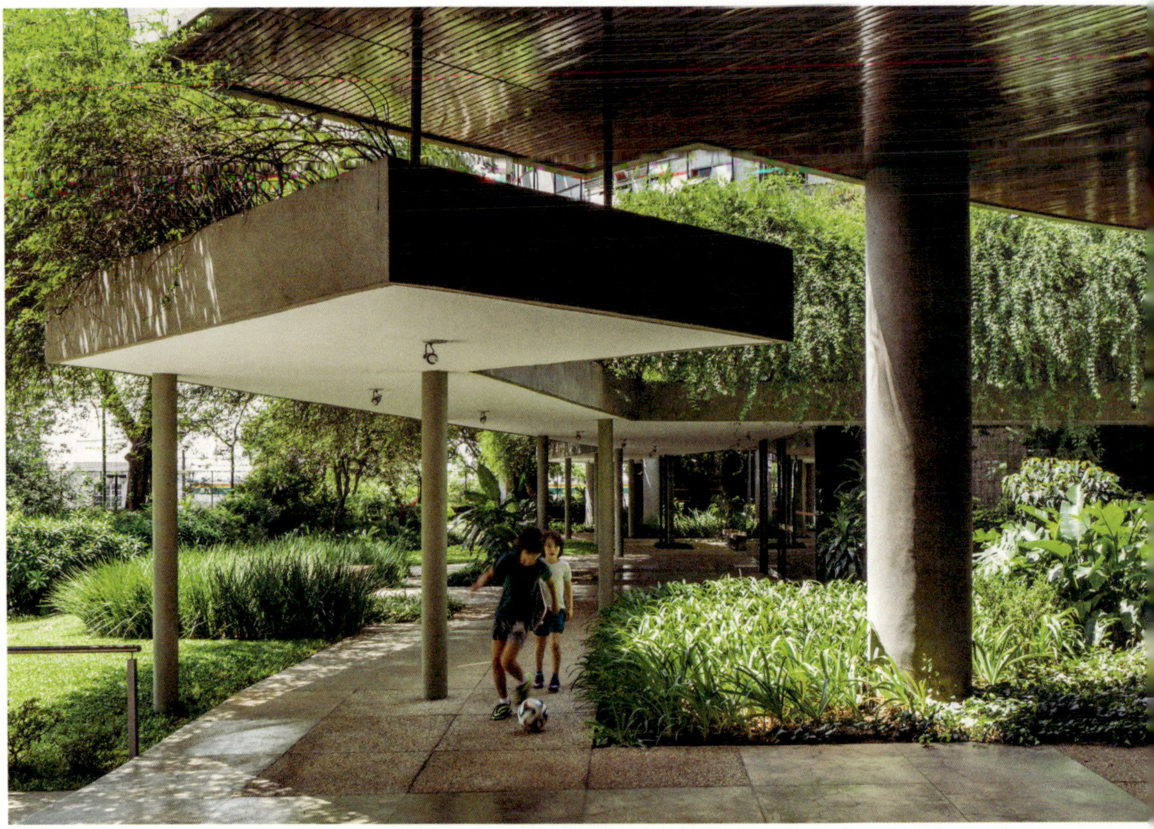

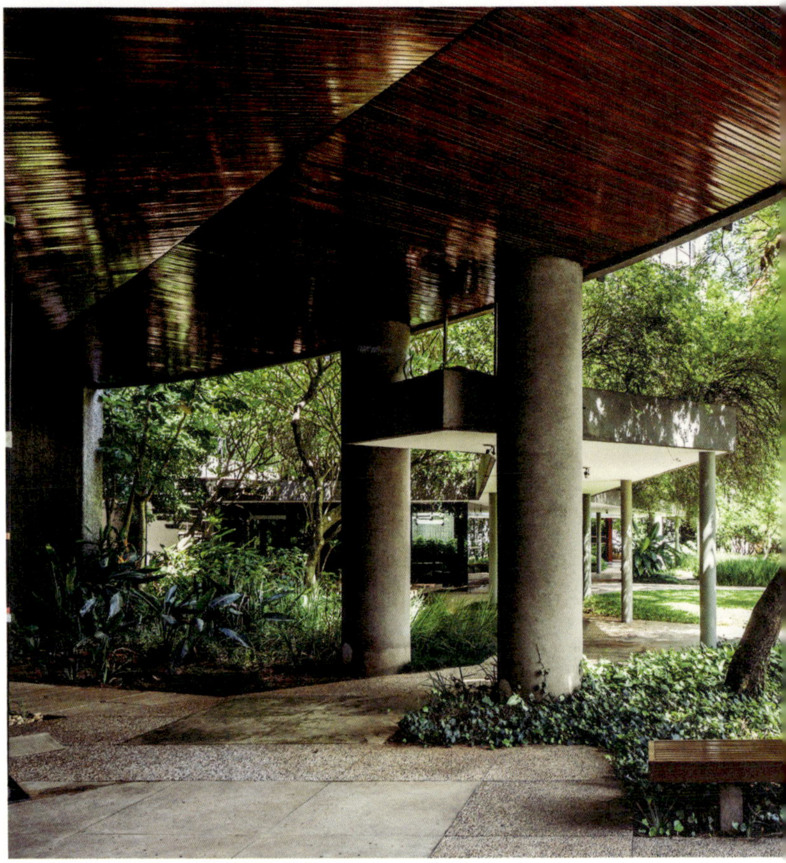

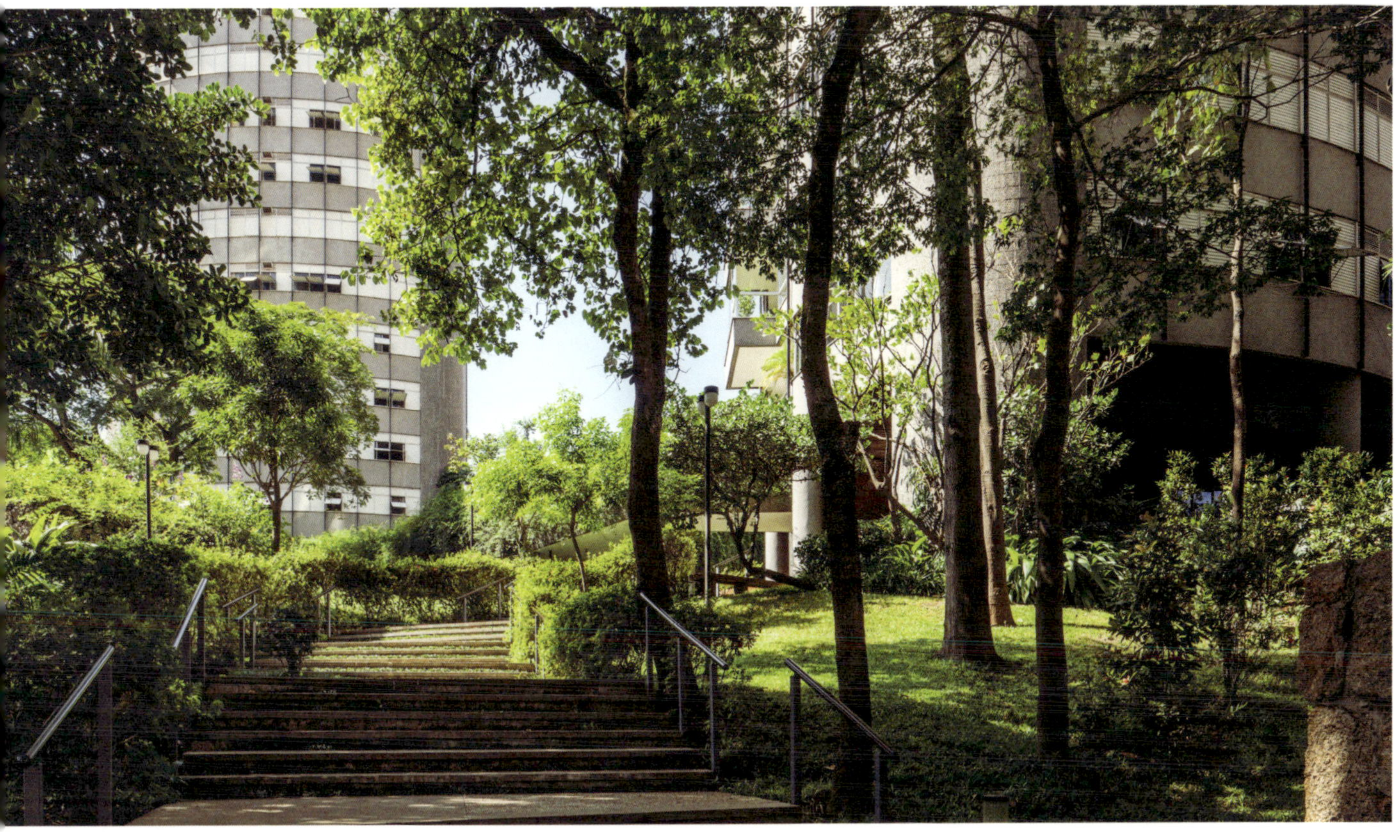

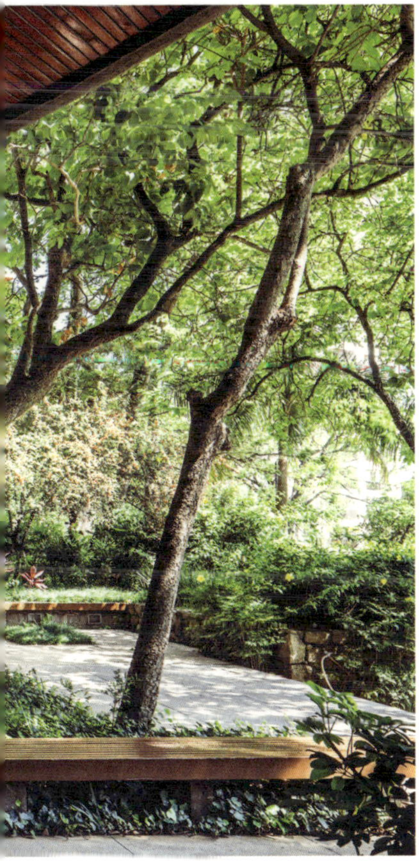

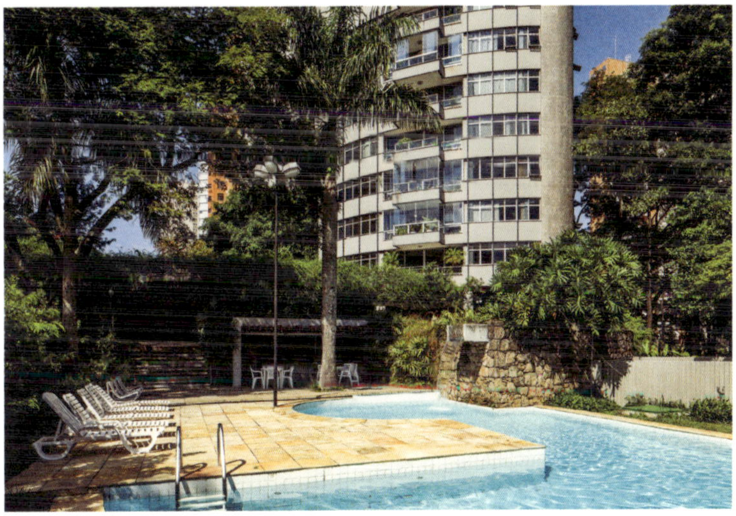

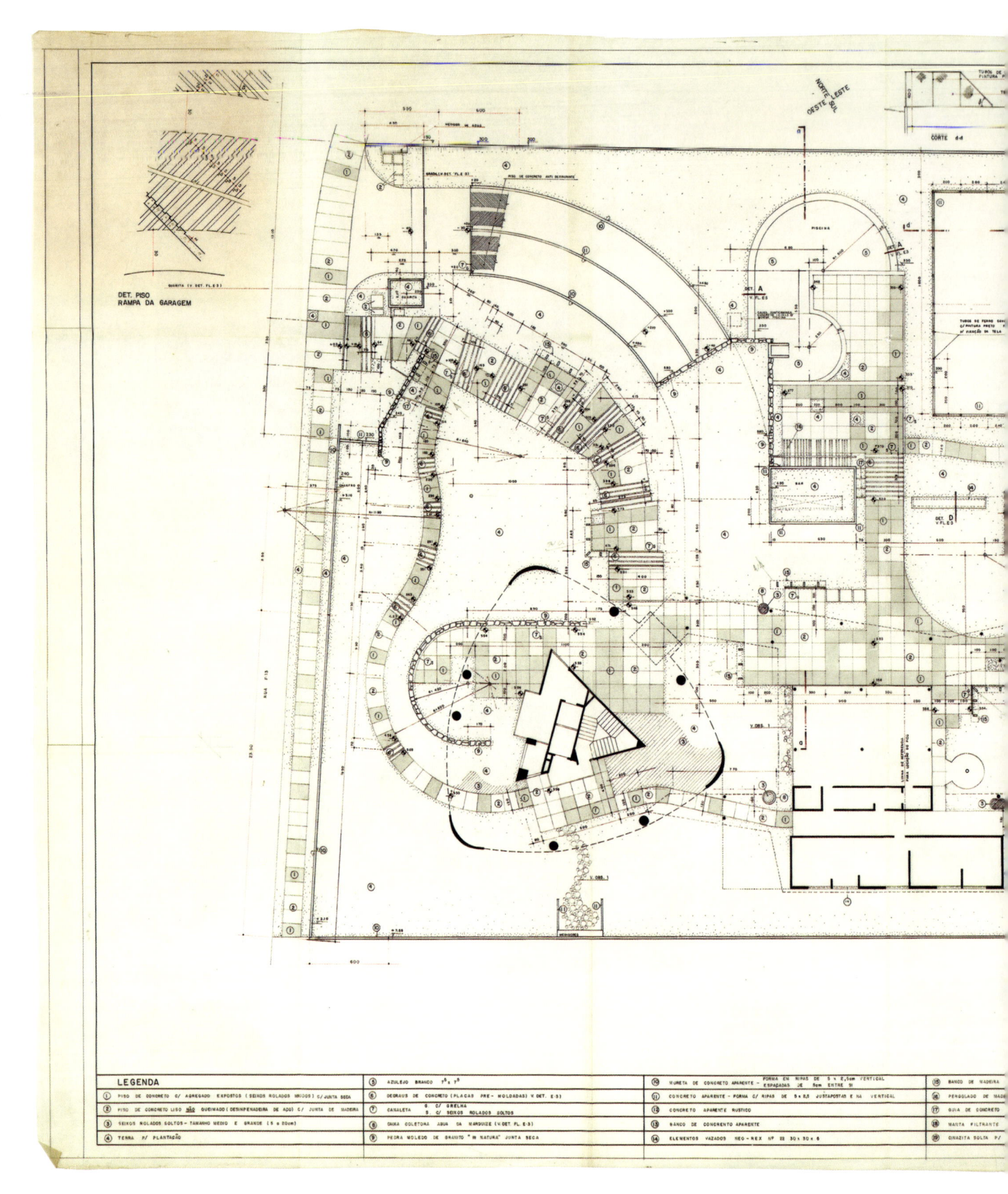

Implantação com projeto paisagístico de Rosa Kliass

PLANTA MARQUIZE

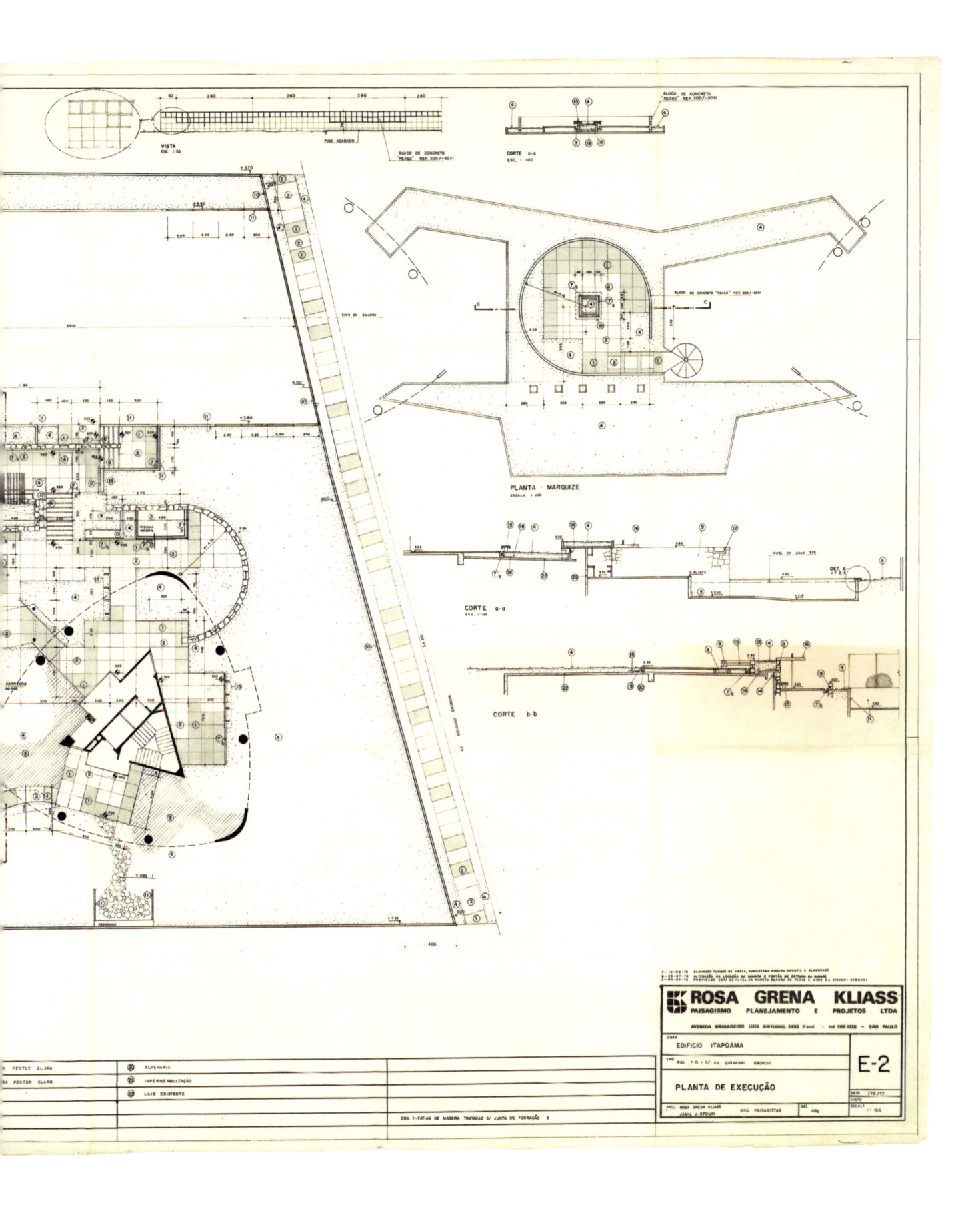

CORTE a-a

CORTE b-b

ROSA GRENA KLIASS
PAISAGISMO PLANEJAMENTO E PROJETOS LTDA

OBRA: EDIFICIO ITAPOAMA

PLANTA DE EXECUÇÃO

E-2

FACHADA SALAS

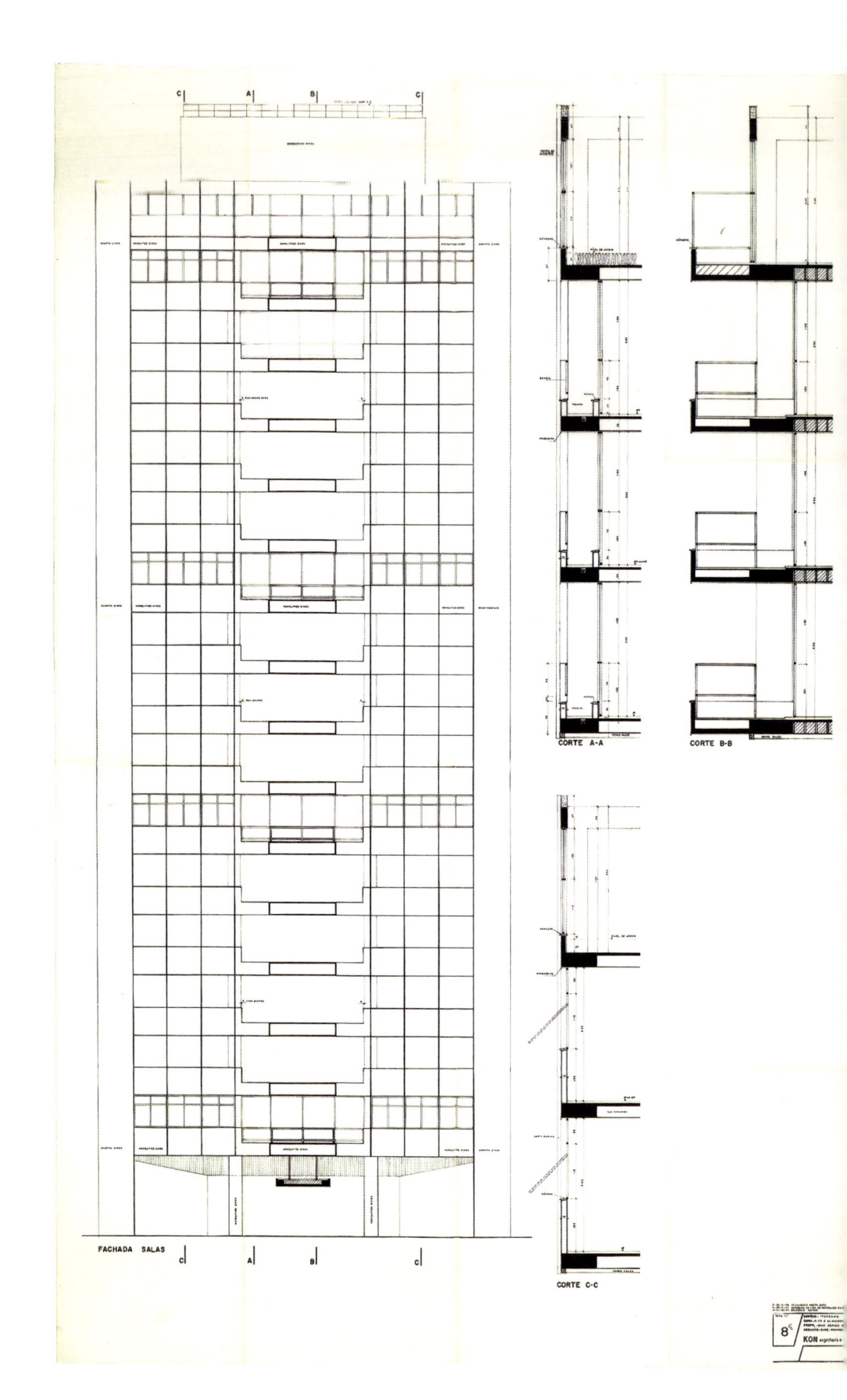

CORTE A-A

CORTE B-B

CORTE C-C

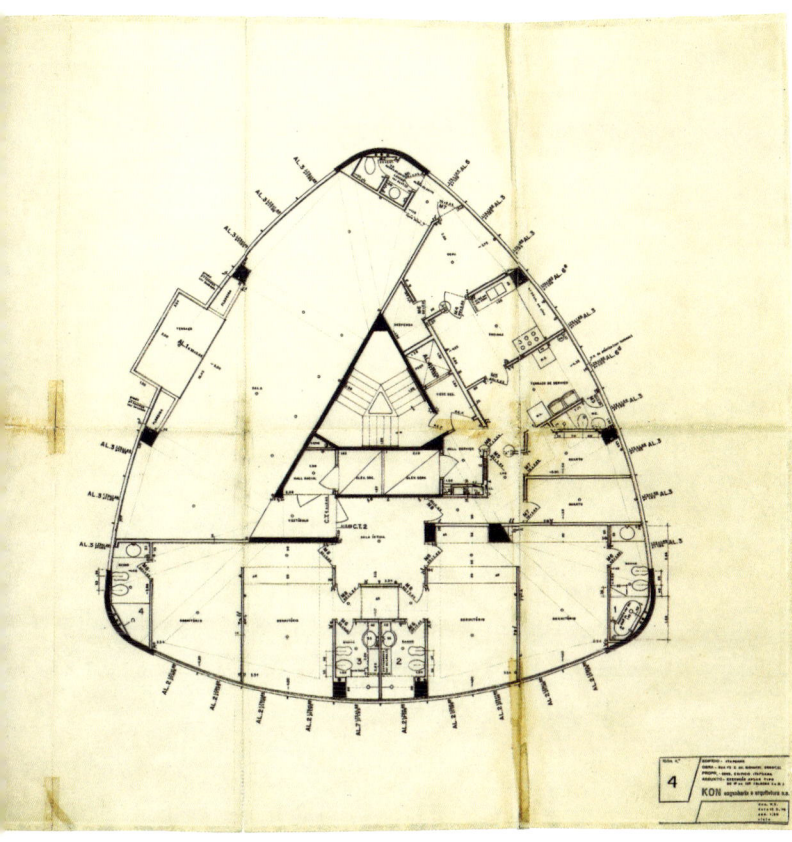

Elevação e cortes de balcões e janelas

Plantas do pavimento tipo e da cobertura

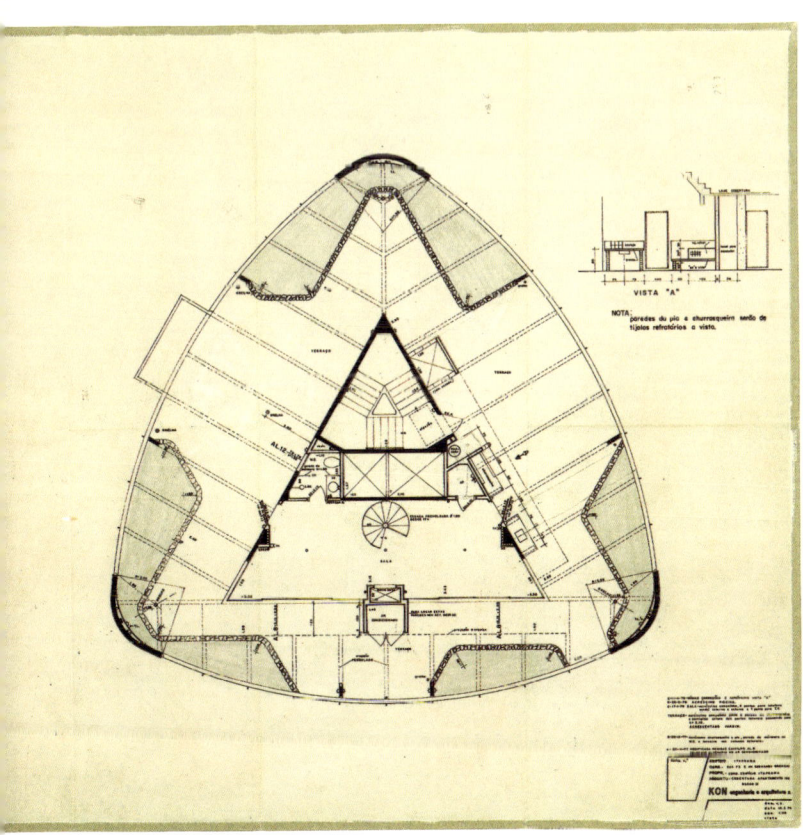

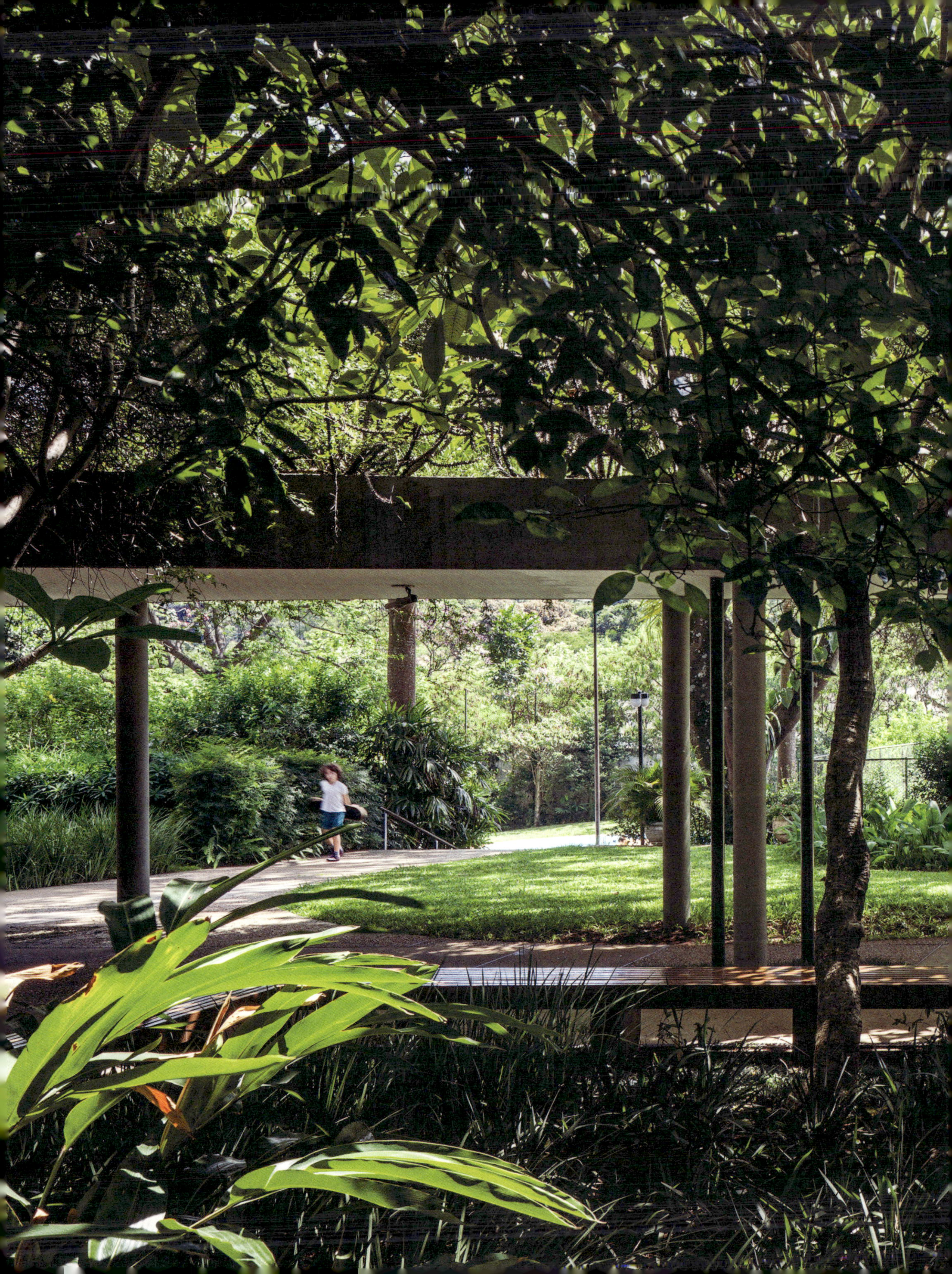

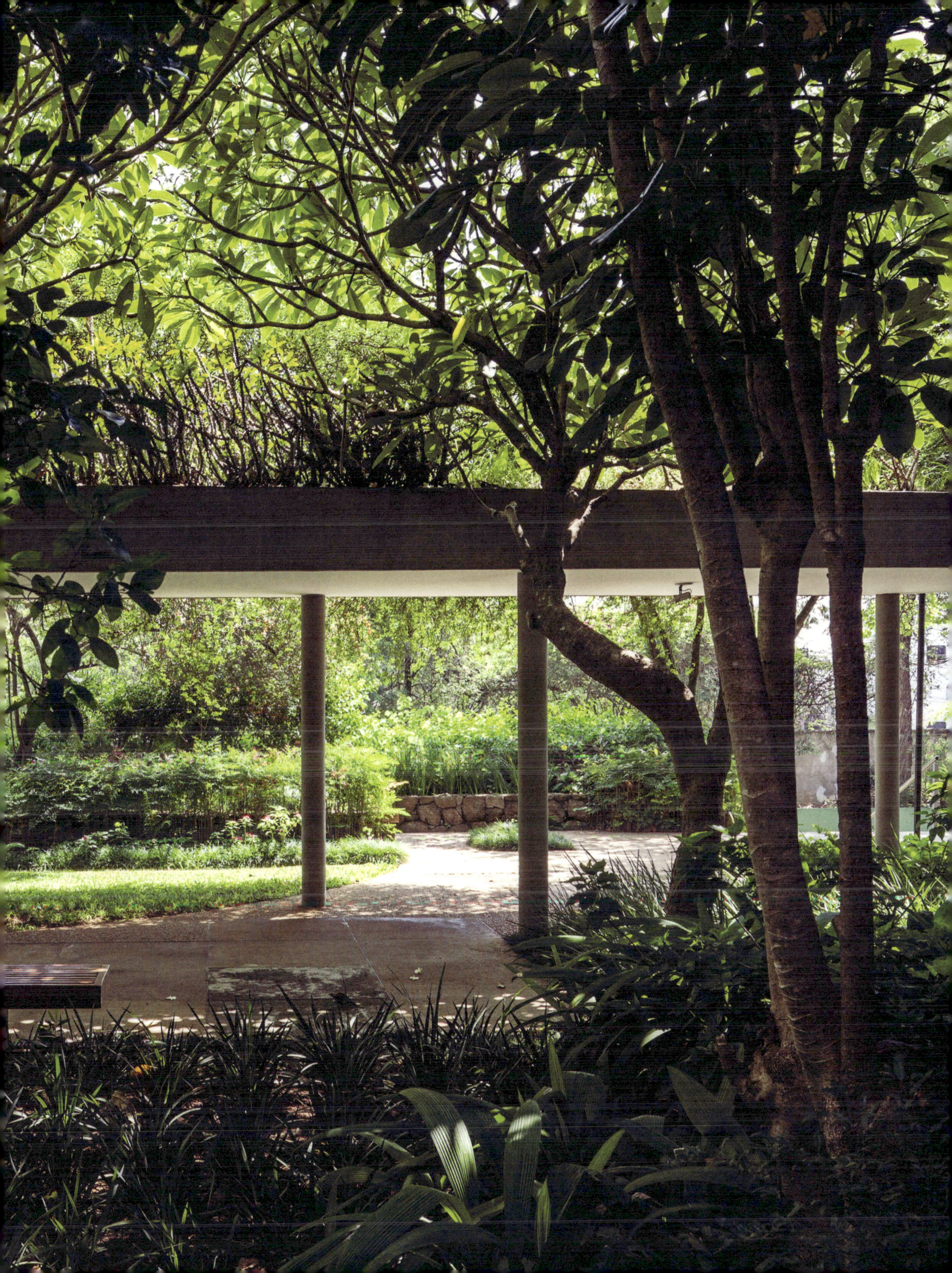

SALA

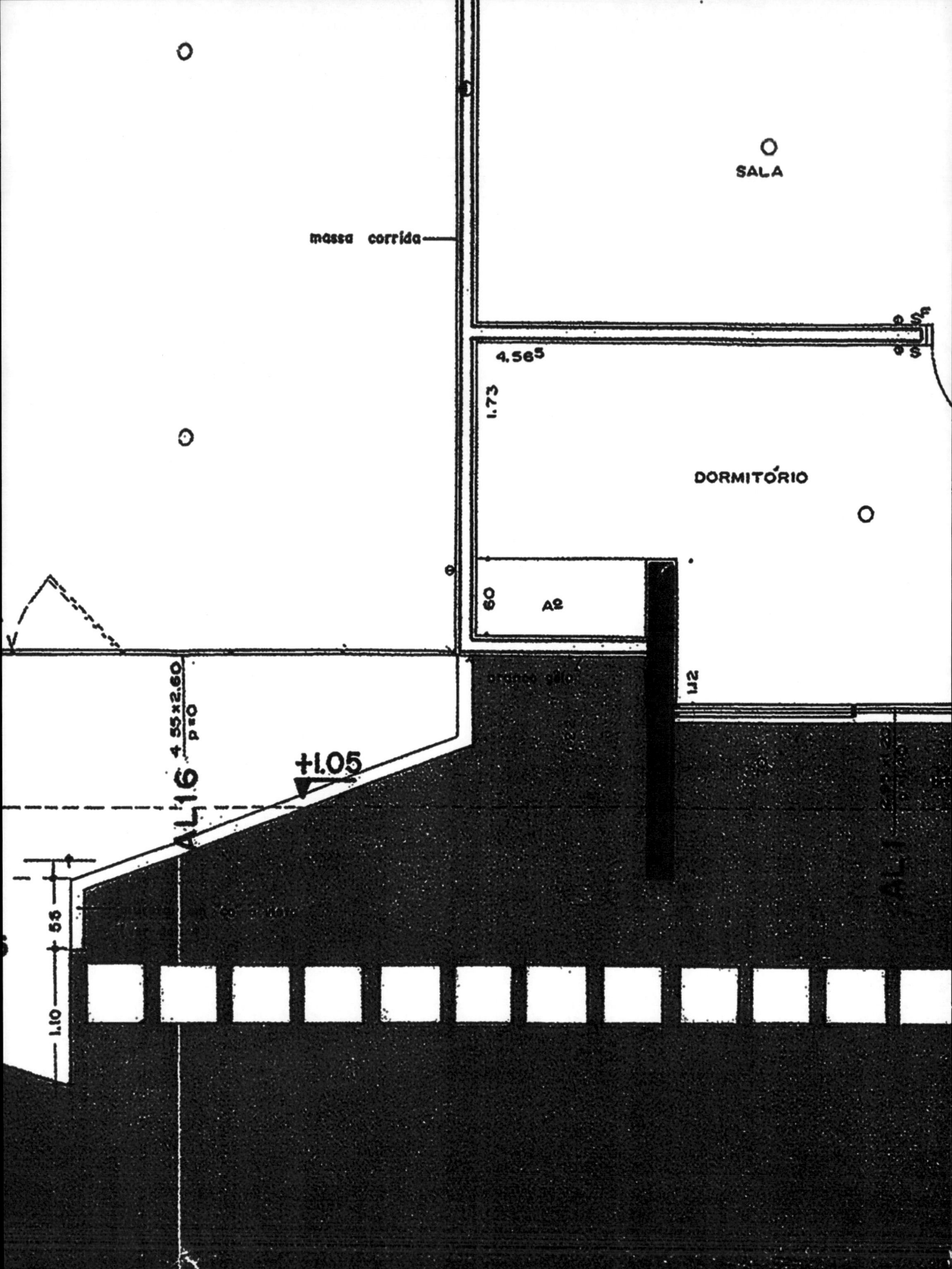

massa corrida

4.565

1.73

DORMITÓRIO

A2

AL.16 4.55x2.60
P=0

+1.05

55

1.10

80x2.55 AL
/p=5

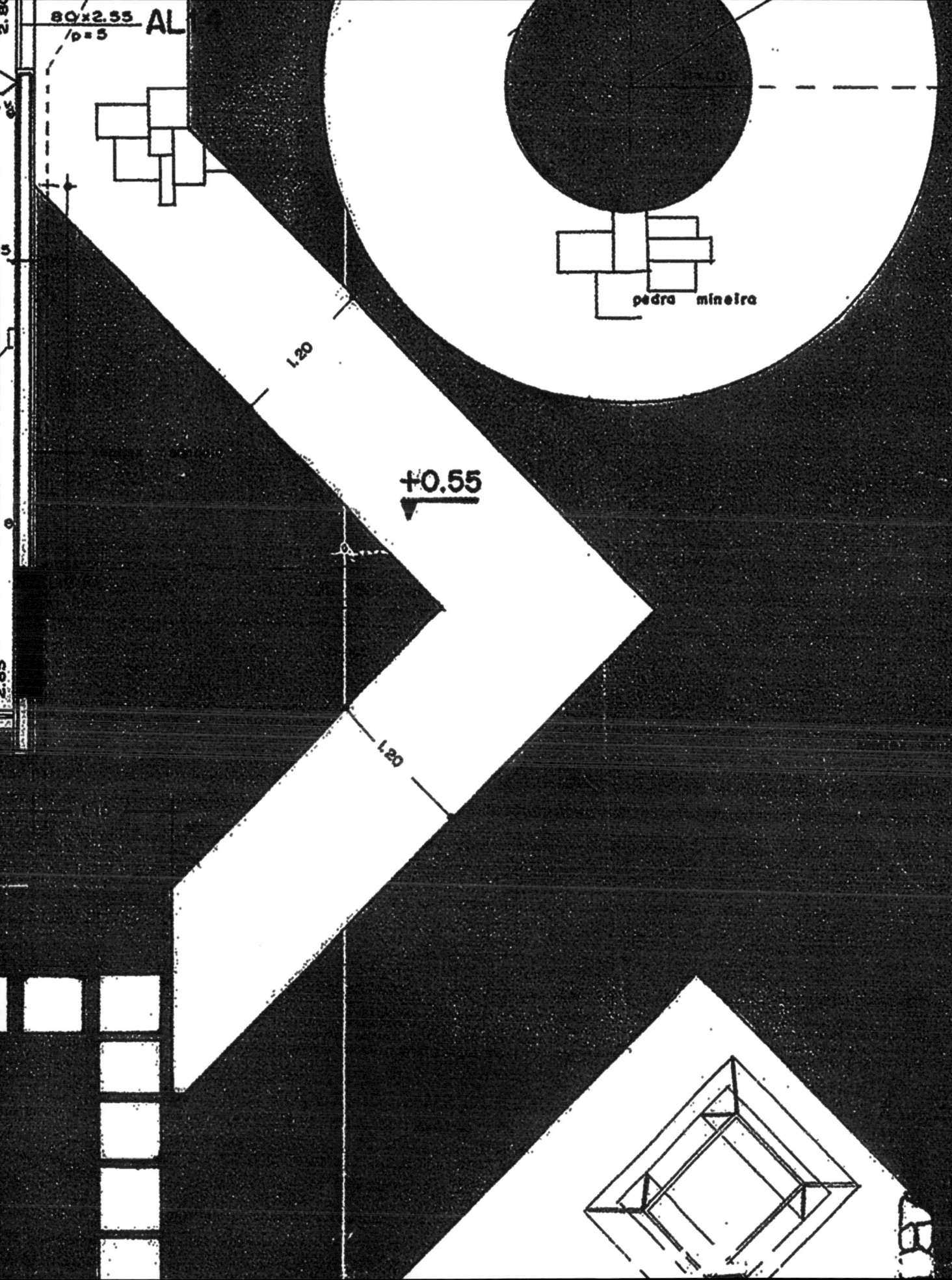

1.20

+0.55

1.20

pedra mineira

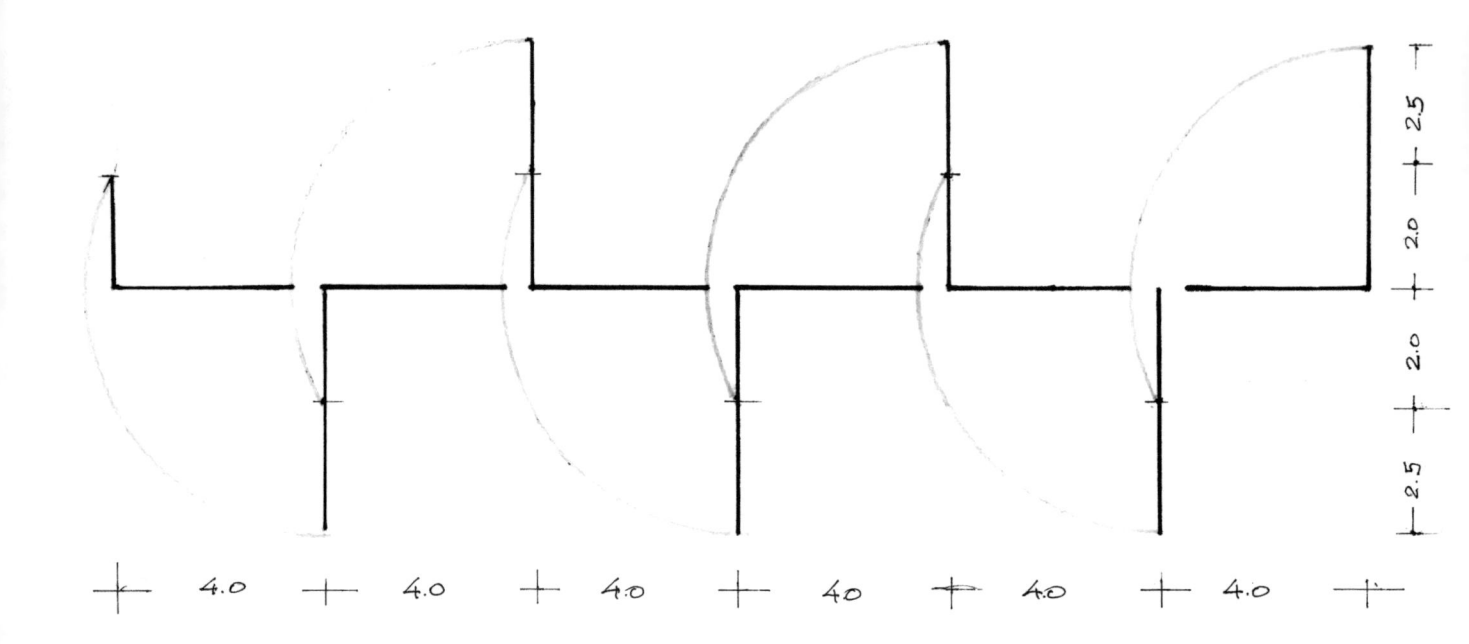

LISTA DE OBRAS CONSTRUÍDAS

As datas dos edifícios, tanto no texto como na lista de projetos, referem-se quase sempre ao ano de finalização da obra, mas algumas datações, por ausência dessa informação, foram feitas a partir dos desenhos executivos, em geral realizados um ou dois anos antes de sua conclusão. Alguns dos nomes de edifícios foram atualizados segundo a grafia atual, o mesmo ocorrendo em relação aos nomes de bairros, ruas e números dos imóveis.

1954
EDIFÍCIO PRIMAVERA, *rua Peixoto Gomide 1526, Jardim Paulista, São Paulo SP. Residencial com 24 apartamentos, 4.666,00 m².*

1956
EDIFÍCIO PARA JOSIP SINGER, *rua Pamplona 1431, Bela Vista, São Paulo SP. Construtora Kusminsky, uso misto com 01 loja e 04 apartamentos, 525,10 m².*
EDIFÍCIO PARA JACOB NACHMANNOVICZ, *rua José Paulino 206/210, Bom Retiro, São Paulo SP. Residencial com 01 loja e 04 apartamentos, 386,50 m².*
EDIFÍCIO PARA ICKO KUKAVKA, *rua Teodureto Souto 313, Cambuci, São Paulo SP. Residencial com 09 apartamentos, 868,00 m².*

1957
RESIDÊNCIA JOÃO KON, *rua Honduras 229, Jardim Paulista, São Paulo SP. Residência com 02 pavimentos, 261,00 m².*

1958
EDIFÍCIO BRASÍLIO MACHADO, *rua Doutor Brasílio Machado 114, Santa Cecília, São Paulo SP. Residencial com 16 apartamentos, 2.240,00 m². Demolido.*
EDIFÍCIO DE APARTAMENTOS, *alameda Nothmann 904/906/908, Santa Cecília, São Paulo SP. Residencial com 05 apartamentos, 602,05 m².*
RESIDÊNCIA WALDEMAR ZACLIS, *rua Zequinha de Abreu 189, Perdizes, São Paulo SP. Residência com 02 pavimentos, 189,00 m².*
EDIFÍCIO SILVA PINTO, *rua Silva Pinto esquina com rua Aimorés, Bom Retiro, São Paulo SP. Comercial com 05 lojas e 06 salões, 831,00 m².*
EDIFÍCIO PARA JAYME ROSEMBERG, *rua Doutor César Castiglioni Junior 351/353, Casa Verde, São Paulo SP. Uso misto com 01 loja e 02 apartamentos, 326,25 m².*

1960
EDIFÍCIO BOSQUE, *rua do Bosque 921, Barra Funda, São Paulo SP. Residencial com 12 apartamentos e 01 loja, 1.595,00 m² (década de 1960).*
EDIFÍCIO DE APARTAMENTOS, *rua Casimiro de Abreu 685, Brás, São Paulo SP. Uso misto com 06 apartamentos e 01 loja, 736,00 m² (década de 1960).*
EDIFÍCIO DE APARTAMENTOS, *rua Santo Antônio 1091, Consolação, São Paulo SP. Uso misto com 05 apartamentos e 01 loja, 486,00 m² (década de 1960).*
EDIFÍCIO ALBATROZ, *rua General Jardim 766, Higienópolis, São Paulo SP. Residencial com 36 apartamentos e garagens, 8.596,31 m² (data a partir do desenho).*
EDIFÍCIO ALVORADA, *rua São Vicente de Paula 635, Santa Cecília, São Paulo SP. Residencial com 18 apartamentos e garagens, 4.140,00 m² (data a partir do desenho).*
EDIFÍCIO CONDOR, *rua São Vicente de Paula 365, Santa Cecília, São Paulo SP. Residencial com 20 apartamentos e garagens, 4.146,00 m².*
EDIFÍCIO LORENA, *alameda Lorena 1057, Jardim Paulista, São Paulo SP. Residencial com 34 apartamentos e garagens, 7.778,40 m².*
EDIFÍCIO SELENE, *alameda Franca 435, Bela Vista, São Paulo SP. Residencial com 22 apartamentos e garagens, 3.683,00 m². Loja para Majer Chil Okret, rua Oriente 679, Brás, São Paulo SP. Comercial com 430,00 m². Demolido (data a partir do desenho).*

1961
RESIDÊNCIA ANTÔNIO DE MEDEIROS CABRAL, *rua Brigadeiro Gavião Peixoto 1342, Lapa, São Paulo SP. Residência com 02 pavimentos, 325,00 m². Demolido.*
EDIFÍCIO JURITI, *rua Martinico Prado 90, Vila Buarque, São Paulo SP. Residencial com 60 apartamentos, 12.516,00 m².*

1962
EDIFÍCIO CISNE, *rua José Maria Lisboa 880/884, Jardim Paulista, São Paulo SP. Residencial com 24 apartamentos e garagens, 6.786,00 m².*
EDIFÍCIO LIDO, *rua Correia de Melo 76, Bom Retiro, São Paulo SP. Uso misto com 52 apartamentos, 03 lojas e garagens, 6.786,00 m².*
EDIFÍCIO MAINÁ, *rua Padre João Manuel 758, Consolação, São Paulo SP. Residencial com 56 apartamentos e garagens, 12.226,00 m².*

1963
Edifício garagem, rua Correia de Melo 100, Bom Retiro, São Paulo SP. Comercial com 441 vagas de garagem, 13.550,00 m².
EDIFÍCIO PADRÃO, *rua Correia de Melo 84, Bom Retiro, São Paulo SP. Comercial com 103 escritórios e 09 lojas, 7.600,00 m².*
COLÉGIO RENASCENÇA (com Maurício Tuck Schneider), *rua Prates 790, Bom Retiro, São Paulo SP. Edifício educacional com garagem, pavimento administrativo e 03 pavimentos de sala de aula, 2.201,00 m².*

EDIFÍCIO ARAGUAÍ, *rua Cardoso de Almeida 414, esquina com a rua Paraguaçu, Perdizes, São Paulo SP. Residencial com 24 apartamentos, 4.532,00 m².*
EDIFÍCIO COLIBRI, *rua Ribeiro de Lima 368, Bom Retiro, São Paulo SP. Residencial com 10 apartamentos e garagens, 2.093,00 m².*
EDIFÍCIO PERDIZ, *rua Paraguaçu 405, Perdizes, São Paulo SP. Residencial com 30 apartamentos e garagens, 5.341,90 m².*
EDIFÍCIO UIRAPURU, *rua Jaguaribe 429, Santa Cecília, São Paulo SP. Uso misto com 76 apartamentos e 03 lojas, 4.229,00 m².*

1964

EDIFÍCIO PARA HENRIQUETA KUTNIKAS E ANNA ZEIGER, *rua José Paulino 749, Bom Retiro, São Paulo SP. Comercial com 06 salões, 01 loja e galeria, 1.050,00 m².*
EDIFÍCIO BATUÍRA, *rua Maria Antônia 100, Vila Buarque, São Paulo SP. Uso misto com 60 apartamentos, 01 loja e garagens, 5.565,00 m².*
EDIFÍCIO COTOVIA, *rua das Palmeiras 265, Santa Cecília, São Paulo SP. Uso misto com 75 apartamentos e 02 lojas, 5.371,00 m².*

1965

RESIDÊNCIA BERNARDO LEO WAJCHENBERG, *alameda Gabriel Monteiro da Silva 2607, Jardim América, São Paulo SP. Residência 02 pavimentos, 316,42 m².*
EDIFÍCIO JANDAIA, *avenida Presidente Wilson 70, José Menino, Santos SP. Residencial com 110 apartamentos e garagens, 13.231,00 m².*

1966

EDIFÍCIO GARÇA REAL, *alameda Tietê 621, Cerqueira César, São Paulo SP. Residencial com 30 apartamentos e garagens, 9.060,00 m².*

1967

EDIFÍCIO ANAMBÉ, *rua José Maria Lisboa 1011, Jardim Paulista, São Paulo SP. Residencial com 58 apartamentos e garagens, 10.858,00 m².*
EDIFÍCIO GAIVOTA, *avenida Angélica 566, Santa Cecília, São Paulo SP. Residencial com 66 apartamentos e garagens, 5.744,00 m².*

1968

EDIFÍCIO ALETO, *rua das Palmeiras 114, Santa Cecília, São Paulo SP. Uso misto com 65 apartamentos e 02 lojas, 3.074,00 m².*
EDIFÍCIO IRAÚNA, *rua São Vicente de Paula 416, Santa Cecília, São Paulo SP. Residencial com 58 apartamentos e garagens, 12.572,00 m².*

1969

EDIFÍCIO – SEDE DA ORGANIZAÇÃO SIONISTA UNIFICADA, *rua Talmud Thorá 108 (antiga rua Tocantins), Bom Retiro, São Paulo SP. Institucional com 03 pavimentos, 900,00 m².*
CLICHERIA UNIDA, *rua Doutor Carvalho de Mendonça 39, Campos Elíseos, São Paulo SP. Clicheria e 02 pavimentos, 1.105,00 m².*
CONJUNTO RESIDENCIAL, *ruas João Álvares Soares e Bernardino de Campos, Brooklin, São Paulo SP. Diâmetro Empreendimentos, residencial com 37 unidades, 4.735,50 m² (data a partir do desenho).*
CONJUNTO RESIDENCIAL *na quadra formada pelas ruas Bernardino de Campos, Barão de Jaceguai, Antônio de Macedo Soares e Doutor Diógenes Certain, Brooklin, São Paulo SP. Diâmetro Empreendimentos, residencial com 58 unidades, 5.720,00 m².*

1970

EDIFÍCIO DEPÓSITO IMPERATRIZ, *rua Matias Aires 414/420/426, Bela Vista, São Paulo SP. Uso misto com 06 pavimentos de apartamentos e 05 lojas.*

1971

EDIFÍCIO AURA, *rua Haddock Lobo 180, Jardim Paulista, São Paulo SP. Diâmetro Empreendimentos, residencial com 44 apartamentos e garagens, 10.485,00 m².*
CONJUNTO RESIDENCIAL, *ruas João Álvares Soares e João de Sousa Dias, Brooklin, São Paulo SP. Diâmetro Empreendimentos, residencial com 36 unidades, 4.884,00 m².*
EDIFÍCIO JARDIM DO SUMARÉ, *rua Apinajés 1985, esquina com rua Paracuê, Sumaré, São Paulo SP. Diâmetro Empreendimentos, residencial com 106 apartamentos e garagens, 12.396,00 m².*
EDIFÍCIO ROUXINOL, *rua Pará 90, Higienópolis, São Paulo SP. Diâmetro Empreendimentos, residencial com 42 apartamentos e garagens, 9.282,00 m².*

1972

EDIFÍCIO ARAÇARI, *rua Joaquim Antunes, 249, Pinheiros, São Paulo SP. Diâmetro Empreendimentos, residencial com 24 apartamentos e garagens, 3.439,80 m².*
EDIFÍCIO AVE REAL, *rua Angelina Maffei Vita 420, Pinheiros, São Paulo SP. Diâmetro Empreendimentos, residencial com 36 apartamentos e garagens, 12.775,00 m².*
EDIFÍCIO BEM-TE-VI, *rua Maranhão 629, Higienópolis, São Paulo SP. Diâmetro Empreendimentos, residencial com 44 apartamentos e garagens, 10.475,00 m².*
EDIFÍCIO FRAGATA, *rua Melo Alves 265, Cerqueira César, São Paulo SP. Diâmetro Empreendimentos, residencial com 60 apartamentos e garagens, 9.225,00 m².*
EDIFÍCIO MAGUARI, *alameda Itu 1209, Jardim Paulista, São Paulo SP. Diâmetro Empreendimentos, residencial com 40 apartamentos e garagens, 6.049,50 m².*

EDIFÍCIO PELICANO, *rua Haddock Lobo 1669, Jardim Paulista, São Paulo SP. Diâmetro Empreendimentos, residencial com 42 apartamentos e garagens, 9.776,10 m².*
EDIFÍCIO SABIÁ, *rua Peixoto Gomide 1995, Jardim Paulista, São Paulo SP. Diâmetro Empreendimentos, residencial com 15 apartamentos e garagens, 5.745,00 m².*

1973
GRÁFICA LABORGRAF, *rua Tagipuru 139, Barra Funda, São Paulo SP. Industrial com 584,00 m².*
EDIFÍCIO ACAUÃ, *rua Bahia 226, Higienópolis, São Paulo SP. Diâmetro Empreendimentos, residencial com 52 apartamentos e garagens, 7.933,30 m².*
EDIFÍCIO ARGO E EDIFÍCIO AZULÃO, *rua Matias Aires 285 e rua Haddock Lobo 144, Consolação, São Paulo SP. Diâmetro Empreendimentos, residencial com 02 blocos, 78 apartamentos e garagens, 12.771,00 m².*
EDIFÍCIO ARPOADOR, *rua Gil Eanes 195, Campo Belo, São Paulo SP. Diâmetro Empreendimentos, residencial com 40 apartamentos e garagens, 7.906,24 m².*
EDIFÍCIO CANÁRIO REI, *rua São Vicente de Paula 526, Santa Cecília, São Paulo SP. Diâmetro Empreendimentos, residencial com 30 apartamentos e garagens, 7.966,30 m².*
EDIFÍCIO FLAMA, *rua Martim Francisco 414/420, Vila Buarque, São Paulo SP. Uso misto com 01 loja e 40 apartamentos, 2.816,35 m².*
EDIFÍCIO IPEROIG, *rua Iperoig 527, Perdizes, São Paulo SP. Residencial com 28 apartamentos e garagens, 4.830,00 m².*
EDIFÍCIO JABORANDI, *rua Sergipe 600, Consolação, São Paulo SP. Diâmetro Empreendimentos, residencial com 38 apartamentos e garagens, 10.306,00 m².*
EDIFÍCIO PALOMAR, *rua Pará 270, Higienópolis, São Paulo SP. Diâmetro Empreendimentos, residencial com 44 apartamentos e garagens, 7.442,00 m².*
EDIFÍCIO PLACE DE L'ETOILE, *rua Pará 269, Higienópolis, São Paulo SP. Diâmetro Empreendimentos, residencial com 32 apartamentos e garagens, 7.860,50 m².*

1974
EDIFÍCIO ÁLAMO, *rua Sabará 538, Higienópolis, São Paulo SP. Diâmetro Empreendimentos, residencial com 24 apartamentos e garagens, 4.982,70 m².*
EDIFÍCIO BOIS DE BOULOGNE, *rua Monte Alegre 791/811, Perdizes, São Paulo SP. Diâmetro Empreendimentos, 02 torres residenciais com 80 apartamentos e garagens, 14.036,90 m².*
EDIFÍCIO DIÂMETRO, *avenida Brigadeiro Faria Lima 1713, Pinheiros, São Paulo SP. Diâmetro Empreendimentos, comercial com 02 lojas, 69 conjuntos e garagens, 8.569,00 m².*

EDIFÍCIO HERWEG, *rua Bela Cintra 1903, Jardim América, São Paulo SP. Residencial com 22 apartamentos e garagens, 2.660,00 m².*
EDIFÍCIO IPANEMA, *rua Oscar Freire 1085, Jardim Paulista, São Paulo SP. Diâmetro Empreendimentos, residencial com 38 apartamentos e garagens, 8.890,00 m².*

1975
EDIFÍCIO LEBLON, *avenida Rouxinol 346, esquina com rua Tuim, Moema, São Paulo SP. Diâmetro Empreendimentos, residencial com 40 apartamentos e garagens, 8.383,20 m².*
EDIFÍCIO BURITI, *rua Albion 194, Lapa, São Paulo SP. IT Empreendimentos Imobiliários, comercial com 04 lojas e 07 pavimentos para salas, 1.008,00 m².*

1976
EDIFÍCIO CAMBORIÚ, *rua Doutor Albuquerque Lins 915, Santa Cecília, São Paulo SP. Diâmetro Empreendimentos, residencial com 52 apartamentos e garagens, 12.374,43 m².*
EDIFÍCIO GRAJAÚ, *alameda Santos 680, esquina com alameda Joaquim Eugênio de Lima, Jardim Paulista, São Paulo SP. Diâmetro Empreendimentos, comercial com 02 lojas, 72 salas e garagens, 7.479,30 m².*
EDIFÍCIO LARANJEIRAS, *rua Peixoto Gomide 1519, Jardim Paulista, São Paulo SP. Diâmetro Empreendimentos, residencial com 20 apartamentos e garagens, 7.022,00 m².*
EDIFÍCIO LEME, *rua Ministro Godói 683, Perdizes, São Paulo SP. Diâmetro Empreendimentos, 02 torres residenciais com 60 apartamentos e garagens, 13.216,10 m².*
EDIFÍCIO MARA, *rua Maranhão 853, Higienópolis, São Paulo SP. Residencial com 15 apartamentos e garagens, 5.998,60 m².*
EDIFÍCIO TIJUCA, *rua Haddock Lobo 1649, Jardim Paulista, São Paulo SP. Diâmetro Empreendimentos, residencial com 20 apartamentos e garagens, 5.585,00 m².*

1977
EDIFÍCIO PIATÃ, *rua Doutor Albuquerque Lins 992, Santa Cecília, São Paulo SP. Diâmetro Empreendimentos, residencial com 66 apartamentos e garagens, 13.293,40 m².*

1978
EDIFÍCIO CAIOBÁ, *rua José Maria Lisboa 730, Jardim Paulista, São Paulo SP. Diâmetro Empreendimentos, residencial com 78 apartamentos e garagens, 6.223,60 m².*
EDIFÍCIO ITAGUAÇU, *rua Ministro Godói 177, Perdizes, São Paulo SP. Diâmetro Empreendimentos, residencial com 40 apartamentos e garagens, 7.029,40 m².*
EDIFÍCIO PAJUÇARA, *alameda dos Arapanés 1084, esquina com avenida Rouxinol, Moema, São Paulo SP. Diâmetro Empreendimentos, residencial com 40 apartamentos e garagens, 8.714,80 m².*

1979
EDIFÍCIO ITAPOAMA, *rua Doutor James Ferraz Alvim 330, Morumbi, São Paulo SP. Diâmetro Empreendimentos, 02 torres residenciais com 30 apartamentos e garagens, 12.942,00 m².*
RESIDÊNCIA EUGÊNIO ROTH, *Chácara da Lagoa, estrada de Itapecerica da Serra, km 29,5, Itapecerica da Serra SP. Residencial, 220,00 m².*

1980
RESIDÊNCIA FISZEL CZERESNIA, *alameda Uirapuru 196, Chácara da Lagoa, Estrada de Itapecerica da Serra, km 29,5, Itapecerica da Serra SP. Residencial, 455,00 m².*
EDIFÍCIO JARDINS DE ILHÉUS, *rua Doutor Homem de Mello 239, Perdizes, São Paulo SP. Diâmetro Empreendimentos, residencial com 38 apartamentos e garagens, 8.890,00 m².*
EDIFÍCIO ONDINA, *rua Inhambu 873, Moema, São Paulo SP. Diâmetro Empreendimentos, residencial com 78 apartamentos e garagens, 10.250,80 m².*

1981
EDIFÍCIO JARDINS DE BROOKLIN, *rua Pascal 57, Brooklin, São Paulo SP. Diâmetro Empreendimentos, residencial com 39 apartamentos, garagens e zelador, 5.438,00 m².*
EDIFÍCIO JARDINS DE FRANCA, *alameda Franca 406, Jardim Paulista, São Paulo SP. Diâmetro Empreendimentos, residencial com 74 apartamentos e garagens, 7.602,00 m².*
EDIFÍCIO JARDINS DAS PERDIZES, *rua Cardoso de Almeida 1272/1286, Perdizes, São Paulo SP. Diâmetro Empreendimentos, residencial com 60 apartamentos, garagens e zelador, 6.224,50 m².*

1982
EDIFÍCIO ARARUAMA, *rua Doutor Gabriel dos Santos 44/60, Santa Cecília, São Paulo SP. Diâmetro Empreendimentos, residencial com 52 apartamentos, garagens e zelador, 5.412,80 m².*
EDIFÍCIO JARDINS DE ITAPEMA, *rua Eça de Queiroz 114, Vila Mariana, São Paulo SP. Diâmetro Empreendimentos, residencial com 72 apartamentos, garagens e zelador, 9.916,97 m².*

1983
EDIFÍCIO SOLAR SEVILHA, *rua Afonso de Freitas 320, Vila Mariana, São Paulo SP. Incorporadora Brasileira SA – Imbrasa, Eteg Imobiliária Ltda., residencial com 02 subsolos e 88 apartamentos, 8.378,49 m².*
EDIFÍCIO AMARALINA, *rua Gomes de Carvalho 837, Vila Olímpia, São Paulo SP. Diâmetro Empreendimentos, residencial com 68 apartamentos, garagens e zelador, 5.390,65 m².*
EDIFÍCIO JARDINS DA JURITI, *avenida Juriti 541, Moema, São Paulo SP. Diâmetro Empreendimentos, residencial com 32 apartamentos, garagens e zelador, 4.817,94 m².*
EDIFÍCIO JARDINS DE PARAGUAÇU, *rua Paraguaçu 479, Perdizes, São Paulo SP. Diâmetro Empreendimentos, residencial com 36 apartamentos e garagens, 7.798,28 m².*
RESIDENCIAL PARQUE VILA PRUDENTE, *rua Glória do Goitá 85, Vila Prudente, São Paulo SP. Diâmetro Empreendimentos, residencial com 188 apartamentos, garagens e zelador, 10.923,17 m².*

1984
EDIFÍCIO JATOBÁ, *rua Urano 09, Aclimação, São Paulo SP. Diâmetro Empreendimentos, residencial com 49 apartamentos, garagens e zelador, 6.254,13 m².*

1985
EDIFÍCIO JARDINS DE ICARAÍ, *rua Gil Eanes 315, Campo Belo, São Paulo SP. Diâmetro Empreendimentos, residencial com 60 apartamentos, garagens e zelador, 10.612,27 m².*
EDIFÍCIO JARDINS DE VERONA, *rua Bela Cintra 1307, Cerqueira César, São Paulo SP. Diâmetro Empreendimentos, residencial com 24 apartamentos, garagens e zelador, 3.862,60 m².*

1987
EDIFÍCIO VILA DE LAGUNA, *avenida Juriti 683, Moema, São Paulo SP. Diâmetro Empreendimentos, residencial com 32 apartamentos, garagens e zelador, 6.320,94 m².*
EDIFÍCIO VILA DE OLINDA, *rua José Maria Lisboa 695, Jardim Paulista, São Paulo SP. Diâmetro Empreendimentos, residencial com 17 apartamentos, garagens e zelador, 6.481,00 m².*
EDIFÍCIO VILA DE PIRATININGA, *alameda Jaú 1344, Jardim Paulista, São Paulo SP. Diâmetro Empreendimentos, residencial com 15 apartamentos, garagens e zelador, 6.156,18 m².*
EDIFÍCIO DONATELLO, *rua Doutor Miranda de Azevedo 576, Pompeia, São Paulo SP. IT Empreendimentos Imobiliários, residencial com apartamentos de 101,20 m² (data a partir de websites de empresas imobiliárias).*

1988
EDIFÍCIO VILA DE ALCÂNTARA, *rua Doutor Albuquerque Lins 1144, Santa Cecília, São Paulo SP. Diâmetro Empreendimentos, residencial com 28 apartamentos, garagens e zelador, 5.635,81 m².*

1989
EDIFÍCIO VILA BELA, *rua Urano 35, Aclimação, São Paulo SP. Diâmetro Empreendimentos, residencial com 10 apartamentos, garagens e zelador, 3.265,18 m².*
EDIFÍCIO CANOVA, *rua Sales Júnior 423, Alto da Lapa, São Paulo SP. IT Empreendimentos Imobiliários, residencial com 31 apartamentos e garagens, 7.400,00 m².*

1990

EDIFÍCIO QUINTA DE BRAGANÇA, *rua Doutor James Ferraz Alvim 271, Morumbi, São Paulo SP. Diâmetro Empreendimentos, residencial com 46 apartamentos, garagens e zelador, 14.056,13 m².*
EDIFÍCIO VILA DO CARMO, *rua Pires da Mota 1011, Aclimação, São Paulo SP. Diâmetro Empreendimentos, residencial com 62 apartamentos, garagens e zelador, 7.589,02 m².*
EDIFÍCIO VILA DEL REY, *rua Doutor Homem de Melo 379, Perdizes, São Paulo SP. Diâmetro Empreendimentos, residencial com 40 apartamentos, garagens e zelador, 9.136,50 m² (1987, segundo o alvará, e 1990, segundo o Habite-se).*
EDIFÍCIO VILA DE VITÓRIA, *rua Jorge Tibiriçá 229, Vila Mariana, São Paulo SP. Diâmetro Empreendimentos, residencial com 52 apartamentos, garagens e zelador, 6.370,25 m².*
RESIDÊNCIA JOSÉ ROBERTO MASSAINI, *alameda Iraúna 74, Chácara da Lagoa, estrada de Itapecerica da Serra, km 29,5, Itapecerica da Serra SP. Residencial, área construída 517 m², área total do terreno 3.490,00 m².*

1991

EDIFÍCIO PALLADIO, *rua Princesa Leopoldina 419, Alto da Lapa, São Paulo SP. IT Empreendimentos Imobiliários, residencial com 16 apartamentos e garagens, 2.560,00 m².*

1992

EDIFÍCIO JARDIM DAS GIESTAS, *rua das Baunilhas 33, Vila Prudente, São Paulo SP. Diâmetro Empreendimentos, residencial com 48 apartamentos, garagens e zelador, 3.754,87 m².*

1993

EDIFÍCIO JARDINS DA GLÓRIA, *rua Domingo de Soto 101, Vila Mariana, São Paulo SP. Diâmetro Empreendimentos, residencial com 96 apartamentos, garagens e zelador, 5.891,23 m².*
EDIFÍCIO JARDINS DO LIDO, *rua Aliança Liberal 125, Lapa, São Paulo SP. IT Empreendimentos Imobiliários, residencial com apartamentos de 120,00 m².*

1995

EDIFÍCIO PIAZZA NAVONA, *rua Belmonte 360, Alto da Lapa, São Paulo SP. IT Empreendimentos Imobiliários, residencial com apartamentos de 140,16 m².*

2003

EDIFÍCIO GIOTTO, *rua Aliança Liberal 570, Alto da Lapa, São Paulo SP. IT Empreendimentos Imobiliários, residencial com apartamentos de 92,74 m².*

2008

EDIFÍCIO TIZIANO, *rua Guaipá 49, Vila Leopoldina, São Paulo SP. IT Empreendimentos Imobiliários, residencial com apartamentos de 70,50 m².*

PROJETOS COM DATAS NÃO ENCONTRADAS

LOJAS BENJAMIN GOLCMAN, *rua Oriente 708, Brás, São Paulo SP. Comercial com 03 lojas e 03 salões, 564,00 m².*
LOJAS M. A. MUSZKAT, *rua José Paulino 372/374/378, Bom Retiro, São Paulo SP. Comercial com 01 loja, mezanino e sanitário, 392,00 m².*

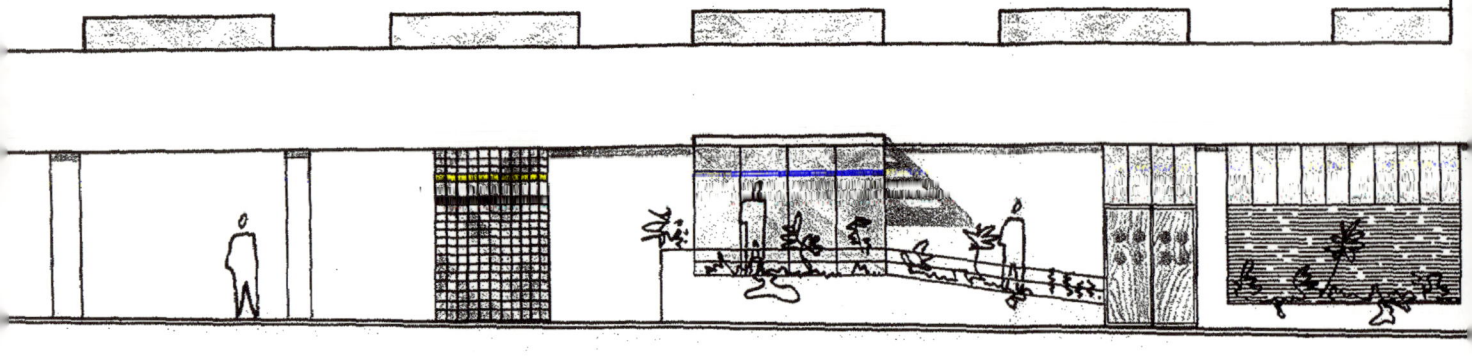

LISTA GERAL DE IMAGENS

Acervos
Acervo FAU USP – p. 87
Acervo Fotográfico do Museu da Cidade de São Paulo – p. 28, 28-29 (Aristodemo Becherini)
Acervo Geraldo de Barros – p. 74 (abaixo / German Lorca)
Acervo Família Kon – p. 2, 3, 6, 7, 8-9, 16-17, 19, 20, 24 (ab.), 26, 27, 30 (direita), 34-35, 39 (ac.), 56-57, 67, 71, 72, 74-75, 77, 79 (dir.) 88, 88-89, 89 (acima), 94, 101, 178, 179, 183 (ab.), 202-203, 318, 330-331, 336
Acervo Paulo Mendes da Rocha – p. 122 (dir.), p. 124 (ab.)
Acervo Pedro Paulo de Melo Saraiva – p. 32 (ac.), 33 (ac.)
Acervo Telésforo Cristófani – p. 122 (meio)
Acervo Waldemar Cordeiro – p. 84 (Edouard Fraipont), 84-85, 85
Arquivo Histórico Judaico Brasileiro – p. 22 (dir.), 23, 25
Centro Histórico e Cultural Mackenzie – p. 30 (esquerda), 31, 32 (ab.), 33 (ab.), 34
Colégio Rio Branco – p. 29
Diâmetro Empreendimentos – sobrecapa e todos desenhos não identificados nesta lista
Editora Perspectiva – p. 91 (ab.)
Instituto Moreira Salles – p. 22 (esq. / Guilherme Gaensly)
Wikimedia Commons – p. 74 (ac.)

Fotógrafos
André Marques – p. 124 (ac.), 124-125 (ac.)
Daniel Ducci – p. 60, 60-61, 61
Hans Günther Flieg – p. 79 (fotos pb), 80 (ab.)
João Caldas – p. 1
Jorge Hirata – p. 113
Luis Espallargas Gimenez – p. 40 (dir.), 40-41, 108 (ab.), 123, 126 (dir.), 127, 131, 137 (ab.), 144 (ab.), 145 (ab.), 172 (esq.), 175, 176 (ab.)
Marise De Chirico – p. 97
Nelson Kon – p. 39 (ab.), 40 (esq.), 41 (ac.), 42, 42-43, 43, 48 (dir.), 49 (esq.), 51, 52, 52-53, 54, 54-55, 55, 56, 58, 58-59, 59, 62, 63, 68-69, 78, 80 (ac.), 81, 82, 83, 86, 89 (ab.), 90, 91 (ac.), 92, 93 (ac.), 95, 98-99, 108 (ac.), 108-109, 109, 114, 115, 120, 121, 122 (esq.), 130, 146, 148, 149 (esq.), 153 (ab.), 163, 166, 169, 171, 177 (ab.), 181 (ab.), 190, 191, 196 (ac.), 198; p. 206-315 (todas as fotos)
Victor Hugo Mori – p. 122-123
Włodzimierz Pfeiffer – p. 24 (ac.)

Publicações
Acrópole – p. 41 (ab.)
Catálogo Eternit – p. 12
FERRONI, Eduardo Rocha. *Aproximações sobre a obra de Salvador Candia*. Orientadora Regina Meyer. Dissertação de mestrado. São Paulo, FAU USP, 2008 – p. 126 (esq.)
GUERRA, Abilio (Org.). *Eduardo de Almeida*. Coleção Arquiteto Brasileiro Contemporâneo, volume 1. São Paulo, Romano Guerra, 2006 – p. 125 (ab.)
KOURY, Ana Paula. *Grupo Arquitetura Nova. Flávio Império, Rodrigo Lefèvre e Sérgio Ferro*. Coleção Olhar Arquitetônico, volume 01. São Paulo, Edusp/Romano Guerra, 2003 – p. 112-113
Revista de Arquitetura e Construções (sobre Kon Engenharia e Construção) – p. 4, 5, 10, 35, 44, 45, 47 (ab.), 48 (esq.), 49 (dir.), 50, 75, 76, 76-77, 82-83, 134, 134-135, 135, 136 (ab.), 142 (ab.), 143 (ab.), 152 (ab.), 182, 184, 184-185, 186 (ac.), 186-187, 187, 332-333, 335
SILVA, Helena Aparecida Ayoub. *Abrahão Sanovicz: o projeto como pesquisa*. Tese de doutorado. Orientador Eduardo de Almeida. São Paulo, FAU USP, 2004 – p. 112, 125 (ab.)

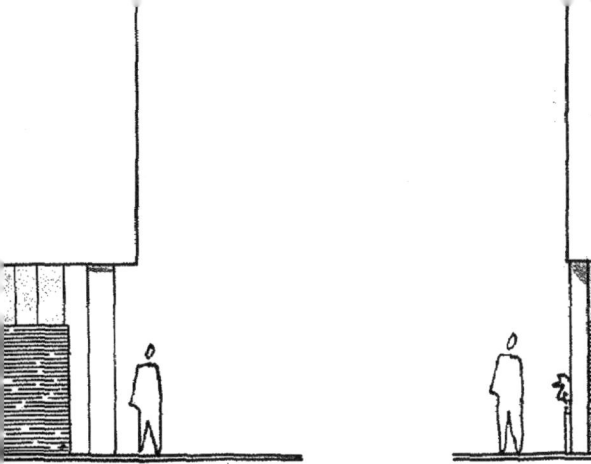

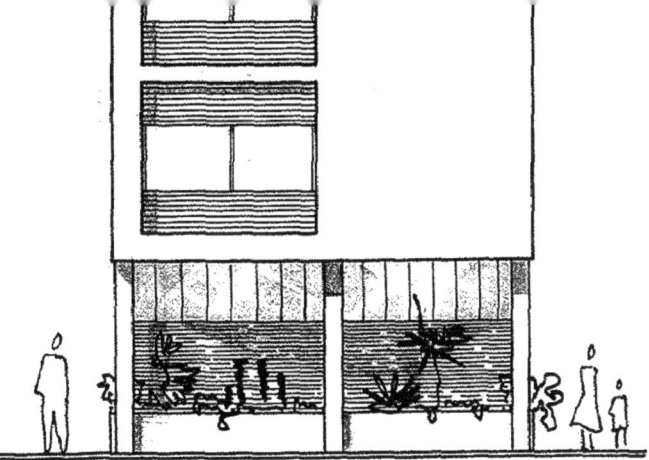

AGRADECIMENTOS
Analivia Cordeiro
Anat Falbel
André Marques
Anita Kon
Arthur Ribeiro Vergani
Bernardo Leo Wajchenberg
Cecília Cukierman
Daniel Trench
Daniele Pisani
Denise Mendonça Teixeira
Edouard Fraipont
Eduardo Ferroni
Eliane Finamor Gomes
Elohim Barros
Fabio Kon
Fernando Lazlo
Florencia Ferrari
German Lorca
Giselle Beiguelman
Hans Günther Flieg
Helena Ayoub
Helena Kon
Helio Gurovitz
Hilton Chamis
Ido Klieger
Isay Weinfeld
João Caldas
Jorge Fragoso
Jorge Hirata
José Roberto Massaini
Lucio Gomes Machado
Mauro Claro
Michelle Schneider
Paulo Mendes da Rocha
Priscylla Nosc de Lima
Roberto Zadis
Rosa Wajchenberg
Rubens Kon
Sarah Berezin
Tamara Czeresnia
Vicente Wissenbach

Arquivo Geraldo de Barros
  Fabiana de Barros
  Michel Favre
Arquivo Histórico Judaico
Brasileiro
  Lucia Chermont
Biblioteca FAU Mackenzie
  Paola Alessandra R. D'Amato
Biblioteca FAU USP
  Dina Uliana
  Eliana de Azevedo Marques
  Rodrigo Queiroz
Centro Histórico e Cultural
Mackenzie
  Luciene Aranha
  Helen Altimeyer
  Ingrid Ribeiro Souza
  Fabiana Silva
Editora Perspectiva
  Sérgio Kon
Eternit
  Gabriel Pontes
  Alessandra Fragata
Fundação de Rotarianos de
São Paulo
Instituto Moreira Salles
Museu da Cidade de São Paulo
  Henrique Siqueira

A reprodução ou duplicação integral ou parcial desta obra sem autorização expressa dos organizadores, autores e editores se configura como apropriação indevida dos direitos intelectuais e patrimoniais do autor.

© Abilio Guerra, Luis Espallargas Gimenez e Fernando Serapião (organização)

© Fernando Serapião, Jacopo Crivelli Visconti e Luis Espallargas Gimenez (textos)

Direitos para esta edição
Romano Guerra Editora
Rua General Jardim 645 conj. 31 – Vila Buarque
01223-011 São Paulo SP Brasil
+ 55 11 3255.9535
rg@romanoguerra.com.br
www.romanoguerra.com.br

Printed in Brazil 2016
Foi feito o depósito legal

J62   João Kon : arquiteto / organizadores Abilio Guerra,
      Luis Espallargas Gimenez, Fernando Serapião
      – São Paulo : Romano Guerra Editora, 2016.
         320 p. ; 21 cm.

         Inclui referências bibliográficas
         ISBN 978-85-88585-48-5

         1. Kon, João. 2. Arquiteto. 3. Edifícios verticais. I. Guerra,
      Abilio (org.). II. Espallargas Gimenez, Luis (org.). III. Serapião,
      Fernando (org.). IV. Título.

                                            CDD – 720.981

João Kon, arquiteto

ORGANIZAÇÃO
Abilio Guerra
Luis Espallargas Gimenez
Fernando Serapião

TEXTOS
Fernando Serapião
Jacopo Crivelli Visconti
Luis Espallargas Gimenez

ENSAIOS FOTOGRÁFICOS
Nelson Kon

COORDENAÇÃO EDITORIAL
Abilio Guerra
Silvana Romano Santos

PROJETO GRÁFICO
Marise De Chirico

DIAGRAMAÇÃO
Flora Canal

ASSISTÊNCIA EDITORIAL
Fernanda Critelli
Caio Sens

PRODUÇÃO GRÁFICA
Motivo / Jorge Bastos

TRATAMENTO DE IMAGENS
Rafaela Netto

PESQUISA
Fernando Serapião
Luis Espallargas Gimenez
Marcella Áquila
Mariana Tidei
Fernanda Critelli

RETRATO DE JOÃO KON
João Caldas

PREPARAÇÃO E REVISÃO DE TEXTO
Regina Stocklen
Abilio Guerra

IMPRESSÃO
Ipsis

FONTES TIPOGRÁFICAS
Freight Text
Freight Sans

PAPÉIS
Supremo Duo Design 250 g
Offset 75 g
Munken Lynx Rough 120 g

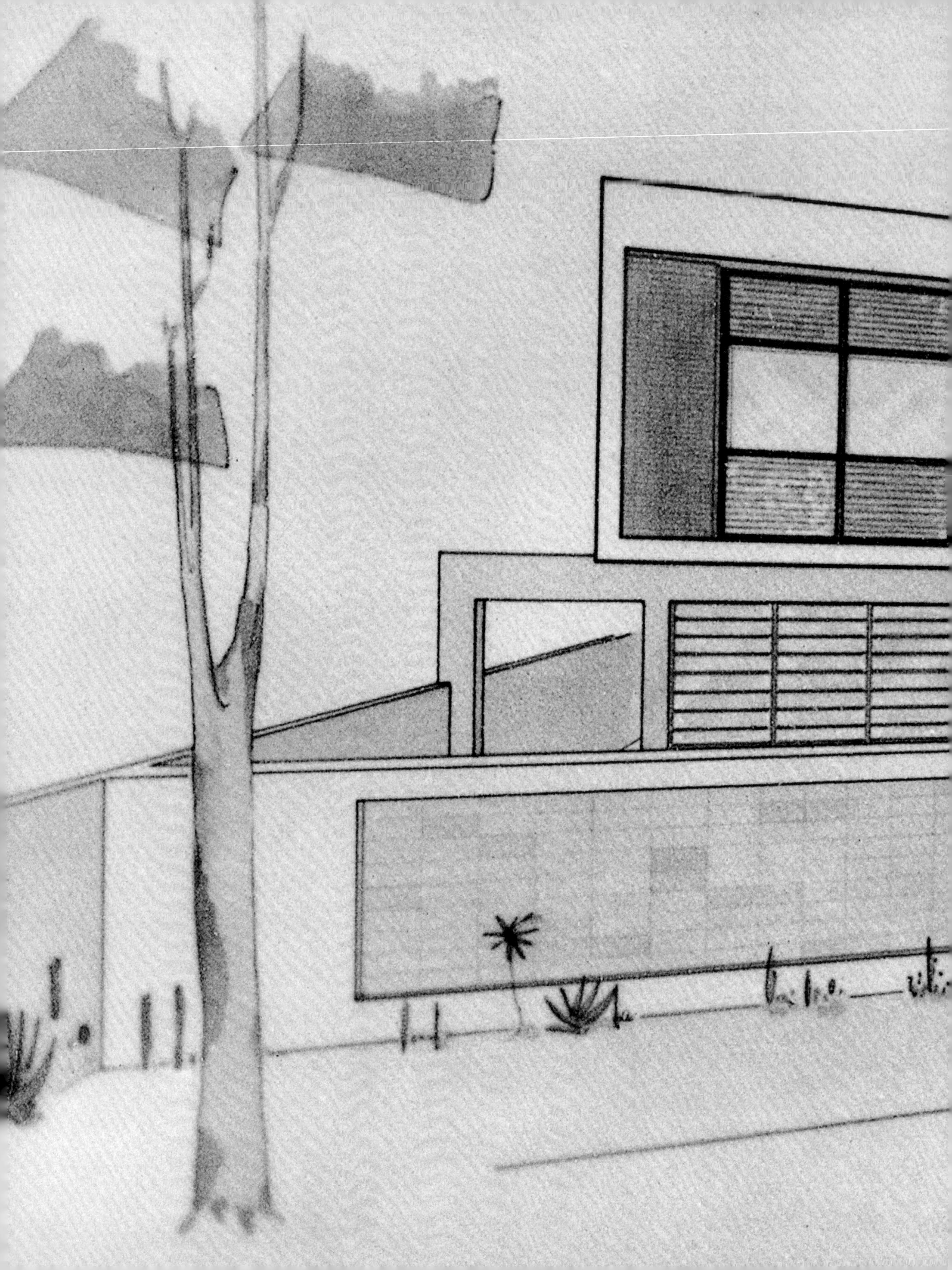

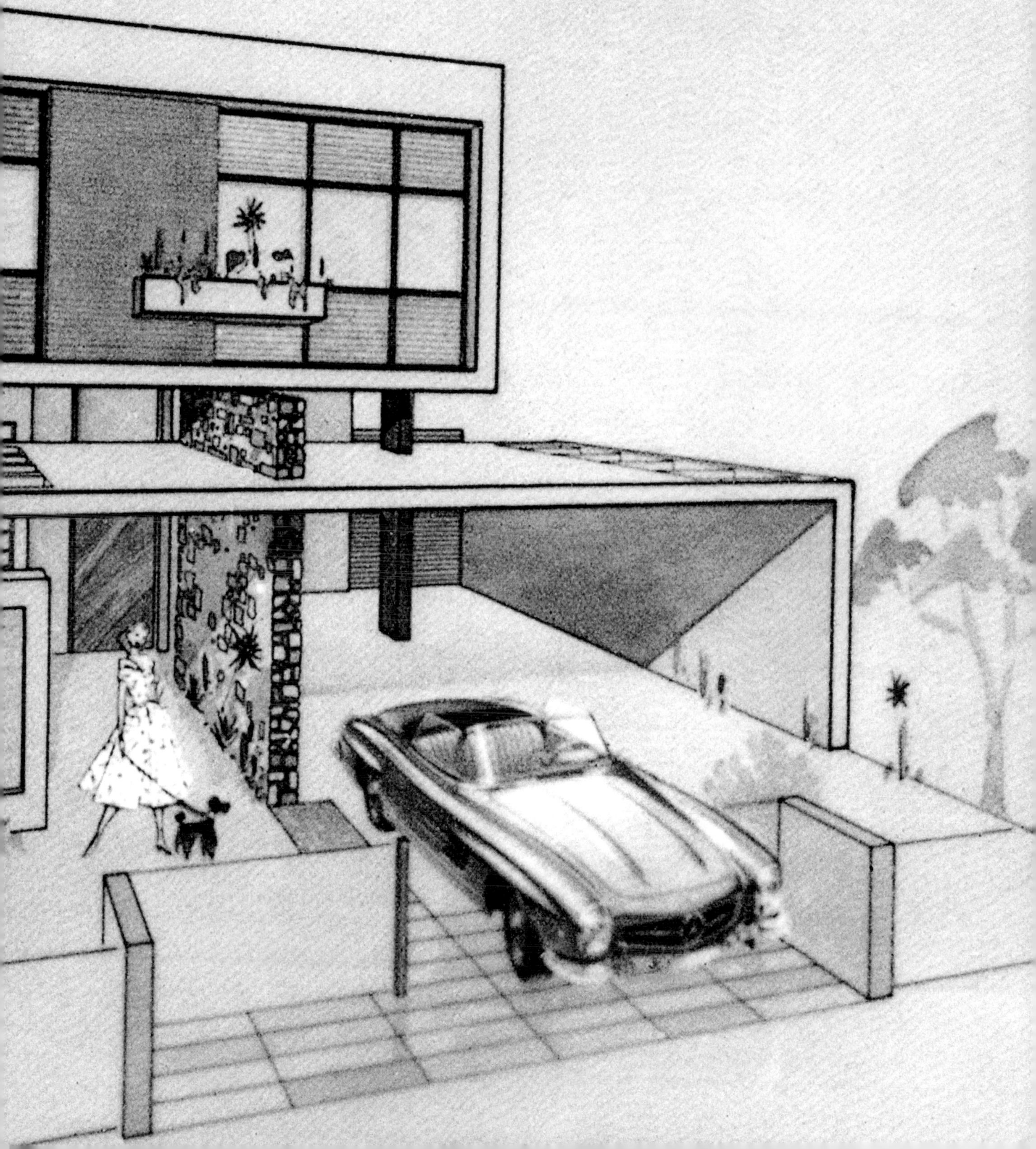

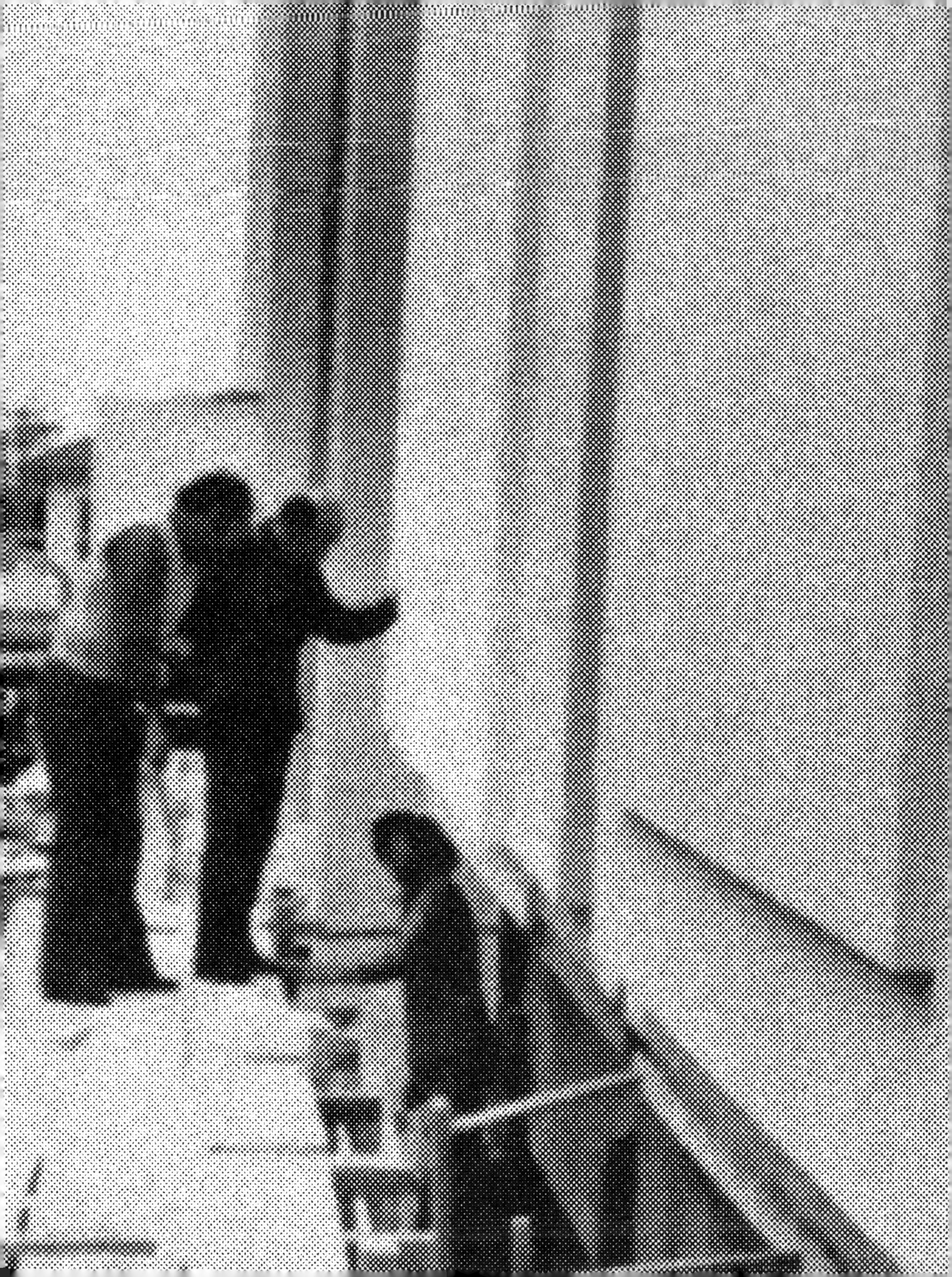

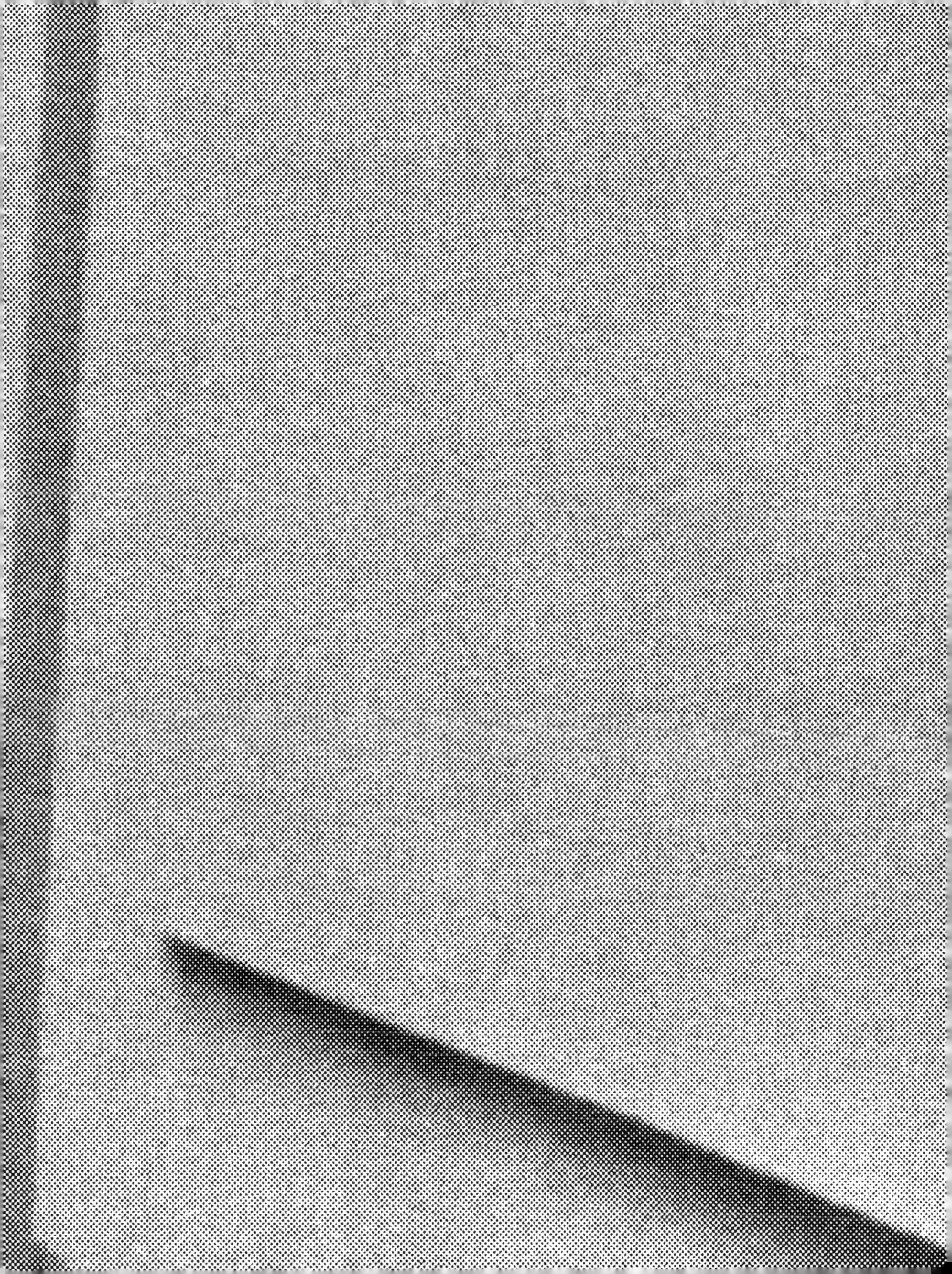

SAMUEL KON
ENGENHARIA E COMÉRCIO LTDA.

JOÃO KON
PROJETOS S/C

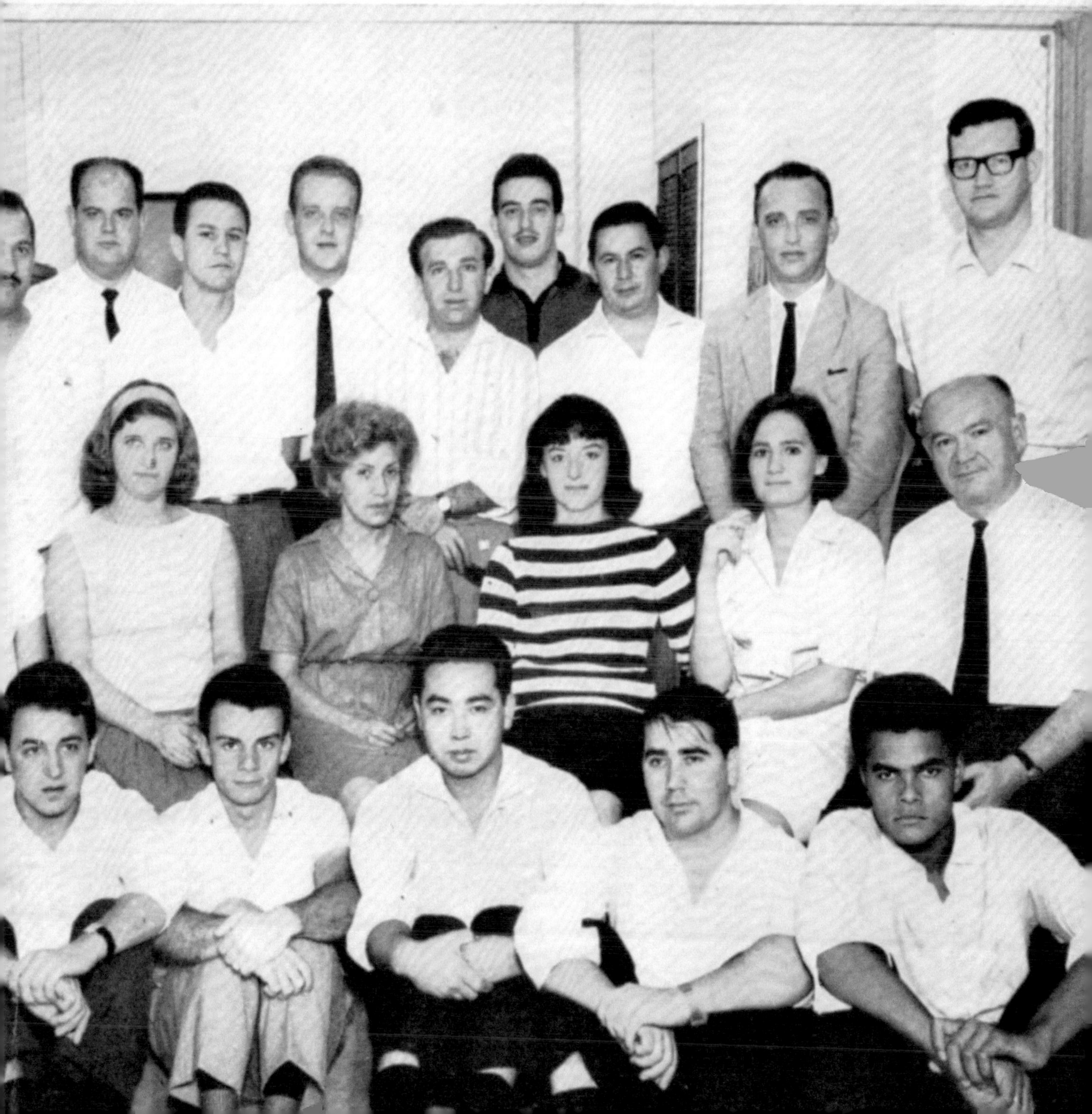

SUPERIOR

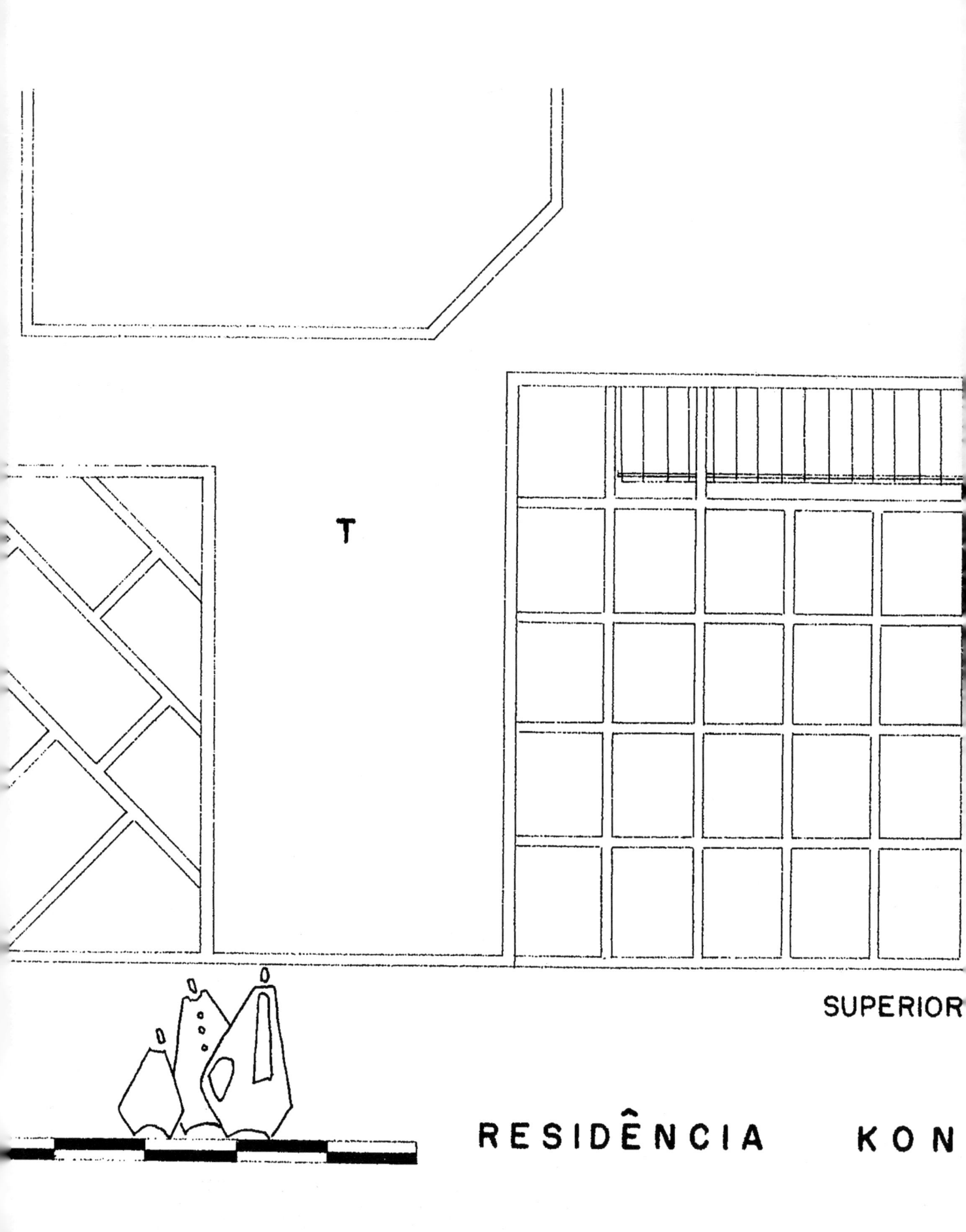

RESIDÊNCIA KON

JOÃO KON

SAMUEL KON